GAMES of the XXIIIrd OLYMPIAD

Harry Valérien

Olympia 84

Los Angeles · Sarajevo

Redaktion Christian Zentner

Südwest Verlag München

Amerika, du hast es besser! Mit Unbefangenheit und viel Patriotismus zeigte sich das Land zwischen den Ozeanen bereits in der Eröffnungsfeier.

Glamour und Show ließen Amerika in jenem Licht erscheinen, das Europa schon immer beeindruckte. Es wurden echt amerikanische Spiele.

Was der Kino-Bond längst zeigte, führte Bill Sooter erstmals ohne Netz und Filmtrick der Öffentlichkeit vor. Sonst blieb's aber recht irdisch.

I like to be in America! 1000 Gymnastiksportler schienen dies zu beweisen. Vom Reigen bis zur US-Landkarte setzten sie alles in Szene.

Hollywood im Coliseum! 1000 Sänger und 84 Pianos hüllten das Stadion in eine Klangwolke aus George Gershwins Rhapsody in blue.

Ein bißchen Kitsch und Sentimentalität gehören dazu. Ein Hauch von Wiener Walzerseligkeit und „Amerikaner in Paris" war es, was da ablief.

Selbst die Zuschauer wirkten mit. Unter ihren Sitzen fanden sie bunte Plastikkarten. Auf Kommando des Stadionsprechers mußten sie diese hoch-

halten. Die Flaggen der 140 teilnehmenden Nationen wurden daraus. Eine freundliche Verbeugung der Gastgeber vor ihren Gästen aus aller Welt.

„Die Pioniere“ oder „Wie der Westen gewonnen wurde“. Im Mittelteil der Eröffnungsshow besannen sich die Organisatoren ihrer amerikanischen

Geschichte. Siedler mit ihren Planwagen schrieben sie. Squaredance und die große Hoffnung begleiteten die Eroberer auf dem Zug nach Westen.

Abzuheben schienen die 90 000 Zuschauer wie die bunten Luftballons auf unserem Bild. Die Eröffnungsfeier hielt, was David L. Wolper, der

Hollywoodregisseur, versprach. Amerika blieb sich treu. Eine Großshow „made in USA“ lief vor über zwei Milliarden Augen in aller Welt ab.

Stars and stripes forever! Sie könnten noch aus der Zeit George Washingtons stammen. Sterne und Streifen wurden zum Renner von Los Angeles.

Inhalt

Noch einmal ganz oben; Ulrike Meyfarth, zweifache Olympiasiegerin im Hochsprung, setzte eines der Glanzlichter des deutschen Sportes in L. A.

XXIII. OLYMPISCHE SOMMERSPIELE

Los Angeles 28. Juli–12. August 1984

1 9 8 4
OLYMPIC TEAM

HARRY VALÉRIEN

Die Zäsur der Spiele

Reach out for the medal, reach out for the gold. Amerika versank im kalifornischen Goldrausch. 174 Medaillen, 83 davon aus Gold. Seine Sieger machten es möglich. Sie gaben dem Land den Glauben an die eigene Stärke und Überlegenheit zurück. Carl Lewis, der vierfache Sieger, war nicht nur einer von ihnen, sondern der goldene Sieger schlechthin.

Kalifornische Spiele, und wie unter einem Brennglas ein Zauber von Hollywood: leuchtende Farben, grelle Lichter und Szenen wie aus dem Film: Raketenmann am Anfang, Raumschiff am Ende, ein Fremder neben dem erlöschenden Feuer, Break-dancers und Lionel Ritchie mit „all night long", Gershwin und Beethoven, feuernde Laser-Kanonen und rührende Signale von Taschenlampen. Dreiundachtzigmal Gold für die USA. Siegtrunken eine ganze Nation, betäubt vom lärmenden Olympia, eingetaucht in wohligen Stolz, immer die Lippen bereit zur Hymne zu Ehren Amerikas und seiner frischen Helden, die sonst nur nach Kriegen oder nach der ersten Mondlandung so gefeiert wurden – mit Medaillen endlich dem Lande fast schon vergessenen Patriotismus zurückgebracht. Ohne nennenswerte Pause dann ins Weiße Haus zum Frühstück bei Ronald Reagan, dem Sieger im Hintergrund. Wollte der Präsident die Olympischen Spiele nicht eigentlich von seinem Land fernhalten und an einen politisch neutralen Ort verweisen? Irritationen vor Los Angeles zuhauf: Gerangel um Geld und Kommerz, Entsetzen über den Ausverkauf der Spiele und die Totengräber einer hehren Idee. Selbst Willi Daume sagte damals: „Es sieht nicht gut aus für Los Angeles."

Und nun dieses große Finale. Sogar nachts hindurch hatte Los Angeles die Sonne im Gesicht. Kein Erdbeben, kein Terroranschlag (die Bombe unter dem Flughafenbus der Türken am Tage nach der Schlußfeier wurde rechtzeitig entdeckt), kein Verkehrschaos, nicht einmal der berühmte Smog. Wohin nun mit dem weltweit verbreiteten Foto, das einen Jogger mit Gasmaske in den Straßen Hollywoods zeigt? Statt lautstarker Proteste von Minderheiten breite Spruchbänder der Zufriedenheit: *Thank you, America!* Enthusiasmus ohne Unterlaß, Spontaneität weit über die Hemmschwelle fremder Beobachter hinweg. Ein Fest freudvoller Ausgelassenheit, für Andersdenkende auch eine Orgie des puren Nationalismus. Kannten sie nicht Berlin, die Spiele von 1936 – oder die von Moskau 1980? Vergleiche können schlimm sein. ABC hin, das Hurrageschrei ihrer Reporter her – wer darf hier Richter spielen? Eigentlich bloß die Sportler, die angesichts erniedrigender Bewertung einer „Mafia von Kampfrichtern" um den Lohn ihrer persönlichen Opfer gebracht wurden. Wer kennt Rat unter Menschen, die für Geschenke empfänglich und sonst von Skrupeln anscheinend nicht geplagt sind? War's denn in Montreal, München und Melbourne anders? Wird Seoul 1988 voller Friedfertigkeit sein, wenn die Gefechte um Medaillen und Hymnen neu anheben?

Los Angeles erlebte die längst erwartete Zäsur der Spiele. In den Müll mit der Heuchelei, auf den Markt mit der Leistung! McDonalds-Restaurationskette baute das Schwimmstadion; Getränkebosse von Seven-Up die Radrennbahn; ABC zahlte für die Fernsehrechte 225 Millionen Dollar, die Bürger von Los Angeles keinen Cent für das prächtige Spektaktel im Orwellschen Jahr. Die ersten privat organisierten Spiele, am Ende sogar mit einem Millionenüberschuß! „Nicht übertragbar auf andere Städte", sagt NOK-Generalsekretär Walter Tröger.

Edwin Moses sprach vor seinem Start öffentlich über seine Einnahmen als Hürdenläufer. Zuerst der Eid, dann die Bilanz. Offene Spiele werden von ihm gefordert zum Wohle der Athleten, „dem Sport fällt dabei kein Zacken aus der Krone." Startgagen von Carl Lewis bis hinauf zu 20 000 Dollar wurden veröffentlicht, auch sein geschätzter Marktwert: aufs Jahr übertragen etwa eine Million Dollar. Anders geartete Stars wie Ulrike Meyfarth und Michael Groß stecken mittendrin in Verhandlungen um Werbung für passende Produkte, keinesfalls Alkohol oder Nikotin. Man werde die Angebote prüfen. Manager offerieren Mary Decker und Zola Budd zigtausend Dollar für ein Duell der beiden Mittelstreckenläuferinnen. Der offene Streit wegen des unglücklichen Sturzes der Amerikanerin wird in Umarmung mit der jungen barfuß laufenden Britin umschlagen, entweder in London oder in New York – wer will das schon wissen?

Fünfzigtausend Helfer

Und was hätte unser alter Freund Mr. Brundage zu diesem Ausverkauf gesagt? Zu Werbeverträgen und Sponsoren, zu Gehältern und Prämien? Karl Schranz, der Geächtete, wird mitleidig lächeln, wenn überhaupt, Paavo Nurmi sich im Grabe umdrehen. Vor 52 Jahren war der Finne wegen überhöhter Spesenforderungen in Los Angeles zum Zuschauen verdammt, statt durch ein paar zusätzliche Medaillen seinen ohnehin schon legendären Ruhm zu mehren...

Verstaubt, vermodert allein schon die Erinnerung. Strahlend das Gold für Peter Ueberroth, den Organisator der Spiele, geehrt von Juan Antonio Samaranch. Geehrt auch die fünfzigtausend freiwilligen Helfer mit einer ganzseitigen Anzeige in der „L. A. Times". Den Urlaub hergegeben für zwei kostenlose

Mahlzeiten, und für all den Einsatz überdies ein Diplom und eine Anstecknadel. *Gracias!* War überhaupt vom Boykott die Rede? Zuerst der tiefe Schmerz, dann Zorn unter den Amerikanern, kaum einsichtig gegenüber ihrer eigenen Haltung vor vier Jahren. Doch darf man den Einmarsch in Afghanistan vergleichen mit der angeblich unzureichenden Sicherheit für die Mannschaften des Ostblocks in Los Angeles? Eifrige US-Funktionäre fordern künftig harte Sanktionen für Spielverderber. Nachdenkliche im Lande kontern mit der Frage, wo die USA denn im

Safety first. Dieser Grundsatz galt auch für Olympia 1984. Die Bewacher waren unerbittlich. Athleten, Funktionäre und Journalisten bekamen es zu spüren. Um der Sicherheit aller willen nahmen Sportler und Öffentlichkeit die Vorkehrungen hin. Der Grund für den östlichen Boykott, sollte er jemals bestanden haben, ist zumindest nachträglich weggefallen.

Falle einer Strafe für ihren Boykott 1980 nun die Medaillen geholt und wodurch sie sich hätten berauschen lassen können. Wer nicht zur Party will, kann auf ihr nicht feiern. Also sieht's nach Selbstbestrafung aus für die Verweigerer. Können sich das Länder wie die Sowjetunion und die DDR ein zweites Mal leisten? Verzichten auf weltweite Darstellung ihres politischen Systems und des – wie sie sagen – ständig wachsenden Leistungspotentials? Jetzt schon zu frohlocken wäre verfrüht. Aber es ist durchaus möglich, daß sich der Boykott à la Moskau und Los Angeles nicht wiederholt; denn Wunden sind vor allem denen zugefügt worden, die die Feste meiden mußten oder von sich aus gemieden haben.

Als zweitklassig bezeichneten die Kritiker in Moskau und Ost-Berlin die Ergebnisse von Los Angeles, Rumpf-Spiele sozusagen, wie 1980. Die Bemerkungen in Moskau lauteten damals anders. Gewiß, die Zahl der Medaillen für die US-Mannschaft (insgesamt 174) wäre wohl halbiert worden im Falle einer Teilnahme der Ostblock-Athleten. Müßig, hier dumme Sandkastenspiele zu treiben. Bitternis bleibt bei denen, die kämpfen und die siegen wollten.

Was überdauert nun das Jahr der XXIII. Olympischen Spiele? Was rührte uns an oder rüttelte uns auf? Hatten konservative Europäer nicht mit einem schrecklichen Desinteresse der Amerikaner an Sportarten gerechnet, die nichts mit Baseball oder American Football zu tun haben? Am Ende wurden knapp sechs Millionen Zuschauer gezählt, allein 1,4 Millionen beim Fußball-Turnier! FIFA-Präsident Havelange wußte schon, warum er gegen die „Diffamierung unseres Sports" bei Herrn Samaranch protestierte. „Wir lieben Fußball", riefen die Hungrigen, die keinen Einlaß mehr ins Rose-Bowl-Stadion fanden, „wir wollen mehr vom Fußball sehen, viel mehr!" Zu den beiden letzten Spielen strömten jeweils 101 000 Zuschauer in die berühmte Arena. Das US-Team war längst ausgeschieden aus dem Wettbewerb, auch die deutschen Bundesliga-Profis auf halbem Wege zum erwarteten Erfolg stekkengeblieben – ähnlich wie Wochen vorher bei der Europameisterschaft in Frankreich. Erich Ribbeck nun vom gleichen langen Schatten bedeckt wie vorher Jupp Derwall, die Rechnung der beiden also ausgeglichen. Selbst Franz Beckenbauer konnte das Team nicht fernsteuern. Aber muß ihn, den einstigen Star von Cosmos New York, die ungeahnte Welle der Begeisterung für Fußball in den USA nicht überrascht haben? Eine Renaissance scheint in Sicht. Vielleicht müssen die Fernsehgesellschaften jetzt umdenken. Jeden Tag bei der Dressurprüfung 35 000 Zuschauer. Manches Pferd scheute, weil es zu Hause nur Reiter und Kampfgericht gewohnt war. Volle Ränge auch beim Synchronschwimmen, bei Volleyball, Judo und Ringen – wo eigentlich nicht? Zu guter Letzt gab's noch eine spektakuläre Darbietung, neu im olympischen Programm: Rhythmische Gymnastik – nicht mit Mary Lou Retton, nicht mit Peter Vidmar oder mit Bart Connor, und doch ein Ereignis von ungewöhnlicher Faszination.

Überwältigende Gefühle

Erregende Bilder und dramatische Szenen – Olympische Spiele bieten sie ständig aufs neue. Wer erschrak nicht beim Anblick der Schweizer Marathonläuferin auf der Zielgeraden? Wäre er dazu in der Lage gewesen, der Mann von Gabriela Andersen-Schiess hätte sie von der Bahn genommen. Ärzte

Lässig lehnt Peter Ueberroth im Sessel. Das Werk ist vollbracht. Der Cheforganisator der amerikanischen „Olympics" wird als Held gefeiert. Ihm ist es gelungen, nicht nur eine perfekte Organisation und eine heitere Show aufzuziehen, sondern auch zu beweisen, daß Olympische Spiele privat finanziert und doch ohne zu aufdringliche Werbung möglich sind. Ueberroth dürfte zur Zeit eine der populärsten Personen in Kalifornien, vielleicht in den USA überhaupt sein. Sicherlich zu Recht verlieh ihm IOC-Präsident Samaranch bei der Schlußfeier die Ehrenkette des IOC.

Daß es sich um die ersten totalen Fernsehspiele der Geschichte handelte, ist eines der bemerkenswertesten Überbleibsel von L. A. Der amerikanische Fernsehriese ABC machte es möglich. Was seine Leute mit ihren elektronischen Kameras an Bildern einschließlich „replay" und „slowmotion" einfingen, brachte schon bekannte, aber auch völlig neue Perspektiven des Sports in unsere Wohnzimmer.

und Sport-Mediziner im Stadion sahen es anders. Einer von ihnen meinte, die Läuferin sei nicht desorientiert, ihre geistigen Fähigkeiten noch intakt gewesen. „Warum die Frau also stoppen, wenn sie entschlossen ist, ihr Rennen zu beenden . . . – Verdammt noch mal, dann laßt sie es doch tun!" So einfach ist das.

Oder vergißt jemand, der die Bilder gesehen hat, Jeff Blatnik, den amerikanischen Ringer, nach seinem Sieg? Noch auf der Matte kniend betete er, stand dann auf und ging zu seiner Familie und schließlich weiter zum Reporter von ABC, der ihn nach dem unfaßbaren Glück fragte: Vor zwei Jahren von Hodgkinscher Krankheit befallen, operiert, und nun Olympia-Sieger! Jeff Blatnik versucht zu erzählen, allen Schweiß und alle innere Erregung im Gesicht. Seine Worte überschlagen sich. Er beugt sich nach vornüber, weint bitterlich und erschütternd zugleich. Das Gegenstück: Bobby Weaver, auch ein Ringer. Nach dem Sieg rennt der Amerikaner zweimal wie ein von der Tarantel Gestochener im Kreis herum, reißt seiner Frau den acht Monate alten Sohn aus den Armen, kehrt mit ihm auf die Matte zurück und streckt dem tobenden Publikum den Arm des kleinen Filius entgegen, als ob er damit die Gefühle seines Triumphes verdoppeln und verschenken könnte.

Und das Glück der Deutschen? Nie war eine Mannschaft bei Olympischen Spielen außerhalb des eigenen Landes größer (417 Teilnehmer), nie erfolgreicher (59 Medaillen, davon 17 Gold). Aus der Sicht der Funktionäre lag diese Ausbeute an der unteren Grenze der Erwartungen. Sie sagen, es hätten auch 70 oder 80 Medaillen werden können. Die Namen einiger Medaillengewinner mußten sich selbst Sportjournalisten buchstabieren lassen: Frank Wieneke oder Rolf Danneberg zum Beispiel. Im Vergleich zu Favoriten im Team, die Gold näher schienen als andere, entpuppten sich hocheingeschätzte Außenseiter zu Olympia-Siegern: Cornelia Hanisch im Fechten, Claudia Losch im Kugelstoßen und Dietmar Mögenburg im Hochsprung. Und natürlich Ulrike Meyfarth, zwölf Jahre nach ihrem ersten Olympiasieg nun zum zweiten Mal Gold! Reiner Klimke rückte mit seiner fünften Goldmedaille in einer langen olympischen Karriere als Reiter zu Hans-Günther Winkler auf; Michael Groß kehrte als erfolgreichster Teilnehmer der Schwimmwettbewerbe mit vier Medaillen und zwei Weltrekorden nach Offenbach zurück; die Handballer zeigten sich wieder überraschend erstklassig; die Hokkey-Spieler unterlagen erst in der Verlängerung gegen Pakistan, und wie Regina Weber nach vorangegangener „unglaublich schwacher Leistung" doch noch eine Bronze-Medaille gewann, dieses Mirakel wird sie noch häufig erzählen müssen. Mannschaftsleiter Heinz Fallak lobte am Ende vor allem die Kameradschaft, Schwächen im Team wollte er erst nach internen Gesprächen in der Öffentlichkeit diskutieren.

Von den sieben bekanntgewordenen Dopingfällen (der finnische Langstreckenläufer Martti Vainio mußte die im 10 000-Meter-Lauf gewonnene Silbermedaille wieder zurückgeben) waren deutsche Teilnehmer nicht betroffen. Thomas Bach, Mitglied der IOC-Athleten-Kommission, meinte, das Problem sei nur durch wirksame Kontrollen in den Griff zu bekommen. Doch Olympia, so quicklebendig wie nie, reizt immer wieder dazu, Unerlaubtes zu tun, um das Höchste zu erreichen. Wie sagte doch einst ein Hochleistungs-Sportler: „Lieber 10 Jahre weniger leben, als nicht Olympia-Sieger geworden zu sein – dafür lange ich dann schon mal zu . . ."

Olympia: eine der Hoffnungen unserer zivilisierten Welt

Der Sport samt riesigem Troß marschiert nun geradewegs und ungestüm auf Seoul zu. Vier Jahre noch – in der Praxis heißt das übermorgen. Verstärkt werden die Länder der Dritten Welt wiederkommen; China nach langanhaltender Lethargie noch weiter aufrücken zu den Mächtigen, dabei das Ziel im Auge behaltend, im Jahre 2000 vielleicht selbst Gastgeber von Olympia zu sein. Griechenland hofft, das Fest 1996 feiern zu dürfen und danach auf Dauer Schauplatz der Spiele zu sein. Viele Menschen wünschen sich das. Doch ich kenne kein Mitglied im IOC, das diesem Gedanken ernsthaft eine reelle Chance gäbe. Die Herren des Komitees haben auch so eine Menge zu tun. Berthold Beitz als neuer Vizepräsident wird nicht klagen müssen über Mangel an Aufgaben zwischen den verhärteten Fronten von Ost und West.

Vorab jedoch hat Señor Samaranch erst einmal den Bewerbern der Winterspiele für 1992 Glück gewünscht. Man wird härter denn je um den Zuschlag von Olympia kämpfen. Fraglos hat das Echo auf die jüngsten Spiele sogar Zweifelnde munter gemacht und, vorübergehend zumindest, den verführerischen Eindruck erweckt, als seien Olympische Spiele die einzig verbliebene Hoffnung unserer zivilisierten Welt.

ERÖFFNUNGSFEIER

Optimistischer Startschuß

Allen Sportlern, allen Funktionären, fast allen Kritikern und Journalisten und wohl auch der überwiegenden Mehrheit der in die Milliarden gehenden Zuschauer im Stadion und an den Bildschirmen in aller Welt gefiel diese Eröffnungsshow der XXIII. Olympischen Sommerspiele ausnehmend gut. Angesichts der unmittelbaren Nähe von Hollywood und Disneyland hatte man ja gewisse Befürchtungen gehegt. Aber man bot bestes „Kultur-Entertainment" Marke Hollywood, fast nichts von Disney-Touch, kaum Kitsch, gekonnte Massenauftritte und viel amerikanische Musik, Count Basie, Glenn Miller, George Gershwin und Co., Melodien, die die Kindheit und die Jugend vieler europäischer Generationen fast wie „Volkslieder" begleitet haben. Durch die ganze, über dreistündige Feier wehte so etwas wie der „Geist von München 1972", als man seinerzeit noch auf wirklich fröhliche Spiele hoffen durfte.
92 000 Zuschauer im Coliseum-Stadion von Los Angeles, die für ihre Eintrittskarten zwischen 140 Mark und 500 Mark ausgegeben hatten, und rund 2,5 Milliarden Menschen vor den Fernsehschirmen in aller Welt freuten sich über ein Spektakel, das eigentlich nie langweilig war, höchstens gewisse Längen beim endlosen Einmarsch der sportlichen Vertreter von 140 Verbänden (Teilnahmerekord trotz östlichem Boykott!) aufwies. Aber gerade dieser Einmarsch, dieses Dabeisein der Sportler, ist ja der eigentlich Höhepunkt, wird von den Athleten überaus geschätzt.
Die Show begann mit 1065 fliegenden bunten Riesenluftballons. Ein „Jet-Man", bewegt von einem Raketenrucksack Marke Raumfahrt, landete im Stadion. Eine Schaukapelle von 750 Musikern aus den 50 Bundesstaaten spielte flott auf, 84 Pianisten an ebenso vielen Flügeln, die wie von Geisterhand bewegt auftauchten, boten Gershwins „Rhapsody in Blue", und Hunderte von Darstellern inszenierten rund um eine Westernstadt aus Pappmaché eine musikalische US-Geschichtsstunde mit Mann und Maus und Wagen.
Bei diesen Operettenszenen aus der gewiß nicht friedlichen amerikanischen Pionierzeit wurden allerdings geflissentlich die Indianer „vergessen". Die Musiker markierten auf dem Rasen die Grenzlinien der USA, und sogar die Zuschauer spielten, ohne Proben, mit, bildeten auf den Rängen mit bunten Tüchern die farbigen Flaggen der teilnehmenden Länder. Mehr als 9000 Menschen arbeiteten vor und hinter den Kulissen an dieser Show mit, die Hollywood-Produzent David Wolper (Fernsehserie „Roots") in Szene gesetzt hatte. Tausendstimmig erklang der weißgekleidete Chor.
Nach eineinhalb Stunden Unterhaltung marschierten die Mannschaften ein, voraus wie immer Griechenland, zum Schluß die USA, dazwischen Rumänien und die Volksrepublik China, beide sozusagen aus politischen Gründen mit besonderem Beifall und „standing ovations" bedacht. Die bundesdeutsche Mannschaft mit Fahnenträger Willi Kuhweide (der den Losentscheid gegen den Dressurreiter Klimke gewonnen hatte) kam überraschend nicht als 40., sondern als 45. Team. Bundesaußenminister Genscher hatte interveniert: Man solle die Deutschen nicht unter dem Buchstaben „F" wie „Federal Republic of Germany", sondern unter „G" wie „Germany" einziehen lassen! Genscher hatte diesbezüglich an den erkrankten NOK-Präsidenten Willi Daume geschrieben, der hatte das Schreiben an NOK-Generalsekretär Tröger weitergeschickt, und der hatte schließlich die Organisatoren einen Tag vor der Eröffnung um eine entsprechende Änderung des Protokolls gebeten. Seit 1979 heißt das bundesdeutsche NOK im Protokoll offiziell „Federal Republic of Germany", englisch abgekürzt „FRG", französisch „RFA". Mannschaftsführung und Delegationsleiter waren von diesem diplomatischen Vorstoß „einigermaßen überrascht". Aber beim IOC schien es wegen dieser Veränderung keine Verärgerung gegeben zu haben.
Nach diesem Einzug stand die Eröffnungsfeier im Zeichen der Schwarzen und von kleinen Schnitzern. Eindeutig die Reverenz vor den schwarzen Amerikanern: Die junge Negerin Gina Hemphill, Enkelin des legendären Jesse Owens, trug die olympische Feuer-

Das olympische Protokoll ließ ihn nur wenige Worte sagen: Präsident Reagan, aus Sicherheitsgründen hinter Glas. Dabei wäre die Eröffnungsfeier mit ihrem hohen TV-Wert eine ideale Plattform für den Wahlkämpfer Reagan gewesen.

Die Mannschaft, die diesmal Deutschland alleine vertrat, beim Einmarsch. Mit 412 Teilnehmern stellte die Bundesrepublik nach den USA und Kanada das drittgrößte Team der Spiele. Erwartungen und große Hoffnungen begleiteten die Sportler.

Die Volksrepublik China wieder dabei. Eine neue Sportgroßmacht kündigt sich an.

fackel ins Stadion, lief eine Runde und übergab sie dann dem schwarzen Zehnkampf-Olympiasieger von Rom, Rafer Johnson, der die Feuerschale entzündete, wobei die Flamme durch einen „Gaskanal“ hinauf zur Schale „lief“; der schwarze Hürdensprinter Edwin Moses legte das olympische Versprechen ab. Daß er dabei in dem kurzen und heute wohl überflüssigen Text steckenblieb (wie übrigens bei den Winterspielen in Sarajevo Bojan Krizaj auch) und mehrere Satzwiederholungen brauchte, um sein „Gedächtnis wiederzufinden“, war eher eine menschlich rührende Panne.

US-Präsident Ronald Reagan, mit seiner Frau Nancy sicher hinter dickem Panzerglas versteckt, patzte als gelernter Schauspieler ebenfalls, drehte die Eröffnungsformel um und verkürzte sie sogar. Aber das übliche Protokoll stimmte ja ohnehin nicht, konnte doch Moskaus Bürgermeister die Olympiafahne nicht überreichen. Boykott ist eben Boykott. Der IOC-Präsident deutete die Situation kurz an, als er in seiner Ansprache erklärte: „Unsere Gedanken sind bei den Athleten, die nicht bei uns sein können.“ Er schloß mit dem Satz: „Gott segne Amerika!“ Ohne den Boykott der Warschauer-Pakt-Staaten und ohne die Absagen einiger anderer Verbände aus anderen Gründen (insgesamt 18 Länder) hätten 158 Sportverbände teilnehmen können. So wurden 140 Länder vorgestellt, immerhin noch 18 mehr als 1972 in München, das die bisherige Rekordteilnahme aufwies.

Gemessen an der Teilnehmerzahl in Los Angeles, an der Fröhlichkeit der Eröffnungsfeier, am Schwung und an der Begeisterung der Wettkämpfe sind diese Olympischen Spiele der Neuzeit keineswegs „tot“, auch nicht „scheintot“, sondern höchst lebendig und sogar mitreißend.

Diese Eröffnungsfeier gab einen optimistischen Startschuß, und nachdenkliche Beobachter mag am meisten die Tatsache gefreut und ermuntert haben, daß in der ersten Reihe der Mannschaft aus Neuseeland eine ganz besondere Athletin „mitmarschierte“: Die Bogenschützin Neroli Fairhall, als Behinderte in einem Rollstuhl sitzend! Sie nahm wie selbstverständlich an dieser Eröffnungsfeier und an den Wettkämpfen der Bogenschützen teil, integriert in eine Gesellschaft, die aufgefordert ist, allen Behinderten normal und sozial, aber ohne falsches Mitleid und Überheblichkeit zu begegnen. Für viele Beobachter mag diese Neroli Fairhall das hoffnungsvollste Zeichen dieser Spiele gewesen sein, ein Ausdruck „olympischen Geistes“.

Die große Show gab den Rahmen für die Athleten

Das Feuer kam mit einer Riesenüberraschung: Gina Hemphill, die Enkelin von Jesse Owens, trug es ins Stadion; Rafer Johnson, der ebenholzfarbene Olympiasieger im römischen Zehnkampf von 1960, entzündete es. Eine neuseeländische Bogenschützin im Rollstuhl, Neroli Fairhall, zog berechtigterweise die Aufmerksamkeit auf sich. Boykottbrecher Rumänien erhielt beim Einmarsch den größten Beifall nach dem Veranstalterland. Ins Stolpern gekommen ist Ed Moses, der große Hürdenläufer, beim Sprechen des olympischen Eides.

GAMES
OF THE
XXIII rd
OLYMPIAD
of the XXIIIrd OLYMPIAD
LOS ANGELES CALIFORNIA

Federal Republic
of Germany
Benin
Bermuda

AMERIKA UND DIE SPIELE

Neues Nummer-eins-Gefühl

Das Ritual wiederholt sich alle vier Jahre. Am Freitag vor der Schlußfeier sitzen sich im Pressezentrum zwei gegenüber. Und während der eine sein Manuskript aus der Maschine reißt, sagt der andere: Noch drei Tage, Herr Kollege, und die schaffen wir auch noch. Unter Reportern gilt das als Ausweis einer gewissen Weltläufigkeit, man ist schließlich nicht zum ersten Mal bei Olympischen Spielen, es war ganz schön in Los Angeles, besser als erwartet. Aber allmählich ist es genug.

Es muß am Beruf liegen – wer in den letzten Tagen der Spiele von Los Angeles hineinhört ins Land, registriert ein ganz anderes Echo. Natürlich, *all good things must come to an end,* jeder weiß das, aber wenn es nach der Masse der Amerikaner ginge, hätte die olympische Verzauberung noch eine Weile länger dauern können. Ähnliches hat das Land lange nicht erlebt: Da findet 15 Tage lang auf amerikanischem Boden eine Mammutveranstaltung statt, die viel Geld verschlingt, die freie Zeit von Millionen mühelos monopolisiert, unbekannten Ausländern zuhauf das Privileg der unbehinderten Einreise in die USA verschafft, und niemand in der sonst recht streitbaren amerikanischen Öffentlichkeit hat daran das Geringste auszusetzen. Nur Muttertag und Weihnachten waren in den letzten Jahren weniger umstritten.

Einmal am ersten Tag ist Ronald Reagan auf der olympischen Szene in Erscheinung getreten. Danach zog er sich zurück auf seine Ranch bei Santa Barbara und vor den Fernsehapparat, wie die Mehrheit seiner Landsleute. Was er dort sah, hat ihn heiter gestimmt und zuversichtlich. Das kann nicht überraschen – in der Wirkung der Spiele auf die Menschen in den USA mag er sich selbst wiedergefunden haben. Seine politische Philosophie, die Art seiner Amtsführung, sein Verhältnis zu den mächtigen Minderheiten der Schwarzen und der Frauen sind in hohem Maße kontrovers, aber eins mögen ihm selbst seine schärfsten Kritiker nicht bestreiten: Er versteht es wie kein anderer Politiker seit John F. Kennedy, bei seinen Landsleuten patriotische Gefühle zu wecken, er besitzt die seltene Gabe „to make people feel good about America". Und das vor allem haben auch die Olympischen Spiele von Los Angeles bewirkt. In den Erfolgen ihrer Athleten erkannten die Millionen vor dem Bildschirm die Überlegenheit des „american way of life" gegenüber den Lebensformen jeder anderen Gesellschaft, was eine heimliche Bewunderung für die Kultur der Europäer und die industrielle Disziplin einiger Ostasiaten ja nicht ausschließt. Als Mike Heath nach der 4×200-Meter-Freistilstaffel „USA number One" in die ABC-Mikrofone schrie, hat er vielleicht wirklich nur die Goldmedaille gemeint, aber den Bürgern in Seattle, Kansas City und Baton Rouge klingt das anders in den Ohren. Das Nummer-Eins-Gefühl in Los Angeles entsprang nicht nur den imponierenden Siegen der amerikanischen Olympia-Mannschaft, da war mehr im Spiel: Da reklamierten Millionen Amerikaner nach einer langen Zeit echter oder vermeintlicher Demütigungen den ihnen gemäßen Platz in der Welt. Und der kann nach ihrem Verständnis nur ganz oben sein. Der Zeitgeist erlaubt wieder Patriotismus.

Günstiger kann es gar nicht kommen. Zwischen Schlußfeier und Präsidentschaftswahl liegen weniger als drei Monate. Und genau in der Zeit des heißen Wahlkampfes beschert Olympia den Republikanern (und Ronald Reagan, ihrem ersten Mann) eine Aufwallung nationaler Selbstbehauptung, die manchem unentschlossenen Wähler das Gefühl gegeben haben wird, es sei gut und ehrenvoll, in Ronald Reagans Amerika zu leben. Der Präsident hatte zwar nichts zu tun mit der Vorbereitung und der Durchführung der Spiele von Los Angeles, aber sein Geist schwebte allemal darüber.

Die Finanzierung scheint abgeschrieben zu sein aus dem Lehrbuch für die „Reagonomics": Die Kräfte der freien Wirtschaft können alles in Bewegung setzen, wenn der Staat ihnen nur genügend Spielraum läßt. Ob das auf die Dauer einer ganzen Volkswirtschaft bekommt, steht dahin, aber in Los Angeles haben die „Reagonomics" glänzend funktioniert. Dreißig Großunternehmen und ABC, der Fernsehgigant (der ja auch eins ist), sind mit 500 Millionen Dollar in Vorlage gegangen. Das war mehr als genug, am Ende blieben noch ein paar Millionen übrig. Die Steuerzahler waren umsonst dabei, künftige Olympia-Ausrichter werden das aufmerksam notiert haben.

Der Boykott der Ostblockstaaten hat den Spielen von Los Angeles sicher einiges von ihrem sportlichen, mindestens ihrem statistischen Wert genommen, obwohl die Athleten aus Ost-Berlin, Warschau und Moskau von den Kommentatoren schon bald nur noch in Nebensätzen erwähnt wurden und in der letzten Woche gar nicht mehr. Politisch hat sich die Sowjetunion einen Bärendienst erwiesen, so wie es vier Jahre zuvor die USA getan haben. Sie und ihre Verbündeten haben die Gelegenheit versäumt, ihre Sportler im sanften Licht Olympias antreten und sie-

Der Blick durch die olympische Brille bestätigte den Amerikanern, was sie ja trotz mancher Unbill und Kritik immer schon wußten: USA – number 1 everywhere.

gen zu lassen, der amerikanischen Öffentlichkeit zu demonstrieren, daß sympathische Kommunisten nicht allein in Peking und in Bukarest zu Hause sind. Die Anwesenheit der Mannschaften aus China und Rumänien reinigt die Regierung Reagan ein wenig vom Verdacht des blinden Antikommunismus, sie wird in Washington zudem als Zeichen sowjetischer Schwäche gedeutet. Auch mit dem Versuch, den Amerikanern ihre Spiele zu verderben, sie zu einer Rumpf-Veranstaltung zu reduzieren, ohne Glanz und ohne Echo, sind Reagans Antagonisten in Moskau kümmerlich gescheitert – über zwei Milliarden Fernsehzuschauer in der ganzen Welt wissen ziemlich genau, wie die olympischen Festlichkeiten in Kalifornien verlaufen sind. Von Gewalttätigkeit auf den Straßen keine Spur, niemand hat um Asyl nachgesucht, und die Sportler aus dem kommunistischen China und dem kommunistischen Rumänien waren vom ersten Tag an die Darlings eines Publikums, das im übrigen mit all den anderen Ausländern nicht viel anzufangen wußte. Viele Besucher aus Europa hat es offenbar schockiert, daß die Olympischen Spiele im Fernsehen oft aussahen wie amerikanische Meisterschaften mit gelegentlicher ausländischer Beteiligung. Mit dem sportlichen Übergewicht der amerikanischen Mannschaft ist das nur unzureichend erklärt. Die schiere Größe der USA, der Umstand, daß die große Mehrheit der Amerikaner in kleinen Gemeinden oder bestenfalls in Mittelstädten lebt, oft ein ganzes Leben ohne Kontakt mit Fremden und fremder Kultur, das Gefühl, in Gottes eigenem Land zu Hause zu sein, all das führt manchmal zu einer nationalen Selbstverliebtheit, zu einem fröhlichen, gedankenlosen Hurrapatriotismus, den manche Europäer irritierend finden. Der „häßliche Amerikaner" gleichwohl ist bei den Spielen in Los Angeles nicht gesichtet worden. Die Gastgeber haben alles gehalten, was sie versprochen hatten.

Hanns Joachim Friedrichs

Patriotismus als Modehit. Aktive und Zuschauer überboten sich in nationalem Eifer. Mit ihrem Fahnenfetischismus weckten die Amerikaner auch die vaterländischen Gefühle der Konkurrenten. Gegen das allgegenwärtige Sternenbanner aber waren ihre Demonstrationen chancenlos.

CARL LEWIS

Ein Naturereignis

Die Werbung verkündet es schon. Den Sprung auf den sportlichen Olymp hat Carl Lewis mit vier Goldmedaillen bereits geschafft. Der „jump", vorher angekündigt, war unabdingbare Voraussetzung für die Landung in einer anderen Welt. Es wird interessant sein, ob ihm der Sprung aus der Welt des Sports nach „downtown" in die Arenen des „big business" gelingt.

Die Prophezeiung erfüllte sich. Das versprochene, das ersehnte, das weltbewegende Ereignis trat ein. Doch als es geschah, hat die Erde nicht gebebt. Carl Lewis trug den Staffelstab siegreich ins Ziel und ließ sich seine vierte Goldmedaille umhängen. Der Beifall schwoll an und verebbte im Coliseum von Los Angeles. Der Held trat ab, die Show ging weiter.

Die Sache war getan. Und weil so lange vorher schon so viel darüber geredet und geschrieben worden war, mußte die Erfüllung des Traums zwangsläufig hinter den Erwartungen zurückbleiben. Wie so oft im Leben, ist Vorfreude die schönste Freude gewesen.

Wie anders hatte es doch begonnen. Die goldenen Strahlen der Abendsonne verklärten den schwarzen Heros, als er seiner ersten Goldmedaille entgegensprintete. Die Menschen in den Bann schlug mit der spielerischen Leichtigkeit des Laufs, welche die Kraft kaum ahnen läßt, die dahintersteckt. Sie zur Raserei trieb, als er das Sternenbanner schwenkte, sie stille werden ließ, als er ein Dankgebet zum Himmel schickte. Fahne und Gebet, Stärke und Demut: Die ganze Nation fühlte sich eins mit dem Sieger.

Aber dann hat er sie auf die Probe gestellt. Was war ihr wichtiger: Mehr Siege oder ihr Vergnügen? Ihm jedenfalls der Erfolg. Hat der erwartungsvollen Menge nur einen Weitsprung vorgeführt; der reichte zur zweiten Goldmedaille. Da pfiffen sie. Hey, Boy, wo bleibt die Show? Er müsse sich schonen für die 200 m, hat Carl Lewis sich entschuldigt. Und sie nur knapp gewonnen. Der Übermensch zeigte menschliche Züge.

Carl Lewis scheint gespürt zu haben, daß ihm zwar gelungen war, was er mit jeder Faser seines Körpers erstrebte, aber, am Ende des langen und beschwerlichen Wegs, doch das große Glücksgefühl vermißte. „Ich bin müde, physisch und psychisch", hat er gesagt. „Was ich geschafft habe in dieser Woche, ist ein Lebenswerk. Ich bin glücklich und traurig. Ich habe alles erreicht, und nun ist alles vorüber."

Alles vorbei? Das große Geschäft geht doch erst richtig los, mit den vier Goldmedaillen als Kapital. Lewis trägt Haute Couture zu Markte auf seiner schwarzen Haut, wirbt für das Feinste vom Feinsten, denn er liebt schöne Dinge. Joe Douglas, sein Manager, hat einen Vierjahresplan aufgestellt mit dem Ziel, Lewis so reich zu machen wie Amerikas Pop-Idol Michael Jackson. Der Sänger hat gerade den Weltrekord im Plattenverkauf gebrochen mit seinem Album „Thriller" und beliebt, einen weißen, mit Diamanten besetzten Handschuh zu tragen.

Und Lewis will trotzdem weiter laufen und springen, nicht für Gold, sondern für Geld. Allein für seinen Auftritt beim Kölner Sportfest hat er 55 000 Mark kassiert. Wie lange das gutgeht? Hoffentlich noch eine ganze Weile. Denn, das Geschäftliche mal ganz außer acht gelassen, und die glattzüngigen Sprüche, die Carl Lewis so leicht über die Lippen gehen: Was für ein Athlet! Wie geschaffen für neue Höchstleistungen. In 8,94 Sekunden hat er die letzten hundert Meter im Staffelrennen zurückgelegt. Der verfügt über ungenützte Reserven, auch im Weitsprung. Da hält noch immer sein Landsmann Bob Beamon den Weltrekord mit 8,90, und auch die Bestmarken über 100 und 200 m sind nicht von Lewis gesetzt worden. Eine Herausforderung ohnegleichen. Wird er sie annehmen?

Er wird. Er braucht die Selbstbestätigung, ist süchtig nach dem Bad in der Menge, sucht ihre Geborgenheit wohl, weil sie fern genug ist. Carl Lewis gilt als Einzelgänger. „Ihn zu verstehen ist so schwer, wie Michael Jackson zu verstehen", sagt sein Weitsprung-Rivale Larry Myricks. Und resigniert: „Du kannst es nicht."

Alles mögliche hat der kleine Carl ausprobiert, im Sport, ehe er zur Leichtathletik kam. Beim Baseball haben sie ihn nicht brauchen können, weil er lieber Gänseblümchen pflückte. Football war ihm zu brutal, Soccer, Fußball, hat er erfolglos versucht. Für den Mannschaftssport hatte Carl Lewis nichts übrig.

Seinen Individualismus hat er im Kreis der Familie gepflegt, den er eigentlich nie verlassen hat, obwohl er, der jüngste von drei Söhnen, jetzt in Houston lebt. „Wir hatten nie viele Freunde. Und keines der Kinder ist verheiratet", sagt Vater Bill. Auch Carol nicht, die Schwester, Weitspringerin der Weltklasse.

Sports Illustrated beschreibt es vorsichtig. Carl habe seine Teenagerzeit immer nur im Startblock zugebracht, während seine Altersgenossen flirteten. Carl Lewis weiß, daß getuschelt wird: „Einige reden über mich wie über einen Hund. Ich sei homosexuell. Ich bin es nicht. Und ich würde Gorilla-Hormone nehmen. Alles falsch." Es regt ihn nicht auf, weil es ihn nicht berührt.

Carl Lewis, ein Phänomen, ein Phantom, ein Naturereignis. Ein Amerikaner, wie sie ihn mögen, vor allem die Weißen. Ein schwarzer König der Athleten. Aber Larry Myricks hat recht: Schwer zu begreifen.

First Interstate
UNION BANK
ONE WILSHIRE
TIONAL BANK
PACIFIC MUTUAL LIFE

1
1
3

Stolze Bilanz

Perfektionisten ebenso wie die Freunde einer vollklimatisierten Welt hätten in Los Angeles gern ein geschlossenes Dach über dem Kopf gehabt: Sie meinten die Anzahl der Weltrekorde, und der manchmal donnernde Beifall der Amerikaner wären in einer Schwimmhalle weitaus eindrucksvoller ausgefallen. Als ob unter der heißen Sonne Kaliforniens nicht ohnehin genügend Früchte und Träume reiften.
Steve Lundquist, der blonde, spaßige Amerikaner, stand nach dem letzten Rennen mit seinen Staffelfreunden auf der Startbrücke, ein großes weißes Handtuch vor die Kameras und vor das Publikum haltend: „America – thank you for a dream come true." Das US-Team hatte allen Ehrgeiz in diese Spiele gepackt und dazu den Ärger über das Wegbleiben der Schwimmannschaften aus dem Ostblock. Wer 1980 nach den Spielen von Moskau hatte Schluß machen wollen mit seiner Karriere, setzte noch einmal vier Jahre unerbittlichen Trainings hinterher. Schließlich waren die Weltmeisterschaften 1982 in Ecuador für die USA auch nicht zum reinen Vergnügen geworden. Also mußten alte Rechnungen nun in Los Angeles beglichen werden.
Wer nicht gewappnet war für dieses sonnignasse Festival, geriet schnell unter die Räder. Die Bilanz am Ende der Schwimm-Wettbewerbe sah für die US-Trainer glorreich aus: 21mal Gold und 13mal Silber in insgesamt 29 Wettbewerben. Don Gambrils Ziel waren 20 Medaillen. „Wir hatten uns auf harte Konkurrenz eingestellt und hofften, 18 Goldmedaillen für uns seien realistisch. Jetzt glauben wir daß die Begeisterung des Publikums noch drei mehr aus unserer Mannschaft herausgeholt hat..."
Mitten in diesen Goldrausch hinein stieß ein Fremder, wohl angekündigt für die riesige internationale Schwimmparty und vielleicht gerade deswegen von störender Freundlichkeit, sozusagen ein Mark Spitz von der falschen Seite. Wäre Michael Groß in einem amerikanischen Universitätsschwimmclub herangereift, die US-Trainer hätten alle Lorbeeren mit dem deutschen Team stolz teilen dürfen, doch der Mann kam aus Offenbach und hielt sich nur zwei- oder dreimal vor den Spielen zu Besuch in Kalifornien auf. Gefürchtet war der „Albatros" in den USA seit seinem WM-Sieg 1982 in Ecuador über die damaligen Weltrekordler Craig Birdsley und Rowdy Gaines. Nun sollte der Riese im Lande zurechtgestutzt werden. Herbert Klein galt 1952 in Helsinki als ein klassisches Beispiel dafür, Hans Faßnacht, 20 Jahre später in München, in ähnlicher Weise, denn beide waren als Favoriten zu den Olympischen Spielen gekommen, beide als Verlierer daraus hervorgegangen. Wer bei den US-Ausscheidungen in Indianapolis Mike Heath, den Krauler, und Pablo Morales, den Schmetterling, in Traumzeiten siegen sah, bei dem verstärkten sich die Zweifel an Michael Groß' Gewinnchancen noch! Seine eigene Zuversicht blieb indessen unangetastet: „Jetzt wird es erst richtig interessant."
Wichtig schien für beide Seiten, den ersten Vergleich zu gewinnen. Heath sollte den Deutschen auf Anhieb in die Defensive drängen, dann würde es für Groß schwierig werden, das Blatt zu seinen Gunsten zu wenden. Umgekehrt natürlich auch, doch der Offenbacher ließ sich weder biegen noch brechen, er gewann die 200 m Freistil gegen Heath und Float (wobei sich Thomas Fahrner noch vor dem zweiten Amerikaner die Bronzemedaille holte, danach siegte Groß über 100 m Delphin gegen den Favoriten Pablo Morales und demonstrierte der staunenden Fachwelt mit zwei Weltrekorden seine überragende Klasse. Was also sollte noch passieren?
„Wo immer Groß auftaucht im Zelt, vor dem Wettbewerb oder am Start selbst, du spürst den Mann immer neben oder hinter dir, kannst aber dem Schatten nicht entweichen", schilderte Morales seinen Eindruck.
Zu dem verständlichen Respekt vor den Mächtigen gesellt sich nicht selten ein Gefühl latenter Schwäche. Als Michael Groß in der 4×200-Meter-Freistilstaffel etwa drei Meter hinter Bruce Hayes startete, schien das Ende schnell klar zu sein: Erstmals in der olympi-

Das Schwimmstadion von L. A., Medaillenpool vor allem für amerikanische, aber auch für deutsche Schwimmer. Insgesamt 11mal stieg die schwarzrotgoldene Fahne am Mast empor; 30mal erreichten deutsche Schwimmer den Endlauf; 20 nationale Rekorde wurden aufgestellt.

Michael Groß in Siegerpose! Seine Leistungen beflügelten die deutschen Schwimmer. In Los Angeles wurde er zur Galionsfigur für das Schwimmteam und den deutschen Sport schlechthin.

Siegerehrung im 200-m-Freistilschwimmen. Anzeigetafel und Flaggen zeigen es: Erster und dritter Platz für die deutschen Schwimmer. Groß siegt in

Weltrekordzeit, Fahrner erkämpft die Bronzemedaille. Der Welt- und Europameister sorgt für einen sehr guten Einstand der deutschen Mannschaft.

Aufgetaucht ist Michael Groß, Star der Schwimmwettbewerbe. Die Spannweite seiner Arme und seine langen Schwimmzüge ließen ihn je zwei Gold-

und Silbermedaillen gewinnen. Das Ausnahmetalent des deutschen Sportes hat die Weltspitze erreicht. Auch in der Niederlage bewies er Charakter.

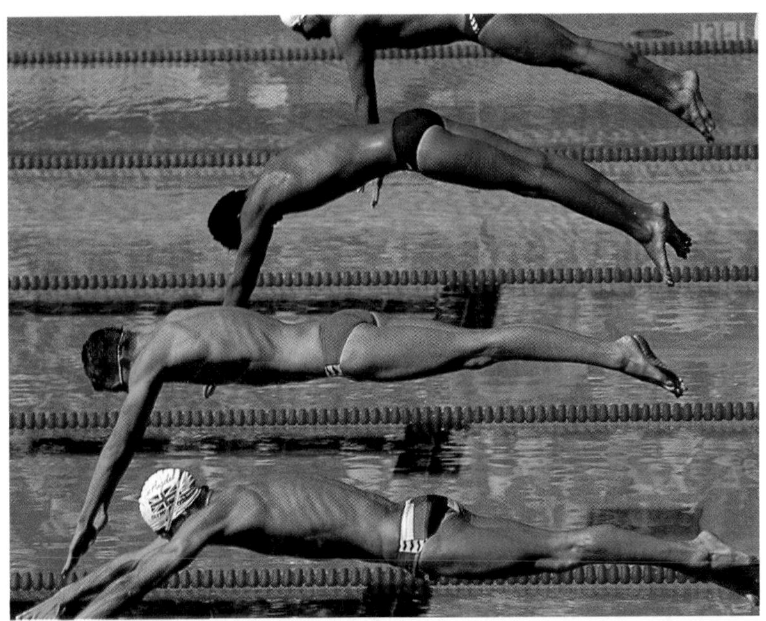

Neunmal ins Wasser springen mußte Michael Groß, um je zwei Gold- und Silbermedaillen sowie zwei vierte Plätze zu erreichen. Obwohl er in den Staffelvorläufen nicht startete, betrug seine Wettkampfstrecke 1300 m.

Zufrieden, aber nicht unbedingt glücklich: Thomas Fahrner, Dirk Korthals, Alex Schowtka, Michael Groß. Fünf Sekunden unter dem Weltrekord und dennoch vier Hundertstel am Sieg vorbei schwamm die deutsche 4×200-m-Freistil-Staffel. Nachher meinte Michael Groß: „Das ist das Leben"; eine amerikanische Zeitung sinnierte: Amerika benötigte vier Schwimmer, um einen Michael Groß zu schlagen.

Jon Sieben, der Überraschungssieger über 200 m Delphin, jubelt bereits, der geschlagene Favorit glaubt's noch nicht. Groß' Kommentar: Die ganz große Form sei schon weg gewesen, die Niederlage neue Motivation.

Die Siegerehrung ist vorüber, die Fahnen werden eingeholt. Bronze für Schuster, Zscherpe, Pielke, Seick. Glücklich winkt die 4×100-m-Kraulstaffel.

schen Geschichte ein deutscher Sieg in dieser Disziplin. Im Jahre 1975 war man durch einen zu frühen Wechsel der US-Staffel Weltmeister geworden und im letzten Sommer hatte der DSV in Rom sogar den Weltrekord nach Deutschland geholt. Das nun mußte der Höhepunkt werden. Noch in der Mitte des Rennens zwischen Groß und Hayes, den beiden Schlußschwimmern, glaubten Trainer und Mannschaftsführer fest an den Sieg. Obwohl kein Freund von Wetten, auch ich hätte ohne Zögern 500 Mark auf unsere Staffel, auf Groß gesetzt – und alles verloren.
Verbrauchte Michael Groß durch diesen Kampf gegen Bruce Hayes (und durch das Ergebnis) zuviel Substanz, wurde sein Selbstbewußtsein angeknackst? Vermuten darf man dies, denn bereits im Vorlauf über 200 m Delphin fand der Favorit weder seinen Rhythmus noch seinen gewohnten Stil. Trainer Hartmut Oelecker glaubte trotzdem (wie Groß übrigens auch), das Finale könne von seinem Schützling gewonnen werden. Den Sieg riß ein unbekümmerter Außenseiter an sich: Jon Sieben aus Australien, der sich sprunghaft in Los Angeles um 4,5 Sekunden verbesserte. Welch ein Rennen! Nach 50 m lag der Australier bereits eine Sekunde zurück, bei 150 m fast zwei Sekunden, und von diesem Augenblick an verschob sich das Bild entscheidend. Jon Sieben schwamm nämlich die letzte Bahn zwei Sekunden schneller als Groß, der Mühe hatte, Rafael Vidal Castro aus Venezuela auf Rang drei zu verdrängen. Pablo Morales (USA) wurde gar nur Vierter. Wie selbstverständlich hatte die dritte Goldmedaille für Groß ausgesehen. Aber ohne Überraschungen dieser Art sind Olympische Spiele nicht zu denken – was gerade erst den tieferen Reiz und Sinn solcher Wettkämpfe ausmacht, für Athleten wie Zuschauer.

Ein Sieg, der nicht zählt

Von Arne Borg, dem Schweden, erzählt man sich, er habe einst aus Wut über einen beim Wasserballspiel verlorenen Zahn den Weltrekord über 1500 m Freistil verbessert. Von den Japanern, die in Los Angeles auftraten, als seien sie nie eine führende Schwimmnation gewesen, kursiert immer noch die Geschichte von den Spielen 1932, als die 4×200-m-Staffel unter 9 Minuten schwamm, was Johnny Weissmüller, einst selbst Olympiasieger und Weltrekordler, veranlaßt haben soll, dem Zeitnehmer zuzurufen, er solle seine Stoppuhr ins Wasser werfen...
In Los Angeles ereignete sich eine andere erregende Geschichte. Thomas Fahrner hatte den Vorlauf über 400-m-Freistil verbummelt und sich mit einer zu schwachen Leistung den Weg ins Finale verbaut. Die wilden Pfiffe seines Trainers, so sagte er hinterher, seien nicht zu hören gewesen, so daß der in Lyon studierende Deutsche im Trostlauf starten mußte. Sein Vorsatz war Eingeweihten klar: Um jeden Preis schneller zu sein als der vorher ermittelte Olympiasieger George Dicarlo (USA).
Das Vorhaben gelang, ohne daß die Zuschauer die eigentlichen Zusammenhänge des Unternehmens gleich begreifen konnten. Der Sieger des B-Laufes schwamm also olympischen Rekord, erreichte aber trotzdem nur Rang 9. Als Sieger darf sich allerdings Thomas Fahrner nicht fühlen, doch mit seiner Leistung erregte der Deutsche die Aufmerksamkeit eines Medaillengewinners.
Stefan Pfeiffer, 18jähriger Schüler aus Hamburg, verpaßte auf der mittleren Krauldistanz den angestrebten dritten Rang. Umso deutlicher überzeugte das neue Talent im Schwimmarathon über 1500 m. Pfeiffer vermochte zwar die beiden Amerikaner Mike O'Brien und George Dicarlo ernsthaft nicht zu gefährden, konnte aber seinen eigenen deutschen Rekord beträchtlich (15:12,11 min.) verbessern. Europameisterschaftsdritter, in Los Angeles Gewinner der olympischen Bronzemedaille – wenn nicht alles täuscht, schwimmt der junge Mann auf dieser Distanz im nächsten Jahr unter 15 Minuten.
Eine Parallele zu Michael Groß bildete Kanadas Lagen-Schwimmer Alex Baumann – Doppelsieger in beiden Rennen mit Weltrekordzeit.
Amerikas Rückenschwimmer Rick Carey steuerte das gleiche Ziel an. Seine beiden Versuche, John Nabers fabelhafte Olympiarekorde aus dem Jahre 1976 auszulöschen, mißlangen, und weil amerikanische Zuschauer im Stadion und am Bildschirm anderes gewohnt waren, als verstörte und unzufriedene Gesichter ihrer Sieger zu sehen, mußte Rick öffentlich Abbitte leisten: „Ich entschuldige mich bei all denen, die ich durch mein Benehmen enttäuscht haben sollte. Ich dachte einen Tag lang über all das nach und weiß jetzt, daß ich mein John-McEnroe-Image damit verschlimmert habe. Ich bedauere diesen Fehler, der ausgelöst wurde durch mein schwaches Rennen und die für mich enttäuschende Zeit."
Die Schweizer überraschten durch Etienne Dagon, der im 200 m Brustschwimmen Dritter wurde und nicht nur die Deutschen Mörken und Lang klar aus dem Felde schlug.

Ritual im Stadion, die Sieger und ihre Fahne. Das Sternenbanner dominierte nicht nur hier. 20mal gewannen Amerikas Schwimmer in ihrer Heimat.

Kaum geringer einschätzen sollte man den fünften Platz des Kraulsprinters Dano Halsall. Kein Wunder schließlich, daß die Eidgenossen sogar mit ihrer Lagenstaffel ins Finale kamen und dort Rang sieben belegten.

Kein Weltrekord bei den Damen

Beim letzten Auftritt der US-Damenmannschaft 1976 in Montreal reihte die DDR einen Sieg an den anderen, einzige Ausnahme die Niederlage der 4×100-m-Freistilstaffel gegen die Amerikanerinnen. In Los Angeles glückte den US-Girls nun eine ähnliche Serie wie vor acht Jahren den Mädchen aus der DDR (12mal Gold, 7mal Silber), ohne allerdings neue Weltrekorde erzielt zu haben (bei den Herren zehn Weltrekorde). Einmalig die Entscheidung über 100 m Freistil, als den Amerikanerinnen Nancy Hogshead und Carrie Steinseifer wegen Zeitgleichheit (55,92) je eine Goldmedaille überreicht wurde. Höchste Beachtung fanden die Leistungen der Lagenschwimmerin Tracy Caulkins, die nach dem Gewinn von fünf Weltmeistertiteln 1978 in Berlin einen neuen sportlichen Höhepunkt erreichte.
Europas erfolgreichste Schwimmerinnen kamen aus Holland (2 Siege, 5 Medaillen) und aus der Bundesrepublik Deutschland, und hier staunten die Fachleute über Ergebnisse, für die nicht einmal die glücklichen jungen Damen eine rechte Erklärung fanden. Am ehesten erwartet wurde Petra Zindlers Bronzemedaille im 400-m-Lagenschwimmen, aber wer erklärt schlüssig den Erfolg von Karin Seick über 100 m Delphin (Bronze), nachdem sie den Zenith ihrer Leistungsfähigkeit längst überschritten hat und eigentlich nur als Staffelschwimmerin nach Los Angeles mitgenommen wurde? Oder wer weiß eine Antwort auf Ina Beyermanns Bravourleistung über 200 m Delphin? Tage vorher klagten Trainer und Mannschaftsführer den Journalisten gegenüber, die Kölnerin fühle sich gesundheitlich nicht wohl und könne deshalb in der Freistilstaffel (die die Bronzemedaille gewann) nicht eingesetzt werden.

Medaillen wie nie zuvor

Ina Beyermann aber strafte alle diese Unkenrufe durch ihre erstaunlichen Plazierungen Lügen. Und so kehrte die Schülerin von Gerhard Hetz heim mit zwei Medaillen (Silber in der Lagenstaffel, Bronze über 200 m Delphin).
Sehr viel eher glaubten die Verantwortlichen des DSV an vordere Plazierungen der Rückenschwimmerin Svenja Schlicht. Über 100 m schwamm sie zwei Rekorde, auf der längeren Distanz fehlten ihr schließlich mehr als zwei Sekunden zu der insgeheim erhofften Medaille.
Zugegeben, die Abwesenheit der Ostblockländer verzerrte besonders die Resultate in den Damenwettbewerben. Für die Mannschaft des Deutschen Schwimmverbandes insgesamt bleibt dennoch eine vorher nie erreichte stolze Bilanz: Zweimal Gold, dreimal Silber, sechsmal Bronze und dazu 20 DSV-Rekorde (je zehn Bestleistungen bei Damen und Herren).

Los Angeles '84 ging mit den Siegern menschlicher um als München '72. Nur einen Sieger gab es damals im 400-m-Lagenschwimmen, obwohl die beiden Ersten nur Tausendstel-Sekunden trennten. Im Finale 1984 über 100 m Freistil gewannen Carrie Steinseifer und Nancy Hogshead zwei Goldmedaillen; die Zeitdifferenz zwischen beiden blieb geheim.

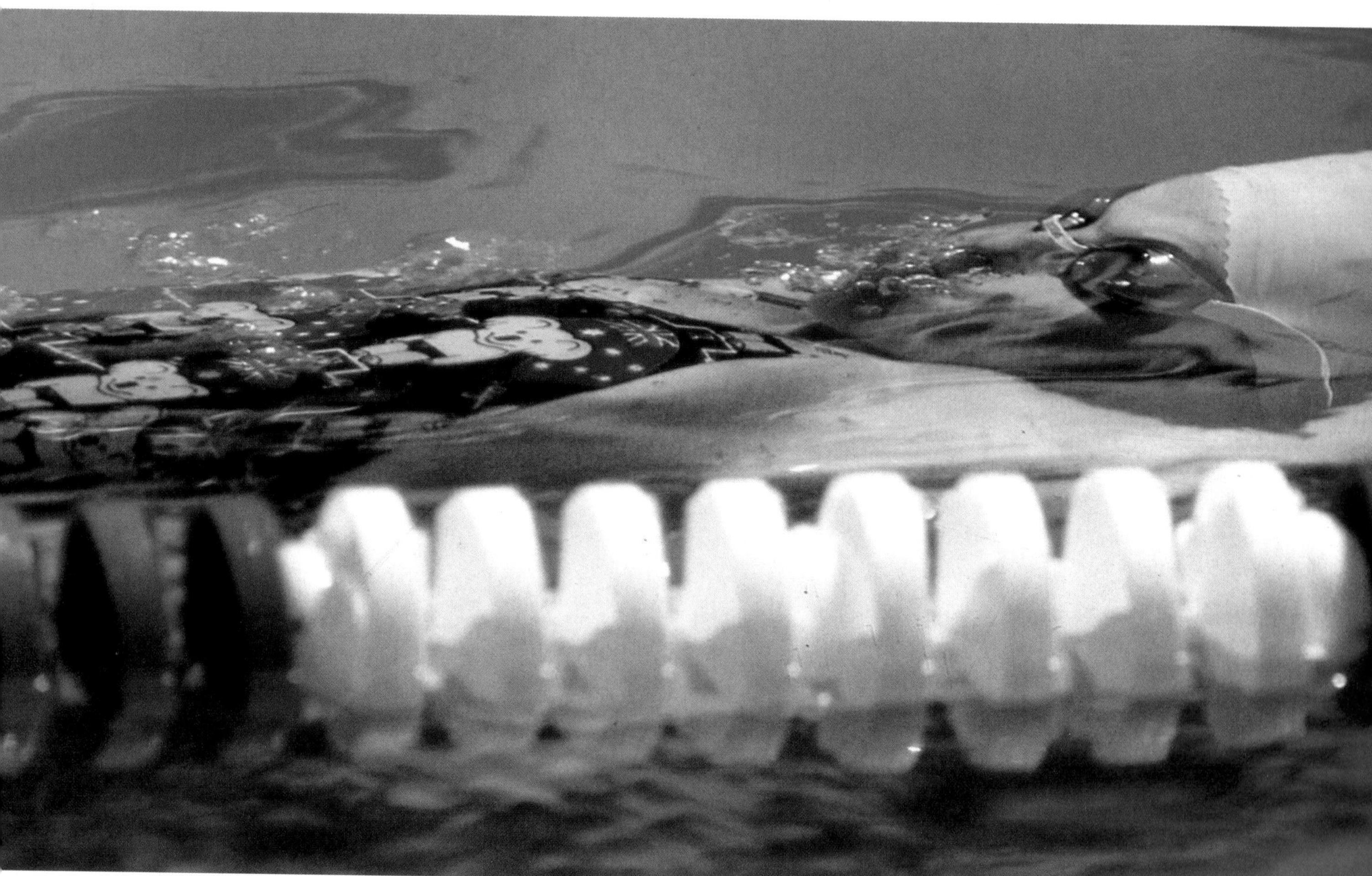

Gottesanbeter, Mallorcaurlaub, Schwimmen in der 4. Dimension, E. T., der Außerirdische – auch das ist Schwimmen. Die Bilder beweisen es.

Außerhalb des Wettkampfes wirken sie entspannt und entrückt, die Spitzenschwimmer – bis zum nächsten nerven- und kraftzehrenden Start.

Girls, Girls, Girls . . .

. . . oder Parmaschinken am Beckenrand. In ihren Arena-Schwimmanzügen waren sie nicht nur schnell, sondern sahen auch ansehnlich aus: Ina Beyermann (oben links), Sandra Dahlmann und eine Unbekannte, die sich über den Beckenrand beugt.

Kanada, Köpfe und Korkleinen. Wären nicht die Brustschwimmerinnen mit ihren bunten Badekappen, man könnte an eine Rechenmaschine für Kinder denken. – Das Ergebnis dieses Rennens ist hier sicher ohne Bedeutung.

Ergebnisse Herren

100 m Freistil

		Sek.
1. Rowdy Gaines	USA	49,80
2. Mark Stockwell	AUS	50,24
3. Per Johansson	SWE	50,31
4. Michael Heath	USA	50,41
5. Dano Halsall	SUI	50,50
6. Alberto Mestre Sosa	VEN	50,70
Stephan Caron	FRA	50,70
8. Dirk Korthals	GER	50,93

200 m Freistil

		Min.
1. Michael Groß	GER	1:47,44
2. Michael Heath	USA	1:49,10
3. Thomas Fahrner	GER	1:49,69
4. Jeffrey Float	USA	1:50,18
5. Alberto Mestre Sosa	VEN	1:50,23
6. Frank Frost	HOL	1:51,62
7. Marco Dell'Uomo	ITA	1:52,20
8. Peter Dale	AUS	1:53,84

400 m Freistil

		Min.
1. George Dicarlo	USA	3:51,23
2. John Mykkanen	USA	3:51,49
3. Justin Lemberg	AUS	3:51,79
4. Stefan Pfeiffer	GER	3:52,91
5. Frank Iacono	FRA	3:54,58
6. Darjan Petric	YUG	3:54,88
7. Marco Dell'Uomo	ITA	3:55,44
8. Ronald McKeon	AUS	3:55,48

1500 m Freistil

		Min.
1. Michael O'Brien	USA	15:05,20
2. George Dicarlo	USA	15:10,59
3. Stefan Pfeiffer	GER	15:12,11
4. Rainer Henkel	GER	15:20,03
5. Frank Iacono	FRA	15:26,96
6. Stefano Grandi	ITA	15:28,58
7. David Shemilt	CAN	15:31,28
8. Wayne Shillington	AUS	15:38,18

100 m Rücken

		Min.
1. Rick Carey	USA	55,79
2. David Wilson	USA	56,35
3. Mike West	CAN	56,49
4. Gary Hurring	NZL	56,90
5. Mark Kerry	AUS	57,18
6. Bengt Baron	SWE	57,34
7. Sandy Goss	CAN	57,46
8. Hans Kroes	HOL	58,07

200 m Rücken

		Min.
1. Rick Carey	USA	2:00,23
2. Frederic Delcourt	FRA	2:01,75
3. Cameron Henning	CAN	2:02,37
4. Ricardo Prado	BRA	2:03,05
5. Gary Hurring	NZL	2:03,10
6. Nicolai Klapkarek	GER	2:03,95
7. Ricardo Adalbe	ESP	2:04,53
8. David Orbell	AUS	2:04,61

100 m Brust

		Min.
1. Steve Lundquist	USA	1:01,65
2. Victor Davis	CAN	1:01,99
3. Peter Evans	AUS	1:02,97
4. Adrian Moorhouse	GBR	1:03,25
5. John Moffet	USA	1:03,29
6. Brett Stocks	AUS	1:03,49
7. Gerald Mörken	GER	1:03,95
8. Raffaele Avagnano	ITA	1:04,11

Oben: Obwohl schon 22 Jahre „alt", erkämpfte sie Bronze hinter den starken Amerikanerinnen Meagher und Johnson: Karin Seick (rechts). – Unten: Thomas Fahrner schwamm im Trostlauf über 400 m Freistil schneller als Olympiasieger Dicarlo.

200 m Brust

		Min.
1. Victor Davis	CAN	2:13,34
2. Glenn Beringen	AUS	2:15,79
3. Etienne Dagon	SUI	2:17,41
4. Richard Schroeder	USA	2:18,03
5. Ken Fitzpatrick	CAN	2:18,86
6. Pablo Restrepo	COL	2:18,96
7. Alexandre Yokochi	POR	2:20,69
Marco del Prete	ITA	disqual.

100 m Delphin

		Sek.
1. Michael Groß	GER	53,08
2. Pedro Pablo Morales	USA	53,23
3. Glenn Buchanan	AUS	53,85
4. Rafael Vidal Castro	VEN	54,27
5. Andrew Jameson	GBR	54,28
6. Anthony Mosse	NZL	54,93
7. Andreas Behrend	GER	54,95
8. Bengt Baron	SWE	55,14

200 m Delphin

		Min.
1. Jon Sieben	AUS	1:57,04
2. Michael Groß	GER	1:57,40
3. Rafael Vidal Castro	VEN	1:57,51
4. Pedro Pablo Morales	USA	1:57,75
5. Anthony Mosse	NZL	1:58,75
6. Tom Ponting	CAN	1:59,37
7. Peter Ward	CAN	2:00,39
8. Patrick Kennedy	USA	2:01,03

200 m Lagen

		Min.
1. Alex Baumann	CAN	2:01,42
2. Pedro Pablo Morales	USA	2:03,05
3. Neil Cochran	GBR	2:04,38
4. Robin Brew	GBR	2:04,52
5. Steve Lundquist	USA	2:04,91
6. Andrew Phillips	JAM	2:05,60
7. Nicolai Klapkarek	GER	2:05,88
8. Ralf Diegel	GER	2:06,66

400 m Lagen

		Min.
1. Alex Baumann	CAN	4:17,41
2. Ricardo Prado	BRA	4:18,45
3. Robert Woodhouse	AUS	4:20,50
4. Jesse Vassallo	USA	4:21,46
5. Maurizio Divano	ITA	4:22,76
6. Jeffrey Kostoff	USA	4:23,28
7. Stephen Poulter	GBR	4:25,80
8. Giovanni Franceschi	ITA	4:26,05

4×100-m-Freistil-Staffel

		Min.
1. USA	Cavanaugh, Heath, Biondi, Gaines	3:19,03
2. AUS	Fasala, Brooks, Delany, Stockwell	3:19,68
3. SWE	Leidstrom, Baron, Orn, Johansson	3:22,69
4. GER	Korthals, Schmidt, Schowtka, Groß	3:22,98
5. GBR		3:23,61
6. FRA		3:24,63
7. CAN		3:24,70
8. ITA		3:24,97

4×200-m-Freistil-Staffel

		Min.
1. USA	Heath, Larson, Float, Hayes	7:15,69
2. GER	Fahrner, Korthals, Schowtka, Groß	7:15,73
3. GBR	Cochran, Easter, Howe, Astbury	7:24,78
4. AUS		7:25,63
5. CAN		7:26,51
6. SWE		7:26,53
7. HOL		7:26,72
8. FRA		7:30,16

4×100-m-Lagen-Staffel

		Min.
1. USA	Carey, Lundquist, Morales, A. Gaines	3:39,30
2. CAN	West, Davis, Ponting, Goss	3:43,23
3. AUS	Kerry, Evans, Buchanan, Stockwell	3:43,25
4.GER	Peter, Mörken, Groß, Korthals	3:44,26
5. SWE		3:47,13
6. GBR		3:47,39
7. SUI		3:47,93
JPN		disqualifiziert

Ergebnisse Damen

100 m Freistil

		Sek.
1. Carrie Steinseifer	USA	55,92
Nancy Hogshead	USA	55,92
3. Annemarie Verstappen	HOL	56,08
4. Conny van Bentum	HOL	56,43
5. Michele Pearson	AUS	56,83
6. June Croft	GBR	56,90
7. Susanne Schuster	GER	57,11
8. Angela Russel	AUS	58,09

200 m Freistil

		Min.
1. Mary Wayte	USA	1:59,23
2. Cynthia Woodhead	USA	1:59,50
3. Annemarie Verstappen	HOL	1:59,69
4. Michele Pearson	AUS	1:59,79
5. Conny van Bentum	HOL	2:00,59
6. June Croft	GBR	2:00,64
7. Ina Beyermann	GER	2:01,89
8. Ana McVann	AUS	2:02,87

400 m Freistil

		Min.
1. Tiffany Cohen	USA	4:07,10
2. Sarah Hardcastle	GBR	4:10,27
3. June Croft	GBR	4:11,29
4. Kimberley Linehan	USA	4:12,26
5. Anna McVann	AUS	4:13,95
6. Jolande van der Meer	HOL	4:16,05
7. Birgit Kowalczik	GER	4:16,33
8. Julie Daigneault	CAN	4:16,41

800 m Freistil

		Min.
1. Tiffany Cohen	USA	8:24,95
2. Michelle Richardson	USA	8:30,73
3. Sarah Hardcastle	GBR	8:32,60
4. Anna McVann	AUS	8:37,94
5. Carla Lasi	ITA	8:42,45
6. Jolande van der Meer	HOL	8:42,86
7. Monica Olmi	ITA	8:47,32
8. Karen Ward	CAN	8:48,12

100 m Rücken

		Min.
1. Theresa Andrews	USA	1:02,55
2. Betsy Mitchell	USA	1:02,63
3. Jolande de Rover	HOL	1:02,91
4. Carmen Bunaciu	ROM	1:03,21
5. Aneta Patrascoiu	ROM	1:03,29
6. Svenja Schlicht	GER	1:03,46
7. Beverly Rose	GBR	1:04,16
8. Carmel Clark	NZL	1:04,47

200 m Rücken

		Min.
1. Jolanda de Rover	HOL	2:12,38
2. Amy White	USA	2:13,04
3. Aneta Patrascoiu	ROM	2:13,29
4. Georgina Parkes	AUS	2:14,37
5. Tori Trees	USA	2:15,73
6. Svenja Schlicht	GER	2:15,93
7. Carmen Bunaciu	ROM	2:16,15
8. Carmel Clark	NZL	2:17,89

100 m Brust

		Min.
1. Petra van Staveren	HOL	1:09,88
2. Anne Ottenbrite	CAN	1:10,69
3. Catherine Poirot	FRA	1:10,70
4. Tracy Caulkins	USA	1:10,88
5. Eva-Marie Hakansson	SWE	1:11,14
6. Hiroko Nagasaki	JPN	1:11,33
7. Susan Rapp	USA	1:11,45
8. Jean Hill	GBR	1:11,82

200 m Brust

		Min.
1. Anne Ottenbrite	CAN	2:30,38
2. Susan Rapp	USA	2:31,15
3. Ingrid Lempereur	BEL	2:31,40
4. Hiroko Nagasaki	JPN	2:32,93
5. Sharon Kellett	AUS	2:33,60
6. Ute Hasse	GER	2:33,82
7. Susannah Brownsdon	GBR	2:35,07
8. Kimberley Rhodenbaugh	USA	2:35,51

100 m Delphin

		Min.
1. Mary Meagher	USA	0:59,26
2. Jenna Johnson	USA	1:00,19
3. Karin Seick	GER	1:01,36
4. Annemarie Verstappen	HOL	1:01,56
5. Michelle MacPherson	CAN	1:01,58
6. Janet Tibbits	AUS	1:01,78
7. Conny van Bentum	HOL	1:01,94
8. Ina Beyermann	GER	1:02,11

200 m Delphin

		Min.
1. Mary Maegher	USA	2:06,90
2. Karen Phillips	AUS	2:10,56
3. Ina Beyermann	GER	2:11,91
4. Nancy Hogshead	USA	2:11,98
5. Samantha Purvis	GBR	2:12,32
6. Naoko Kume	JPN	2:12,57
7. Sonja Hausladen	AUT	2:15,38
8. Conny van Bentum	HOL	2:17,39

200 m Lagen

		Min.
1. Tracy Caulkins	USA	2:12,64
2. Nancy Hogshead	USA	2:15,17
3. Michele Pearson	AUS	2:15,92
4. Lisa Curry	AUS	2:16,75
5. Christiane Pielke	GER	2:17,82
6. Manuela Dalla Valle	ITA	2:19,69
7. Petra Zindler	GER	2:19,86
8. Katrine Bomstad	NOR	2:20,48

400 m Lagen

		Min.
1. Tracy Caulkins	USA	4:39,24
2. Suzanne Landells	AUS	4:48,30
3. Petra Zindler	GER	4:48,57
4. Susan Heon	USA	4:49,41
5. Nathalie Gingras	CAN	4:50,55
6. Donna McGinnis	CAN	4:50,65
7. Gaynor Stanley	GBR	4:52,83
8. Katrine Bomstad	NOR	4:53,28

4×400-m-Freistil-Staffel

		Min.
1. USA	Johnson, Steinseifer, Torres, Hogshead	3:43,43
2. HOL	Verstappen,Voskes, Reijers, van Bentum	3:44,40
3. GER	Zscherpe, Schuster, Pielke, Seick	3:45,56

4. AUS (3:47,79); 5. CAN (3:49,50); 6. GBR (3:50,12); 7. SWE (3:51,24); 8. FRA (3:52,15)

4×100-m-Lagen-Staffel

		Min.
1. USA	Andrews, Caulkins, Meagher, Hogshead	4:08,34
2. GER	Schlicht, Hasse, Beyermann, Seick	4:11,97
3. CAN	Abdo, Ottenbrite, MacPherson, Rai	4:12,98

4. GBR (4:14,05); 5. ITA (4:17,40); 6. SUI (4:19,02); JPN und SWE disqualifiziert

MICHAEL GROSS

Der gewandelte Champion

Fernsehauftritte machten die Mutter von Michael Groß bekannt. Sie durchlebte alle Höhen und Tiefen ihres Sohnes; sie freute sich und litt mit ihm.

Wer ihn nicht näher kannte, war geneigt, dem Meister kurzerhand Arroganz oder schlechten Stil nachzusagen. Groß war nämlich nach seinem ersten Sieg nicht zur Pressekonferenz erschienen. Sein persönlicher Zeitplan erschien ihm wichtiger. Nach der zweiten Goldmedaille änderte sich die Situation, ohne daß der Deutsche bereit gewesen wäre, die Fragen amerikanischer Reporter englisch zu beantworten. Und wie das Leben so spielt: Nach der unerwarteten Niederlage im dritten Rennen erlebten selbst deutsche Berichterstatter einen ziemlich gewandelten Michael Groß. Er brauchte plötzlich keinen Dolmetscher mehr, war gar nicht in Eile und erzählte so munter drauflos, als sei dieser Wettbewerb über 200 m Butterfly genau das gewesen, worauf er so lange gewartet habe.
„Irgendwann", so Groß vor seiner Abreise nach Los Angeles, „müßte mal der Einbruch kommen. Das wäre etwas Neues für mich."
Am Morgen danach begegneten mir seine Eltern im Stadion. Die Mutter strahlte, als sei sie auf besondere Weise beschenkt worden. Jetzt wußte sie endlich, wie Michael mit Niederlagen fertig wird und daß er gut verlieren kann. Und eben darauf war sie stolz. Dem Vater hatte Michael bei seiner flüchtigen Begegnung dies mit auf den Weg gegeben: „Endlich hab' ich was zum Beißen . . ."
Schon einen Tag später ließ Groß wieder die alte Lust zu neuen Taten erkennen. Er wolle den verlorenen Rekord zurückholen und sehe darin einen persönlichen Ansporn. Neue Namen, neue Gesichter seien eine Belebung für den Schwimmsport, und für ihn bedeute das nicht Resignation, sondern Herausforderung.
Groß wird also weiter nach Rekorden jagen, die Systematik seiner Arbeit, sein konsequentes Denken und Handeln verfeinern, sein Trainingsbuch auch künftig so gründlich weiterführen wie kein anderer, die Zudringlichen kühl auf Distanz halten und den Journalisten, die ihn neu kennenlernen, beibringen, daß vermeintliches Schroffsein als Ermunterung gedeutet werden kann. Wie sonst sollte der junge Mann von Außenstehenden einigermaßen begriffen werden?
Lebt nun ein neuer Held in unserem Lande, ein Superman gar für die Werbung? Charles Wilp braucht nicht gefragt zu werden. Auch Mark Spitz ist kein Gesprächspartner. Der vierfache Medaillengewinner wird das noch unbekannte Feld selber abtasten und Angebote prüfen, falls solche kommen sollten. Nicht werben will er für Alkohol und Zigaretten. Eher schon, denke ich, für Computer oder Präzisionsgeräte. Vielleicht überrascht uns der junge Champion in Bundeswehruniform. Und irgendwann, so schließt er nicht aus, könnte man ihn als Journalisten wiedertreffen; Sport aber sei dann wohl nicht sein Metier.

Der „Albatros" sucht den Schatten; vom strahlenden Licht des Erfolges ließ er sich nicht blenden. Überragendes Talent und eine konsequente Härte ließen ihn alle Gipfel des Sportes erklimmen. Seine Niederlagen stimmten ihn versöhnlich und machten ihn gesprächig. Er erreichte, was Steinbach, Faßnacht, Nocke und Co. versagt blieb, nämlich auch im olympischen Rennen vorne zu bleiben. Seit zwei Jahren bestimmt er die Entwicklung im Delphin- und Freistilschwimmen. Auf seine weitere Laufbahn darf man gespannt sein. Mit ihm erlebte der deutsche Sport Sternstunden.

MODERNER FÜNFKAMPF

Ohne innere Disziplin

Moderner Fünfkampf – das sind fünf Siebe, durch die du durchfallen kannst. Einer der Großen dieser sehr unterschiedliche Disziplinen vereinigenden aufwendigen Sportart hat die Aufgabe einmal auf diesen einfachen Nenner gebracht. Vier große Leistungen genügen noch lange nicht, wenn nur ein einziges Versagen dazukommt. Diese einfache Lektion, das stellte sich schnell heraus, haben die bundesdeutschen Athleten nicht gründlich genug gelernt. Mit der begründeten Hoffnung wenigstens auf Mannschafts-Bronze angereist, blieben ihnen am Ende nur der sechste Platz und bissige Kritiken. Trotz guter Leistungen beim Reiten, ausgezeichneter beim Schwimmen und Einzelerfolgen des Berliner Weltmeisterschafts-Zehnten Christian Sandow im Schwimmen und des Münsteraners Achim Bellmann im Degenfechten.

Am Ende konnte sich keiner erklären, weshalb das Trio des Deutschen Verbandes für Modernen Fünfkampf, ausgezogen, die erste olympische Medaille nach 1936 zu erkämpfen, so enttäuscht hat, sich gleich zwei „Einbrüche" erlaubte, im Fechten und Pistolenschießen, was Präsident Walter Grein kurz und treffend als schiere „Katastrophe" bezeichnete. Die Abwesenheit der führenden Ostblock-Verbände UdSSR, Ungarn und Polen haben seine Athleten nicht nützen können, die umfangreiche Vorbereitung war für die Katz.

Die Talfahrt beginnt

Begonnen hatten die Deutschen beim Reiten mit einem passablen Ergebnis. Christian Sandow, der 25jährige ehemalige Junioren-Weltmeister, ritt auf „Footloose" auf den 7. Platz, und auch die beiden anderen verschafften sich eine gute Ausgangsposition.

Doch nun begann schon die Talfahrt, die schließlich auf einem Tiefpunkt enden sollte. Der 27jährige Achim Bellmann, seines Zeichens deutscher Vizemeister der Degenfechter, brillierte auf der Planche zwar mit 39 Siegen in seinen 51 Gefechten, aber Sandow und sein 24jähriger Berliner Vereinskamerad Michael Rehbein erlitten je 28 Niederlagen und konnten für ihre mageren 23 Siege nur 714 Punkte verbuchen. Das Spezialtraining zu Hause bei Trainer Rudi Trost hatte sich als beinahe nutzlos erwiesen.

Sprach Bundestrainer Herbert Rieden hier von einer „großen Enttäuschung", so sollte er nach dem Freistilschwimmen über 300 Meter wieder Hoffnung schöpfen. Sandow machte sein Vorhaben der beiden vergangenen Weltmeisterschaften wahr, gewann in 3:33,7 Minuten und war nicht allein „ganz glücklich", sondern auch vom 25. Platz auf Rang 15 vorgerückt (3108 Punkte). Bellmann fiel in seiner schwächsten Übung wie erwartet vom dritten auf den siebenten Platz zurück, ohne jedoch zu viel an Boden zu verlieren (3184 Punkte). Und Bundestrainer Rieden gab die Devise aus: „Eine Medaille muß her!" Der Schwede Svante Rasmusson (3396 Punkte) und Italiens Exweltmeister Daniele Masala (3356) waren zwar nicht mehr einzuholen, doch Rang drei schien noch in Reichweite, obwohl Rehbein schon auf Platz 22 abrutschte (2996 Punkte).

Unter der glühenden kalifornischen Sonne folgte auf das Auf aber sogleich wieder das Nieder. 2296 Punkte im Schießen bedeuteten das schlechteste Ergebnis einer bundesdeutschen Mannschaft überhaupt und das endgültige Aus. Am besten hielt sich noch Rehbein mit 190 von 200 möglichen Ringen oder 912 Punkten mit der Schnellfeuerpistole. Völlig indiskutabel die 736 bzw. 648 Zähler für Bellmann und Sandow, die sie auf Platz 18 und 30 verschlugen, während Rehbein einen Rang aufrückte.

Schon deutete sich der spätere doppelte Triumph der Italiener an, die sich deutlich von den Teams der USA und Frankreichs absetzten. Da nützte es den Deutschen auch nichts mehr, daß der Schwede Roderick Martin disqualifiziert werden mußte, weil er zweimal auf eine der Silhouettenscheiben gefeuert hatte.

Das Hitze-Drama von Coto de Caza erlebte seinen Höhepunkt 50 Meter vor der Ziellinie des kräfteraubenden 4000-m-Geländelaufs. Eben noch war der schwedische Polizist Svante Rasmusson an dem führenden Sarden Daniele Masala vorbeigestürmt, hatte er die 8,66 Sekunden Rückstand aufgeholt, die vor dem erstmalig vorgenommenen Handicap-Start errechnet wurden, da strauchelte er entkräftet. Polizist Masala, der Weltmeister von 1982, rannte seinerseits vorbei und war am Ziel seiner Wünsche.

„Unseren Aktiven fehlt die innere Disziplin im Wettkampf", zog DVMF-Präsident Grein die bittere Bilanz. „Sie können sich einfach nicht so in den Fight versenken wie beispielsweise die mit viel Herz kämpfenden Italiener." Nun scheint ein völliger Neuaufbau des 1978 erstmalig zum WM-Zweiten aufgestiegenen Teams unausweichlich. Bundestrainer Rieden nahm sich das Debakel so zu Herzen, daß er wegen einer Herzattacke erst einmal ins Hospital eingeliefert werden mußte, ehe er reinen Tisch machen konnte.

Daniele Masala durchquert das Ziel im 4000-m-Geländelauf, der letzten Disziplin des Modernen Fünfkampfes. Die bundesdeutschen Fünfkämpfer enttäuschten auf der ganzen Linie.

Einzelwertung		Punkte
1. Daniele Masala	ITA	5469
2. Svante Rasmusson	SWE	5456
3. Carlo Massullo	ITA	5406
4. Richard Phelps	GBR	5391
5. Michael Storm	USA	5325
6. Paul Four	FRA	5287
7. Ivar Sisniega	MEX	5282
8. Jorge Quesada	ESP	5281
14. Achim Bellmann	GER	5114
21. Michael Rehbein	GER	5021
27. Christian Sandow	GER	4893

Mannschaftswertung	Punkte
1. ITA	16060
2. USA	15568
3. FRA	15565
4. SUI	15343
5. MEX	15283
6. GER	15028
7. GBR	14894
8. ESP	14891
9. FIN	14827
10. SWE	14464

STRASSEN-
RADRENNEN

Amerika auch hier eine Großmacht

Wie auf der Bahn (fünf Medaillen), erwiesen sich die gastgebenden Amerikaner auch in den Rad-Straßenrennen als neue Großmacht. Gold und Silber bei den Frauen, Gold bei den Männern, jeweils in den Einzelrennen, und dazu sogar noch die Bronzemedaille im äußerst schwierigen 100-km-Mannschaftszeitfahren auf dem Artesia-Freeway, da kann man schon von einer Art Hegemonie sprechen, die nicht nur mit dem olympischen Heimrecht zu erklären ist. Nimmt man den ganzen Radsport zusammen, kassierten die Amerikaner in den acht Disziplinen neun von 24 Medaillen und die Hälfte der Goldmedaillen. Deutscherseits machten nur die Mädchen auf der Straße eine gute Figur, die Einzelfahrer enttäuschten doch ziemlich, und die Vierermannschaft kam lediglich auf dem zwölften Rang ein. Gegenüber Montreal 1976, wo sensationell Rang vier erkämpft worden war, stellte dies einen bösen Rückschlag dar. Die Dortmunder Michael Maue, Bernd Gröne, Hartmut Bölts und Thomas Freienstein (Nürnberg) hatten am Schluß über neun Minuten Rückstand!

Sandra Schumacher aus Stuttgart führt hier noch die Sechsergruppe an, aus der auch die spätere Siegerin Connie Carpenter-Phinney kam. Sandra fuhr ein tapferes Rennen und gewann im Spurt die Bronzemedaille, die erste für die Bundesrepublik bei diesen Spielen. Die Stuttgarterin, ein großes Talent, war bereits vor zwei Jahren, als 16jährige, Vierte der Weltmeisterschaft. Um die kalifornische Hitze besser zu überstehen, ließ sie sich zahlreiche Löcher in ihren Plastikhelm bohren. Offensichtlich hat es geholfen.

Bestes Zeitfahrerteam waren die Italiener, die 24 Jahre nach ihrem Olympiasieg daheim in Rom nun auf den vollverkleideten „Moser-Rädern" ihr zweites Gold holten. Jubel bei der Schweiz über ihre erste Medaille in diesem Olympiawettbewerb, den es seit 1960 gibt, über Silber, das den Radaufschwung bei den Eidgenossen dokumentiert. Für den deutschen Trainer Klaus-Peter Thaler war dieses Mannschaftsrennen erneut ein herber Rückschlag, noch stärker geriet er in die Diskussion. Wenn fünf starke Ostblockmannschaften fehlen, darf man eigentlich wirklich nicht Zwölfter werden, eine mittlere Katastrophe.

Für ein schmales, blondes 17jähriges Mädchen aus Stuttgart namens Sandra Schumacher gingen im heißen Los Angeles gleich mehrere Träume in Erfüllung. Schon die Teilnahme an den Sommerspielen war für das muntere, aufgeschlossene Mädchen schon im Sinne von Baron Coubertin ein großes Erlebnis, aber als sie dann noch in der grausigen Hitzeschlacht bei Temperaturen um 35 Grad im Schatten Bronze auf dem schweren Kurs in Mission Viejo holte, konnte sie ihr Glück kaum fassen. „Ich freue mich riesig", sprudelte sie bei den vielen Interviews heraus, die sie, auch als erste Medaillengewinnerin der bundesdeutschen Mannschaft, geben mußte, „ich hätte die beiden Amerikanerinnen wohl auch dann nicht im Spurt schlagen können, wenn ich deren Hinterräder in der Schlußphase erwischt hätte. Ich konzentrierte mich auf den dritten Platz, wollte unbedingt die Bronzemedaille behalten."

Sandra Schumacher hatte ihr eigenes Rezept gegen die Hitze: Natürlich viel trinken und einen mehrfach durchlöcherten Spezialhelm auf dem Kopf. Die Hitze vergrößerte die Torturen auf dem schattenlosen, mit zwei harten Steigungen versehenen Rundkurs (knapp 16 km) noch ins Gigantische. Für die meisten der 45 Teilnehmerinnen aus 16 Ländern am ersten olympischen Straßenrennen für Mädchen in der Geschichte war die Anforderung eine Nummer zu groß. Sandra hatte von Beginn an Kopfschmerzen und war ständig nahe am Erbrechen. Sechs junge Damen bestimmten das Geschehen über 79,2 km souverän. Nur die arme Französin Jeannie Longo hatte beim Schlußspurt Pech, die Kette sprang ab, und sie kam als Sechste zu Fuß ins Ziel. Die beiden Amerikanerinnen machten vor ihren begeisterten Landsleuten (rund eine Viertelmillion Zuschauer an der Strecke) den Olympiasieg unter sich aus. Connie Carpenter-Phinney, oftmalige US-Meisterin, dreimal Verfolgungs-Weltmeisterin und auch eine gute Eisschnelläuferin, siegte mit zehn Zentimeter Vorsprung vor Rebecca Twigg. In ihrem ersten olympischen Rennen boten diese Frauen und Mädchen ein begeisterndes, sportlich-athletisch überzeugendes Rennen. Ute Enzenauer (Ludwigshafen) und Ines Varenkamp (Hannover) hielten sich als 8. beziehungsweise 12. mit je 2:14 Minuten Rückstand prächtig, die Münchnerin Gabi Altweck wurde durch ei-

Der Augenblick des Sieges – Straßenfahrer Alexi Grewal im Ziel nach fast fünf Stunden.

nen Defekt aus der Bahn geworfen, hielt aber als 33. (18:12 zurück) durch.
Das US-Radteam zeigte sich bei Olympia als neue „Amateur"-Großmacht. Nach den Frauen am Vormittag gab es auch am Nachmittag einen amerikanischen Erfolg durch den 23jährigen Alexi Grewal, der vor nun fast 300 000 Zuschauern bei noch größerer Hitze im Spurt vor dem Kanadier Steve Bauer gewann. 21 Sekunden dahinter holte sich der Norweger Dag Otto Lauritzen im Duell mit seinem Landsmann Morten Saether Bronze. Dann kamen wieder zwei Amerikaner (!), und selbst der vierte US-Starter wurde noch Neunter. Auf den sonnendurchglühten 190,2 km in Mission Viejo (Orange County) wurde unwahrscheinlich gekämpft, kaum zu glauben, was alle der 133 Teilnehmer aus 43 Verbänden leisteten. Grewal war in der vorletzten Runde aus einer Sechserspitzengruppe ausgerissen, und nur der Kanadier konnte noch aufschließen. Lange Zeit hatten die amerikanischen Zuschauer auf einen besonderen „US-Gag" gehofft, aber Davis Phinney, Ehemann der gerade gekürten Olympiasiegerin, konnte es seiner jungen Frau nicht gleichtun. Olympiasieger werden durfte Alexi Grewal eigentlich nur dank eines Gnadenaktes! Bei der Colorado-Rundfahrt war er als Dopingsünder erwischt worden! Man erließ ihm aber die obligate 30tägige Sperre, weil ihm „keine Absicht unterstellt werden konnte". Grewal hatte ausgesagt, er habe die „chinesischen Zeichen" auf dem Medikament nicht enträtseln können. Er glaubte Vitamine geschluckt zu haben und keine aufputschenden Präparate. Man kennt diese „Ansichten und Ausreden".
Den bundesdeutschen Fahrern hätte wohl auch kein noch so kräftiges Doping geholfen. Die vier Pedaleure gingen ebenso wie viele Fahrer aus den „klassischen europäischen Rad-Nationen" sozusagen ein. Als Bester und 22. lag der Nürnberger Thomas Freienstein 7:51 Minuten zurück. Stadler (Mannheim) wurde 36. (15:30 Minuten), Stauff (Köln) 41. (18:04), und der Bremer Kappes gab auf. Im bundesdeutschen Radlager brach wieder einmal der große Jammer aus. Schon vorher hatte es viel Streit gegeben, Zank besonders mit dem neuen Trainer Klaus-Peter Thaler, einst selbst in Montreal verhinderter Silbermedaillengewinner auf der Straße und als Querfeldeinfahrer früher ein As. Möglicherweise war mit seiner Probezeit als Trainer auch seine Amtszeit bereits zu Ende. Man mußte sich eben mit der Bronze von Sandra Schumacher trösten. Hart für harte Rad-Männer...

Alle erwarteten Gold von ihm – Fredy holte es

Der Favorit gewann; er erkämpfte die zweite Goldmedaille für das bundesdeutsche Team: Fredy Schmidtke siegte im 1000-m-Zeitfahren der Radfahrer. Nach dem Boykott des Ostblocks galt Schmidtke als erster Anwärter auf den Sieg, den Kilometer auf der Rennbahn möglichst schnell zurückzulegen. Mit 1:06,104 Minuten übertraf er als letzter Starter den Kanadier Curtiss Harnett um 33 Hundertstelsekunden. – 1982 war der 1,91 m große Kölner bereits Weltmeister, im vergangenen Jahr mußte er sich mit dem vierten Platz begnügen.

USA gegen Deutschland: fünf zu vier

Happy-Radfahren, am Rande der Bahn und auf der Piste. Farbe und Plastik geben den „funny bics" ein poppig-progressives Aussehen. Den Amerikanern scheint Radfahren so Spaß zu machen.

Die Bahnradfahrer der USA und der Bundesrepublik Deutschland beherrschten die Wettkämpfe im heißen Radstadion, im neuerrichteten Carson-Velodrome, das mit täglich über 8000 Zuschauern fast immer ausverkauft war. Die Amerikaner, im Radsport die neue Großmacht der achtziger Jahre, traten in vier der fünf Disziplinen an, nur im Punktefahren nicht, und kassierten fünf von zwölf möglichen Medaillen, zweimal Gold, zweimal Silber und einmal Bronze. Nur ihr Zeitfahrer konnte sich nicht vorne plazieren. Sprint und Verfolgung beherrschten sie glanzvoll, in der Mannschaftsverfolgung hatten sie erst Glück mit einer zu gnädigen Jury und dann Pech im Finale.
Das deutsche Team schlug sich prächtig, holte in vier Disziplinen je eine Medaille (Gold für Zeitfahrer Schmidtke, Silber für Verfolger Gölz und Punktefahrer Messerschmidt, Bronze im Vierer) und brachte Sprinter Scheller auf den fünften Rang. Schmidtke fuhr souverän, Gölz spürte eine ganz leise Enttäuschung, der Vierer patzte, hatte aber zum Schluß Bronzeglück, und Messerschmidt war die Überraschung im positiven Sinn. Das restliche Gold fiel an Belgiens Punktefahrer Ilegems bei der olympischen Premiere dieser Disziplin und an den sensationellen australischen Bahnvierer, der ähnlich überraschte wie Delphinschwimmer Sieben aus Australien bei seinem Sieg über den haushohen deutschen Favoriten Groß.

Als letzter auf die Bahn, als erster aufs Treppchen: Schmidtke

Mit den US-Bahn-(und Straßen-)Fahrern ist zweifellos künftig stark zu rechnen, wenn auch der starke Ostblock fehlte (DDR!) und man kaum einschätzen kann, wieweit der nationale Fanatismus des Publikums eine irrationale, aufputschende Rolle spielte. Die bundesdeutschen Bahnfahrer konnten L.A. jedenfalls hochzufrieden verlassen.
Als letzter von 27 Startern aus gleichviel Ländern ging der 23jährige Kölner Fredy Schmidtke ins 1000-m-Zeitfahren der Bahnradfahrer, das für ihn laut eigener Aussage eigentlich eine schreckliche Schinderei ist. Die Plackerei lohnte sich: Goldmedaille für den Weltmeister von 1982, erster Sieg eines deutschen Radfahrers in dieser olympischen Disziplin überhaupt. Geboren wurde Schmidtke im Kölner Vorort Worringen, für dessen Klub SG Bayer Köln-Worringen er heute noch startet, gelernt hat er Rohrschlosser, wohnt in Dormagen und ist derzeit „angestellt" bei der Bundeswehr, wo er in der Sportförderkompanie Köln-Longerich seinem Training und seinen Starts voll frönen kann. Begonnen hatte seine internationale Karriere 1979 mit zwei Junioren-WM-Titeln im Sprint und im Zeitfahren. Bei der WM 1983 gab es einen Dämpfer (Rang vier), aber nun war der 1,91 m lange Athlet wieder ganz oben.

Gölz: Einer war schneller

Als der Amerikaner O'Reilly, der unlängst auf der Höhenbahn 1:03,23 erzielt hatte, nur 1:07,39 schaffte, hatte Schmidtke das Gold greifbar nahe. Die 8400 Zuschauer im ausverkauften neuen Radstadion der Universität Dominguez Hills waren arg enttäuscht, erlebten aber auch Einbrüche anderer Größen. Bei Hitze und Wind waren die Fahrer mit den „funny bics", den komischen verkleideten Rädern, eher im Nachteil. Schmidtke reichten auf einem vergleichsweise traditionellen Rad 1:06,104 zum klaren Sieg vor dem Kanadier Harnett und dem Franzosen Colas. Seine bekannte Stärke auf der letzten Runde sicherte ihm die erhoffte und ersehnte goldene Medaille, die eher programmgemäß denn überraschend an den Deutschen fiel, weil die Konkurrenz aus dem Osten bekanntlich fehlte.
In der Einer-Verfolgung, der schwersten Disziplin für die Bahnradfahrer, schien es nach der Absage der Ostblockfahrer (vor allem aus der DDR) möglich, daß Gregor Braun, der 1976 in Montreal gewann, einen Landsmann als Nachfolger bekommen könnte. Aber der Schwabe Rolf Gölz aus dem schönen Bad Schussenried, der als Sportler in Berlin „arbeitet", war nur so lange Favorit, bis man in der Qualifikation der Verfolgung die Amerikaner kämpfen und siegen sah. Dann war klar, daß der ehemalige Ski-

rennfahrer Steve Hegg alle Pluspunkte auf seiner Seite hatte: Kondition wie ein Bär, ein fanatisches Publikum und modernstes, in gewisser Weise geheimnisumwittertes Material. In der Qualifikation war er eine phantastische Zeit gefahren, die man eigentlich nur auf Höhenbahnen für möglich gehalten hatte, und dann konnte sein Siegeszug nicht mehr aufgehalten werden. Vorher hatte sich Hegg immer seinem Landsmann Leonard Nitz beugen müssen, aber bei Olympia schlug dann seine Stunde.

Rolf Gölz steigerte sich von Rennen zu Rennen, 4:48,55 in der Qualifikation; 4:42,63 im Achtelfinale; 4:37,70 im Viertelfinale und dann der glänzende Sieg im Halbfinale über den US-Radler Nitz, der das Rennen aufsteckte, als er Gölz im Nacken spürte. So sparte er Kraft, um dann tatsächlich noch Bronze zu holen.

Im Finale gab Gölz alle Kraft auf dem ersten Kilometer, um Hegg zu beeindrucken, ließ dann aber im gleichen Maße nach wie Hegg aufkam, dessen verkleidetes Rad (mit integrierten Schwungkugeln?) auch erst mit immer höherem Tempo auf Hochtouren kommt. Bei allem Jubel über Silber war man im deutschen Lager doch ein klein wenig enttäuscht. Gölz scheint eine Art Zuschauerkomplex zu haben. Schreien die den führenden Gegner zum Sieg, dann scheint Gölz unbewußt, aber spürbar zu resignieren. Aber dennoch war dieses Silber natürlich aller Ehren wert, und der 21jährige solide Schwabe braucht sich dessen wirklich nicht zu „schämen“. Es war nicht nur im Radfahren schwer, in diesem „olympischen Amerika“ gegen einen US-Olympier zu gewinnen.

Der zweite bundesdeutsche Starter, der deutsche Meister Ingo Wittenborn, kam nicht unter die schnellsten Sechzehn, zahlte seinen jungen Jahren (erst 19) und seinem Autounfall im Olympiajahr Tribut. Den Trainingsrückstand nach seinen Verletzungen konnte er nicht mehr aufholen.

Der Siegeszug der neuen „Rad-Großmacht“ USA aber ging weiter: vierter Wettbewerb, drittes Gold, dazu Silber und Bronze.

Hegemonie der US-Sprinter

Und die nächsten Medaillen für die Amerikaner waren parallel zum Verfolgungswettbewerb schon gebucht: Gold und Silber im Sprint, einer Disziplin, die besonders stark unter dem Fehlen der „Boykotteure“ litt. Die Sprinter aus der DDR, der UdSSR und der ČSSR sind bekanntlich Weltklasse. Die beiden Amerikaner Gorski und Vails sprinteten alles nieder, was sich ihnen als Gegner stellte. Mit einer Leichtigkeit sondergleichen rasten sie ins Finale: Mark Gorski mit einer schier unfaßbaren Endgeschwindigkeit, Nelson Vails, der Schwarze (!) aus Harlem, der sozusagen per Rad aus dem sozialen Elend in eine annehmbare gesellschaftliche Position gesprintet war, mit einer spritzigen, bulligen Kraft wie ein Turbomotor. Den Endkampf trugen sie dann quasi als US-Meisterschaft aus, und erstmals stand ein Neger auf dem Siegespodest der Radfahrer.

Die beiden bundesdeutschen Sprinter hielten sich relativ gut, beide erreichten das Viertelfinale der letzten Acht, wenn auch nur über Hoffnungsläufe. Olympiasieger Schmidtke hatte nach seinem Sieg im Zeitfahren den Mund ein wenig zu voll genommen, als er lauthals verkündete: „Jetzt will ich noch eine Medaille, vielleicht sogar Gold.“ Daran war überhaupt nicht zu denken. Der Franzose Verneret schlug den Kölner, der einen großen Nachholbedarf in Sachen Sprint-Raffinesse und Sprint-Taktik hat, zweimal im Viertelfinale klar. Ebenso deutlich unterlag der Nürnberger Gerhard Scheller in der Runde der letzten Acht dem Favoriten Mark Gorski. Ein „klügerer“ Schmidtke hätte wohl das Halbfinale erreicht und hätte um Bronze sprinten können, aber man muß daran erinnern, daß die beiden ohne Boykott nie so weit gekommen wären.

Messerschmidts Silber

Den Voraussetzungen gerecht wurden auch die beiden bundesdeutschen Teilnehmer am Punktefahren, der erstmals ausgetragenen olympischen Rad-Disziplin. Uwe Messerschmidt (Stuttgart) und Manfred Donike (Köln) konnten sich für den Endlauf qualifizieren, den 24 Teilnehmer bestritten. Aber dann kam es noch besser. Uwe Messerschmidt, der 22jährige Industriekaufmann aus Schwäbisch Gmünd, der für den RV Stuttgart fährt, holte sich die Silbermedaille! Messerschmidt, 1980 Junioren-Weltmeister in dieser Disziplin und dreimal deutscher Juniorenmeister, fuhr bei den entscheidenden Rundengewinnen mutig mit und mußte sich nur dem „namenlosen“ Belgier Ilegems beugen. Kollege Donike war in der Anfangsphase gestürzt und stellte sich danach, wie abgesprochen, rückhaltlos in den Dienst des besser plazierten Landsmannes. Daß ein Mexikaner Bronze holte, beweist, dieses Punktefahren ist eine Art „Roulett“, bei dem Vorhersagen unmöglich sind und „Favoritennamen“ gar nichts aussagen.

Den ersten Kilometer sei er schnell angegangen, um seinem Gegner, dem Amerikaner Steve Hegg, einen Schock einzujagen; aber das sei nach hinten losgegangen. So sah Rolf Gölz später sein verlorenes Finalrennen im 4000-m-Verfolgungsfahren. Nach dem Boykott galt er als Mitfavorit in dieser schwierigsten Disziplin auf der Bahn. – Der Bad Schussenrieder ist das größte Talent seit Thurau und Braun. Wie diese will er sein Geld nach den Spielen auf der Straße verdienen. Er ist der Motor des Bahnvierers. – An seiner Psyche müsse er noch arbeiten, so Bundestrainer Udo Hempel über seinen Lieblingsschüler. Sensibel sei er und verletzlich.

Erfolg in der jüngsten olympischen Rad-Disziplin

Oben: Uwe Messerschmidt aus Stuttgart gewann überraschend die Silbermedaille im Punktefahren. Er bestätigte damit den guten Gesamteindruck der deutschen Bahnfahrer, auch wenn nicht alle Blütenträume reiften.

Rechts: Sie trainieren nicht. Auch wärmen sie sich nicht für den nächsten Wettkampf auf. Das Fahrerrudel auf dem Bild bestreitet gerade das Finale im Punktefahren auf der Bahn, der jüngsten Disziplin im olympischen Bahnsport. In L.A. stand sie das erste Mal auf dem Wettkampf-Programm. Ähnlich dem Sechs-Tage-Rennen gewinnt der Fahrer auf der 50-km-Distanz, der in Spurts die meisten Punkte sammelt oder Rundengewinne gegenüber seinen Konkurrenten zu verzeichnen hat.

Höhepunkt der olympischen Bahnradrennen aber war wie immer der Wettbewerb in der Mannschaftsverfolgung über 4000 Meter. 1972 in München hatte der bundesdeutsche Vierer genauso gesiegt wie 1976 in Montreal. In Moskau konnte er es aus den bekannten Gründen nicht. In Los Angeles sollte er nun erneut triumphieren, aber schon im Vorfeld gab es ein „deutsches Vierer-Theater“: Zwar war der Böblinger Gerhard Strittmatter nach schwerer Verletzung pünktlich wieder fit, doch das verdankte er einer Anabolika-Therapie. Sie brachte nun das Aus, denn die Doping-Substanz war noch nachweisbar. Reinhard Alber mußte einspringen.

US-Theater im Bahnvierer

Dann folgte im Wettkampf ein „US-Theater“, wie es diese Raddisziplin wohl noch nie erlebt hatte. Favorit USA patzte in der Zeitqualifikation schon beim Start, „täuschte“ dann einen Defekt vor (!) und durfte nochmals starten, diesmal allerdings nur mit drei Fahrern. Ein klarer Regelverstoß! Proteste wurden abgewiesen: „Wir müssen die Amerikaner einfach berücksichtigen!“ hieß es bei der Jury. Das war schlicht und einfach Manipulation, ja Betrug, widersprach deutlich den Regeln. Dann kamen die drei Amerikaner zu Sturz, durften ein drittes Mal starten – und fuhren trotz all dieser Handikaps noch die fünftbeste Zeit der Qualifikation. Die Italiener waren überraschend die Schnellsten. Der deutsche Vierer kam gewaltig ins Schlingern, fuhr unharmonisch und kam nur auf die drittbeste Zeit. Erneut mit einer schwachen Leistung wurde dann das Halbfinale über Frankreich erreicht, und diese „Leistung“ ließ schon nichts Gutes ahnen. Der Halbfinalgegner waren somit ausgerechnet

Ergebnisse Radfahren

Einer-Straßenrennen Männer

		Std.
1. Alexi Grewal	USA	4:59,57
2. Steve Bauer	CAN	
3. Dag Otto Lauritzen	NOR	21 Sek. zur.
4. Morten Saether	NOR	
5. Davis Phinney	USA	1:19 Min. zur.
6. Thurlow Rogers	USA	
7. Bojan Ropret	YUG	
8. Nestor Mora	COL	
22. Thomas Freienstein	GER	7:51 Min. zur.
36. Achim Stadler	GER	15:30 Min. zur.
41. Werner Stauff	GER	18:04 Min. zur.

Einer-Straßenrennen Frauen

		Std.
1. Connie Carpenter-Phinney	USA	2:11:14
2. Rebecca Twigg	USA	
3. Sandra Schumacher	GER	
4. Unni Larsen	NOR	
5. Maria Canins	ITA	
6. Jeannie Longo	FRA	1:21 Min. zur.
7. Helle Sörensen	DEN	2:14 Min. zur.
8. Ute Enzenauer	GER	
12. Ines Varenkamp	GER	
33. Gabi Altweck	GER	18:12 Min. zur.

100-km-Mannschaftsfahren

	Std.
1. ITA	1:58:28
2. SUI	2:02:38
3. USA	2:02:46
4. HOL	2:02:57
5. SWE	2:04:46
6. FRA	2:05:07
7. DEN	2:05:31
8. GBR	2:05:51
9. YUG	2:05:55
10. NOR	2:07:05
12. GER	2:08:15

die USA, vor diesen fanatischen Zuschauern. Es gab Anzeichen von Resignation und Nervenschwäche. Rolf Gölz, der Motor des Vierers, eigentlich viel zu schnell für seine Kameraden, soll von „drei Krücken" gesprochen haben, womit er seine Mitstreiter meinte. Man wollte wieder vehement starten, um die USA gleich abzuhängen, aber das Rezept ging erneut nicht auf. Diesmal patzte nicht, wie im Viertelfinale, der „Ersatzmann" Reinhard Alber (Heilbronn), jetzt war Roland Günther (Wiesbaden) der „Sünder". Er kam schon bei seiner ersten Ablösung nicht mit, brauchte viel Kraft, um den Anschluß zu finden und mußte dann schon nach etwas mehr als 1000 Metern aufgeben! Zudem zog der ehrgeizige Gölz mehrmals ohne Rücksicht auf seine Freunde zu schnell, so daß der Vierer immer wieder auseinandergerissen wurde.

So war gegen die Amerikaner nicht zu gewinnen. Vorzeitig wurde der deutsche Vierer zu einem Häufchen Elend, gab kläglich auf und wurde von den US-Boys weit vor Ende der 4000 Meter eingeholt! Sensationell booteten die Australier im zweiten Halbfinale die bis dahin schnellsten Italiener souverän aus, fuhren in 4:23,56 Bestzeit!

Die vier deutschen Musketiere holten dann aber wenigstens doch noch Bronze gegen Italien und versöhnten ihre Kritiker einigermaßen. Eine harmonische Leistung war es wieder nicht, erneut versagten Günther die Nerven, verpatzte er Ablösungen, und wieder war Gölz zu schnell, um den Vierer eng beieinander zu halten. Fast wäre es wieder schiefgegangen, aber es reichte schließlich. Das erhoffte Gold hatte sich in Bronze verwandelt, noch ein glückliches Ende angesichts unerwartet schlechter Harmonie, schwacher Technik und Taktik und der unmöglichen Nervenschwäche, speziell der spürbaren „Angst" vor den Gegnern, gerade vor den Amerikanern.

Die aber wurden nun gerechterweise für ihre „Manipulationen" vom Schicksal und von den sensationellen Australiern „bestraft". Nichts wurde es mit dem Gold. Schon beim Start rutschte Patrick McDonough aus der Pedale, von Anfang an lag der US-Vierer damit weit zurück und konnte die über sich hinauswachsenden Australier nicht mehr einfangen. Die fuhren mit fast vier Sekunden Vorsprung einen goldenen Olympiasieg heraus, den man ihnen gewiß nicht zugetraut hatte. Zum engeren Kreis gehörten sie zwar seit den letzten Weltmeisterschaften, aber gleich Gold – in der Höhle des Löwen! Mit diesem Tip hätte man auf einem Wettmarkt eine Menge Geld gewinnen können.

Die Amerikaner, die im Viertelfinale nach all jenen Querelen die Dänen um sage und schreibe nur eine Hundertstelsekunde ausgebootet hatten, schluckten ihre Niederlage mit Anstand, wenn auch mit verkniffenen Gesichtern. Sie auch noch mit Gold zu belohnen, das wäre bei diesen Vorkommnissen einfach zuviel des Guten gewesen, so blind kann das „Schicksal" einfach nicht sein.

Der bundesdeutsche Vierer „brach" nach Olympia (wie ja eigentlich schon während Olympia) auseinander und muß nun neu aufgebaut werden. Rolf Gölz wollte mit seinen zwei Medaillen (ohne Goldglanz) jetzt ins Hauptfach Straße wechseln, eventuell gar zu den Profis. Dazu ist ihm nur Glück zu wünschen, aber schon einmal ist dies ja einem Vorgänger ziemlich danebengegangen – und Gregor Braun hatte acht Jahre zuvor in denselben Bahnsparten sogar zweimal Gold gewonnen. Vielleicht aber kann Rolf Gölz mit weniger Medaillenglanz weiterkommen?

Linke Seite: Der Trumpf stach nicht, ein Weltmeister wurde besiegt. Die Königsdisziplin des Bahnradsportes gewann der Außenseiter Australien. Dem deutschen Radvierer (oben) in der 4000-m-Mannschaftsverfolgung fehlten diesmal Harmonie und Präzision. Wenigstens gewann man die Bronzemedaille. – Obwohl ihr Vierer mehrmals gesprengt wurde, sie also mit drei Mann weiterfahren mußten, belegten die Amerikaner den 2. Platz. Im Finale blieb der vierte Mann bereits am Start hängen. Drei Fahrer hatten gegen die „Aussies" dann keine Chance mehr.

Das Rennen ist beendet, der Sport zeigt sein menschliches Gesicht. Mark Gorski, der Sprintsieger aus den USA, dreht eine Ehrenrunde mit seinem kleinen Sohn.

Sprint

1. Mark Gorski	USA
2. Nelson Vails	USA
3. Tsutomu Sakamoto	JPN
4. Philippe Verneret	FRA
5. Gerhard Scheller	GER
6. Marcelo Alexandre	ARG
7. Kinrick Tucker	AUS
8. Fredy Schmidtke	GER

1000-m-Zeitfahren

		Min.
1. Fredy Schmidtke	GER	1:06,104
2. Curtiss Harnett	CAN	1:06,437
3. Fabrice Colas	FRA	1:06,649
4. Gene Samuel	TRI	1:06,691
5. Craig Adair	NZL	1:06,964
6. David Weller	JAM	1:07,243
7. Marcelo Alexandre	ARG	1:07,290
8. Rory O'Reilly	USA	1:07,390

4000-m-Einer-Verfolgung

		Min.
1. Steve Hegg	USA	4:39,35
2. Rolf Gölz	GER	4:43,82
3. Leonard Harvey Nitz	USA	4:44,03
4. Dean Woods	AUS	4:44,08

4000-m-Mannschafts-Verfolgung

		Min.
1. Grenda, Turtur, Nichols, Woods	AUS	4:25,99
2. Grylls, McDonough, Hegg, Nitz	USA	4:29,85
3. Alber, Gölz, Günther, Marx	GER	4:25,60
4. ITA		4:26,90
5. DEN		4:25,16
6. FRA		4:30,28
7. SUI		4:30,47
8. BEL		4:31,53

Punktefahren

		Punkte
1. Roger Ilegems	BEL	37/0 Runden
2. Uwe Messerschmidt	GER	15/0 Runden
3. José M. Youshimatz	MEX	29/1 Runde zur.
4. Jörg Müller	SUI	23/1 Runde zur.
5. Jean E. Curuchet	ARG	20/1 Runde zur.
6. Glenn Clarke	AUS	13/1 Runde zur.
7. Brian Fowler	NZL	12/1 Runde zur.
8. Dirk J. v. Egmond	HOL	56/2 Runden zur.
19. Manfred Donike	GER	3/3 Runden zur.

Ausflüchte statt Medaillen

Mit dem Blasrohr zu schießen scheint Luciano Giovanetti, der Goldmedaillengewinner im Trapschießen aus Italien. Dabei lädt er seine Schrotflinte gewissenhaft für die nächsten Schüsse. – Italiens Sportler überraschen bei diesen Spielen positiv.

Ein bemerkenswertes Bild! Wie schon häufig in Olympia, stellten die Schützen den ersten Sieger der Spiele; hier in der Freien Pistole. In Los Angeles heißt er Xu Haifeng aus der Volksrepublik China. Die Schützen aus dem Reich der Mitte gewannen insgesamt drei Gold- und drei Bronzemedaillen. Sie waren die große Überraschung der Schießwettbewerbe. – Und für Statistiker: Der Mann im gelb-blauen Trainingsanzug mit der Silbermedaille, Ragnar Skanaker, gewann vor zwölf Jahren in München ebenfalls in diesem Wettbewerb die erste Goldmedaille der Spiele.

Der Sprung vom Musterknaben zum Prügelknaben ist manchmal nicht weit. Die bundesdeutschen Sportschützen konnten davon ein Lied singen nach den Tagen draußen im Prado-Park. Erst sind die Medien über sie hergefallen, weil sie ihr Medaillen-Soll nicht erfüllten, am Ende kehrten sie untereinander zerstritten heim, bedeutete auch die Silbermedaille für das 16jährige Nesthäkchen Ulrike Holmer aus Neufahrn in Niederbayern keinen rechten Trost mehr.

Es mag wohl auch daran gelegen haben, daß die Enttäuschung so groß war, die Kritik so kräftig ausfiel: Bisher waren die Schützen des Olympiateams, ob 1960 in Rom, 1964 in Tokio, 1968 in Mexiko, 1972 in München oder 1976 in Montreal, stets mit gutem Beispiel vorangegangen. Und auch die Vorleistungen des Jahres 1984 hatten nichts zu wünschen übriggelassen. Doch dann scheinen sich Trainer und Sportler gründlich verkalkuliert zu haben, einschließlich der Strategen des Bundesausschusses Leistungssport; die zahlreichen Offiziellen taten ein übriges durch freundliches Desinteresse, daß nachher nicht allein von Konsequenzen, sondern von Rücktritten die Rede war im Kreis der Aktiven. Der Olympiadritte von 1976, Werner Seibold, und die Luftgewehr-Weltmeisterin von 1982, Sigrid Lang, erklärten ihn gleich unmittelbar nach dem mißglückten Wettkampf.

Die negative Serie leiteten die Pistolenschützen ein. Zwar durfte man mit dem vierten Platz des Teamneulings Jürgen Hartmann aus Ringgau in Hessen mit der Freien Pistole durchaus zufrieden sein, nicht aber mit dem 20. Rang für Waltraud Weißenberg, der Winzerin aus Gengenbach, im erstmalig auf dem olympischen Programm stehenden Sportpistolen-Wettstreit. Nebenan feierten die Chinesen ihren Einstand mit dem ersten Gold der Geschichte der Volksrepublik durch den 26jährigen Xu Haifeng, der mit 566 Ringen dem beinahe doppelt so alten schwedischen Routinier Ragnar Skanaker, dem Olympiasieger von 1972, das Nachsehen gab. „Ich habe nie an meinem Sieg gezweifelt", gab Xu selbstbewußt zu Protokoll.

Seiner Sache sicher war sich – eine Stunde lang jedenfalls – der Keiler-Schütze Uwe Schröder aus Linden in der Lüneburger Heide. Mit 582 Ringen lag der 22jährige Soldat auf dem Bronze-Rang hinter dem Chinesen Li Yuwei und dem Kolumbianer Helmut Bellingrodt, dann wurde er nach einem Protest um einen Zähler abgewertet und mußte, da der Chinese Shiping Huang bei gleicher Leistung und je 44 Zehnern zweimal mehr die Neun getroffen hatte, mit dem undankbaren vierten Platz vorliebnehmen. „Ich hatte auf Gold gehofft", zog Schröder enttäuscht von dannen.

Silber für „Pumuckl"

Große Hoffnungen hatte man in die Gewehrschützen gesetzt, vor allem in die vier jungen Damen, die ihre olympische Premiere erleben durften. Sie scheinen aber eher zu gründlich vorbereitet worden zu sein, reisten kurz vor Olympia nach den vorolympischen Testwettkämpfen im April ein zweites Mal über den großen Teich, um den Ernstfall zu proben. Das scheinen gerade die Teenager aus Bayern nicht richtig verkraftet zu haben, die kleine, stets zu Späßen aufgelegte Ulrike („Pumuckl") Holmer ausgenommen. Sie belegte mit dem KK-Standardgewehr mit 578 Ringen den zweiten Platz hinter der Chinesin Xiaoxuan Wu (580).

Das nur 1,54 m große Mädchen von den Neufahrner „Wilderern" erzielte nach 197 von 200 möglichen Ringen im Liegend-Anschlag mit 191 das beste Stehend-Ergebnis und hatte am Ende nur an den 190 Kniend-Ringen Kritik anzubringen: „Mei, war ich da schlecht!" Wenigstens ihr lachte das Glück der Tüchtigen, denn bei gleicher Leistung wies die Amerikanerin Wanda Jewell nur 39 Zehner auf gegenüber ihren 41. Im Gegensatz zu routinierteren Teamkameraden schoß die 16jährige, die mit zehn Jahren von Vater Anton Holmer ein Luftgewehr geschenkt bekommen hatte, unbekümmert drauflos und hatte ihr Pensum von 60 Schüssen absolviert, ehe der gefürchtete Wind von den Bergen in den San-Bernardino-Talkessel hineinfegte, wo sich der Smog des 90 km entfernten Los Angeles, Hitze und Luftfeuchtigkeit, zu einem tückischen Gebräu verdichtete.

Es war die Hitze, etwa 40 Grad im Schatten, die auch den deutschen Routiniers Streiche spielte, die Luft flimmern und das Ziel zur Fata Morgana werden ließ. Und der frische Wind um zehn, elf Uhr morgens tat ein übriges, daß sich die Schützen ins Geisterreich entführt fühlten. Während Ed Etzel aus den USA die Konsequenz zog, das 60-Schuß-Programm des KK-Liegendkampfes in 35 Minuten absolvierte und mit 599 Ringen überlegen siegte, blieb Werner Seibold aus Bad Wiessee, mit 600 Zählern Mitinhaber des Weltrekords, bei bescheidenen 589 hängen – Platz 25. Und Uli Lind aus Heilbronn, 1976 Olympiazweiter, schnitt mit 593 und Rang acht zwar besser, doch ebenfalls nicht nach Wunsch ab. Er hatte versehentlich die

Trainingsmunition verwendet und das Malheur erst bemerkt, als nach 25 Schüssen schon sechs Neuner auf seinem Konto standen.
Etwas besser lief es dann beim KK-Dreistellungskampf, doch über den siebenten Platz kam Peter Heinz, der WM-Zweite aus Espenau in der Nähe von Kassel, mit bescheidenen 1150 Ringen nicht hinaus. Vier Zähler mehr erzielte der 27jährige Polizist Kurt Hillenbrand aus Kronau in Baden, acht zuwenig, um statt des vierten Ranges den Bronze-Platz einzunehmen. An der Spitze stellte der 36jährige Brite Malcolm Cooper mit 1173 Ringen den Weltrekord des Sowjetrussen Viktor Wlassow ein und siegte unangefochten.
„Wir haben mit dem Gewehr trotz allem gut abgeschnitten“, zog Bundestrainer Walter Schumann sein Fazit, nachdem auch mit dem Luftgewehr nur ehrenvolle Plazierungen für Peter Heinz (Fünfter mit 583 Ringen) und den Exeuropameister Bernhard Süß aus dem oberbayerischen Dürnhausen (Zehnter mit 581) herausgesprungen waren und schon heftige Kritik an seinem Führungsstil laut geworden war. Mit seiner Bestleistung von 591 hatte Süß zu den Favoriten gezählt. Entsprechend enttäuscht zeigte er sich. „Mir ist der Schweiß so das Gesicht runtergelaufen, daß mir das Gewehr von der Backe gerutscht ist“, berichtete Süß. Zudem habe er die Optik am Gewehr mitten im Wettkampf reparieren müssen.

Mit 599 von 600 möglichen Ringen gewann Edward Etzel (USA) die Goldmedaille im Kleinkaliber-liegend-Schießen. Ein Ring fehlte ihm zum Weltrekord, der nur bei Welt-, Europameisterschaften und Olympischen Spielen aufgestellt werden kann.

Nebenan freute sich der Österreicher Andreas Kronthaler königlich über seine Silbermedaille. „Mein Trainer hat mir viel geholfen“, gab er die Komplimente an den Münchner Gottfried Kustermann weiter, den zweimaligen Weltmeister, der zwei Jahre zuvor wegen Differenzen mit Bundestrainer Schumann seinen Rücktritt erklärt und dabei deutliche Worte gebraucht hatte. Den Sieg aber trug der 21jährige Franzose Philippe Heberle davon, der ein Jahr zuvor schon zum Weltmeister aufgestiegen war. Dem Feuerwehrmann aus Belfort kam die Hitze wohl gerade recht.
Bei der olympischen Premiere des Luftgewehr-Schießens zeigte Fortuna auch den deutschen Mitfavoritinnen die kalte Schulter. Gisela Sailer aus Eppishausen im Schwäbischen erfüllte mit 385 von 400 möglichen Ringen und Platz sechs in etwa die Erwartungen, doch Silvia Sperber, die WM-Zweite aus Penzing in der Nähe des oberbayerischen Landsberg, konnte mit 381 und Rang elf nicht zufrieden sein. Bereits nach der ersten Zehnerserie von 91 Ringen war die 19jährige aus dem Rennen. Sie hatte eigens daheim auf dem Dachboden trainiert, um der Hitze des olympischen Gefechts gewachsen zu sein, das dann in klimatisierter Halle stattfand. Die gleichaltrige Pat Spurgin aus den USA gewann mit 393 Ringen, die normalerweise auch in der Reichweite von Silvia Sperber liegen. Es hat nicht sollen sein...
Wie hätte es da den Wurftauben-Schützen besser ergehen sollen. Nachdem es den Trap-Spezialisten Peter Blecher aus Hagen, immerhin frischer EM-Zweiter, unter „ferner feuerten“ verweht hatte, verfehlte der 22jährige Wormser Skeet-Schütze Norbert Hoffmann um zwei Treffer eine mögliche Medaille. Der Weltmeisterschafts-Dritte von 1982 hätte sich über seine „beiden Fehlschüsse vom ersten Tag totärgern“ können. Doch was half's; während der Amerikaner Matthew Dryke nach dem WM-Titel auch Gold vom Himmel holte dank 198 von 200 möglichen Treffern, blieb Hoffmann nur der sechste Platz. Tauben und Medaille sind ihm – verweht von einem himmlischen Wind – einfach davongeflogen.
Während im bundesdeutschen Lager herbe Freundlichkeiten ausgetauscht wurden, als auch der ehemalige Weltmeister Alfred Radke aus dem badischen Hohentengen mit der Schnellfeuerpistole mit dem sechsten Platz das hochgesteckte Ziel nicht ganz erreichte, konnten andere zufrieden Bilanz ziehen. US-Amerikaner und Chinesen heimsten je drei der elf Goldmedaillen ein. Der Deutsche Schützen-Bund aber rutschte in der Medaillenwertung von Los Angeles auf den achten Platz ab.
Auch Ulrike Holmers Silber und drei vierte Plätze konnten den Rückfall nicht übertünchen. Das Fehlen der starken Ostblock-Athleten hat, darüber war man sich schon vorher klar geworden, den Bundesdeutschen nicht gerade genützt. Möglicherweise haben sie sich blenden lassen durch die für die Boykott-Spiele von Moskau 1980 hochgerechneten Medaillen. Satt geworden seien die Athleten, mußmaßte Bundestrainer Schumann, durch die Erfolge bei Welt- und Europameisterschaften. „Da wurde sogar über eine Bronzemedaille die Nase gerümpft und sich nicht einmal gefreut.“
Der Erklärungen, Ausflüchte, Schuldzuweisungen gab es – im Gegensatz zu den Medaillen – viele. Damit die bundesdeutschen Sportschützen wieder als die olympischen Musterknaben (und jetzt auch -mädchen) von einst auftreten können, werden sie sich alle wohl auch der Selbstkritik befleißigen müssen.

Schießen Männer

Freie Pistole

		Ringe
1. Xu Haifeng	CHN	566
2. Ragnar Skanaker	SWE	565
3. Yifu Wang	CHN	564
4. Vicenzo Tondo	ITA	560
5. Jürgen Hartmann	GER	560
6. Philippe Cola	FRA	559
7. Paavo Palonkangas	FIN	558
Hector de Lima Carillo	VEN	558
Erich Buljung	USA	558
23. Gerhard Beyer	GER	584

Schnellfeuerpistole

		Ringe
1. Takeo Kamachi	JPN	595
2. Corneliu Ion	ROM	593
3. Rauno Bies	FIN	591
4. Delival Nobre	BRA	591
5. Choong-Yull Yang	KOR	590
Alfred Radke	GER	590
Jong-Gil Park	KOR	590
8. Bernardo Tobar	COL	589
9. Viktor Engel	GER	589

„Mensch, bin ich glücklich!" Mit diesem ebenso lapidaren wie überzeugenden Satz kommentierte Ulrike Holmer, 16jährige Metzgerstochter aus Neufahrn in Niederbayern (links), ihre Silbermedaille im Dreistellungskampf mit dem Standardgewehr. Immerhin sorgte das Nesthäkchen in der deutschen Schützenmannschaft für die einzige Medaille. Bereits mit vierzehn wurde das große Talent Dritte mit dem Luftgewehr bei der Europameisterschaft der Junioren. – Die Siegerin: Xiaoxuan Wu aus China (Mitte); die Dritte: Wanda Jewell, USA (rechts).

Kleinkaliber liegend

		Ringe
1. Edward Etzel	USA	599
2. Michel Bury	FRA	596
3. Michael Sullivan	GBR	596
4. Allan Allister	GBR	595
5. Francesco Nanni	SMR	594
Hans Strand	SWE	594
John Duus	NOR	594
8. Ulrich Lind	GER	593
25. Werner Seibold	GER	589

Kleinkaliber Dreistellungskampf

		Ringe
1. Malcolm Cooper	GBR	1173
2. Daniel Nipkow	SUI	1163
3. Allan Allister	GBR	1161
4. Kurt Hillenbrand	GER	1154
Bo Arne Lilja	DEN	1154
6. Glenn Dubis	USA	1151
7. Peter Heinz	GER	1150
Jean-Pierre Amat	FRA	1150

Skeet

		Tauben
1. Matthew Dryke	USA	198
2. Ole Riber Rasmussen	DEN	196/25
3. Luca Scribani-Rossi	ITA	196/24
4. Johannes Pierik	HOL	194
Anders Berglind	SWE	194
Norbert Hoffmann	GER	194
7. Jorge Molina	COL	194
8. Ian Hale	AUS	193
29. Wolfgang Trautwein	GER	188

Trap

		Tauben
1. Luciano Giovanetti	ITA	192/24
2. Francisco Boza	PER	192/23
3. Daniel Carlisle	USA	192/22
4. Timo Nieminen	FIN	191
5. Michel Carrega	FRA	190
Eli Ellis	AUS	190
7. Terry Rumbel	AUS	189
Johnny Pahlsson	SWE	189
28. Peter Blecher	GER	179

Laufende Scheibe

		Ringe
1. Li Yuwei	CHN	587
2. Helmut Bellingrodt	COL	584
3. Shiping Huang	CHN	581
4. Uwe Schröder	GER	581
5. David Lee	CAN	580
6. Kenneth Skogelund	NOR	576
Jorma Lievonen	FIN	576
Ezio Cini	ITA	576

Luftgewehr

		Ringe
1. Philippe Heberle	FRA	589
2. Andreas Kronthaler	AUT	587
3. Barry Dagger	GBR	587
4. Jean-Claude Berthelot	FRA	585
5. Peter Heinz	GER	583
John Rost	USA	583
7. Harald Stenvaag	NOR	582
8. Itzhak Yonassi	ISR	582
10. Bernhard Süß	GER	581

Schießen Frauen

Sportpistole

		Ringe
1. Linda Thom	CAN	585
2. Ruby Fox	USA	585
3. Patricia Dench	AUS	583
4. Haiying Liu	CHN	583
5. Kristina Fries	SWE	581
6. Zhifang Weng	CHN	578
7. Deborah Srour	BRA	577
8. Maria Macovei	ROM	577
20. Waltraud Weißenberg	GER	568

Kleinkaliber Dreistellungskampf

		Ringe
1. Xiaoxuan Wu	CHN	581
2. Ulrike Holmer	GER	578
3. Wanda Jewell	USA	578
4. Gloria Parmentier	USA	576
5. Grethe Jeppesen	NOR	574
6. Dong Xiang Jin	CHN	571
7. Biserka Vrbek	YUG	569
8. Mirjana Jovovic	YUG	569
12. Sigrid Lang	GER	567

Luftgewehr

		Ringe
1. Pat Spurgin	USA	393
2. Edith Gufler	ITA	391
3. Xiaoxuan Wu	CHN	389
4. Sharon Bowes	CAN	388
5. Ivette Courault	FRA	386
6. Gisela Sailer	GER	385
7. Siri Landsem	NOR	384
8. Sirpa Ylonen	FIN	383
11. Silvia Sperber	GER	381

Auf einer Welle des Patriotismus zum Triumph

Anmut und Grazie, Zauber und Vollendung menschlicher Bewegung machen die Turnwettkämpfe bei Olympischen Spielen fast immer zu Sternstunden des Sports. Mannschafts- und Mehrkampfsieger sind Legion. Das pp. Publikum sucht und findet seine Lieblinge. In Los Angeles war das nicht anders. Unser Bild zeigt Ecaterina Szabo, vierfache Olympiasiegerin aus Rumänien.

Geht es denn überhaupt noch besser? Ist das Kunstturnen in Los Angeles schon perfekt geworden, nicht mehr steigerungsfähig? Wenn es einen roten Faden durch die abwechslungsreichen, nicht von einzelnen Athleten dominierten Wettkämpfe in Pauleys Pavillon gibt, dann ist es diese Frage. Rund 50mal gaben die Kampfrichter die Höchstnote zehn, allein 30mal bei den Männern. So gespickt voll mit den allergrößten Schwierigkeiten, den sogenannten C-Teilen, sind die Übungen gewesen, daß jede fehlerfreie Ausführung sofort die Bestnote nach sich zog – eine Inflation, die der Internationale Turnerbund sich verzweifelt bemühte zu stoppen, indem er eilends neue Differenzierungen einführte. Plötzlich gibt es D-Teile, die noch schwieriger als schwierig sind. Die Zehn soll wieder die Ausnahme sein.
Aber es war nicht dieser endlose, schwindelnde Wirbel an den Geräten allein, der das Publikum in der fast stets ausverkauften Halle in eine Begeisterung versetzte, die man beim Kunstturnen nur ganz selten erlebt. Es war etwas von jenem besinnungslosen Taumel, in den die Amerikaner 1980 verfielen, als bei den Winterspielen von Lake Placid die US-Eishockeyspieler den sowjetischen Favoriten die Goldmedaille wegnahmen. Vergleichbares passierte diesmal bei den Kunstturnern. Denn kaum jemand hatte ernsthaft an einem Sieg der chinesischen Mannschaft gezweifelt, die erstmals 1982 beim Weltcup in Zagreb mit sensationellen Leistungen aufgetreten war, dann 1983 bei der Weltmeisterschaft in Budapest mit 0,10 Punkten Differenz den bis dahin dominierenden Russen den Titel abgeknöpft hatte. Wer sollte diese Wunderturner, die eine neue Form artistischer Perfektion mitgebracht hatten, denn besiegen?
Plötzlich aber führten nach dem Pflichtturnen die Amerikaner vor den Asiaten, und das nicht zu knapp mit 295,30 zu 294,25 Punkten. Niemand war überraschter als die US-Boys selbst, die während des Wettkampfs die Wertungen gar nicht addiert und mitgezählt hatten. „Das kann doch nicht wahr sein", staunte Riegenführer Peter Vidmar, und Coach Abie Grossfeld bekam es schon mit der Angst zu tun: „Nur jetzt nicht nervös werden." Denn in einer solchen Situation hatten sich die Amerikaner wirklich noch nie befunden. In Budapest lagen sie auf dem vierten Platz, ganze 4,35 Punkte von den Weltmeistern entfernt.
Ein Heimvorteil? Ihre bisher guten Plazierungen hatten die USA immer im eigenen Land geschafft, 1979 zum Beispiel bei der WM in Fort Worth den dritten Rang. Und diesmal?
Diesmal spielten die Kampfrichter den entscheidenden Part. „Die Amis", urteilte der frühere bundesdeutsche Weltmeister Eberhard Gienger nach der Pflicht, „waren heute wirklich in Topform, aber so viel besser als die Chinesen waren sie nun doch nicht." Da war zum einen Parteilichkeit bei den Noten im Spiel, zum anderen schiere Unfähigkeit. Weil man nach dem Boykott zahlreiche Punktrichter aus dem Ostblock ins Abseits bugsiert hatte, mußten deren Plätze Kollegen aus kleineren Ländern einnehmen, die gelegentlich – auch unter dem Eindruck des lautstarken Publikums – ganz einfach überfordert waren. „An Ringen und Barren", klagte Chinas Cheftrainer Zhang Jian, „hat uns die Jury klar heruntergewertet. Aber da sitzen Leute im Kampfgericht, die sehen erst einmal ihre eigenen Aktiven. Das macht das Kunstturnen kaputt." Und doch, und doch: Der endliche Sieg der Amerikaner nach der Kür, errungen mit 591,40 Punkten zu 590,80, war so ungerecht nicht. Denn was die Pflicht noch so beeinträchtigt hatte, wiederholte sich im Kürturnen der Männer nicht. Diesmal waren die Wertungen nach einhelligem Urteil aller Fachleute in Ordnung.

Ein Orkan der Gefühle

Und es passierte damit etwas, das die 9000 Zuschauer in der Halle schier ausflippen ließ, das einen Orkan der Gefühle und des Patriotismus durch Pauleys Pavillon fegen machte. Wildfremde Menschen lagen sich in den Armen, herzten den Nachbarn, und Abie Grossfeld fand: „Unglaublich, phantastisch, daß das passieren konnte." Bart Conner, mit 26 der Senior der US-Riege, erlebte „einen großen Augenblick, besonders für mich, denn ich bin ein Teil des amerikanischen Kunstturnens" – in aller Bescheidenheit formuliert. Eduard Friedrich, früher einmal deutscher Bundestrainer, fand: „Die USA haben verdient gewonnen, denn die Mannschaft turnte sicher, originell und virtuos. Was den Chinesen nach dem Schock in der Pflicht fehlte, waren Pep, Spritzigkeit und Ruhe."
Das Publikum jedenfalls war von da an fixiert auf den Zweikampf der Giganten und merkte kaum, daß da unter den einzelnen Turnern noch ein Dritter war. Koji Gushiken, mit 27 Jahren der älteste Turner in Los Angeles, lag nach dem Mannschafts-Zwölfkampf in der Ausgangsposition für die Einzelwertung nur an fünfter Stelle. Aber wäh-

wegt.“ Für Gushiken war dies der Höhepunkt einer langen Karriere mit zahllosen Erfolgen wie zum Beispiel zwei Weltmeistertiteln und einem Weltcup-Sieg, aber auch mit schmerzenden Niederlagen. Eine Olympiateilnahme nämlich war dem neuen Olympiasieger bis dahin nie geglückt: 1976 hinderte ihn eine Ellenbogenverletzung, 1980 der Boykott. Und nun? „Warum soll ich jetzt aufhören?“ fragte der Japaner abends in die Runde. „Mein nächstes Ziel sind die Weltmeisterschaften 1985 in Montreal“, und wenn möglich wolle er 1988 in Seoul auch noch dabeisein. Dann wäre er 31 – ein biblisches Alter für einen Kunstturner und obendrein eine gigantische Herausforderung für einen Athleten in diesen Jahren.

Gushiken am Reck, Gushiken am Seitpferd, Gushiken jubelt. Was vor dem Finale des Mehrkampfes keiner mehr erwartet hatte, trat ein: Obwohl die große Zeit der Japaner derzeit vorbei ist, gewann ein Japaner den olympischen Zwölfkampf. Ono, Endo und Kato haben einen würdigen Nachfolger erhalten. Mit einer Superserie im Finale turnte er sich noch an die Spitze, vorbei an Lokalmatador Peter Vidmar (USA) und Favorit Li Ning aus China. – Nach seinem Sieg weinte der Japaner Tränen der Freude.

rend sich vorne die Favoriten Peter Vidmar und Li Ning mißtrauisch beäugten, turnte der Mann aus Tokio sicher vor sich hin und dabei eine so ausgeglichene Kür, daß am Ende keiner mithalten konnte: 9,90 an Boden, Seitpferd und Barren, 9,95 an Ringen und Reck, eine Zehn beim Sprung. Koji Gushiken gewann die Goldmedaille im olympischen Zwölfkampf mit 118,700 Punkten vor Vidmar mit 118,675 und Li Ning mit 118,575.
„Mit Koji hatte ich überhaupt nicht gerechnet“, sagte staunend der Chinese Li, und der Sieger war in seiner Ergriffenheit tränenüberströmt nicht mehr in der Lage, den restlichen Wettkampf noch zu verfolgen: „Peter Vidmars letzte Übung habe ich überhaupt nicht mehr gesehen. Ich war einfach zu be-

Li Ning, eine Klasse für sich

Die Amerikaner Olympiasieger in der Mannschaft, ein Japaner Goldmedaillengewinner im Zwölfkampf, und wo blieben die Chinesen? Am Ende war doch einer von ihnen der erfolgreichste von allen: Li Ning. Denn in den Einzel-Finalkämpfen bestätigte er endlich jene Ausnahmestellung, die man ihm vor den Olympischen Spielen zuschrieb. Schließlich hatte der 20jährige Gold an Boden, Seitpferd und Ringen gewonnen, dazu zwei silberne und eine bronzene Medaille.
„Phantastisch, unglaublich, eine Klasse für sich“, sagte der Olympiasieger Peter Vidmar über den Olympiasieger Li, den Sohn eines Musiklehrers. Der Mann aus Peking ist eben doch der vielseitigste unter den Chinesen, die daneben über so erstaunliche Spezialisten verfügen wie den Olympiasieger im Pferdsprung, Yun Lou, der bei allen seinen Sprüngen nicht einmal einen noch so kleinen Punktabzug bekam. Den Amerikanern blieb da nur noch der Olympiasieg am Barren durch Bart Conner, den Japanern der Erfolg am Reck durch den 27jährigen Shinji Morisue.
Nur ein einziger Europäer gewann in Los Angeles eine Kunstturn-Medaille: der Franzose Philippe Vatuone am Boden. Die Deutschen, Vierte in der Mannschaftswertung, hatten als ihren Besten Jürgen Geiger auf dem zehnten Rang im Zwölfkampf, dahinter Andreas Japtok auf dem 17. und Daniel Winkler auf dem 21. Platz – eine recht gute Leistung, die Bundestrainer Philipp Fürst zu der Bemerkung veranlaßte, er sei mehr als zufrieden.
Besser waren die bundesdeutschen Turnerinnen ja auch nicht, die sich im Gegensatz zu Fürsts Männern Hoffnung auf eine Bronzemedaille hinter Rumänien und China ge-

Mit Heimvorteil die Sensation geschafft

Das Gesicht erinnert an Peter O'Toole. Peter Vidmar (links oben), hier bei seiner Ringeübung, war der Star im amerikanischen Turnteam. Die Goldmedaille der USA im Mannschafts-Zwölfkampf kann man getrost eine Sensation nennen, wurde doch immerhin mit Rotchina der amtierende Weltmeister geschlagen. Im Zwölfkampf Zweiter, gewann der Amerikaner am Seitpferd die Goldmedaille.

Seine fliegenden Scheren am Seitpferd sind die besten der Welt. Li Ning (links unten) war als der große Zwölfkampffavorit gestartet; sein dritter Platz konnte ihn nicht zufriedenstellen. Drei Einzeltitel am Boden, Seitpferd und an den Ringen ließen ihn aber noch zum erfolgreichsten Turner von L.A. werden. Ein immerhin versöhnlicher Abschluß für den Chinesen.

Bart Conner (rechts) holte sich die Silbermedaille am Barren. Nach der Weltmeisterschaft 1979 in Fort Worth war dies sein zweiter internationaler Titel an diesem Gerät. Mit seinen Teamkameraden gewann er die Mannschaftswertung.

Die Gesetze der Schwerkraft sind aufgehoben. Wäre nicht die Reckstange, mit der US-Turner Peter Vidmar im Zwiegriff verbunden ist, man könnte meinen, er schwebe. Erst nach dem Abgang vom Reck hat er wieder festen Boden unter den Füßen.

macht hatten. Jeden Gedanken an einen solchen Erfolg aber mußten sie schon nach dem Pflichtturnen begraben. Da nämlich begünstigten die Kampfrichterinnen insbesondere die US-Turnerinnen in einer Weise, die zum größten Skandal dieser Art bei den Spielen von Los Angeles führte. „Wie", so jammerte der deutsche Cheftrainer Vladimir Prorok, „soll man als Pädagoge junge Menschen da noch motivieren? Das ist doch eine Mafia, die entweder keine Ahnung hat oder die Geschenke verteilen muß oder aber bestochen ist."

Seine Mädchen weinten sich den Kummer von der Seele, turnten mit blassen Gesichtern ihre Kür, während Amerikanerinnen und Rumäninnen die Goldmedaillen unter sich ausmachten. Besonderer Reiz dieser Veranstaltung: Bela Karolyi, bis 1981 Chef der rumänischen Kunstturnerinnen, unter anderem Trainer der sagenumwobenen Nadia Comaneci, dann in die USA geflüchtet, nannte nun zwei Amerikanerinnen seine Schützlinge: Mary Lou Retton und Julianne McNamara.

Wen wundert's, daß der Wettkampf schnell zur Auseinandersetzung Karolyi gegen Karolyi stilisiert wurde, zum Kampf eines Mannes mit seiner eigenen Vergangenheit, auch zum Siegeszug eines von ihm geprägten neuen Stils.

Denn wer wollte bestreiten, daß Mary Lou etwas gänzlich Neues auf der Bühne der Turnerinnen darstellte, einen perfekten Kontrapart zum immer wehmütig-sehnsüchtig umflorten Blick der zierlichen Ecaterina Szabo, Rumäniens Bester? Die Augen von Mary Lou blitzen stets herausfordernd ins Publikum, ein floppiger Gummiball hüpft da über die Matten, ein Temperamentsbolzen, der nicht stillsitzen kann und das Mundwerk nicht schließen mag. Auf die Frage, warum sie denn bloß 1,45 Meter groß sei, schlug Mary Lou zurück: „Bela patscht mir ständig auf den Kopf, wenn ich mal was nicht richtig mache, und wenn er mir einen Klaps auf den

US-Boy Tim Daggett in the air! Nur Fliegen ist schöner. Einen nicht unbedeutenden Teil seiner Reckkür befindet sich der Spitzenturner von heute in der Luft. Gienger-Salto, Tkatschew-Grätsche, Einarmige Riesenfelge heißen einige Flugnummern der Besten. Beim Reckturnen schlägt die Stunde der Artisten.

Po gibt, dann haut es mich gleich 15 Fuß nach vorn." Karolyi mißt einen Meter achtundachtzig.
Das Pummelchen aus Fairmont in West Virginia brachte in Los Angeles ein ganz neues Element in das Frauenturnen, viel Athletik, eine fast männliche Dynamik, die man so bisher nicht gesehen hatte, die „Kraft eines Bulldozers" (Karolyi). Und sie entzweite die Gemüter.
„Nadia", so fand Karolyi selbst, „war eine großartige Meisterin, aber Mary Lou ist besser. Niemand bringt den Pferdsprung wie sie. Die Tage der Schmetterlinge sind vorbei. Sie ist das kraftvollste Individuum, das es jemals in unserem Sport gab. Und dazu ist sie eine höllische Kämpferin." Konkurrentin Szabo äußerte sich differenzierter: „Sie ist von den Kampfrichterinnen bevorteilt worden, aber sie ist eine ganz hervorragende Turnerin." Die bundesdeutsche Kollegin Elke Heine war gänzlich anderer Ansicht: „Vom Pferdsprung abgesehen turnt sie unsauber und unästhetisch. Außerdem hätte sie unter unserem Trainer Vladimir Prorok schon einige Pfunde abspecken müssen." Karolyi focht all das nicht an: „Sie ist das neue Idol des Sports. Jeder wird jetzt nach kleinen, graziösen und zugleich kräftigen Kids Ausschau halten." Karolyi will auch Modemacher sein. Den Mannschaftssieg der Rumäninnen konnten freilich weder Mary Lou noch übelgesonnene Kampfrichterinnen verhindern. Trotz teilweise tatsächlich skandalöser Benachteiligung führten die Mädchen aus dem Ostblock schon nach der Pflicht mit 196,15 Punkten vor den Amerikanerinnen mit 195,70 und China mit 194,15. Und am Ende hatten sie mit 392,20 zu 391,05 die Nasen vorn. „Ich gratuliere den Rumäninnen", sagte US-Chefcoach Don Peters. „Sie waren die bessere Riege. Wahrscheinlich hat der Sieg unserer Männer meine Mädchen zusätzlich belastet."
Die Stunde von Mary Lou kam erst später, im Einzelwettbewerb des olympischen Acht-

Hohe Anforderungen an Gleichgewicht und Ausdrucksfähigkeit: der Schwebebalken

kampfes. Mit 79,175 Punkten gegenüber 79,125 von Ecaterina Szabo gewann sie hier die Goldmedaille, umstritten wie so manches in diesen Tagen. Denn eigentlich grenze ihr Sieg an ein Wunder, fanden sowohl Bela Karolyi als auch der rumänische Coach Adrian Goreac. Während Karolyi aber meinte, es sei einfach erstaunlich, wie sich sein Schützling von einer gefährlichen Knieverletzung noch sechs Wochen vor dem Wettkampf erholt habe, suchte Goreac die Ursachen für den Sieg noch einmal bei der Jury. „Sie ist eindeutig bevorteilt worden. Für mich ist sie keine richtige Olympiasiegerin.“ Das ist hart. Aber ist es nicht in der Tat ein bißchen merkwürdig, daß Mary Lou für eine mit einigen Standfehlern nach hohen Sprüngen ausgestattete Boden-Übung gleichwohl eine Zehn erhielt, während Ecaterina für einen kleinen Ausfallschritt nach dem Abgang vom Stufenbarren gleich mit 9,90 bestraft wurde?

Es war ein perfekter Pferdsprung, ein sogenannter Tsukahara mit ganzer Schraube, für den es jene Note zehn gab, die den Achtkampf letztlich zu Mary Lou Rettons Gunsten entschieden hatte. Und dennoch: Als es um die Medaillen an den Einzelgeräten ging, konnte die Amerikanerin nicht einmal hier, in ihrer Paradedisziplin, den Erfolg wieder-

holen. Ihr Achtkampf-Sieg blieb ihr einziger, und das lag an Ecaterina Szabo.
Denn letzten Endes war doch die 17jährige Rumänin die beste Turnerin, holte sie doch zu ihrem Mannschaftsgold noch drei weitere erste Plätze beim Sprung, am Boden und Balken, wo sie den Erfolg mit ihrer Mannschaftskameradin Simona Pauca teilte. Mary Lou Retton blieben nur Silber und Bronze an Barren und Boden, den Amerikanerinnen das mit der Chinesin Ma Yanhong geteilte Gold von Julianne McNamara am Stufenbarren. Bela Karolyi mußte um Nachsicht für seinen 16jährigen Star bitten: „Sie ist noch so jung, gebt ihr noch ein bißchen Zeit."

Zur Enttäuschung der Riege des Deutschen Turner-Bundes über die Fehler der Punktrichterinnen kam am Ende noch die Sorge um eine Verletzte. Elke Heine aus Hannover stürzte beim Einturnen vor dem Achtkampf vom Schwebebalken, wurde mit einer Absplitterung an der Wirbelsäule ins Krankenhaus gebracht. Sie trug glücklicherweise keine bleibenden Schäden davon. So war denn die beste Plazierung einer Deutschen der sechste Rang von Brigitta Lehmann am Sprung. Trainer Prorok mochte sich selbst bei der Abreise noch nicht beruhigen: „Die haben uns bewußt betrogen, weil wir der Weltklasse plötzlich zu nahe gekommen sind."

Kerzen, Flick-Flacks oder Salti – der Schwebebalken mit seinem Laufstegcharakter kommt den Turnerinnen am ehesten entgegen. Hier rangiert Eleganz vor Akrobatik.

Ergebnisse Turnen
Herren

Mannschafts-Mehrkampf

	Punkte
1. USA	591,40
2. CHN	590,80
3. JPN	586,70
4. GER	582,10
5. SUI	579,95
6. FRA	578,25
7. CAN	577,15
8. KOR	574,95
9. GBR	571,00

Bodenturnen

		Punkte
1. Li Ning	CHN	19,925
2. Yun Lou	CHN	19,775
3. Koji Sotomura	JPN	19,700
Philippe Vatuone	FRA	19,700
5. Bart Conner	USA	19,675
6. Valentin Pintea	ROM	19,600
7. Peter Vidmar	USA	19,550
8. Koji Gushiken	JPN	19,450

Seitpferd

		Punkte
1. Li Ning	CHN	19,950
Peter Vidmar	USA	19,950
3. Timothy Daggett	USA	19,825
4. Tong Fei	CHN	19,750
5. Jean-Luc Cairon	FRA	19,700
6. Nobuyuki Kajitani	JPN	19,625
7. Benno Groß	GER	19,525
8. Josef Zellweger	SUI	19,500

Ringe

		Punkte
1. Koji Gushiken	JPN	19,850
Li Ning	CHN	19,850
3. Mitchell Gaylord	USA	19,825
4. Tong Fei	CHN	19,750
Peter Vidmar	USA	19,750
6. Kyoji Yamawaki	JPN	19,725
7. Emilian Nicula	ROM	19,500
8. Josef Zellweger	SUI	19,375

Einzel-Mehrkampf

		Punkte
1. Koji Gushiken	JPN	118,700
2. Peter Vidmar	USA	118,675
3. Li Ning	CHN	118,575
4. Tong Fei	CHN	118,550
5. Mitchell Gaylord	USA	118,525
6. Bart Conner	USA	118,350
7. Zhiqiang XU	CHN	118,225
8. Nobuyuki Kajitani	JPN	117,375
10. Jürgen Geiger	GER	116,675
17. Andreas Japtok	GER	115,850
21. Daniel Winkler	GER	115,250

Pferdsprung

		Punkte
1. Yun Lou	CHN	19,950
2. Li Ning	CHN	19,825
Koji Gushiken	JPN	19,825
Mitchell Gaylord	USA	19,825
Shinji Morisue	JPN	19,825
6. James Hartung	USA	19,800
7. Warren Long	CAN	19,700
8. Daniel Wunderlin	SUI	19,625

Barren

			Punkte
1.	Bart Conner	USA	19,950
2.	Nobuyuki Kajitani	JPN	19,925
3.	Mitchell Gaylord	USA	19,850
4.	Tong Fei	CHN	19,825
5.	Koji Gushiken	JPN	19,800
6.	Li Ning	CHN	19,775
7.	Daniel Winkler	GER	19,600
	Jürgen Geiger	GER	19,600

Reck

			Punkte
1.	Shinji Morisue	JPN	20,000
2.	Tong Fei	CHN	19,975
3.	Koji Gushiken	JPN	19,950
4.	Yun Lou	CHN	19,850
	Peter Vidmar	USA	19,850
	Timothy Daggett	USA	19,850
7.	Marco Piatti	SUI	19,800
8.	Daniel Wunderlin	SUI	19,675

Erfolgreichstes US-Girl an den Geräten: Mary Lou Retton.

Ergebnisse Turnen Damen

Einzel-Mehrkampf

			Punkte
1.	Mary Lou Retton	USA	79,175
2.	Ecaterina Szabo	ROM	79,125
3.	Simona Pauca	ROM	78,675
4.	Laura Cutina	ROM	78,200
5.	Ping Zhou	CHN	77,775
6.	Ma Yanhong	CHN	77,725
10.	Anja Wilhelm	GER	76,425
18.	Astrid Beckers	GER	75,125
	Elke Heine	GER	ausgeschieden

Mannschafts-Mehrkampf

		Punkte
1.	ROM	392,20
2.	USA	391,05
3.	CHN	388,60
4.	GER	379,15
5.	CAN	378,90
6.	JPN	376,75
7.	GBR	373,85
8.	SUI	373,50

Bodenturnen

			Punkte
1.	Ecaterina Szabo	ROM	19,975
2.	Julianne McNamara	USA	19,950
3.	Mary Lou Retton	USA	19,775
4.	Qiurui Zhou	CHN	19,625
5.	Romi Kessler	SUI	19,575
6.	Ma Yanhong	CHN	19,450
7.	Maiko Morio	JPN	19,375
8.	Laura Cutina	ROM	19,150

Oben links: Die Japaner gratulieren, die Überraschung ist perfekt: USA Olympiasieger!

Links: Die Favoritinnen haben gewonnen, die rumänischen Mädchen freuen sich erkennbar.

Pferdsprung

			Punkte
1.	Ecaterina Szabo	ROM	19,875
2.	Mary Lou Retton	USA	19,850
3.	Lavinia Agache	ROM	19,750
4.	Tracee Talavera	USA	19,700
5.	Ping Zhou	CHN	19,500
6.	Brigitta Lehmann	GER	19,425
	Kelly Brown	CAN	19,425
8.	Yongyan Chen	CHN	19,200

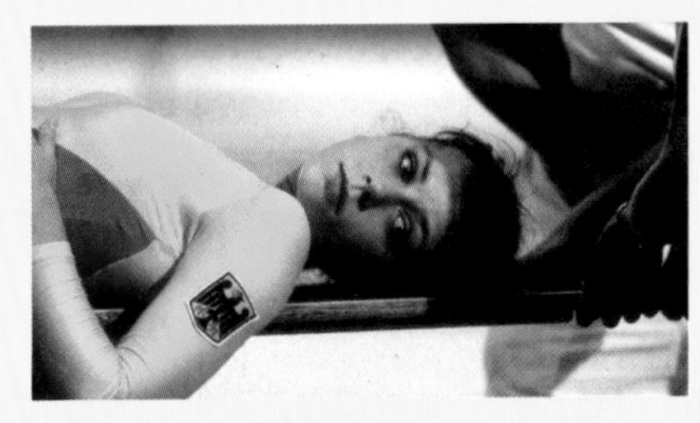

Wurde verletzt aus der Halle getragen: Elke Heine.

Stufenbarren

			Punkte
1.	Ma Yanhong	CHN	19,950
	Julianne McNamara	USA	19,950
3.	Mary Lou Retton	USA	19,800
4.	Mihaela Stanulet	ROM	19,650
5.	Romi Kessler	SUI	19,425
6.	Ping Zhou	CHN	19,350
7.	Noriko Mochizuki	JPN	19,325
8.	Lavinia Agache	ROM	19,150

Schwebebalken

			Punkte
1.	Ecaterina Szabo	ROM	19,800
	Simona Pauca	ROM	19,800
3.	Kathy Johnson	USA	19,650
4.	Mary Lou Retton	USA	19,550
5.	Ma Yanhong	CHN	19,450
6.	Romi Kessler	SUI	19,350
7.	Anja Wilhelm	GER	19,200
	Yongyan Chen	CHN	19,200

RUDERN

Licht und Schatten auf dem Lake Casitas

Amerikanische Sportler hatten's kreiert, der Doppelvierer machte es erfolgreich nach: Flagge zeigen. Die vier Ruderer aus Ulm und Ingelheim hielten denn auch als einzige die Fahne des deutschen Ruderverbandes hoch und gewannen. Sie wurden ihrer Favoritenrolle gerecht. Nach den Spielen wird sich der Vierer leider auflösen. Unser Bild zeigt von links nach rechts: Hedderich, Hörmann, Wiedenmann und Dürsch.

Die Ruderer waren am stärksten, neben der Schwerathletik, vom östlichen Boykott betroffen. So konnten sich bei den Männern unglaublich viele Verbände mit Finalteilnahmen brüsten und im Medaillenglanz sonnen: Ruderer aus 20 verschiedenen Ländern schafften in den acht Bootsklassen die Endkampfteilnahme; für Ruderer aus 13 Ländern gab es Medaillen; und die Goldmedaillen entfielen sogar auf acht verschiedene Verbände, ein einmaliges Ereignis. Acht Klassen – acht verschiedene Olympiasieger, man kann dies auch als positives Ergebnis des Boykotts sehen.
Besonders erfreulich war es, daß doch noch ein bundesdeutsches Boot an diesem breitgestreuten Goldregen beteiligt war. Peter-Michael Kolbe schaffte es wieder nicht, unterlag wie schon vor acht Jahren dem Finnen Pertti Karppinen, der zum dritten Mal hintereinander Olympiasieger im Einer wurde – ein olympisches Denkmal sozusagen. Aber es landete doch noch Gold in deutschen Händen, bei der letzten Chance, im siebenten und vorletzten Rennen, im Doppelvierer mit Albert Hedderich, Raimund Hörmann, Dieter Wiedenmann und Michael Dürsch aus Ingelheim und Ulm. So gab es in der deutschen Gesamt-Ruderbilanz beider Geschlechter je eine Medaille von jedem Metall; Bronze steuerten die Damen Ellen Becker (Münster) und Iris Völkner (Hamburg) im Zweier ohne bei. Am erfolgreichsten waren, wie fast überall in L. A., die Amerikaner bei den Männern mit Gold, dreimal Silber und einmal Bronze vor den gleichauf liegenden Rumänen und Deutschen sowie den Kanadiern. Bei den Frauen dominierten eindeutig die Rumäninnen mit fünf Goldmedaillen.
Nach einem schwachen Auftakt in den Vorkämpfen fand die bundesdeutsche Ruderflotte auf dem Lake Casitas, einem wunderschön gelegenen, wenn auch „heißen" See im Norden von Los Angeles, zu ihrer erwarteten Verfassung und Form. Zunächst einmal mußten drei von den fünf gemeldeten Frauen-Booten in die Hoffnungsläufe. Nur der Zweier ohne Steuerfrau mit Ellen Becker und Iris Völkner aus Münster und Hamburg und der Achter kamen direkt ins Finale, das sich bei jeweils nur sechs gemeldeten Booten sozusagen kampflos so ergab. Beide Vierer sowie die Einer-Ruderin Ursula Brauch (Karlsruhe) konnten sich erwartungsgemäß nicht auf Anhieb qualifizieren. Das Weiterkommen glückte dann aber den beiden Vierer-Booten, während Ursula Brauch, ohnehin als „Ersatzfrau" gestartet, wie erwartet ausschied. So waren die deutschen Ruderinnen viermal in den insgesamt sechs Entscheidungen vertreten.
Die deutschen Männer waren, wenn auch ebenfalls auf Umwegen, noch erfolgreicher. Für sieben der acht olympischen Bootsklassen waren deutsche Teams gemeldet worden, lediglich der Achter, einst eine ruhmreiche Mannschaft des deutschen Rudersports, war unbesetzt geblieben. In diesem Deutschland 1984 ist es anscheinend unmöglich, acht einigermaßen leistungsstarke und harmonierende Ruderer in ein Boot zu bringen. Gewiß keine Ruhmestat für den deutschen Verband. Aber die sieben Bootsbesatzungen in Los Angeles erreichten ausnahmslos die Endläufe. Auf Anhieb waren nur der Doppelzweier Schmelz/Agrikola und der Doppelvierer in die Endläufe gekommen. Der Zweier ohne aus Niedersachsen (Wöstmann/Möllenkamp – Osnabrück) siegte sich ins Halbfinale, alle anderen Boote mußten in die Hoffnungsläufe.

Psycho-Poker vor dem Fight

Auch der Einer-Ruderer Peter-Michael Kolbe, der unbedingt nun das Gold holen wollte, das ihm der Finne Pertti Karppinen 1976 in Montreal sensationell abgejagt hatte und das ihm 1980 wegen des Boykotts von Moskau vielleicht entgangen war. Schon im Vorlauf traf Kolbe auf seinen großen Rivalen, checkte Technik und Taktik, ließ aber dann 500 m vor dem Ziel den Finnen freiwillig ziehen, als er merkte, daß der stark dagegenhielt. Es war eine Art Poker, um Karppinen zu verunsichern, ein Psychospiel, dessen Erfolg oder Mißerfolg sich erst im Finale erweisen konnte. Diesen Endkampf erreichte der Deutsche, der in Skandinavien lebt und als eigenwillig gilt, dann über Hoffnungslauf und Semifinale mit Leichtigkeit.
Gleiches glückte auch dem Zweier mit Steuermann (Greß/Göpfert aus Würzburg), dem ungesteuerten Zweier aus Osnabrück und den beiden Riemen-Vierern aus Mainz/Bonn/Hannover/Berlin beziehungsweise Dortmund/Witten. Damit hatten alle deutschen Männer-Boote wenigstens das erste Mindestziel erreicht, das man von ihnen angesichts des Fehlens der Ostblock-Boote einfach erwarten mußte. Nun rechneten die Experten nach dem Verlauf der Vorkämpfe mit „fünfmal Metall". Kolbe war im Semifinale gegen Ribarra (Argentinien) und Biglow (USA) ökonomisch gefahren, Karppinen im anderen Halbfinale um zwei Sekunden schneller gewesen.
Das „Verhältnis" zwischen den beiden Gold-

kandidaten hatte sich immer noch nicht gebessert. Der finnische Feuerwehrmann hatte sich nach dem Vorlauf geweigert, mit Kolbe gemeinsam für ein Foto zu posieren, und er hatte auch bei der Pressekonferenz gefehlt. Der 31jährige Kolbe kommentierte: „Unser Verhältnis wird von Tag zu Tag kälter. Früher haben wir uns noch unterhalten, heute grüßen wir uns, wenn überhaupt, nur noch flüchtig."

Vor den beiden aufregenden Finaltagen der Frauen (Samstag, 4. August) und Männer (Sonntag, 5. August) gab es noch große Aufregung um eine „Sabotage". Am Achter der französischen Männer brach infolge einer „Manipulation" ein Ruder-Ausleger im Hoffnungslauf. Der Ruderer rutschte plötzlich vom Rollsitz und konnte nicht mehr mitarbeiten. Eine Untersuchung ergab, daß ein Metallstück angefeilt worden war. Obwohl die Regeln des Internationalen Verbandes (FISA) nur einen Start von sechs Teilnehmern vorsehen, entschied man ausgesprochen sportlich zugunsten der schuldlosen Franzosen und ließ ihren Achter zusätzlich als siebentes Boot am Finale teilnehmen. Als FISA-Präsident Thomas Keller diese für die ansonsten als stur verschrienen Funktionäre bemerkenswerte Entscheidung bekanntgab, erhielt er von allen Mannschaftsführern brausenden Beifall. Die Empörung über den „Anschlag", der laut Untersuchung schon vorgenommen worden war, ehe das Boot in Los Angeles eintraf, war allseits riesengroß. Einen ähnlichen Sabotagefall hatte es 14 Tage zuvor bei der Junioren-EM in Jönköping an einem amerikanischen Boot gegeben.

Sie holten die einzige Medaille für die deutschen Ruderfrauen: der Zweier ohne Steuerfrau Ellen Becker und Iris Völkner. Neben ihnen die Goldmedaillengewinnerinnen aus Rumänien. – Vor acht Jahren in Montreal hatten die deutschen Ruderinnen ebenfalls in dieser Klasse eine Medaille gewonnen.

Rechte Seite: Die Rudergesetze erfordern es: Riesen an die Riemen, Pygmäen in den Bug. Aus Gründen der Gewichtsersparnis wählte sich der amerikanische Zweier mit Steuermann Still/Espeseth den kleinen Herland als Steuermann. Dennoch reichte es nur zum dritten Platz.

Am sonntäglichen Finaltag der Männer ging es schon um 8 Uhr los, der Morgennebel hing noch tief herunter, und die Sonne versteckte sich. Gold Nummer eins fiel an die Engländer, wie schon seit Ewigkeiten nicht mehr. Aber in diesem Vierer mit Steuermann, einer traditionellen Disziplin des deutschen Rudersports (Sieg in München), wurde das deutsche Team aus Mainz, Bonn, Hannover und Berlin nur Sechster und Letzter. Ein bißchen fehlte es wohl am letzten Einsatzwillen, aber die Konkurrenz war einfach stärker. Die Amerikaner, wie die Deutschen siebenmal im Finale vertreten, hatten hier noch Silber geholt, schlugen aber gleich im nächsten Rennen zu, Gold im Doppelzweier. So sollte es dann eigentlich für die „patriotischen" US-Olympier weitergehen, aber es ging nicht! Sogar im Rennen der Achter ging nichts, hier schnappten sich sensationell die Kanadier das Gold vor den USA und Australien, und die zusammen mit den Amerikanern heiß favorisierten Neuseeländer wurden gar nur Vierte. Kanadas Achtersieg war die Sensation der Ruder-Endläufe, in einem Wettbewerb, den die Deutschen als einzigen, mangels Masse, nicht beschickt hatten.

Berichten wir, vor den Medaillenfahrten, zunächst zum Abschneiden der vier weiteren deutschen Boote. Zwei Ränge besser als der Vierer mit landete der Doppelzweier, besetzt mit Agrikola und Schmelz, auf Rang vier, bot aber auch eine Enttäuschung. Hinter den Amerikanern Silber für Belgier und Bronze für Jugoslawen – das roch schon auch nach Sensation. Ebenfalls Vierte wurden dann auch Wöstmann/Wöllenkamp im ungesteuerten Zweier, auch sie hatten eher mit Bronze geliebäugelt. Hier lautete die Sensation: Spanien bekommt Silber hinter Rumänien und vor Norwegen. Die Rumänen waren übrigens sehr erfolgreich: Zweimal im Finale vertreten, Gold und Silber! Den dritten vierten Rang eines deutschen Bootes erfuhren sich die Weltmeister des vergangenen Jahres, die Männer aus dem Ruhrvierer aus Dortmund und Witten, die sich auch erheblich mehr ausgerechnet hatten, aber von Neuseeland, den USA und Dänemark nach einem überaus spannenden Rennen besiegt wur-

den. Sechste und Letzte wurden auch im Zweier mit Göpfert und Greß, die ohnehin nur Außenseiter gewesen waren. Gold und Silber fielen hier an die Favoriten Italien und Rumänien.
Spannend, aufregend, ja dramatisch verliefen die beiden deutschen Medaillenfahrten. Kolbe gegen Karppinen hieß das große Duell im Einer. Seit fast einem Jahrzehnt „beharkten" sich nun diese beiden Ausnahme-Ruderer schon, heftig auf dem Wasser, mit leiseren, aber durchaus deutlich vernehmbaren „Taten" zu Lande und privat. Viermal war Kolbe Weltmeister gewesen (1975, 1978, 1981 und 1983), Karppinen nur 1979. Vor acht Jahren hatte der 2,01 m große Finne dem Deutschen das Gold in letzter Minute weggeschnappt, als Kolbe in Montreal förmlich einbrach. In Moskau hatte sich Karppinen erneut Gold geholt, Kolbe durfte wegen des Boykotts westlicher Prägung nicht teilnehmen. Nun also sollte es die Revanche geben. Kolbe hatte seit Jahren auf dieses Ziel hingearbeitet, Interessen zurückgestellt, sich gequält, drei Stunden täglich trainiert. Es sollte wieder nicht sein. Lapidar mußte er nach dem Rennen gestehen: „Karppinen war einfach stärker." Peter-Michael Kolbe versuchte seinem zweiten Silber noch das Beste abzugewinnen, aber wie es da drinnen aussah . . .

Letztes Boot, letzte Chance

Souverän gewann das finnische Kraftpaket von 98 Kilo Gewicht, sah seelenruhig zu, wie Kolbe lange führte, wie der Deutsche zuletzt seine Schlagzahl auf 36 erhöhte, setzte ab den letzten 500 Metern zum Schlußspurt an, zog die Skulls kräftiger durch und siegte mit einer Bootslänge Vorsprung. Da war einfach nichts zu machen. Was für ein Mann, dieser einsilbige Feuerwehrmann: Dreimal Gold hintereinander in acht Jahren, in einer der härtesten Sportarten, die es überhaupt gibt. Ein Jahr lang hatte Kolbe nur für Olympia gelebt, wie Karppinen auch, aber wie muß dann dieses Silber schmecken, dieses Silber, dem man so leicht das Wörtchen „nur" voranstellt. Kolbe wird auch seine zweite Olympia-Niederlage verkraften, er gab, was er hatte, Karppinen hatte mehr.
Letztes deutsches Boot, letzte Chance – alles gewonnen, Gold! Als hätte jemand Regie geführt, brachte der deutsche Doppel-Vierer das olympische Ruder-Abenteuer Los Angeles zu einem glücklichen, vergoldeten Ende. Natürlich waren die vier Männer aus Ingelheim und Ulm als heiße Favoriten gestartet.

Aber dann wurde es sehr schwer, ungeheuer schwer sogar. Vom Start weg führten die Deutschen, dann schoben sich die Australier in Front. Nach 500 Metern Australien vor Deutschland, nach 1000 Metern Australien vor Deutschland und Italien, nach 1500 Metern Australien an der Spitze, dahinter Deutschland ganz knapp vor Kanada. Es wurde ungeheuer dramatisch.
Auf den letzten Metern schoben die Ruderer von der Donau und dem Rhein dann doch noch ihre Bugspitze vor den Australiern über die imaginäre Ziellinie, vor den Australiern, die ein Berliner Trainer führte. Offiziell wurde ein Zielfotoentscheid angekündigt und noch kein Sieger genannt. Aber die Fernseh-Zeitlupe wies es eindeutig aus: Deutschland knapp, aber deutlich vor Australien. Man durfte schon bald feiern und jubeln. Es hieß, die Deutschen seien taktisch klug gefahren, aber waren sie das wirklich? Mit ihrem Zielsprint machten sie es sich selbst schwerer als nötig. Aber das alles war bald vergessen, nur noch das Gold zählte, als die vier Recken auf dem Siegerpodest jubelten.

Auf der Suche nach dem alten Schwung

Trotz der zwei Medaillen darf man aber nicht übersehen, daß es um den bundesdeutschen Rudersport gar nicht so gut bestellt ist. Die Experten sind der Meinung, daß man alte Höhen längst noch nicht wieder erklommen hat. Es braucht noch viel Arbeit, um den alten Erfolgsschwung wiederzufinden. Das Beispiel Achter, sozusagen eine deutsche Ruder-Katastrophe, ist das beste, eigentlich schlechteste Beispiel. Zu Trainer Adams Zeiten hatte man noch mehr Ideen, arbeitete besser zwischen Trainer und Ruderern zusammen, setzte besser um, war frecher, (wage-)mutiger und litt wohl nicht so stark unter Vereinsegoismus. Es scheint durchaus so zu sein, daß der deutsche Rudersport vor allem auch neue Trainer braucht, vielleicht sogar solche mit einem ausländischen Paß. Salopp gesagt: Einst gaben die Deutschen der Ruder-Welt Entwicklungshilfe, jetzt könnten sie selbst ein gutes Stück davon brauchen. Darüber dürfen, bei allem Stolz, die Goldmedaille des Donau-Rhein-Vierers, die Silbermedaille von Peter-Michael Kolbe und die Bronzemedaille von Ellen Becker und Iris Völkner nicht hinwegtäuschen. 42 Medaillen gab es in Los Angeles zu gewinnen, die souveränen Ostblock-Ruderer (auch Kuba) fehlten – drei Medaillen errangen die bundesdeutschen Ruderer dennoch „nur“.

Rudern
Ergebnisse Männer

Einer

		Min.
1. FIN	Pertti Karppinen	7:00,24
2. GER	Peter-Michael Kolbe	7:02,19
3. CAN	Robert Mills	7:10,38
4. USA	John Biglow	7:12,00
5. ARG	Ricardo Ibarra	7:14,59
6. GRE	Konstantinos Konlomonlis	7:17,03

Zweier ohne Steuermann

		Min.
1. ROM		6:45,39
2. ESP		6:48,46
3. NOR		6:51,81
4. GER	Möllenkamp, Wöstmann	6:52,32
5. ITA		6:55,88
6. USA		6:58,46

Zweier mit Steuermann

		Min.
1. ITA		7:05,99
2. ROM		7:11,21
3. USA		7:12,81
4. BRA		7:17,07
5. CAN		7:18,98
6. GER	Greß, Göpfert, Ziegler	7:25,16

Doppelzweier

		Min.
1. USA		6:36,87
2. BEL		6:38,19
3. YUG		6:39,59
4. GER	Schmelz, Agrikola	6:40,41
5. ITA		6:44,29
6. CAN		6:46,68

Vierer ohne Steuermann

		Min.
1. NZL		6:03,48
2. USA		6:06,10
3. DEN		6:07,72
4. GER	Kesslau, V. Grabow, Puttlitz, G. Grabow	6:09,27
5. SUI		6:09,50
6. SWE		6:11,71

Vierer mit Steuermann

		Min.
1. GBR		6:18,64
2. USA		6:20,28
3. NZL		6:23,68
4. ITA		6:26,44
5. CAN		6:28,78
6. GER	Karches, Konermann, Thiem, Maennig – Klein	6:34,23

Ruderrituale, die Spannung entlädt sich. Die Brüder Abagnale aus Italien und der siegreiche kanadische Achter werfen ihren Steuermann ins Wasser, die deutschen Sieger im Doppelvierer ihre Blumen unter die Zuschauer. Ihnen fehlte ein Steuermann.

Kolbe-Bezwinger Karppinen, Goldmedaillengewinner im Einer 1976, 1980 und 1984, bei der Siegerehrung. Ebenso erfolgreich im Skiff war der Russe Iwanow zwischen 1956 und 1964.

Doppelvierer

		Min.
1. GER	Hedderich, Hörmann, Wiedenmann, Dürsch	5:57,55
2. AUS		5:57,98
3. CAN		5:59,07
4. ITA		6:00,94
5. FRA		6:01,35
6. ESP		6:04,99

Achter

		Min.
1. CAN		5:41,32
2. USA		5:41,74
3. AUS		5:43,40
4. NZL		5:44,14
5. GBR		5:47,01
6. FRA		5:49,52

Ergebnisse Frauen

Einer

		Min.
1. ROM	Valeria Racila	3:40,68
2. USA	Charlotte Geer	3:43,89
3. BEL	Ann Haesebrouck	3:45,72
4. CAN	Andrea Schreiner	3:45,97
5. DEN	Lise Justesen	3:47,79
6. GBR	Beryl Mitchell	3:51,20

Zweier ohne Steuerfrau

		Min.
1. ROM		3:32,60
2. CAN		3:36,06
3. GER	Becker, Völkner	3:40,50
4. HOL		3:44,01
5. USA		3:44,35
6. GBR		3:48,53

Doppelzweier

		Min.
1. ROM		3:26,77
2. HOL		3:28,96
3. CAN		3:29,78
4. SWE		3:30,81
5. NOR		3:32,03
6. USA		3:32,39

Vierer mit Steuerfrau

		Min.
1. ROM		3:19,38
2. CAN		3:21,63
3. AUS		3:23,29
4. USA		3:23,58
5. HOL		3:23,79
6. GER	Neu, Hinkelmann, Rehders, Beblo – Barth	3:30,20

Doppelvierer

		Min.
1. ROM		3:14,11
2. USA		3:15,57
3. DEN		3:16,02
4. GER	Dieckmann, Kleine-Kuhlmann, Kumitz, Reuter – Plückhahn	3:16,81
5. FRA		3:17,87
6. ITA		3:21,48

Achter

		Min.
1. USA		2:59,80
2. ROM		3:00,87
3. HOL		3:02,92
4. CAN		3:03,64
5. GBR		3:04,51
6. GER	Riesenkönig, Hornung, Völkner, Becker, Hinkelmann, Neu, Rehders, Beblo – Barth	3:09,92

PETER-MICHAEL KOLBE

Ein Jugendtraum zerrann

Kolbe gegen Karppinen. Karppinen gegen Kolbe. Mehr als eine Ruder-Generation schon, einmal hin, einmal her. Nur olympisch ist immer derselbe der Dumme.
Peter-Michael Kolbe vor dem olympischen Rennen in Los Angeles: „Hier ist der Sieg nicht das wichtigste, er ist sogar das einzige, das zählt. Ein zweiter Platz würde mich grenzenlos enttäuschen." Peter-Michael Kolbe nach dem olympischen Rennen: „Ich bin in keiner Weise enttäuscht. Das war das, was ich kann. Mehr ging nicht." Peter-Michael Kolbe belegte den zweiten Platz. Hinter Pertti Karppinen.
Zwischen vorher und nachher muß also was passiert sein. Etwas Gravierendes. These eins: Da versucht einer krampfhaft, seine Verletztheit zu verbergen, die Niederlage nach außen in einen Sieg zu verwandeln, Wasser in Wein. These zwei: Da hat einer in zehn Jahren Sportler-Dasein unendlich viel gelernt, hat eingesteckt und zurückgeschlagen, um endlich eine Art von innerer Balance zu finden.
„Ja, doch, ich bin wirklich relaxed. Ich habe alles getan, um zu gewinnen. Es gibt keinen Grund, verkrampft zu sein."
An dieser Stelle müssen wir acht Jahre zurückblenden, nach Montreal. Es fällt schwer, Kolbes damalige Favoritenstellung zu beschreiben: Außenborder gegen Tretboot vielleicht. Das diffamiert die Konkurrenz zwar, hat aber durchaus etwas Wahres. Noch nie verlor der Hamburger Ausnahmeathlet zuvor ein wichtiges Rennen. Aber im olympischen Finale brachte Pertti Karppinen ihm die möglicherweise demütigendste Niederlage bei, die je ein bundesdeutscher Sportler erlitten hat.
Kolbe wurde demontiert, seelisch und körperlich. Hundert Meter vor dem Ziel lag er weit voraus, bis die Arme plötzlich den Dienst versagten, nichts ging mehr, die Ruderblätter kamen kaum mehr aus dem Wasser. Karppinen flog an ihm vorbei, ganz, ganz leicht, und hängte sich Kolbes Medaille um den Hals. Hinterher kam heraus, daß Peterchens Gold-Fahrt durch eine in ihrer Wirkung falsch berechnete Spritze verhindert worden war.
Seine Psyche war nach diesem Debakel plattgestampft. Der Mann war fertig, wie einer nur fertig sein kann. „Das war mein Jugendtraum. Ich hab' mal angefangen, um Olympiasieger zu werden." Kolbe schmiß die Skulls in die Ecke, null Bock mehr auf Rudern. Doch wie das häufig so ist im Leben: Viel später weiß man auf einmal, daß irgendwann mitten in der Katastrophe der Lernprozeß begonnen haben muß. „Die Zeit nach Montreal ist eine der wichtigsten Perioden überhaupt gewesen. Heute möchte ich das jedem Sportler wünschen, daß es so kraß ausfällt."
Und allmählich wurde der alte Traum wieder lebendig. Kolbe setzte sich erneut ins Boot und auseinander mit Karppinen. Viermal wurde er bis 1984 insgesamt Weltmeister, doch Olympia 1980 fiel ins Wasser, Boykott. Keiner reagierte gekränkter als Kolbe. Also noch einmal vier Jahre an die Gewichte, zum Waldlauf, auf die Strecke. Mit dem kleinen

Am Lake Casitas sollte die Entscheidung fallen. Kolbe gegen Karppinen. Wer ist der beste Skuller der letzten Jahre? Das Einer-Rennen wurde als eines der großen Duelle von Los Angeles angesagt. Es hielt, was es versprach; nur der Ausgang war falsch (aus deutscher Sicht). Peter-Michael Kolbe, vierfacher Weltmeister im Skiff, wollte endlich den Olympiasieg. 1976 hatte er ihn überraschend verpaßt, 1980 mußte er ihn verpassen. Der Sieger hieß jedesmal Karppinen. – Wie bereits nach dem Vorlauf vermutet (unser Bild), konnte Kolbe dem Schlußspurt des Finnen nicht standhalten. Kolbe ruderte gut. Eine große Sporthoffnung blieb unerfüllt.

Kolbe geht, die Blumen nach unten, die Silbermedaille um den Hals. Ein skeptischer Blick geht zur Seite. Hat er mit seiner Vergangenheit als Ruderer schon abgeschlossen? – Soeben ist einer der erfolgreichsten Ruderer aller Zeiten einem noch Besseren unterlegen.

Unterschied, daß Kolbe inzwischen geheiratet hatte, eine norwegische Sportjournalistin. Die Ehe tat und tut ihm offenbar gut. Seitdem, so sagte er, „habe ich die Dinge besser unter Kontrolle".
Dann endlich 1984, Olympia am Lake Casitas, wo es ein bißchen so ist wie an dem norwegischen See, an dem er ein Blockhaus besitzt. Eine Gegend, in der Pfadfinder ihr Lagerfeuer anzünden, abends Banjo-Musik: „Oh Susanna, why don't you cry for me . . ." Die Idylle störte nur dieser Karppinen, ein vierschrötiger Kerl, zwei Meter lang, verschlossen, ein stummes Kraftpaket. Er spricht nur zwei Sprachen: Rudern und zwischendurch Finnisch. „Wir haben Verständigungsprobleme", erklärt Kolbe, „sprachlicher Art." Doch jeder weiß, daß sie sich nicht riechen können. Die Rivalität sitzt zu tief. Vor einem Jahr, als der inzwischen verbotene Rollausleger groß in Mode war, fuhr Kolbe vorzüglich. Karppinen flüchtete in eine andere Bootsklasse. Weil er „zu dusselig" sei, sagte Kolbe, um mit dem neuen Modell klarzukommen. Verständigungsprobleme eben.
Die beiden trennen Welten. Nicht nur menschlich. Rein rudertechnisch hat die *Los Angeles Times* einen Unterschied wie zwischen „Rembrandt und Andy Warhol" ausgemacht. Rembrandt Kolbe ist bei diesem dämlichen Vergleich der Stilist, ein Ästhet, der wie aus dem Lehrbuch rudert, ein gewiefter Taktiker. Warhol Karppinen hält drauf, bis der andere nicht mehr kann, womit man dem Künstler furchtbar unrecht tut.
Kolbe konnte im olympischen Endlauf nach gut 200 von insgesamt 220 Schlägen nicht mehr. Lange hatte er geführt, alles lief wie am Schnürchen. Für Kolbe, aber auch für Karppinen. Am Ende kam dessen üblicher Endspurt, eine Explosion, ein Urknall. Kolbe-Fresser. „Ich hab's registriert, aber ich konnte nicht mehr reagieren. Nach so einem Rennverlauf bist du machtlos."
Peter-Michael Kolbe hat seinen Jugendtraum nicht erfüllt. Er hat alles erreicht in seinem Sportlerleben, was einer erreichen kann. Nur das eine nicht, das er mehr wollte als alles andere. Den Olympiasieg. Nicht nur Weltmeister sein, weil da nach einem Jahr ein „Ex" davorsteht. Nein, Olympiasieger mußte es sein, etwas für die Ewigkeit.
Pertti Karppinen ist dreimal Olympiasieger geworden, 1988 wird er's vielleicht zum vierten Mal. Drei- oder viermal die Ewigkeit.
Übrigens: Kennen Sie Wjatscheslaw Iwanow? Nie gehört? Iwanow hat dreimal olympisches Gold im Einer-Rudern gewonnen, 1956, 1960 und 1964.
Auch eine Ewigkeit dauert kein ganzes Leben.

Der schnellste Mann der Welt wurde Sieger der Sieger

Die Leichtathletik hat begonnen, das Herzstück der Olympischen Spiele. Das traditionsreiche Memorial-Coliseum war immer ausverkauft. Auch dort hat Amerika seine neue Liebe zu den Siegern entdeckt, vor allem, wenn sie unter dem Sternenbanner kämpften. Carl Lewis, schwarzer Mann mit schnellen Beinen, wurde zum Leitbild US-amerikanischer Gewinner. Auf vier Goldmedaillen war er programmiert. – Die Lauf- und teilweise auch die Sprungleistungen ließen den Boykott vergessen. Die Leichtathletinnen der westlichen Hemisphäre konnten zeigen, daß sie besser sind als ihr Ruf. Befreit von der Aussichtslosigkeit des Kampfes gegen die Frauen-Leichtathletik des Ostblocks, waren die Leistungen bemerkenswert. Aber der Sieger der Sieger hieß Carl Lewis, und der ist Amerikaner.

KUGELSTOSSEN
FRAUEN

Gold mit der letzten Kugel

Die zwei machten die Sache unter sich aus, und erst die letzte Kugel entschied. Bis zur Hälfte des Wettbewerbs der Kugelstoßerinnen führte Claudia Losch mit 20,31 Meter aus dem zweiten Versuch, bis die Rumänin Michaela Loghin sie beim fünften Stoß mit 20,47 übertraf. Ein einziges Mal durfte Claudia Losch antreten, um den Sieg doch noch an sich zu reißen. „Ich trat", resümierte sie hinterher, „in den Ring und war mir sicher, daß ich einen raushauen würde." Sie tat's: Die Kugel landete bei 20,48 Meter, flog genau einen Zentimeter weiter als die der Konkurrentin. Die schaffte vor Schreck nur noch 20,09 Meter. Claudia Losch, geboren in Wanne-Eickel, Mitglied des LAC Fürth, Wohnsitz in München, war Olympiasiegerin im Kugelstoßen, die erste aus der Bundesrepublik überhaupt.

Die Art dieses Sieges offenbart erste Charakterzüge der Athletin Losch. Der letzte Durchgang, sagt sie, sei „eine Spezialität" von ihr. Erst unter dem Erfolgsdruck, der da entsteht, sind ihr die wirklich großen Leistungen möglich – im Training hat sie die 20 Meter noch nie überwunden. „Ich bin der totale Wettkampf-Typ. Bei mir muß das Adrenalin fließen, nur dann bin ich stark. Deshalb nehme ich auch fast nur an großen Wettbewerben teil. Dorf-Sportfeste reizen mich nicht."

Das hat sie bei ihrem Trainer Christian Gehrmann gelernt, von dem der Satz stammt: „Wer in die Provinz geht, kneift." Die Kirmesbesucher wären von Claudia Losch ja sowieso nur enttäuscht. Sie ist dieser emotionale, gefühlsbestimmte Typ von Athlet, der ohne gehörigen Konkurrenzdruck nicht zur großen Form findet. Der Lohn dafür ist die gewaltige Freude, wie sie sich nach dem Olympiasieg springend und hüpfend entlud. „Claudia", bestätigt Gehrmann, „kann sich freuen. Sie ist natürlich."

Es ist ja nicht nur dieser Wettkampf gewesen, der die 24jährige gedrückt hatte. Sie hatte nach dem Boykott des Ostblocks auch mit der Bürde einer Favoritin fertig werden müssen – als beste Westeuropäerin. Nur Michaela Loghin, als Sechste der Weltmeisterschaft 1983 einen Rang vor ihr, lag unter den Olympia-Teilnehmern der Papierform nach noch vor ihr. Um diese Last zu erleichtern, hatte Claudia Losch sich von der bundesdeutschen Mannschaft in der Vorbereitung abgesetzt, war zu Freunden nach San José ausgewichen. „Es ist nicht so leicht, das zu verarbeiten, wenn jeder zu dir kommt und über deine gestiegenen Chancen spricht." Und nun, nach dem Sieg, nach dem Boykott? Da waren sehr schnell die Fragen, was sie denn selbst von diesem Gold halte, ob die Abwesenheit der sonst dominierenden Ostblock-Kugelstoßerinnen nicht einen Schatten auf dessen Glanz werfe. Die Art, wie sie diesen Wettkampf gewonnen habe, schickte Trainer Gehrmann vorweg, stempele seine

Verschmitzt lächelnd zeigt Claudia Losch ihre Goldmedaille. Sie hat die Gunst der Stunde genutzt und die einzige ernst zu nehmende Ostblock-Stoßerin in Los Angeles, Michaela Loghin aus Rumänien, besiegt.

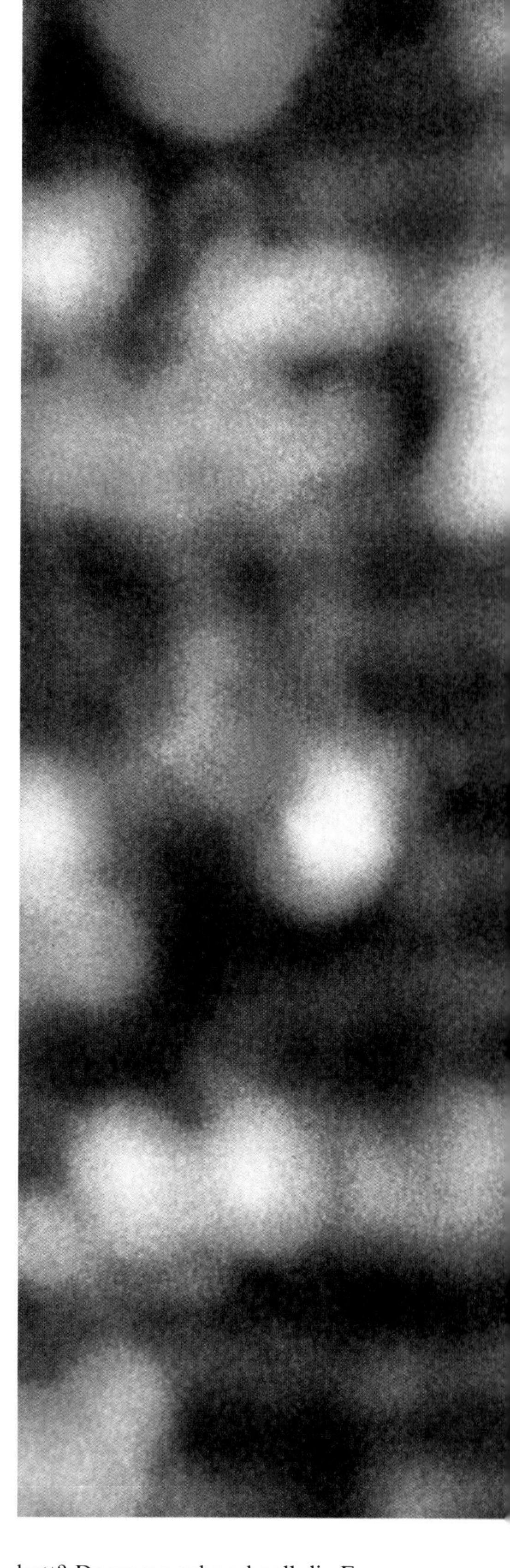

„Ich war mir sicher, daß ich einen raushauen würde." Claudia Losch in Aktion. Mit dem letzten Stoß holte sie sich die Führung im Kugelstoß-Wettbewerb der Frauen von der Rumänin Loghin zurück. Ihr Vorsprung betrug einen Zentimeter.

Schülerin zu einer „Athletin der Extraklasse". Und auch die Antwort von Claudia Losch kam sehr bestimmt: „Ich glaube einfach nicht, daß diese Goldmedaille geschmälert ist. 20,50 Meter sind immer eine Medaille wert. Ich weiß nicht, ob die anderen hier weiter gestoßen hätten."

Die anderen ... Claudia Losch will sie treffen, will ihnen nicht ausweichen. „Im nächsten Jahr freue ich mich auf die Universiade. Ich will 1985 gegen die Besten des Ostblocks antreten. Und wenn es sein muß, werde ich deshalb auch nach Prag oder anderswohin reisen."

Eilmarsch in glühender Sonne

Nur die Mariachi-Musik fehlte. Der erste Sieger im Coliseum sprach Spanisch. Ernesto Canto lautete der klangvolle Name des Gewinners im 20-km-Gehen. Auch der Zweite kam aus dem mittelamerikanischen Land: Raul Gonzalez – Adidas, Sombrero und Canto; Viva Mexico!

Sie wackeln zum Gold. – Der 20-km-Geher-Wettbewerb stand als erste olympische Leichtathletikdisziplin auf dem Programm. Sie werden gerne als „Läufer mit angezogener Handbremse" bezeichnet. Ihr Sport wurde jedoch vom Publikum genauso anerkannt wie der der Läufer und Springer. – Erinnern Sie sich noch? Vor zwölf Jahren gewann Bernd Kannenberg die Goldmedaille im 50-km-Gehen.
In Los Angeles gewann Mexiko auch diesen Wettbewerb. Raul Gonzalez siegte über die lange Strecke in 3:47,26 Stunden. Nach Silber über 20 km nunmehr Gold für den Mittelamerikaner. Zwei Siege in den Geherwettbewerben, Mexiko, was willst du mehr?

USA
907
500
233

USA
334
905
8

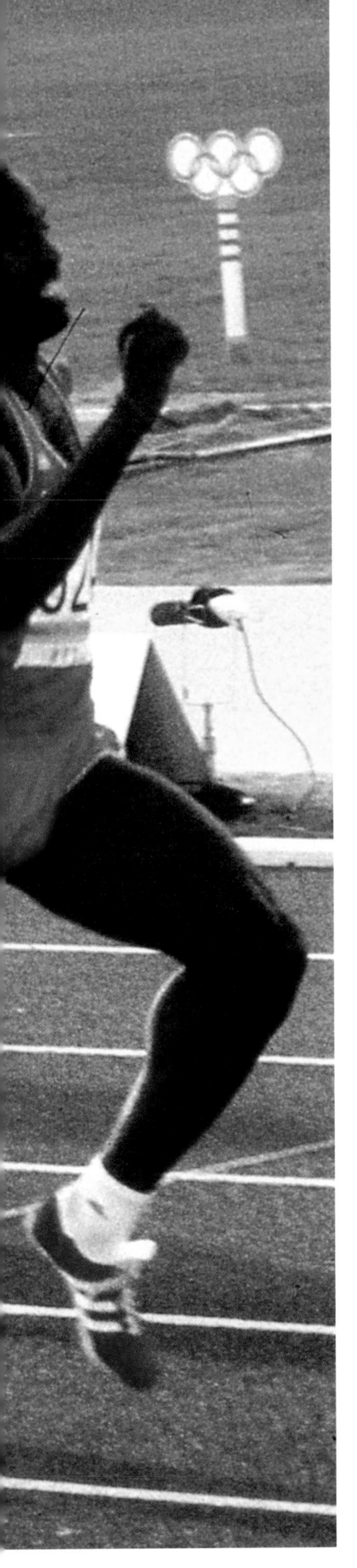

400 METER
HÜRDEN

Jagd auf ein Phantom

Vor jedem Start fühle er sich, als führe man ihn zur eigenen Exekution. Hat Edwin Moses gesagt, der nach dem Finale über 400 m Hürden seine Goldmedaille umgehängt bekommen hat wie schon 1976 in Montreal, wie geplant, wie erwartet. Und das soll einer glauben, der Moses elegant, mit der Präzision und Schönheit einer teuren Maschine den Verfolgern enteilen sah, als flögen die zehn Hindernisse unter ihm hinweg? Der seine Serie kennt: 105 Rennen in Serie ohne Niederlage, seit August 1977?

Was soll da erst Harald Schmid sagen, der braungebrannte Mann vom TV Gelnhausen, der ihn damals geschlagen hat im Berliner Olympiastadion, aber seitdem hinter dem ebenholzfarbenen Phantom herrennt, mit so aussichtsloser Beharrlichkeit, als versuche er, den eigenen Schatten zu überholen? Sieben Jahre Weltklasse, aber immer nur Zweiter, und in Los Angeles gar nur Dritter.

Wie ein Athlet so lange einem Traum nachrennen kann, ohne ihn als Alptraum zu erleiden, ohne daran zu zerbrechen? Für amerikanische Journalisten blieb das unverständlich. Sie schätzen Sieger und kennen kurze Karrieren, die bei den Profis enden. „Ich treibe doch Sport, weil es mir Spaß macht", hat Harald Schmid ihnen versichert, auf Englisch, damit der für sie schwer begreifliche Sinn seiner Worte beim Umweg über den Dolmetscher nicht verlorenging. Und Kopfschütteln geerntet für seine Selbstbescheidung: „Ich bin glücklich mit der Bronzemedaille, denn ich war vorher nicht sicher, überhaupt eine Medaille zu gewinnen." Zum Schluß jedoch hat Harald Schmid eine Entdeckung preisgegeben, die ihn hoffen läßt, ihn antreibt, vielleicht bis zur Weltmeisterschaft 1986 in Stuttgart: „Ed ist älter als ich, und er wird auf der Zielgeraden ein bißchen langsamer; das hat man heute doch gemerkt."

Aber er hat auch noch anderes bemerkt: „Die Jungen kommen und jagen uns beide." Beispielsweise ein gewisser Danny Harris, 19jährig, der im vergangenen Jahr noch ganz ernsthaft gefragt hat, wieviel Hürden über 400 m aufgebaut seien zwischen Start und Ziel. Und dann Tranel Hawkins, der die Hindernisse so aufrecht überspringt, als hätte er einen Spazierstock verschluckt. Beide haben Edwin Moses schon bei der US-Qualifikation gehetzt: Moses 47,76 Sekunden, Harris 48,11, Hawkins 48,28. Diesmal sah der Einlauf so aus: Moses 47,75, Harris 48,13, Schmid 48,19, Hawkins, nach einem Stolperer an der letzten Hürde, nur Sechster in 49,42 Sekunden.

Für Moses schon das zweite Mal, für Harald Schmid langersehnt und endlich erreicht: ein Platz auf dem Treppchen. Andächtig lauschen beide der Nationalhymne. Natürlich war es wieder die amerikanische.

Links: Beim Sprechen des olympischen Eides blieb er noch hängen, im Hürdenlauf über 400 m gewann er nach 1976 zum zweiten Mal die Goldmedaille. Edwin Moses (im Bild vorne, dahinter der Zweite, Danny Harris) blieb in mehr als hundert Rennen über diese Distanz ungeschlagen. Harald Schmid (links im Bild) wurde als Dritter zum soundsovielten Male von Moses besiegt. Der Deutsche will weiterhin versuchen, seinen langjährigen Widersacher endlich einmal zu schlagen. „Sportsmanship" nennt man so etwas.

Der Star winkt! Edwin Moses, eine der herausragenden Persönlichkeiten der internationalen Leichtathletik, nicht nur seiner Erfolge wegen.

Hürde Nummer zehn sei auch ihm wohl zum Verhängnis geworden, hat Schmid gemutmaßt. Da schlug ihm Harris mit dem rechten, dem Schwungarm, kräftig vor die Brust, „unabsichtlich, ich will ihm nichts unterstellen". Ein entscheidender Schlag? „Ob's das ausgemacht hat, daß ich Silber nicht gewonnen habe – ich kann's nicht sagen. Ich bin eher erschrocken, als daß er mich behindert hat." Im Augenblick der ersten Enttäuschung hat Schmid protestiert. Nachher kam er zu der Überzeugung: „Ich werde es nicht mehr machen." Glücklicherweise ist Harald Schmid kein Erfolg beschieden gewesen. Ausgepfiffen, ausgebuht hätten sie ihn im Coliseum. Futsch das Image vom geduldigen Verlierer. So hat Harris ihn nur bitterböse angeguckt bei der Siegerehrung.

Ob er Schmids Rolle zu spielen in der Lage wäre, der Ed Moses? Die Frage stellt sich nicht, weil Zweiter zu sein keine Existenzgrundlage bilden kann in den USA, wo jeder Sportler sich selbst verantwortlich ist und keine Sporthilfe einspringt. Moses hat Flugzeugbau studiert und danach mit der Medizin geliebäugelt, sie dann links liegenlassen, um das perfekt zu tun, was er am besten kann: Hürdenlaufen.

Das Familienunternehmen Moses floriert. Ed läuft, seine Frau Myrelle, eine Berlinerin, führt den Betrieb, managt, kassiert, schreibt Trainingsbücher, betreut, kocht, sorgt für PR. 450 000 Dollar habe er doch wohl im vergangenen Jahr verdient als Hürdenläufer? Schön wär's, sagt Ed. Viel mehr war's, sagt Myrelle. Ed Moses, der Perfektionist, der Profi, dessen Hartnäckigkeit die Ausrüsterfirmen fürchten? Der hat nach dem Sieg erst mal Mama in die Arme geschlosssen und dann Myrelle, und alle haben geweint, und dann hat Ed seine Goldmedaille seinem Vater gewidmet, der im vorigen Jahr gestorben ist. Ed Moses, der Mensch.

Zweimal Olympiasieger, den Weltrekord mit 47,02 Sekunden für die Konkurrenz in entmutigende Ferne gerückt, ein gelassener, fast bedächtiger Mann Ende Zwanzig mit sonorer Stimme. Ohne Skandale und Affären, wie geschaffen zum Superstar der Spiele von Los Angeles. Wenn da nicht Carl Lewis wäre. Daß sie einander nicht mögen, wundert keinen. Lewis hat mehr Goldmedaillen gewonnen als Moses, ist am schnellsten gelaufen und am weitesten gesprungen, was für den Sportfreund leichter begreiflich scheint als eine Laufzeit über Hürden. Trotzdem ist der Mensch Edwin Moses unerreichbar geblieben für Seriensieger Carl Lewis.

Das Bild zeigt, was Moses so erfolgreich macht: seine äußerst rationelle Hürdentechnik.

Ein Bilderbuchstart zeigt Explosivität und Koordinationsfähigkeit des Doppel-Olympiasiegers.

Moses am Boden! Er weiß, wie wichtig es ist, sich zu konzentrieren und locker zu bleiben.

100 METER FRAUEN

Laufen schöner als Liebe

Black is beautiful, schwarz ist schön. Und schön schnell. 100-m-Finale der Frauen. Acht schwarze Sprinterinnen ducken sich in den Startblöcken, acht schwarze Beinpaare trommeln über die rote Kunststoffbahn dem Ziel entgegen, allen voran Evelyn Ashford. Sie gewinnt die Goldmedaille, in olympischer Rekordzeit von 10,97 Sekunden. Den Weltrekord besitzt sie schon seit 1983: 10,79. Alice Brown wird Zweite; sie liegen sich in den Armen, Tränen fließen. Dann hüpft Evelyn Ashford davon, ein Mädchen wie Samt und Seide, dreht ihre Ehrenrunde, badet im Beifall der Menge, die nicht ahnt, was in dieser schwarzen Frau vor sich geht.

Hat sich da Emotion Bahn gebrochen, wie Wasser einen Staudamm bersten läßt, die Hochspannung der Gefühle sich entladen nach Tagen äußerster Konzentration? Wohl auch, aber diese Augenblicke des Triumphs haben für Evelyn Ashford mehr bedeutet als für andere, denn später hat sie gesagt: „Ich habe die Medaille gewonnen; nun kann ich in Frieden leben.“ Nicht nur sportlichen Bezug hatten diese Worte, wiewohl auch den: „Ich bin die schnellste Frau der Welt und Olym-

piasiegerin." Sondern da hat ein Mensch befreit aufgeatmet wie nach einem Examen, das ihm einen Traumjob sichert. Evelyn, die ihren Lebensunterhalt als Schuhverkäuferin verdiente, ist immer arm gewesen. Jetzt scheint der Weg frei zum sozialen Aufstieg. Vielleicht rennen sie schneller als die Weißen, weil ihnen gar nichts anderes übrigbleibt: die Schwarzen Ashford und Brown, Merlene Ottey-Page aus Jamaika, die in 11,16 Sekunden Bronze gewann, die übrigen Farbigen des Endlaufs, aus Kanada und Großbritannien. Annegret Richter aus Dortmund jedenfalls, die Olympiasiegerin von 1976, deren olympischen Rekord von 11,01 Sekunden erst Evelyn Ashford brach, glaubt nicht an rassisch bedingte Vorteile, und die Ärzte sind bislang den Beweis dafür schuldig geblieben. Heide Elke Gaugel indes, die schnellste bundesdeutsche Sprinterin, die den Endlauf mit enttäuschender Zeit verpaßte, muß wohl an sowas glauben, und andere auch, denen die schwarze Phalanx den Weg versperrte.

So muß es doch an der fehlenden Alternative liegen, weshalb die schwarzen Sportler längst

Das Ziel ist erreicht, Evelyn Ashford hat sich für den 100-m-Endlauf qualifiziert. Als derzeitige Weltrekordhalterin über diese Strecke mit 10,79 Sekunden ist sie nicht zu schlagen, wenn ihre verletzungsanfällige Muskulatur hält.

Die spätere Olympiasiegerin vor dem Start. Mit ihrem guten Aussehen und der Leichtigkeit ihres Laufstiles ist die Ashford eine Werbung für den Frauensport.

Evelyn Ashford am Ende eines langen Tunnels

Die Favoritin gewann. Dennoch konnte Evelyn Ashford ihren Sieg kaum fassen. Der Boykott der Olympischen Spiele 1980 und die Verletzung im Endlauf der 1. Weltmeisterschaft 1983 in Helsinki nahmen ihr die Möglichkeit auf Siege in den bedeutenden Sprintrennen der letzten Jahre. Nur zu verständlich waren die Freudentränen, welche die Ashford nach dem Sieg vergoß. „Ich bin jetzt die schnellste Frau der Welt und Olympiasiegerin", strahlte sie anschließend. Auch wenn ihre große Rivalin Marlies Göhr aus Jena nicht starten konnte, war es ein bedeutender Sieg für die schwarze Frau, die sich von diesem Erfolg endlich auch den sozialen Aufstieg erhofft.

nicht mehr bloß um die Gleichberechtigung kämpfen, sondern vor allem um die Existenz. „Weshalb läuft Mary Decker auf allen Reklameflächen und ich auf keiner?" hat die Ashford gefragt, und die Antwort nicht abgewartet, weil sie die parat hatte: „Nur, weil Amerika keine schwarzen Helden mag. Wäre ich weiß, würde ich längst im Geld schwimmen." Die Decker ist weiß. Es scheint, als müsse die schwarze Frau erst noch erkämpfen, was sich der schwarze Mann schon erstritten hat. Evelyn Ashford erhebt schwere Vorwürfe gegen gewisse Leute im US-Sport, wie den Manager Al Franken, der alle großen amerikanischen Leichtathletik-Meetings veranstaltet. „Der ist Rassist. Der benachteiligte mich bis jetzt, weil ich schwarz bin."

Möglich aber auch, daß die Evelyn Ashford erst so bitter gemacht hat, was sie bisher hat erleben müssen zwischen Start und Ziel. In Helsinki, bei der ersten Weltmeisterschaft, hat die Decker die Titel über 1500 und 3000 m eingesammelt, während Evelyn nach 40 m des Sprintfinales auf die Laufbahn stürzte, hingestreckt von einer schweren Muskelverletzung. 27 ist sie, die Spiele von Los Angeles sind ihre letzte Chance gewesen. Und dann war sie wieder lädiert, ist bei der US-Olympiaqualifikation über 200 m nur etwa 80 m weit gekommen. Erst am 30. Juli, bei einem Versuch mit der Staffel in San Diego, sprintete die Ashford beschwerdefrei.

Der Olympiasieg war die Erfüllung. 25 000 Dollar soll ihr die Schuhfirma bezahlt haben, deren Produkte sie zur Schau trägt. Mindestens noch einmal soviel winken ihr bei den Sportfesten in Europa, die den Leichtathleten das bedeuten, was den Besten der Tour de France die anschließenden täglichen Kirmesrennen in der Provinz sind. Ashford gegen Göhr, das Duell lockte sie, nicht nur, weil das ein Kassenschlager war. Mit Marlies Göhr, die in Helsinki der gestürzten Evelyn Ashford davonrannte und später spitz bemerkte, das sei deren Problem, hat sie noch eine Rechnung offen, unter Rivalinnen. Beweisen indes müsse sie rein gar nichts: „Ich bin die schnellste Frau der Welt, und ich bin stolz darauf."

Evelyn Ashford hat die Tränen weggewischt und dem Augenblick gelebt bei der Siegesfeier in Hollywood. Und ihr Herz ausgeschüttet in einer Liebeserklärung. An Los Angeles: „Ich habe von Anerkennung geträumt und davon, mein Bild über den Dächern dieser Stadt zu sehen, in der ich aufgewachsen bin." Und an ihren Mann: „Ich liebe ihn, aber manchmal ist Laufen schöner als Liebe."

Wieder in die Höhe gekommen ist Siebenkämpferin Sabine Everts. Nach ihrer langwierigen Verletzung ist der dritte Platz ein beachtlicher Erfolg.

Sabine im Medaillenglanz

Siegerehrung! Eine der großen Überraschungen der Leichtathletik ist perfekt. Die Australierin Glynis Nunn gewinnt den Siebenkampf. Ihr tränenüberströmtes Gesicht bleibt in Erinnerung.

Tränen der Enttäuschung weinte Jody Anderson, die amerikanische Siebenkämpferin, nach ihrer enttäuschenden Hochsprungleistung. Die US-Siebenkämpferinnen wurden in Abwesenheit der Ostblock-Elite allgemein als Favoritinnen angesehen. Nur Jackie Joyner erfüllte als Zweite in etwa die Erwartungen.

Sie hat die großen Wettbewerbe nie gewonnen. Aber waren das wirklich Niederlagen? Der dritte Platz 1982 bei der Europameisterschaft in Athen, der vierte Rang bei der WM 1983 in Helsinki: Da behauptete sich Sabine Everts doch glänzend gegen härteste Konkurrenz aus den Ländern des Ostblocks, wo man dem Erfolg in der Frauen-Leichtathletik durchaus nachzuhelfen weiß, wie es heißt. Solche Dinge – Anabolika zum Beispiel – lehnt die 23jährige konsequent ab. Und daß sie ihre Überzeugung auch praktiziert – ein Blick auf ihre schwachen Wurfresultate beseitigt da jeden Zweifel.

Aber nun wieder Dritte, die Bronzemedaille im olympischen Siebenkampf in Abwesenheit all dieser Gegnerinnen: doch eine Niederlage? Mitnichten! Sabine Everts war am Ende die Winzigkeit von 27 Punkten von der überraschenden, ja sensationellen Siegerin Glynis Nunn (6390 Punkte) aus Australien entfernt, lag um die Lächerlichkeit von 22 Punkten hinter der Silbermedaillengewinnerin Jackie Joyner aus den USA.

Daß auch diese Bronzemedaille ein Erfolg war für die blonde Düsseldorferin, eine Plazierung, die sie „überglücklich" machte, weil sie „nicht gewagt hätte, von einer Medaille zu träumen", das wird jedem schnell begreiflich, der die Geschichte von Sabine Everts' Olympiavorbereitung kennt.

Denn schon im Februar zog sie sich beim Hürdensprint einen Muskelfaserriß zu. Kaum war das behoben, folgten im März nicht eine, nicht zwei, gleich drei Zerrungen aufeinander. Erst im Mai entdeckte man die Ursache allen Übels – den Ischiasnerv. Sechs Wochen kostbaren Trainings waren verloren, ein Vierteljahr lang blieb alles Stückwerk. In der Olympia-Ausscheidung von Mannheim setzte es eine klare Niederlage gegen die 18jährige Vereinskameradin Sabine Braun. Daß sie am Ende doch fahren durfte, war die Frucht eigener, unermüdlicher Anstrengung.

Eine Bronzemedaille ist das also, die in Wahrheit ein großer Sieg von Sabine Everts über Sabine Everts ist. Sie konnte den Weg zurück zur alten Stärke nicht mehr ganz gehen. Aber die 22 Punkte hinter Jackie Joyner, das sind wenige Zentimeter im Weitsprung, die 27 Zähler hinter Glynis Nunn, das wären 1,9 Sekunden über 800 Meter oder 14 Zentimeter im Weitsprung. Es hat nicht viel gefehlt zum Sieg, und ihr Trainer Wolfgang Vander war sich auch sicher, wo dieses Bißchen geblieben ist. „Das hat uns den Olympiasieg gekostet", behauptete er, als Sabine Everts gleich am Anfang beim Hürdensprint am siebten Hindernis hängen blieb.

Aber fehlerlos war an diesen beiden Tagen ohnehin nur die Siegerin, weshalb Sabine Everts auch fand, für diesen „optimalen Wettkampf" habe die Australierin „den Sieg verdient". Jackie Joyner hingegen machte ihren entscheidenden Fehler im Weitsprung, als sie nach zwei ungültigen Hüpfern ganz auf Sicherheit ging und nur 6,11 Meter sprang, was nicht sehr viel ist im Verhältnis zum Beispiel zu jenen 6,81, die sie als Siegerin der Olympia-Ausscheidung in den USA geschafft hatte. Sie war die Favoritin für diesen Siebenkampf, nicht die am Ende tränenüberströmte Siegerin, die zu Saisonbeginn noch 6195 Punkte in den Bestenlisten stehen hatte, sich dann auf 6273 steigerte und im olympischen Wettkampf noch einmal 117 zulegte.

Ein großer Siebenkampf war es dennoch nicht, denn zu offensichtlich ist angesichts solcher Zahlen denn doch das Fehlen jener sechs DDR- und UdSSR-Athletinnen, die Glynis Nunn mit dieser Leistung wohl allesamt auf den siebten Platz verdrängt hätten. Sabine Paetz aus der DDR verbesserte 1984 den Weltrekord auf 6867 Punkte, knapp 500 mehr als die der Siegerin im Coliseum. Und unter normalen Umständen hätte Sabine Everts nicht einmal sehr nahe an ihre Bestleistungen herangehen müssen, um hier zu siegen.

Der „Glanz" der Bronzemedaille, von dem sie hinterher sprach, war ihr genug. Um ihn nicht zu schmälern, fiel ihr auch der Verzicht auf den Start im Weitsprung leicht, für den sie ohnehin (siehe Verletzungsgeschichte) nicht qualifiziert war. Sie wolle doch, sagte sie, den guten Eindruck nicht schmälern durch schwaches Abschneiden in ihrer Paradedisziplin.

Und dennoch blieben die Fragen nicht aus, ob sie denn angesichts ihrer manchmal erbarmungswürdigen Resultate mit Speer und Kugel sich nicht doch noch einmal spezialisieren wolle. Nein, antwortete da Trainer Vander, man werde genau den umgekehrten Weg gehen und Sabine in ihren Spezialdisziplinen stark machen, um dies für den Siebenkampf zu nutzen. Und Sabine Everts offenbarte den eigentlichen Grund für solchen Verzicht: Sie sei ja noch nicht an ihren Grenzen. „Wenn ich meine sieben Bestleistungen addiere, komme ich auf 6600 Punkte. Erst wenn ich diese Zahl erreiche, weiß ich, daß mein Potential als Siebenkämpferin erschöpft ist. Dann, und erst dann, werde ich mich neu orientieren."

Sabine Everts posiert als Speerwerferin – wie von einem griechischen Bildhauer geschaffen. – Wenn sie in dieser Disziplin nur besser wäre!

Der Weitsprung, kein Trauma für die Everts.

Im Ziel des 800-m-Laufes: Um noch zu gewinnen, hätte die Deutsche Bestzeit laufen müssen.

USA

Die Marathon-Distanz mißt 42,195 km. Nach etwa vier Kilometern hat Joan Benoit die Solidargemeinschaft des Feldes der Läuferinnen verlassen und sich davongemacht, allein auf dem sich endlos dehnenden Highway Nummer vier. Vierspurig wälzen sich sonst die Blechkolonnen über die Autobahn; Joan Benoit hatte sie ganz für sich allein, und manch neidischer Blick mag ihr gefolgt sein. Die einsame Läuferin hält ihre Augen starr auf das breite Band ihres Weges gerichtet. Geschützt vor der Morgensonne durch eine weiße Mütze, abgeschirmt von der früh brütenden Hitze von einem Trikot, das den Raumanzügen der Astronauten nachempfunden ist, mit einer Außenschicht aus reflektierendem Aluminium.

Joan Benoit läuft dem Olympiasieg entgegen, dreht die letzte Runde im Coliseum vor jubelnden Landsleuten, siegt in 2:24:52 Stunden überlegen. Die Weltmeisterin Grete Weitz aus Norwegen bleibt 1:26 Minuten zurück und gewinnt Silber, mit 2:05 Minuten Verspätung erkämpft sich die Portugiesin Rosa Mota die Bronzemedaille. Später wird Joan Benoit sagen, das sei „ein historischer Lauf gewesen, der erste Frauen-Marathon bei Olympia", und sie danke den Pionierinnen. „Sie haben möglich gemacht, daß ich hier stehe. Und wir haben heute bewiesen, daß Frauen noch längere Strecken laufen können. Fünfzig, hundert Kilometer."

Die wievielte Ehrenrunde der Siegerin es gewesen ist, hatte keiner gezählt. Es waren etwa 20 Minuten nach Joan Benoits Ankunft im Stadion vergangen und die Läuferinnen ins Ziel getrabt, geschlagen zwar, aber lachend und winkend fast alle, keine sichtlich gezeichnet von den Strapazen des langen Wegs. Da erstarrte das Publikum, konzentrierte sein Interesse auf ein zuckendes Bündel Mensch, das aus dem dunklen Tunnel ins gleißende Licht der Arena getorkelt war. Nummer 323, die Schweizerin Gaby Andersen-Schiess, offensichtlich nicht mehr Herr ihrer Sinne, versuchte mit ruckartigen Bewegungen von Beinen und Armen wie eine Marionette Kurs zu halten und das Ziel zu erreichen. Unendlich langsam schwankte die Läuferin darauf zu und merkte, daß sie sich furchtbar getäuscht hatte, daß noch eine Runde vor ihr lag, eine unendlich lange, qualvolle Strecke Wegs.

Von da an hat sie nichts mehr gespürt. Aber irgendwie muß die Schweizerin die weißgekleideten Ärzte neben sich bemerkt haben. Jedenfalls wehrte sie Hilfe ab, denn irgendein letzter Rest Verstand sagte ihr, daß sie sonst disqualifiziert werden würde. Nach 2:48:42 Stunden war das grauenvolle Schauspiel vorbei und Gaby Andersen-Schiess in der Hölle. „Ich mußte durchs Fegefeuer. Mein ganzer Körper brannte wie unerträglich, als würde ich verbrannt. Ich hatte wahnsinnige Schmerzen." Erst als die geschundene Kreatur in naßkalte Tücher gewickelt wurde, ließ der Schmerz nach, und das Bewußtsein kehrte zurück. „Dann war ich nur noch sehr, sehr müde." Was hat sie vorwärts getrieben in diesem zur sinnlosen Tortur verkommenen Wettkampf? „Ich weiß noch, daß ich durch den Tunnel kam und mich vorwärts geschleppt habe. Dann haben die Zuschauer go, go gerufen, und das Ziel war nah. Aber dann ist es immer weiter weggerückt, und dann habe ich aufgehört zu denken." Was ihr passiert war, hat der Freiburger Arzt Professor Jupp Keul, Chefmediziner der bundesdeutschen Olympiamannschaft, so erklärt: „Der Grund für die Schwäche war ein Mangel an Kohlehydraten. Der Blutzuckerspiegel sinkt ab, die Blutzufuhr zum Gehirn wird gedrosselt. Das könnte zum Tode führen. Man hätte die Sportlerin aus dem Rennen nehmen müssen." Die Schweizer Mannschaftsführung wollte es tun, hat es aber vergeblich versucht. Amerikanische Sicherheitskräfte hatten niemand in die Nähe der Läuferin gelassen, das ärztliche Personal ausgenommen; und das sah bloß zu.

Zum Glück hat sich Gaby Andersen-Schiess schnell wieder erholt. Die seit 20 Jahren in den USA lebende 39jährige Skilehrerin überlebte wohl, weil sie, trotz allem, eine erfahrene Läuferin ist. Sie hat den Marathonlauf von Indianapolis gewonnen, in 2:36 Stunden, und den in Sacramento, in 2:33:25. Die Bundesdeutsche Charlotte Teske, die ein Stück weit gemeinsam mit der Schweizerin unterwegs gewesen war, ist zwei Minuten langsamer gewesen und hat den 16. Platz belegt. Charlotte Teske beschuldigte den Internationalen Leichtathletik-Verband der Fahrlässigkeit: „Ein Marathon in den Abendstunden oder in der Nacht wäre ideal gewesen." Heinz Fallak, der Chef der bundesdeutschen Mannschaft, wetterte: „Mir ist das unbegreiflich; der Sport muß selbstbewußter werden." Was Fallak sagen wollte: Die Laufzeit war von der Fernsehgesellschaft ABC diktiert worden. Wer zahlt, schafft an. Die Menge erhielt ein makabres Schauspiel geboten. Und nicht jeder fühlte Mitleid mit der Darstellerin in der Arena. „Ich fand das hochdramatisch", sagte die finnische Speerwerferin Tiina Lillak. Wetten, daß die noch keine fünf Kilometer an einem Stück gelaufen ist?

FRAUEN-MARATHON

Durchs Fegefeuer ins Ziel

Ihr Bild ging um die Welt, das Fernsehen sorgte dafür: Gaby Andersen-Schiess, Schweizerin aus Amerika, war von allen guten Geistern verlassen, als sie im Marathonlauf durch das Ziel wankte. Ob man sie aus dem Rennen hätte nehmen sollen, darüber entbrannten hinterher heftige Diskussionen zwischen Funktionären und Ärzten. Nicht in die Diskussion sollte allerdings der Frauen-Marathon kommen. Von 48 Teilnehmerinnen kamen 44 ins Ziel.

Linke Seite: Einen Start-Ziel-Sieg landete die US-Läuferin Joan Benoit aus Maine im ersten olympischen Marathonlauf für Frauen. In einer nicht für möglich gehaltenen Überlegenheit spulte sie ihr Pensum mit der Gleichmäßigkeit eines Uhrwerkes ohne äußerlich erkennbare Schwächen ab. Mit ihrer Siegeszeit von 2:24:52 Stunden hätte sie beispielsweise den Olympiamarathon der Männer von Melbourne 1956 gewonnen. – Für das langlaufbesessene Amerika wird sie – ihre „Nike-Schuhe" zeigen es – sicherlich zum Werbeträger Nummer eins.

Auch im Hürdensprint farbige Dominanz

Den richtigen Riecher hatte der Fotograf, als er nicht Gregg Foster, den großen Favoriten im 110-m-Hürdenlauf, fotografierte, sondern den Außenseiter Roger Kingdom, im Bild vor Tony Campbell. Im Auslauf besiegte er seinen Landsmann um ganze zwei Hundertstelsekunden und verblüffte damit Zuschauer und Experten gleichermaßen. Den Medaillenstatistikern wird's gleich gewesen sein, blieb doch die Goldmedaille im Lande. Die Siegerzeit von 13,21 Sekunden bedeutet zwar olympischen Rekord. Vom Weltrekord des Ausnahmeläufers Nehemiah ist sie jedoch weit entfernt. 12,92 Sekunden beträgt dessen Fabelzeit. Nehemiah wollte seine Teilnahme übrigens durch Gerichtsbeschluß erzwingen, nachdem er einige Spiele im bezahlten US-Football absolviert hatte und damit als Profi galt. Ein vergebliches Unterfangen. – Deutsche Läufer waren in der einstigen Paradedisziplin eines Martin Lauer nicht am Start.

Eine Handbreit am Edelmetall vorbei

Dreimal Dreispringer Peter Bouschen: beim Landeanflug, bei der Landung und danach. Die Kameraperspektive scheint einen Sprung jenseits der 18-m-Marke wiederzugeben. Das hätte Weltrekord und Olympiasieg bedeutet. 16,77 Meter und Platz 5 waren's dann in der Endabrechnung. 10 Zentimeter trennten ihn von der Bronzemedaille. Wie die meisten deutschen Leichtathleten ging auch Bouschen verletzt in den entscheidenden Wettkampf. Eine Spritze hatte geholfen.

800 METER
MÄNNER

Ein Mythos verblaßte

So vieles wurde durch dieses Rennen verändert: Eine Ära ging zu Ende, ein Mythos verblaßte, neue Dimensionen taten sich auf. Der Brasilianer Joaquim Cruz gewann den 800-Meter-Lauf in 1:43,00 Minuten vor dem Briten Sebastian Coe (1:43,64) und dem jungen Amerikaner Earl Jones (1:43,83).

Es ist zuerst einmal das Rennen zweier Generationen gewesen, ein Lauf der Zeit, in dem nur noch Sebastian Coe sich halbwegs wehren konnte unter dem Druck der jungen Männer wie Cruz, Jones, auch Konchellah aus Kenia, der Vierter wurde. Steve Ovett, Olympiasieger noch vier Jahre zuvor, hielt diesem Ansturm nicht mehr stand. Erschöpft, unter starkem Flüssigkeitsmangel leidend, mußte er hinter dem Ziel von einem Arzt behandelt werden – das Ende des Mythos vom Wunderläufer.

Coe und Ovett, Coevett – das war eine große Zeit auf den Mittelstrecken, Olympiasieger der eine, Weltrekordler der andere. Als dieses Rennen beendet war, war auch das vorbei, endgültig. Coe (28) ging zu Ovett (29), legte ihm den Arm um die Schulter und sagte: „Ich glaube, wir sind etwas zu alt, um mit dem Feuer zu spielen." Von Cruz besiegt, hatte auch Coe den Traum begraben, einmal eines der ganz großen Rennen gewinnen zu können: 1980 die Niederlage gegen Steve Ovett, 1982 jene gegen den neuen (nun früh ausgeschiedenen) Europameister Hans-Peter Ferner, 1983 die verletzungsbedingte Abwesenheit bei der Weltmeisterschaft, nun dies. „Irgendeiner", sagte Coe später, „muß mich einmal mit einem Fluch belegt haben. Ich bin von einem Kerl geschlagen worden, der jünger und stärker war als ich."

Szene aus dem olympischen 800-m-Finale. Mit Nr. 093 Joaquim Cruz aus Brasilien, der große Favorit. Neben ihm Sebastian Coe, der Brite. Mit seinen riesigen Schritten war Joaquim Cruz (rechts oben) nicht zu stoppen. Im bisher schnellsten 800-m-Rennen bei Olympischen Spielen löschte er mit 1:43,0 Minuten die bisherige olympische Bestzeit des bereits legendären Alberto Juantorena. Zu Ende gegangen sein könnte dagegen die Laufbahn der beiden Briten Coe (rechts Mitte) und Ovett. Coe wurde immerhin noch Zweiter des Rennens und gewann später sogar die 1500 m. Ovett erreichte das 800-m-Finale, das er als Letzter beendete, nur durch einen spektakulären Sprung ins Ziel (rechts unten).

Nur Coe ist jemals schneller gewesen als Cruz in diesem Rennen. Aber er erreichte seine 1:41,80 und auch die 1:42,33 immer im Leichtathletik-Zirkus mit Hilfe eines „Hasen", der für ihn das Tempo machte, um sich dann irgendwann erschöpft zurückfallen zu lassen. Cruz aber ist seine Zeit in diesem besten 800-Meter-Rennen der vergangenen Jahre ohne solche Hilfe gelaufen, konnte auf der Zielgeraden gleichwohl noch einmal wuchtig antreten, um sich vom Pulk der Verfolger zu lösen. „Ich habe den Eindruck", sagte Coe, „daß er zu keiner Zeit des Rennens über das Rennen nachdenkt. Er macht sich keine Gedanken über das Tempo, er läuft einfach mit, und das macht den großen Champion aus." Das ist denn auch ein neues Blatt in der Geschichte dieser Strecke, und Joaquim Cruz hat es aufgeschlagen: Taktik gibt es nicht mehr, diese 800 Meter werden in einem Stück durchgezogen, als lang-langer Sprint.

Zu seinem Siegeszug ist der 21jährige Olympiasieger von Nordamerika aus aufgebrochen. 1981 hatte er die Familie in Brasilien verlassen, war mit Trainer Alberto de Oliveira in die USA geflogen, erst nach Colorado, dann nach Oregon, in die Hauptstadt Eugene. „Bei uns in Brasilien gibt es doch nur Fußball. Die Leichtathletik kommt an letzter Stelle." Cruz ist auch deshalb der erste Olympiasieger aus Brasilien seit Adhemar da Silva, der 1952 und 1956 den Dreisprung gewann. Ihm ist es zugefallen, eine große Ära zu beenden, er will dies konsequent tun, will den Namen Coes auch anderswo tilgen: „Was mir zu meinem Glück fehlt", sagt der Brasilianer, „das ist ein Weltrekord."

HAMMERWERFEN

Silberne Krönung einer großen Laufbahn

Eines Tages, hat Karl-Hans Riehm in Los Angeles erzählt, habe sein Sohn Michael (6) ihn gefragt: „Papa, warum wirfst du eigentlich Hammer?" Eine spontane Antwort darauf sei ihm nicht eingefallen. Darüber hat sich der Vater Gedanken gemacht und ist zu der Einsicht gekommen: „Da muß man erkennen, daß die Zeit vorbei ist." Denn immer größer sei der Aufwand geworden im Lauf der Jahre, immer schwerer die Lasten aus Eisen, die gestemmt sein wollten, immer häufiger die Blessuren. „Wenn das die Kinder sehen, was für Verletzungen man hat;

„Ich bin glücklich darüber", sagte Karl-Hans Riehm (links) auf die Frage, ob er mit der Silbermedaille zufrieden sei; fehlten ihm doch nur 10 Zentimeter zur Siegesweite des Finnen Juha Tiainen (Mitte). Am Ende einer langen Laufbahn gewann der Hammerwerfer aus Konz bei Trier endlich olympisches Metall. 1972 war er zu jung, 1976 fehlten zwei Zentimeter zum dritten Platz, 1980 wurde boykottiert – und 1984 fehlten die Besten.

Rechte Seite: Unterm Sonnenschirm ein zweifelnder Blick. Mit dem letzten Wurf holte Ploghaus doch noch Bronze im Hammerwerfen.

das muß man auch vor der Familie verantworten."
Damals hat sich Karl-Hans Riehm ein letztes Ziel gesetzt am Abend seiner 18jährigen Laufbahn: Eine Medaille in Los Angeles. Sie schien in unerreichbare Ferne gerückt angesichts der Übermacht der sowjetischen Werfer. Doch als der Boykott ausgerufen wurde, lockte den 33jährigen Riehm plötzlich Gold. Silber ist es schließlich geworden, für 77,98 m, hinter dem Finnen Juha Tiainen (78,08 m). Zehn Zentimeter bloß haben gefehlt, die halbe Spanne von Riehms Hand, der Durchmesser der Kugel am Ende des Drahts, der Hammer genannt wird, weil in den Pioniertagen der Leichtathletik Eisenhämmer an langen Stielen durch die Luft geschleudert worden sind.

Überwiegt Glücksgefühl oder Enttäuschung, wenn einer so knapp vors Ziel wirft, und nicht zum ersten Mal? 1976 in Montreal wuchteten drei Sowjets den Hammer weiter als Riehm, und Anatoli Bondartschuk schnappte ihm um zwei Zentimeter die Bronzemedaille weg: 75,48 zu 75,46 m. 1972 in München war Riehm noch zu jung und unerfahren gewesen, 1980 in Moskau wegen des Boykotts nicht dabei, schmerzlich für ihn, der damals den Weltrekord hielt mit 80,80 m. Glücklich sei er über die Silbermedaille, sagte Karl-Hans Riehm, und hält es für ausgleichende Gerechtigkeit, daß er eine Medaille gewonnen hat, die ihm unter normalen Umständen verwehrt geblieben wäre. „Ich mach' mir da nichts vor. Mit den Russen wäre es ganz anders verlaufen." Fünf von ihnen standen 1984 vor Riehm in der Rangliste, vorneweg Weltrekordler Juri Sedych mit 86,34 m, dann Sergej Litwinow mit 85,14 m, dazu drei DDR-Athleten.

Mitleid mit den Russen

Der Boykott war – Riehm leugnet es nicht – ein zusätzlicher Anreiz zum letzten Kraftakt. „Daß die alle nicht da waren, konnte uns natürlich nicht negativ motivieren." Auch Klaus Ploghaus, der für Leverkusen startende Gießener, hat sich so seine Gedanken gemacht: „Anfangs gab's bei mir Probleme mit dem Boykott. Es tat mir leid um die Russen." Das sind ja nicht nur Gegner, sondern auch Kollegen, Sportkameraden; man kennt sich. „Aber man muß nach vorne blikken. Hier und heute hat das Thema keine Rolle mehr gespielt."
Für Juha Tiainen, den Olympiasieger, der heuer 81,52 m weit geworfen hat, schon gar nicht. Wohl schränkte auch er ein: „Es ist natürlich schon was anderes, wenn die Ostblock-Werfer dabei sind." Aber andererseits: „Ich hätte auch eine Medaille gewonnen, wenn sie dagewesen wären. Schließlich habe ich sie vor drei Wochen in Ost-Berlin alle geschlagen." Die bundesdeutschen Werfer hatten dabei keine Rolle gespielt. Ihr Trainer Karl-Heinz Leverköhne urteilte: „Der beste Hammerwerfer der westlichen Welt in diesem Jahr hat hier verdient gewonnen." Aber seiner Meinung nach hätte es auch anders kommen können: „Ich bin dennoch etwas enttäuscht. Riehm hatte zuletzt im Training größere Weiten erzielt."
Karl-Hans Riehm war der letzte Werfer, der Tiainens Bestmarke ins Visier nahm und knapp verfehlte. Die Hitze lähmte, Krämpfe in den Waden plagten ihn. Auch Klaus Plog-

LA 84
330
Games of the XXIIIrd Olympiad
PLOGHAUS

haus klagte über das Wetter; die starken Männer schwitzten, und der Schweißverlust übersäuerte die gewaltige Muskulatur. Trotzdem gewann Ploghaus im letzten Versuch Bronze, verbesserte sich von 75,96 m auf 76,68 m. Sonst hätte er, bei gleicher Weite mit Giampaolo Urlando, mit dem vierten Platz vorliebnehmen müssen, weil der Italiener die nächstbessere Weite zu Buche stehen hatte.
In seinem letzten großen Wettkampf, dem dritten olympischen, nach Siegen im Welt- und Europacup, dem dritten Platz bei der Europameisterschaft 1978, zwei Weltrekorden und zehn bundesdeutschen Meisterschaften, hat Karl-Hans Riehm noch einmal neue Erkenntnisse gesammelt. „Ich habe die Erfahrung gemacht, daß selbst ich mit all meiner internationalen Praxis einen olympischen Wettkampf als nervliche Ausnahmesituation erlebe." Da schwang Verständnis mit für seinen jungen Vereinskameraden Christoph Sahner, der drei ungültige Versuche absolvierte, wie schon bei den bundesdeutschen Meisterschaften.
Ihm und anderen will Riehm künftig zur Seite stehen, weil Not am Mann sei. „Der Ostblock marschiert weg. Das Ausleseverfahren beginnt dort früher als bei uns. Wir haben außerdem keine Chance, weil wir zuwenig Trainer besitzen, die etwas verstehen."
Sehr brav, nicht einfach sang- und klanglos den Hammer in die Ecke zu legen, selbstlos, dankbar. Aber auch eine Möglichkeit, den Fuß in der Tür zur großen weiten Welt des Sports zu behalten. Karl-Hans Riehm, Innenarchitekt von Beruf, kehrt heim in die kleine Welt nach Konz bei Trier, wo der Vater in der Schreinerei auf Hilfe wartet, wo die Kinder endlich einen Vater haben wollen, der nicht ständig mit dem Hammer um sich wirft, die Koffer packt und ächzt, weil ihn das Kreuz schmerzt.

Das Teleobjektiv hat Hammerwerfer Klaus Ploghaus aus seinem Umfeld gelöst, das Individuum triumphiert. Einen individuellen Erfolg stellt der dritte Platz für Ploghaus im Hammerwurf-Wettbewerb allemal dar. Die beiden Siegermedaillen bedeuten für die deutschen Hammerwerfer eine späte und deshalb gerechte Anerkennung ihrer Spitzenstellung, die sie in dieser Sportart in den 70er und zu Beginn der 80er Jahre innehatten. Die 1980 möglichen Erfolge stellten sich erst vier Jahre später ein, dank der Abwesenheit von Sedych, Litwinow und Co. Längst bestimmen sie die Entwicklung in dieser Sportart.

Leichtathleten im Abwind

Die deutsche Leichtathletik bestätigte in Los Angeles den Eindruck, den sie bereits in der Vorsaison, bis Olympia, vermittelt hatte. Viele Leistungsträger der vergangenen Jahre waren verletzt und konnten nicht ersetzt werden. Sie konnten entweder gar nicht oder nur mit Trainingsrückstand starten. Die Europameister Patriz Ilg und Thomas Wessinghage, der Weltmeister Willy Wühlbeck, sie blieben gleich zu Hause. Europameister Hartmut Weber reiste unverrichteterdinge, aber mit Verletzung aus L. A. ab. Wieder andere, wie Dreispringer Peter Bouschen oder 800-m-Läuferin Margit Klinger, starteten leicht verletzt oder kamen nach Verletzungen nicht mehr in Schwung. Hans-Peter Ferner und Erwin Skamrahl fanden 1984 ihre Topform früherer Jahre nicht. Vielleicht waren Europa-, Weltmeisterschaften und Olympische Spiele in drei aufeinanderfolgenden Jahren für einige Athleten doch zuviel. Mancher hatte sicherlich auch den Zenit seiner Laufbahn überschritten. Am besten motiviert waren noch die Boykottgeschädigten von 1980, Harald Schmid, Karl-Hans Riehm bewiesen dies. Und dann gab's natürlich noch jene, wie Zehnkämpfer Jürgen Hingsen oder Speerwerfer Klaus Tafelmeier, die dem Wettkampfstreß nicht gewachsen waren. Wären nicht Harald Schmid, Ralf Lübke und Manfred Herle, Deutschlands berühmte Läufergarde wäre olympisch nicht mehr präsent gewesen. Claudia Losch, Ulrike Meyfarth und Dietmar Mögenburg holten das insgeheim erhoffte Gold, Rolf Danneberg schaffte mit seinem Diskussieg, gelinde gesagt, eine Riesenüberraschung. Die vier Siege machten die Bilanz noch erträglich. Dennoch wird man beim Deutschen Leichtathletikverband nachdenken müssen. Die Europameisterschaften 1986 finden schließlich in Stuttgart statt, und da ist der Ostblock sicher wieder dabei.

„Harte Waden" vor dem Lauf: Gabi Bussmann.

Ausgeschieden! Unfaßbar für Hans-Peter Ferner.

Sprinter Ralf Lübke war mit seinem fünften Platz im Endlauf über 200 Meter bester Europäer.

Kam nicht in Schwung: Skamrahl.

Speerwerfer Wolfram Gambke hätte als 4. fast jene Medaille geholt, die man von Tafelmeier erwartete.

Charlotte Teske, 16. im Marathonlauf.

Sprinter Christian Haas in die Knie gegangen.

Margit Klinger, nicht mehr in Form gekommen.

Am Start gibt es noch Bessere, im Ziel nicht. US-Supersprinter Carl Lewis, auf Erfolg programmiert, hielt, was er versprach: vier Siege!

Im Finish 45 „Sachen"

Erinnern Sie sich an die Olympischen Spiele 1968 in Mexico City? Siegerehrung im 200-m-Lauf: Die schwarzen Amerikaner Tommie Smith und John Carlos grüßen den am Fahnenmast aufsteigenden Sternenbanner mit ihren schwarz behandschuhten rechten Fäusten. Black power! Der schwarze Mann kämpft um sein Recht.

Diesmal ist alles ganz anders gewesen. Inbrünstig sangen Carl Lewis, Kirk Baptiste und Thomas Jefferson, die drei Medaillengewinner, die Hymne mit, die vom Land der Freien und von der Heimat der Tapferen erzählt. In Fahnen gehüllt, mit Fähnchen winkend, dirigierte das Trio den zehntausende Stimmen zählenden Chor ihrer Landsleute: Ju-Es-Ej, JU-ES-EJ. Die schwarzen Helden huldigten Amerika, und Amerika feierte sie.

„Heute war es wirklich etwas Besonderes", beteuerte Carl Lewis nach seinem dritten Olympiasieg bei diesen Spielen. „Als ich durchs Ziel kam, sah ich mich um und sah zwei Amerikaner direkt hinter mir." Schwarze Amerikaner, natürlich. Lewis hatte in 19,80 Sekunden den olympischen Rekord jenes unbotmäßigen Rassegenossen Smith gebrochen, der damals nach Hause geschickt worden war. Amerika mag keine demonstrierenden Schwarzen, sondern brave, die der Fahne huldigen und Ehre einlegen für die Nation.

Carl Lewis tat, was alle von ihm erwarteten. „Es war super, mit den Jungs die Ehrenrunde zu laufen, und unsere Fahne dabei." Und die Jungs gaben Echo: „Mein Gott, alle drei Medaillen für unser Land." Ein großes, ein großartiges Land, versicherte Carl Lewis. Er lebt in der Welt der Weißen, in Houston, in einem Haus mit sechs Telefonen, mit Elektronik-Spielzeug, ausgestattet mit Kunstgegenständen und Wasserbetten. Zehn Kilometer vom Coliseum entfernt standen Sozialküchen für seine arbeitslosen Landsleute.

Soweit der eine Aspekt der schwarzen Laufdemonstration mit anschließender vaterländischer Pflichterfüllung. Der andere, rein sportliche, ist der des zwar nicht allerschnellsten Laufs aller Zeiten, aber einmalig in seiner Leistungsdichte. Zum ersten Mal in der Geschichte der Leichtathletik rannte einer unter 20 Sekunden und wurde nur Zweiter: Lewis-Freund Kirk Baptiste, in 19,96 Sekunden. Zum fünften Mal, aber erstmals wieder nach 28 Jahren, feierten die USA einen dreifachen Erfolg auf dieser Strecke, den Thomas Jefferson in 20,27 Sekunden vervollständigte, und das alles bei einem Hauch von Gegenwind.

Die alten Meister sind ohne Chancen geblieben. Don Quarrie beispielsweise, 33 schon, der Olympiasieger von 1976, dem sie in Kingston auf Jamaika ein Denkmal gebaut haben und sein Konterfei auf eine Briefmarke gedruckt; er scheiterte im Halbfinale. Und Pietro Mennea, 32, der seit 1979 den in 2300 m Höhe zu Mexico City gelaufenen Weltrekord mit 19,72 Sekunden hält und 1980 die Goldmedaille gewonnen hatte. Er wurde Siebenter, in 20,55, und nicht mal bester Europäer, schnellster Weißer.

Siegerehrung 200 m Männer. Von links nach rechts: Kirk Baptiste (Silber), Carl Lewis (Gold), Thomas Jefferson (Bronze).

Ein 19jähriger Springinsfeld ist ihm zuvorgekommen: Ralf Lübke aus Leverkusen, als Fünfter in 20,51 Sekunden. Der war ohne Leistungsdruck losgelaufen. „Nachdem ich das Finale erreicht hatte, machte ich mir keine Gedanken, ob ich irgend jemand schlagen könnte." Lübke ist freilich kein Nobody mehr gewesen, sondern der Hallenweltrekordler. Er hat Carl Lewis zweimal aus der Nähe beobachten dürfen. „Ich bin im Halbfinale auf der Bahn vor ihm gerannt und im Endlauf auf der Bahn hinter ihm. Aber vor oder hinter ihm, man sieht immer gleich schlecht aus." Und hat Carl, der Große, den Kleinen beobachtet? „Er macht immer das gleiche Gesicht", hat Lübke beobachtet. „Ich glaube, er hat mich gar nicht wahrgenommen."

Carl Lewis, der Unnahbare. Über 200 m hat er seine dritte Goldmedaille gewonnen, nach den 100 m und dem Weitsprung. Der unsicherste Wettbewerb seien die 100 m für ihn gewesen in seiner Kalkulation. „In diesen zehn Sekunden kann soviel passieren. Wenn du in vier Wettbewerben gewinnen willst, ist das, als würdest du einen Hügel hinaufsteigen. Hast du dann aber erst einmal die 100 m hinter dir, dann geht es schon wieder bergab." Lewis hat das nicht etwa im Interview zum besten gegeben, sondern als Bulletin verteilen lassen nach dem Sieg.

Zweifler haben vielleicht ein paar Sekunden lang gedacht, das Unternehmen „viermal Gold" könne schon am Start scheitern. Carl Lewis kam langsam auf Touren. Nur der Jamaikaner Ray Stewart löste sich noch später von den Blöcken als Lewis, für den 0,177 Sekunden Reaktionszeit nach dem Startschuß gemessen wurden. Sechzig Meter etwa sprintete er im Pulk, dann flog er davon. 36,036 km/h wurden für ihn errechnet, aber etwa 45 km/h auf den letzten Metern, auf denen die Konkurrenz stehenzubleiben schien: Sam Graddy (USA) 10,19, Ben Johnson (Kanada) 10,22.

Carl Lewis, der Sparsame. Nach dem Übertreten beim zweiten Weitsprungversuch unternahm er keine weiteren Anstrengungen in dieser Disziplin. Die 8,54 m aus dem ersten Durchgang genügten ihm. Es sei schon kalt gewesen an diesem Abend. Das große Ziel sollte nicht gefährdet werden. Er müsse Kraft sparen. So seine Antworten. Seine Reaktion mag verständlich sein, beim Publikum ist sie nicht angekommen. Die Massen wollen sich mit ihrem Liebling identifizieren. Er sollte einer von ihnen sein, ihn wollten sie verstehen und bewundern, an ihm wollten sie teilhaben.

Das rechte Bein hängt lässig nach unten, das linke schnellt angewinkelt nach vorn. Um die Spannung eines Bogens zu erzeugen, ist der Oberkörper leicht nach hinten gebeugt. Gleich wird er bei der Landung nach vorne zusammenklappen. Der Springer läuft in der Luft weiter. Carl Lewis beherrscht diese Hitch-Kick-Technik perfekt. Bei 8,54 m landet er nach seinem weitesten Sprung. Er bedeutet den Olympiasieg, obwohl dies sein einziger gültiger Sprung im Wettkampf war. Die Beamon-Marke von 8,90 m blieb unangetastet, der versprochene Satz über die 9-m-Traumgrenze steht noch aus.

Sprücheklopfers Sieg über den Saubermann

Hingsen, Kratschmer und Wentz (v. l. n. r.), ein Zehnkampftrio, auf das der deutsche Sport stolz sein kann. Mit Platz 2, 3 und 4 zeigten sie deutlich, wer die besten Mehrkämpfer der teilnehmenden Nationen hat. Die in Deutschland Gebliebenen und nicht Qualifizierten sind nur unwesentlich schlechter. Die drei von Los Angeles 1984 setzten die große Tradition der Ritter von Halt, Sievert und Stöck vor dem Krieg, der Lauer, Holdorf, Walde, Beyer und Bendlin in späterer Zeit fort. Im Ostblock aber wächst bereits eine neue Generation heran.

Der Kerl ist eine einzige Provokation. Oben auf dem Siegerpodest, die Goldmedaille um den Hals baumelnd, weinten die Olympiasieger reihenweise. Daley Thompson hat fröhlich mitgepfiffen, als die englische Hymne erklang. Später schlüpfte er in ein T-Shirt mit dem Aufdruck: „Is the world's 2nd greatest athlete gay?" Klar, was das heißen sollte: Thompson ist der Größte, und Carl Lewis „gay", was im Englischen zwar fröhlich bedeutet, in Amerika aber eindeutig: schwul. Auf diese fiese Tour mal schnell den Konkurrenten im Kampf um fette Kontrakte mit Ausrüster- und Bekleidungsfirmen mies gemacht. Und was ihm der Zehnkampf sei? Sein Leben, jedenfalls zu 99 Prozent. Der Rest: „Ruhm, Reichtum und Groupies."

Er erntete Gelächter, Kopfschütteln und Schlagzeilen natürlich. Aber Jürgen Hingsen war schockiert. „Es ist schade, daß so ein großer Athlet sowas sagt." Er habe richtiggestellt, daß nicht alle Zehnkämpfer so seien. Saubermann Hingsen empört sich gern und oft über den Rivalen. Er fixiert ihn wie das Kaninchen die Schlange, läßt sich provozieren, rennt ihm voll ins Messer. Sein Wunschtraum: „Daley wird sich nur ändern, wenn er mal verliert."

Doch Daley Thompson umgibt die Aura des Unbesiegbaren. Zumindest für Hingsen scheint er unschlagbar, wie DLV-Zehnkampftrainer Wolfgang Bergmann vermutet: „Jürgen ist so extremen Situationen nicht gewachsen." Und Hingsens Coach Norbert Pixken gestand: „Ich weiß nur eins: Falls ein Sportler Angst vor seiner eigenen Courage bekommt, dann ist er kein Athlet. Daley ist aus anderem Holz geschnitzt als Jürgen. Hätte er seine Figur, könnte er 9500 Punkte machen. Er ist ein phantastischer Athlet."

Der Mann kommt von ganz unten, aus dem Londoner Stadtteil Soho, wo ein flinkes

Mundwerk und die geballte Faust häufig Argumente ersetzen. Vater Nigerianer, vom Stamm der Ibo, Mutter Schottin, getauft auf den Namen Ayudele; daraus wurde Daley. Seine Bildung hat er eingebleut bekommen in einer Schule für schwer erziehbare Kinder. Thompson redet nicht über seine Vergangenheit. Er lebt dem Augenblick. „Menschen, die zurückblicken, verpassen leicht den schönsten Augenblick des Lebens."

„Hollywood-Hingsen"?

Keine schlechte Lebensphilosophie. Nicht jedem ist es gegeben, zwischen zwei Wettkämpfen in der Kirche zu predigen, wie Carl Lewis, oder immer den netten jungen Mann zu mimen mit dem unverbindlichen Zahnpasta-Lächeln, wie Jürgen Hingsen. Und der hat ja auch Angriffspunkte geboten. Seine Weltrekorde erzielt in maßgeschneiderten Wettkämpfen, mit Ehefrau Jeannie an seiner Seite. Mit Bronze übergossen nackt Modell gestanden für das Titelbild eines Magazins. (Daher der Spitzname Hollywood-Hingsen.) Oder erzählt, wie sehr er die elfte Disziplin des Wettkampfs liebe, und dabei seiner Jeannie zärtlich in die Augen schaut.
Daley Thompson zieht keine Show ab, ist die Show. Nicht jedermanns Geschmack, in Ordnung. Aber huschen nicht viel zu viele graue Mäuse durch die Sportszene? Lieber den als einen, bei dem nur rosa gefärbte Luftblasen rauskommen, wenn er den Mund aufmacht. Selbst wenn sich das so anhört: „Hingsen hat drei Möglichkeiten, an Gold zu kommen. Entweder er schürft es in einer Mine. Oder er stiehlt es aus meinem Zimmer. Oder er wechselt die Disziplin."
Hingsen behauptete: „Ich habe keinen Komplex; das war nur ein Blackout." Und allen Ernstes: „Ich bin mit meiner Silbermedaille glücklich." Nicht enttäuscht, fassungslos, am Boden zerstört – sondern glücklich. Wer's glaubt, wird selig. Wenn das aber wahr gewesen ist, dann wird Jürgen Hingsen den anderen nie schlagen können.

Erster Tag

1. Übung: 100 m. Wer vormittags um halb zehn nicht vom Schuß des Starters aufgeschreckt werden will, muß früh um fünf aus den Federn. Daley Thompson ist hellwach beim 100-m-Lauf und siegt in 10,44 Sekunden, trotz Gegenwinds. Jürgen Hingsen kämpft sich nach 10,91 ins Ziel. Kommentar von Zehnkampf-Bundestrainer Wolfgang Bergmann: „Thompson war um eine Zehn-

Der Stabhochsprung brachte die vorzeitige Entscheidung des Duells. Thompson jubelt bereits.

Das Übel begann. Bei einer Höhe von 4,70 m sprang Hingsen unter der Latte durch.

Gescheitert: Resigniert betrachtet Hingsen seine Hand. Die Hoffnung ist zerronnen.

telsekunde zu schnell – oder Jürgen um eine zu langsam.“ Beides traf zu; Hingsen lag schon um 122 Punkte zurück. Guido Kratschmer (10,80) und Siegfried Wentz (10,99), beide vom USC Mainz, gelten von Anfang an als Rivalen im Kampf um die Bronzemedaille. Beide gratulieren Thompson, während Hingsen den anderen ignoriert.

2. Übung: Weitsprung. Der zweite Schock für Hingsen, der im dritten Versuch respektable 7,80 m erzielt. Thompsons Antwort: 8,01 m. Bergmann lobt: „Er kann eben kontern, wenn er muß.“ Kratschmer freut sich über 7,40 m, Wentz ist über seine 7,11 m unzufrieden.

3. Übung: Kugelstoßen. Bergmann fordert: „Jürgen muß seine größeren Möglichkeiten im Kugelstoßen und Hochsprung nützen: Sonst sehe ich schwarz.“ Bei seinem Weltrekord hat Hingsen den 7,25 Kilo schweren Eisenball 98 Zentimeter weiter gewuchtet als zuvor Thompson. Als im Coliseum zu Los Angeles abgerechnet wird, macht die Differenz ganze 15 Zentimeter aus: 15,87 m zu 15,72 m. Thompsons Vorsprung: 155 Punkte. Auf Platz drei folgt der frühere Weltrekordler Kratschmer (15,93 m), vor Wentz (15,87) m).

4. Übung: Hochsprung. Thompson hat Hingsen drei harte Schläge versetzt. Der zeigt Wirkung, hinkt plötzlich, greift sich ans Knie. Zweimal kommt Prof. Krahl mit dem Koffer und verpaßt dem Lädierten Spritzen: Eine nach dem Sprung über 1,97 m, die andere nach 2,03 m. Die Patellasehne schmerze, versichert der Arzt. Siegfried Wentz faßt sich beziehungsreich an den Kopf, gefragt, was seinem Mitstreiter fehle. Da es nicht möglich ist, einem Zauderer Selbstvertrauen in die Blutbahn zu spritzen, könnte Krahl auf den Plazebo-Effekt gesetzt haben: Mit einem wirkungslosen Mittel Wirkung zu erzielen, weil der Glaube bisweilen Berge versetzt. Die setzte augenblicklich ein. „Hinksen“ schafft 2,12 m, Thompson bewältigte nur 2,03 m, was jedoch Bestleistung für ihn bedeutete. Der Flattermann wandelte sich zum Flieger, und Wentz höhnte: „Mit einer wirklichen Verletzung springst du wohl kaum solche Höhen.“

5. Übung: 400 m. Abschluß des ersten Tages. Da rennen sie bis zur totalen Erschöpfung. Daley Thompson läuft auf und davon, biegt mit beträchtlichem Vorsprung auf die Zielge-

Mit 50,82 m erzielte Hingsen persönliche Bestleistung im Diskuswerfen. 32 Punkte trennten ihn noch von Thompson. Da kam Hoffnung auf.

Der Olympiasieger und seine deutschen Konkurrenten in Zahlen

	100 m	Weit	Kugel	Hoch	400 m	Hürden	Diskus	Stab	Speer	1500 m	Punkte
1. Thompson	10,44	8,01	15,72	2,03	46,97	14,34	46,56	5,00	65,24	4:33,96	**8797**
2. Hingsen	10,91	7,80	15,87	2,12	47,69	14,29	50,82	4,50	60,44	4:22,60	**8673**
3. Wentz	10,99	7,11	15,87	2,09	47,78	14,35	46,60	4,50	67,68	4:33,96	**8412**
4. Kratschmer	10,80	7,40	15,93	1,94	49,25	14,66	47,28	4,90	69,40	4:47,99	**8326**

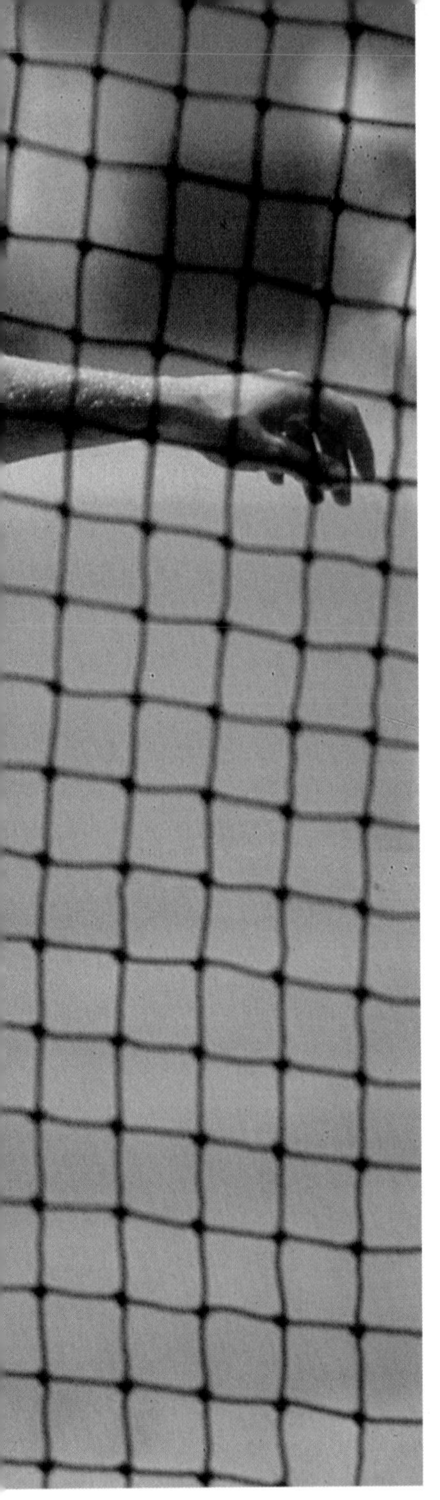

Gute Nerven: Daley Thompson.

rade. Hingsen stampft entschlossen hinterher, holt ein bißchen auf, verbessert sich auf 47,69 Sekunden. Doch was ist das gegen Thompson, der erstmals unter der 47-Sekunden-Barriere durchschlüpft (46,97). Sein Punktekonto weist bei Halbzeit 4633 aus, 114 mehr als Hingsen. Trainer Pixken suggeriert seinem Schützling: „Es ist noch nicht zu spät." Wentz liegt auf Rang drei mit 4333 Punkten, dank der Steigerung im Hochsprung (2,09 m) sowie 47,78 Sekunden über die 400 m. Guido Kratschmer folgt mit 4241 Punkten, zurückgefallen durch 1,94 m und 49,25 Sekunden über die Stadionrunde.

Zweiter Tag

6. Übung: 110 m Hürden. Hingsen verfügt über die längeren Beine, Thompson ist schneller, im Ziel die Differenz minimal: 14,29 zu 14,34 Sekunden, was acht Punkte ausmacht. Der Brite erzielt zum sechsten Mal ein Plus gegenüber seiner besten Zehnkampfleistung von 8743 Punkten aus dem Jahre 1982, damals Weltrekord. Wentz läuft 14,35, Kratschmer 14,66; an der Reihenfolge ändert sich nichts.

7. Übung: Diskuswurf. Die letzte Chance für den Zwei-Meter-Mann Hingsen, nach drei Zehnkampf-Niederlagen gegen Thompson das Gesetz der Serie zu durchbrechen. Tatsächlich schleudert er die Zwei-Kilo-Scheibe nahe an die 50-m-Marke, übertrifft sie danach mit 50,82 m, einer persönlichen Bestweite. Zum ersten Mal in diesem Duell reckt Hingsen triumphierend die Faust gen Himmel. Und Thompson? Dessen Gerät flattert in der Luft wie eine lahmgeschossene Taube, prallt zweimal um die 40 m herum auf den Rasen. Die überraschende Wende? Zehn Meter weniger, fast 200 Punkte: Eine Katastrophe. Sie bleibt aus. Ohne eine Miene zu verziehen, greift Thompson den Diskus ein letztes Mal und wirft ihn 46,56 m weit, weiter als je zuvor. Der Kerl hat Nerven wie Drahtseile. Trotzdem ist sein Vorsprung auf 32 Punkte zusammengeschrumpft, und Pixken jubelt: „Jetzt beißt der Jürgen endlich."

8. Übung: Stabhochsprung. Irrtum! Hingsen hat sich an seinem Gegner die Zähne ausgebissen. Beim Einspringen überquert er lokker 4,60 m. Kein Wunder, nach 5 Metern im Training, 5,10 m gar beim Wettkampf im Frühjahr. Was dann geschah, hat Hingsen so geschildert: „Ich habe mich unter einen Sonnenschirm gelegt, und plötzlich habe ich mich gefühlt, als habe ich einen Hammer vor den Kopf bekommen." Ein Sonnenstich, ein Schwächeanfall? Die Angst, seine große Chance ungenutzt zu lassen, hat ihm wohl auf den Magen geschlagen, so daß er sich übergeben mußte. „Ich nahm den Stab in die Hand und wußte gar nicht mehr, was ich damit machen sollte." 4,50 m meisterte er noch, rutschte beim Versuch, 4,70 m zu bewältigen, kraftlos am Sprungstab herunter. „Es tut weh, mit anzusehen, was Jürgen da anstellt", bekannte sein Trainer Pixken. Haben ihm denn Wentz und Kratschmer in dieser schwierigen Situation nicht helfen können? Wentz: „Der war gar nicht ansprechbar. Es hat ihm eine Bezugsperson gefehlt, und das sind nicht wir." Der Trainer, die Ehefrau Jeannie weit weg, der Athlet hilflos. Thompson katapultierte sich mittlerweile über 5 Meter und schlug vor Begeisterung einen Salto rückwärts. Ob er überrascht gewesen sei angesichts der unvermutet frühen Entscheidung: „Nein, das war doch so wie immer."

9. Übung: Speerwerfen. Daley Thompson macht Hingsen vollends fertig. Er wirft 65,24 m weit, während der geschlagene Konkurrent mit schmerzendem Arm nur 60,44 m erzielt und um 361 Punkte aussichtslos zurückliegt. Das Duell um die Bronzemedaille, für das sich außer den Beteiligten kaum jemand interessiert, spitzt sich noch einmal zu. Kratschmer ist 4,90 m stabhoch gesprungen, hat den Diskus 47,28 m und den Speer 69,40 m weit geworfen und liegt einen Punkt vor Wentz, dem nur 4,50 m gutgeschrieben worden sind.

10. Übung: 1500 m. Daley Thompson läuft, als Olympiasieger, in Richtung Weltrekord. Hingsen keucht vorneweg, „weil ich ein Athlet bin, der zu keiner Zeit aufsteckt", und kommt nach 4:22,60 Minuten an. Thompson bleiben bequeme 28 Sekunden Zeit bis zum Sieg, von denen er nur zwölf in Anspruch nimmt. Er benötigt 4:33,96 Minuten, erzielt 8797 Punkte, verfehlt indes die Rekordmarke um einen Punkt. Das sind zwei Zehntelsekunden über 1500 m oder fünf Zentimeter im Diskuswerfen, oder weniger als ein Millimeter im Hochsprung. Jürgen Hingsen sammelt 8673 Punkte und gewinnt die Silbermedaille. Siegfried Wentz (8412) wird mit der Bronzeplakette dekoriert, Guido Kratschmer (8326), dem Jüngeren im Lauf nicht gewachsen, geht als Vierter leer aus. Die anderen haben in diesem Zehnkampf nie eine Rolle gespielt.

HOCHSPRUNG FRAUEN

Unbeschreibbare Gefühle

Mit Sechzehn hat man noch Träume. Für Ulrike Meyfarth waren sie in Erfüllung gegangen, damals im Münchner Olympiastadion. Immer höher haben die Kampfrichter die Latte gelegt, und sie sprang darüber hinweg, einfach so, ohne nachzudenken. Zuletzt über 1,92 m, das war der Sieg.

Danach hat es Zeiten gegeben, da hat Ulrike Meyfarth ihre Goldmedaille gehaßt. Sie hatte eine Rolle zu spielen, der sie nicht gewachsen, auf die sie nicht vorbereitet war. Das Gold hat ihr Leben nicht überstrahlt, sondern nur geblendet. Sportliche Mißerfolge, schulische, private folgten. „Es war ein starker Einschnitt in mein Leben."

Diesmal war es anders. Ulrike Meyfarth hat sich gewundert, nachdem sie im Coliseum von Los Angeles die Zeit um zwölf Jahre zurückgedreht hatte und ein zweites Mal Olympiasiegerin im Hochsprung geworden war. „Komisch, es ist alles so unheimlich normal." Auf dem Siegerpodest war sie gestanden, rechts neben sich Sara Simeoni, die Italienerin, in Tränen aufgelöst vor Glück über ihre Silbermedaille, links die weinende Amerikanerin Joni Huntley. Ulrike ist merkwürdig cool geblieben. Weshalb? „Ich habe diesen Sieg erhofft, und ich habe ihn eigentlich auch erwartet." Und das alles hat sie gar nicht mehr berührt? „Gefühle", hat da die Meyfarth geantwortet, „die kann man nicht beschreiben. Gefühle kann man nur erleben."

Nicht nur die Höhe hat sich verändert: 1,92 m im Jahre 1972, 2,02 m 1984. So lautet der Titel des Buchs, das Ulrike Meyfarth, zusammen mit dem Hamburger Journalisten Uwe Prieser, herausgebracht hat. „Damals habe ich alles viel intensiver erlebt. Wenn ich hätte denken können, hätte ich wohl gedacht, daß ich jetzt glücklich bin. Aber ich dachte nichts. Ich war es bloß." Diesmal hat sie siegen wollen und hat gesiegt. „Ich war mit dem Kopf dabei." So einfach ist das.

Es ist oft nicht einfach gewesen, während der zwölf Jahre. „Ein bißchen verrückt muß man wohl sein." Aber irgendwann einmal ist ihr der Gedanke gekommen, daß es sich lohnen würde, bewußt zu erarbeiten, was ihr am Anfang ihrer Karriere geschenkt worden war vom Schicksal. Heute ist Ulrike Meyfarth

klar: „Wenn ich gewußt hätte, wie lange das dauert, wäre ich den Weg nicht so leicht gegangen."

Er ist ihr zuletzt beschwerlich geworden, mit 28. Wer sie bei den letzten Wettkämpfen vor Olympia humpeln sehen hat im Anlauf, schwerfällig über die Latte kippen, mochte ihr keinen neuerlichen Höhenflug zutrauen. Die Achillessehne schmerzte. Erst vier Tage vor dem Wettkampf trainierte Ulrike Meyfarth beschwerdefrei. Und wußte, daß sie siegen konnte. Zweimal konterte sie überraschend sichere Sprünge der 31jährigen Simeoni, über 1,97 m und 2,00 m. Dann flopte

„Ein bißchen verrückt muß man wohl sein!" antwortete Ulrike Meyfarth dem ZDF-Moderator Harry Valérien auf die Frage, warum sie nach den Jahren der Enttäuschung weitergemacht habe. Am Anfang stand der überraschende Olympiasieg von München 1972. Die lange Karriere erreichte einen letzten Höhepunkt mit dem geplanten, aber nicht unbedingt erwarteten Olympiasieg in Los Angeles 1984. Dazwischen liegen zwölf Jahre oder zehn Zentimeter. Hinter den nackten Zahlen verbirgt sich die beispiellose Laufbahn einer der größten Athletinnen unserer Tage: Das Unglaubliche von 1972, die Niedergeschlagenheit in Montreal 1976, die gefaßte Freude von L. A. Die Meyfarth ist schon heute Legende.

sie im ersten Versuch über 2,02 m, und die waren der anderen zu hoch.
2,07 m hat die Siegerin dann vergeblich zu bewältigen versucht, jene Höhe, die von der Bulgarin Andonova als Weltrekordmarke festgesetzt worden ist. Warum gleich so hoch hinaus, und nicht erst mal den eigenen bundesdeutschen Rekord (2,03 m) zu verbessern versucht? Schuld daran war ein Mißverständnis. Ihr Trainer Osenberg hatte fünf Finger gehoben zum Zeichen für 2,05 m, Ulrike hatte das so gedeutet: Fünf Zentimeter mehr.
Gerd Osenberg, der Mann im Hintergrund.

1972 hatte er Heide Rosendahl zum Olympiasieg im Weitsprung geführt. Fünf Jahre später bewahrte er Ulrike Meyfarth davor, den Leistungssport aufzugeben, führte sie zu neuen Höhen und zur Weltmeisterschaft. Nach dem Wettbewerb im Coliseum hat sich die Schülerin herzlich bei ihrem Lehrer bedankt. „Ohne ihn", versicherte sie, „wäre ich nie wieder nach vorn gekommen."
Ihr zweites Leben habe jetzt begonnen, hat Ulrike Meyfarth gesagt: jenes ohne Hochsprung. Sie hat Sport studiert, will ihre Fähigkeiten in einem Rehabilitations-Zentrum nahe Köln nützen, dessen Teilhaberin sie ist. Denn Hochspringen lohnt sich, wenn man sehr hoch springt und so endlos lange Beine hat. Wir kennen sie ja vom Werbefernsehen, mit Strumpfhose. Und eine Sportartikelfirma hat sich ihrer Dienste versichert. Da wird mehr bleiben als 1972. Die Zeiten haben sich geändert, Ulrike Meyfarth hat sich verändert.
In der Nacht nach dem Sieg hat sie Carl in Oslo angerufen, ihren Freund. Carl hatte ihr gesagt, er würde jeden Zentimeter über der diesjährigen Bestleistung von 1,94 m als Liebesbeweis auffassen. Auch Carl ist Teil von Ulrike Meyfarths neuem Leben.

HOCHSPRUNG MÄNNER

„Didi" Überflieger

Der Meister fixiert die neue Höhe, Teil der mentalen Wettkampfvorbereitung. – Natürlich kam Dietmar Mögenburg vor dem olympischen Hochsprungwettbewerb für den Sieg in Frage. Aber wer Jianhua Zhu, den Chinesen aus Shanghai, in Eberstadt Weltrekord (2,39 m) springen sah, mochte nicht so recht an „Didis" Chance glauben. Wer dann außerdem noch von seinem eingeklemmten Ischiasnerv wußte, mußte einfach Zweifel haben. Ebenso wie Ulrike Meyfarth strafte er alle Zweifler Lügen. Einer der ausgeprägtesten Wettkampftypen, über die die deutsche Leichtathletik verfügt, hat sich in der entscheidenden Sekunde wieder einmal durchgesetzt. Hic Rhodos, hic salta! Hier ist Rhodos, und hier sollst du springen! Der Hochspringer Mögenburg lebt dieser antiken These. 1979, als noch nicht 18jähriges Greenhorn, legte er erstmals Zeugnis von dieser Fähigkeit ab. Nachdem er die vorangegangene Höhe zweimal gerissen hatte, hob er sich den letzten Versuch für 2,32 m auf, übersprang die Höhe und gewann damit das Hochspringen beim Europacup. Dem Ruf, eine überragende Konzentrationsfähigkeit zu besitzen, wurde er bis heute gerecht. – Meyfarth und Mögenburg verliehen dem deutschen Hochsprung Weltgeltung. Zusammen mit Diskuswerfer Danneberg und der 4×400-m-Staffel der Mädchen sorgten sie für einen alles in allem versöhnlichen Abschluß der Leichtathletikwettkämpfe aus deutscher Sicht.

Alle im Coliseum schauten auf Jianhua Zhu. Der Chinese, so schlank, daß er fast zerbrechlich wirkt, war in Eberstadt Weltrekord gesprungen: 2,39 m, auf einer Handball-Kleinfeldanlage, inmitten von Weinbergen, als Sieger über die beiden Bundesdeutschen Dietmar Mögenburg und Carlo Thränhardt, mit je 2,36 m.
Jianhua Zhu schaute auf Mögenburg. Das sei sein entscheidender Fehler gewesen, behauptete Hochsprung-Bundestrainer Dragan Tancic. „Er hat sich dummerweise immer an dem wettkampfgestählten Dietmar orientiert, hat dieselben Höhen gewählt, hat den Trainingsanzug ausgezogen, wenn Dietmar es tat. Und er hätte wissen sollen, daß er bei dieser Hitze nicht so früh zum Aufwärmen gehen durfte." Als der Chinese schon schwitzte, beendete Mögenburg seinen Mittagsschlaf. „Und dann hat er auch noch geraucht", berichtete Carlo Thränhardt.
Sechs Sprünge benötigte Dietmar Mögenburg zum Sieg: 2,15 m, 2,21 m, 2,27 m, 2,31 m, 2,33 m, 2,35 m, jeweils im ersten Versuch. Zhu pokerte, um die Goldmedaille zu retten. Nach einem Fehler über 2,33 m verzichtete er und versuchte sich zweimal über 2,35 m, scheiterte überraschend klar. Mögenburg ließ die Weltrekordhöhe von 2,40 m auflegen, die sich als zu hoch erwies. „Im Wettkampf hätte ich vielleicht sogar 2,41 geschafft, wenn ich gefordert worden wäre. So aber war die Luft raus."
Dietmar Mögenburg hatte den Weltrekordler geschlagen, aber Favorit ist der Chinese für ihn ohnehin nicht gewesen. „Ich habe ihn mir in Eberstadt ganz genau angeschaut, und festgestellt: Ich habe die besseren Arme, Beine und den besseren Rücken. Nur im Fuß ist er mir noch überlegen. Damals dachte ich mir: Wenn du diesen Nachteil ausgleichen könntest, müßtest du ihn eigentlich packen."
Weltrekordler Zhu hat sich verloren im riesigen Stadion, wo alle ungewohnterweise optisch gegen die Zuschauer anspringen mußten. Sich stören lassen von Siegerehrungen, vom Beifall, der anderen galt, hat Lehrgeld bezahlt, wie Dietmar Mögenburg 1983 bei der Weltmeisterschaft in Helsinki. „Das hatte erzieherische Bedeutung für Didi", glaubt Trainer Tancic. Zu sicher hatte sich Mögenburg gefühlt, sich zu wenig bewegt zwischen den Sprüngen, sich ablenken lassen. Und ist Vierter geworden. Zhu war diesmal Dritter, noch hinter dem Schweden Kjell Sjöberg (2,33 m).
Die Basis für den Erfolg ist lange vorher gelegt worden. Aber im Juni schien das Unternehmen Gold vorzeitig gescheitert;

Ischiasnerv eingeklemmt. Unter spanischer Sonne wurde alles wieder gut. Dann ab nach Irvine, dem Trainingslager der bundesdeutschen Leichtathleten. „Vom ersten Tag an haben wir tausendprozentig professionell trainiert", berichtet Tancic, „dreimal am Tag, und wir haben uns abgekapselt von den anderen." Die anderen: Das waren auch die Kollegen Thränhardt und Nagel, die im Training beim Anlauf auf nassem Rasen umknickten und mit lädierten Sprunggelenken vorzeitig gescheitert sind; Nagel in der Qualifikation, Thränhardt bei für ihn lächerlichen 2,24 m. Mit 22 hat Dietmar Mögenburg viel erreicht. Vor dem Olympiasieg war er viermal bundesdeutscher Meister und dreimal Hallen-Europameister, mit 17 schon Sieger beim Europacup-Finale, mit 2,32 m, Europameister in Athen, hat den Europarekord (2,36 m) eingestellt. Und der Weltrekord. „Den hatte ich mal für zwei Monate. Was hatte ich davon?" Rekorde werden gebrochen, die großen Siege bleiben in Erinnerung. Dietmar Mögenburg sagt: „Ich bin stets auf Sieg gegangen."

Hochspringen hat Dietmar Mögenburg gereizt. Was denn sonst, mit einer Größe von 2,01 m? Aber jetzt, nachdem er alles gewonnen hat?

Dietmar Mögenburg macht sich auf zu neuen Zielen. In Los Angeles hat er schon einen Zweijahresplan in der Tasche gehabt, als Zehnkämpfer, für die Weltmeisterschaft 1986 in Stuttgart.

Wie alles, hat Mögenburg auch das neue Projekt zuvor gründlich durchdacht. Er wäre der erste Spezialist seit langem, der sich unter die Mehrkämpfer mischt. Früher war das die Regel. Der ehemalige Weltrekordler Kurt Bendlin kam vom Speerwerfen, Europameister Moltke war Diskuswerfer, der Amerikaner Bill Toomey, Olympiasieger 1968, Sprinter und Springer. Aber Dietmar Mögenburg wäre der erste Olympiasieger in einer anderen Disziplin, der sich mit den Zehnkämpfern mißt.

Die Jubelszene kennt man, oft schon hatte Dietmar Mögenburg Anlaß dazu, aber selbst im Jubel war „Didi" beherrscht. Alles hatten er und Trainer Tancic gut geplant. „Ein Olympiasieg ist schließlich eine zu wichtige Sache, um ihn dem Zufall zu überlassen", meinte er hinterher. – Kaum glaublich, auch Mögenburg erfüllte sich einen Wunsch, den ihm der Boykott vor vier Jahren beinahe verwehrt hätte. Damals verließ er das Gymnasium, in der letzten Klasse, um sich konsequent auf Moskau vorbereiten zu können. In L. A. löste er ein, was er sich von Moskau versprochen hatte. – Nach dem Sieg blickte „Didi" nach vorn: „Ich brauche eine neue Herausforderung, Zehnkampf ist sowieso das Größte für mich."

Ergebnisse

Leichtathletik Männer

100-m-Lauf

		Sek.
1. Carl Lewis	USA	9,99
2. Sam Graddy	USA	10,19
3. Ben Johnson	CAN	10,22
4. Ron Brown	USA	10,26
5. Michael McFarlane	GBR	10,27
6. Ray Stewart	JAM	10,29
7. Donovan Reid	GBR	10,33
8. Tony Sharpe	CAN	10,35

200-m-Lauf

		Sek.
1. Carl Lewis	USA	19,81
2. Kirk Baptiste	USA	19,96
3. Thomas Jefferson	USA	20,26
4. Joao Batista Silva	BRA	20,30
5. Ralf Lübke	GER	20,51
6. Jean-Jacques Boussemart	FRA	20,55
7. Pietro Mennea	ITA	20,55
8. Adeoye Mafe	GBR	20,85

400-m-Lauf

		Sek.
1. Alonzo Babers	USA	44,27
2. Gabriel Tiacoh	CIV	44,54
3. Antonio McKay	USA	44,71
4. Darren Clark	AUS	44,75
5. Sunder Nix	USA	44,75
6. Sunday Uti	NGR	44,93
7. Innocent Egbunike	NGR	45,35
Bert Cameron	JAM	nicht gestartet

800-m-Lauf

		Min.
1. Joaquim Cruz	BRA	1:43,00
2. Sebastian Coe	GBR	1:43,64
3. Earl Jones	USA	1:43,85
4. Billy Konchellah	KEN	1:44,03
5. Donato Sabia	ITA	1:44,53
6. Edwin Koech	KEN	1:44,86
7. Johnny Gray	USA	1:47,89
8. Steve Ovett	GBR	1:52,28

1500-m-Lauf

		Min.
1. Sebastian Coe	GBR	3:32,53
2. Steve Cram	GBR	3:33,40
3. José Abascal	ESP	3:34,30
4. Joseph Chesire	KEN	3:34,52
5. Jim Spivey	USA	3:36,07
6. Peter Wirz	SUI	3:36,97
7. Andres Vera	ESP	3:37,02
8. Khalifa Omar	SUD	3:37,11

5000-m-Lauf

		Min.
1. Said Aouita	MAR	13:05,59
2. Markus Ryffel	SUI	13:07,54
3. Antonio Leitao	POR	13:09,20
4. Tim Hutchings	GBR	13:11,50
5. Paul Kipkoech	KEN	13:14,40
6. Charles Cheruiyot	KEN	13:18,41
7. Doug Padilla	USA	13:23,56
8. John Walker	NZL	13:24,46

10 000-m-Lauf

		Min.
1. Alberto Cova	ITA	27:47,54
2. Martti Vainio	FIN	27:51,10
3. Michael McLeod	GBR	28:06,22
4. Mike Musyoki	KEN	28:06,46
5. Salvatore Antibo	ITA	28:06,50
6. Christoph Herle	GER	28:08,21
7. Sosthenes Bitok	KEN	28:09,01
8. Yutaka Kanai	JPN	28:27,06

Marathonlauf

		Std.
1. Carlos Lopes	POR	2:09:21
2. John Treacy	IRL	2:09:56
3. Charles Spedding	GBR	2:09:58
4. Takeshi So	JPN	2:10:55
5. Robert de Castella	AUS	2:11:09
6. Juma Ikangaa	TAN	2:11:10
7. Joseph Nzau	KEN	2:11:28
8. Djama Robleh	FRA	2:11:39
18. Salzmann	GER	2:15:55

20 km Gehen

		Std.
1. Ernesto Canto	MEX	1:23:13
2. Raul Gonzalez	MEX	1:23:20
3. Maurizio Damilano	ITA	1:23:26
4. Guillaume Leblanc	CAN	1:24:26
5. Carlo Mattioli	ITA	1:25:07
6. José Marin	ESP	1:25:32
7. Marco Evoniuk	USA	1:25:42
8. Erling Andersen	NOR	1:25:54

50 km Gehen

		Std.
1. Raul Gonzalez	MEX	3:37:26
2. Bo Gustaffson	SWE	3:53:19
3. Sandro Bellucci	ITA	3:53:45
4. Reima Salonen	FIN	3:58:30
5. Raffaello Ducceschi	ITA	3:59:26
6. Carl Schueler	USA	3:59:46
7. Jorge Llopart	ESP	4:03:09
8. José Pinto	POR	4:04:42

4×100-m-Staffel

		Sek.
1. USA	Graddy, Brown, Smith, Lewis	37,83
2. JAM	Lawrence, Meghoo, Quarrie, Stewart	38,62
3. CAN	Johnson, Sharpe, Williams, Hinds	38,70
4. ITA		38,87
5. GER	Koffler, Klein, Evers, Lübke	38,99
6. FRA		39,10
7. GBR		39,13
8. BRA		39,40

4×400-m-Staffel

		Min.
1. USA	Nix, Armstead, Babers, McKay	2:57,91
2. GBR	Akabusi, Cook, Bennett, Brown	2:59,13
3. NGR	Ui, Ugbusien, Peters, Egbunike	2:59,32
4. AUS		2:59,70
5. ITA		3:01,44
6. BAR		3:01,60
7. UGA		3:02,09
8. CAN		3:02,82

110 m Hürden

		Sek.
1. Roger Kingdom	USA	13,21
2. Greg Foster	USA	13,23
3. Arto Bryggare	FIN	13,40
4. Mark McKoy	CAN	13,45
5. Tonie Cambell	USA	13,55
6. Stephane Caristan	FRA	13,71
7. Carlos Sala	ESP	13,80
8. Jeff Glass	CAN	14,15

400 m Hürden

		Sek.
1. Edwin Moses	USA	47,75
2. Danny Harris	USA	48,13
3. Harald Schmid	GER	48,19
4. Sven Nylander	SWE	48,97
5. Amadou Dia Ba	SEN	49,28
6. Tranel Hawkins	USA	49,42
7. Michel Zimmermann	BEL	50,69
8. Henry Amike	NGR	53,78

3000-m-Hindernislauf

		Min.
1. Julius Korir	KEN	8:11,80
2. Joseph Mahmoud	FRA	8:13,31
3. Brian Diemer	USA	8:14,06
4. Henry Marsh	USA	8:14,25
5. Colin Reitz	GBR	8:15,48
6. Domingo Ramon	ESP	8:17,27
7. Julius Kariuki	KEN	8:17,47
8. Pascal Debacker	BEL	8:21,51

Weitsprung

		m
1. Carl Lewis	USA	8,54
2. Gary Honey	AUS	8,24
3. Giovanni Evangelisti	ITA	8,24
4. Larry Myricks	USA	8,16
5. Yuhuang Liu	CHN	7,99
6. Joey Wells	BAH	7,97
7. Junuchi Usui	JPN	7,87
8. Jong-Il Kim	KOR	7,81

Hochsprung

		m
1. Dietmar Mögenburg	GER	2,35
2. Patrik Sjöberg	SWE	2,33
3. Jianhua Zhu	CHN	2,31
4. Dwight Stones	USA	2,31
5. Doug Nordquist	USA	2,29
6. Milt Ottey	CAN	2,29
7. Yunpeng Liu	CHN	2,29
8. Shu Cai	CHN	2,27
10. Carlo Thränhardt	GER	2,15

Stabhochsprung

		m
1. Pierre Quinon	FRA	5,75
2. Mike Tully	USA	5,65
3. Earl Bell	USA	5,60
Thierry Vigneron	FRA	5,60
5. Kimmo Pallonen	FIN	5,45
6. Doug Lytle	USA	5,40
7. Felix Böhni	SUI	5,30
8. Alberto Ruiz	ESP	5,20

Dreisprung

		m
1. Al Joyner	USA	17,26
2. Mike Conley	USA	17,18
3. Keith Connor	GBR	16,87
4. Zhenisian Zou	CHN	16,83
5. Peter Bouschen	GER	16,77
6. Willie Banks	USA	16,75
7. Ajayi Agbebaku	NGR	16,67
8. Eric McCalla	GBR	16,66

Kugelstoßen

		m
1. Alessandro Andrei	ITA	21,26
2. Michael Carter	USA	21,09
3. Dave Laut	USA	20,97
4. Augie Wolf	USA	20,93
5. Werner Günthör	SUI	20,28
6. Marco Montelatici	ITA	19,98
7. Sören Tallhem	SWE	19,81
12. Karsten Stolz	GER	18,31

Diskuswerfen

		m
1. Rolf Danneberg	GER	66,60
2. Mac Wilkins	USA	66,30
3. John Powell	USA	65,46
4. Knut Hjeltnes	NOR	65,28
5. Art Burns	USA	64,98
6. Alwin Wagner	GER	64,72
7. Luciano Zerbini	ITA	63,50
8. Stefan Fernholm	SWE	63,22

Hammerwerfen

		m
1. Juha Tiainen	FIN	78,08
2. Karl-Hans Riehm	GER	77,98
3. Klaus Ploghaus	GER	76,68
4. Gianpaolo Urlando	ITA	75,96
5. Orlando Bianchini	ITA	75,94
6. Bill Green	USA	75,60
7. Harri Huhtala	FIN	75,28
8. Walter Ciofani	FRA	73,46

Speerwerfen

		m
1. Aro Härkönen	FIN	86,76
2. David Ottley	GBR	85,74
3. Kenth Eldebring	SWE	83,72
4. Wolfram Gambke	GER	82,46
5. Masami Yoshida	JPN	81,98
6. Einar Vilhjalmesson	ISL	81,58
7. Roald Bradstock	GBR	81,22
8. Laszlo Babits	CAN	80,68

Zehnkampf

		Pkte.
1. Daley Thompson	GBR	8797
2. Jürgen Hingsen	GER	8673
3. Sigi Wentz	GER	8412
4. Guido Kratschmer	GER	8326
5. William Motti	FRA	8266
6. John Christ	USA	8130
7. Jim Wooding	USA	8091
8. Dave Steen	CAN	8047

Auf dem Weg zum 10 000-m-Sieg: Alberto Cova.

DISKUSWERFEN
MÄNNER

Vergoldetes Examen

Rolf Danneberg? Lange gleitet der Finger des Suchenden über die Weltrangliste 1983 im Diskuswerfen, bis er ihn entdeckt: Platz 54, 62,84 m. In Los Angeles warf der 31jährige Hamburger im vierten Versuch 66,60 m weit und gewann die Goldmedaille, von der er nicht einmal geträumt hatte: „Die Realität war zu weit entfernt von der Möglichkeit."
Aber Rolf Danneberg von der TV Wedel-Pinneberg hat in der Stunde seines Triumphs auch dies gesagt: „Hätte ich Arbeit gehabt, wäre ich heute nicht hier." Er ist ein Lehrer ohne Schüler. Sein erstes Staatsexamen hat er über „Das Training für den Diskuswurf" geschrieben: Note eins. Die praktische Prüfung: wieder eins. Ein engagierter Pädagoge für Sport und Sozialkunde gefällig? Er bekam drei Absagen vom Hamburger Kultursenator. „Deshalb hatte ich genügend Zeit zum Training; es blieb mir ja gar nichts anderes übrig." Ein bißchen Sporthilfe, als B-Kader-Mitglied, eine kleine Zuwendung von einer Schuhfirma, ein Zuschuß von der Mutter summierten sich monatlich auf 1200 Mark. Da kann keiner große Sprünge machen, der auch noch kräftig futtern muß, bei 220 auf fast zwei Meter verteilte Pfund. Aber große Würfe. Die Amerikaner John Powell (71,26 m), Art Burns (70,98 m) und Mac Wilkins (70,44 m) schienen unschlagbar, und Freund Alwin Wagner, Olympia-Sechster mit 64,72 m, hatte Danneberg zuletzt bei den bundesdeutschen Meisterschaften besiegt, obwohl der seine Rekordmarke immerhin auf 67,40 m verbessert hatte, im Olympiajahr sechsmal die 65-m-Marke übertroffen, sich danach das realistische Ziel gesetzt: „65 m werfen und unter die ersten Sechs kommen."

Das Beste aus mißlicher Lage gemacht

Doch die Amerikaner machten schlapp: „Daß von denen so wenig kam, hat mich überrascht. Aber ich kenn' die Streßsituation der Favoriten nicht." Wie sollte er auch.
Mit besonderer Genugtuung sah Bundestrainer Steinmetz seinen Schützling siegen: „Meine Werfer gelten ja als jene Sportler, die nichts taugen. Und nun hat der Rolf gleich die drei in der Weltrangliste führenden Amis vor ihrer eigenen Haustür abgeschossen!"
Rolf Danneberg, der Arbeitslose, hat nicht resigniert, sondern das Beste gemacht aus seiner mißlichen Situation. In der Bundesrepublik gibt es mehr als zwei Millionen ohne Beschäftigung. Nicht jeder eignet sich zum Diskuswerfer. Trotzdem hat Olympiasieger Danneberg ein Beispiel gegeben.

Signal an den Arbeitgeber? Rolf Danneberg, arbeitsloser Lehrer, schwenkt ein schwarzrotgoldenes Fähnchen nach seinem sensationellen Olympiasieg mit dem Diskus.

Ergebnisse

Leichtathletik Frauen

100-m-Lauf

		Sek.
1. Evelyn Ashford	USA	10,97
2. Alice Brown	USA	11,13
3. Merlene Ottey-Page	JAM	11,16
4. Jeanette Bolden	USA	11,25
5. Grace Jackson	JAM	11,39
6. Angela Bailey	CAN	11,40
7. Heather Oakes	GBR	11,43
8. Angella Taylor	CAN	11,62

200-m-Lauf

		Sek.
1. Valerie Brisco-Hooks	USA	21,81
2. Florence Griffith	USA	22,04
3. Merlene Ottey-Page	JAM	22,09
4. Kathryn Cook	GBR	22,10
5. Grace Jackson	JAM	22,20
6. Randy Givens	USA	22,36
7. Rose Aimee Bacoul	FRA	22,78
8. Liliane Gaschet	FRA	22,86

400-m-Lauf

		Sek.
1. Valerie Brisco-Hooks	USA	48,83
2. Chandra Cheeseborough	USA	49,05
3. Kathryn Cook	GBR	49,42
4. Marita Payne	CAN	49,91
5. Lillie Leatherwood	USA	50,25
6. Ute Thimm	GER	50,37
7. Charmaine Crooks	CAN	50,45
8. Ruth Waithera	KEN	51,56

800-m-Lauf

		Min.
1. Doina Melinte	ROM	1:57,60
2. Kim Gallagher	USA	1:58,63
3. Fita Lovin	ROM	1:58,83
4. Gabriella Dorio	ITA	1:59,05
5. Lorraine Baker	GBR	2:00,03
6. Ruth Wysocki	USA	2:00,34
7. Margit Klinger	GER	2:00,65
8. Caroline O'Shea	IRL	2:00,77

1500-m-Lauf

		Min.
1. Gabriella Dorio	ITA	4:03,25
2. Doina Melinte	ROM	4:03,76
3. Maricica Puica	ROM	4:04,15
4. Roswitha Gerdes	GER	4:04,41
5. Christine Benning	GBR	4:04,70
6. Christina Boxer	GBR	4:05,53
7. Brit McRoberts	CAN	4:05,98
8. Ruth Wysocki	USA	4:08,92

3000-m-Lauf

		Min.
1. Maricica Puica	ROM	8:35,96
2. Wendy Sly	GBR	8:39,47
3. Lynn Williams	CAN	8:42,14
4. Cindy Bremser	USA	8:42,78
5. Cornelia Bürki	SUI	8:45,20
6. Aurora Cunha	POR	8:46,37
7. Joan Hansen	USA	8:51,53
8. Dianne Rodger	NZL	8:56,43
Brigitte Kraus	GER	aufgegeben

Oben: Auch im Frauensprint waren die USA überlegen. Valerie Brisco-Hooks (l.) hätte mit ihrer 200- und 400-m-Siegeszeit auch die berühmte Marita Koch aus Rostock gefordert. Mit drei Goldmedaillen wurde sie zur erfolgreichsten Leichtathletin im Coliseum. Florence Griffith, Zweite über 200 m, wurde im Vorfeld von Olympia vor allem durch ihre langen Fingernägel bekannt.
Unten: Sie holten die Bronzemedaille, die eigentlich der Männerstaffel über 4×400 m zugedacht war: Von links Heidi-Elke Gaugel, Heike Schulte-Mattler, Gabi Bussmann, Ute Thimm.

Marathon		Std.
1. Joan Benoit	USA	2:24:52
2. Grete Waitz	NOR	2:26:18
3. Rosa Mota	POR	2:26:57
4. Ingrid Kristiansen	NOR	2:27:34
5. Lorraine Moller	NZL	2:28:34
6. Priscilla Welch	GBR	2:28:54
7. Lisa Martin	AUS	2:29:03
8. Sylvie Ruegger	CAN	2:29:09
16. Charlotte Teske	GER	2:35,55

4×100-m-Staffel		Sek.
1. USA	Brown, Bolden, Cheeseborough, Ashford	41,65
2. CAN	Bailey, Payne, Taylor, Gareau	42,77
3. GBR	Jacobs, Cook, Callender, Oakes	43,11
4. FRA		43,15
5. GER	Oker, Schabinger, Gaugel, Thimm	43,57
6. BAH		44,18
7. TRI		44,23
8. JAM		53,54

4×400-m-Staffel		Min.
1. USA	Leatherwood, Howard, Brisco-Hooks, Cheeseborough	3:18,29
2. CAN	Crooks, Richardson, Killingbeck, Payne	3:21,21
3. GER	Schulte-Mattler, Thimm, Gaugel, Bussmann	3:22,98
4. GBR		3:25,51
5. JAM		3:27,51
6. ITA		3:30,82
7. IND		3:32,49
PUR		nicht gestartet

100 m Hürden		Sek.
1. Benita Fitzgerald-Brown	USA	12,84
2. Shirley Strong	GBR	12,88
3. Kim Turner	USA	13,06
Michele Chardonnet	FRA	13,06
5. Glynis Nunn	AUS	13,20
6. Marie Noelle-Savigny	FRA	13,28
7. Ulrike Denk	GER	13,32
8. Pamela Page	USA	13,40

400 m Hürden		Sek.
1. Nawal El Moutawakel	MAR	54,61
2. Judi Brown	USA	55,20
3. Cristina Cojocaru	ROM	55,41
4. P. T. Usha	IND	55,42
5. Ann Louise Skoglund	SWE	55,43
6. Debbie Flintoff	AUS	56,21
7. Tuija Helander	FIN	56,55
8. Sandra Farmer	JAM	57,15

Weitsprung		m
1. Anis. Stanciu-Cusmir	ROM	6,96
2. Vali Ionescu	ROM	6,81
3. Susan Hearnshaw	GBR	6,80
4. Angela Thacker	USA	6,78
5. Jackie Joyner	USA	6,77
6. Robyn Lorraway	AUS	6,67
7. Glynis Nunn	AUS	6,53
8. Shonel Ferguson	BAH	6,44

Hochsprung		m
1. Ulrike Meyfarth	GER	2,02
2. Sara Simeoni	ITA	2,00
3. Joni Huntley	USA	1,97
4. Maryse Ewanje-Epee	FRA	1,94
5. Debbie Brill	CAN	1,94
6. Vanessa Brown	AUS	1,94
7. Dazhen Zheng	CHN	1,91
8. Louise Ritter	USA	1,91
11. Heike Redetzky	GER	1,85
Brigitte Holzapfel	GER	1,85

Kugelstoßen		m
1. Claudia Losch	GER	20,48
2. Michaela Loghin	ROM	20,47
3. Gael Martin	AUS	19,19
4. Judith Oaks	GBR	18,14
5. Maesu Li	CHN	17,96
6. Vanessa Head	GBR	17,90
7. Carol Cady	USA	17,23
8. Florenta Craciunescu	ROM	17,23

Diskuswerfen		m
1. Ria Stalman	HOL	65,36
2. Leslie Deniz	USA	64,86
3. Florenta Craciunescu	ROM	63,64
4. Ulla Lundholm	FIN	62,84
5. Meg Ritchie	GBR	62,58
6. Ingra Manecke	GER	58,56
7. Vanessa Head	GBR	58,18
8. Gael Martin	AUS	55,88

Speerwerfen		m
1. Tessa Sanderson	GBR	69,56
2. Tiina Lillak	FIN	69,00
3. Fatima Whitbread	GBR	67,14
4. Tuula Laaksalo	FIN	66,40
5. Trine Solberg	NOR	64,52
6. Ingrid Thyssen	GER	63,26
7. Beate Peters	GER	62,34
8. Karin Smith	USA	62,06

Siebenkampf		Pkte.
1. Glynis Nunn	AUS	6390
2. Jackie Joyner	USA	6385
3. Sabine Everts	GER	6363
4. Cindy Greiner	USA	6281
5. Judy Simpson	GBR	6280
6. Sabine Braun	GER	6236
7. Tineke Hidding	HOL	6147
8. Kim Hagger	GBR	6127
9. Birgit Dressel	GER	6082

Auch amerikanischen Superfavoriten lächelt nicht immer das Glück. Wen die Götter lieben, den züchtigen sie. Am vorletzten Tag hatte die Leichtathletik ihr Drama. Mary Decker-Tabb, zweifache Weltmeisterin von Helsinki 1983, US-Laufidol, fast ein weiblicher Carl Lewis, stürzte nach 1720 m des 3000-m-Laufes auf die Umrandung und schied aus. War Zola Budd, 18jährige Neubritin aus Südafrika (disqualifiziert), die große Herausforderung der Decker, schuld an deren Debakel?

BILANZ
LEICHTATHLETIK

Wer Erfolg will, muß viel dafür geben

Die deutsche 4×400-m-Staffel war bislang immer so etwas wie ein Symbol: Solange Deutschland an Olympischen Spielen teilnahm, war sie stets im Endlauf, nicht immer im Medaillenrang, aber doch ganz oben „drin“, wie man zu sagen pflegt. Und diesmal schied sie schon im Zwischenlauf aus. War es purer Zufall oder schon mehr?
Olympische Spiele sind immer auch eine Plattform für neue Entwicklungen und Bewegungen. Da tritt vieles plötzlich außer Kraft, was jahrelang als Maßstab auch so etwas wie Ordnungsfunktion besaß. Die 46 Sekunden über 400 m zum Beispiel waren ein solcher Maßstab. Aber was sich in der letzten Saison schon andeutete, als achtzig Läufer unter dieser Grenze blieben, hat durch Los Angeles eine neue Richtung bekommen. Die Läufer sind größer und kräftiger geworden, und sie scheren sich nicht um bisher vorgegebene Normen. Wenn man den Trainingsanzug auszieht, streift man auch seine Hemmungen ab. Der 400-m-Sieger Alonzo Babers, 1,88 m groß, 70 kg schwer, präsentierte diesen neuen Typ des 400-m-Läufers, der ohne Pardon vorwärts stürmt. Als Sieger in 44,27 Sekunden verfehlte er nach einer kraftraubenden Serie von Vor- und Zwischenläufen sowie Vorentscheidungen die bisher beste Zeit unter Flachlandbedingungen (Alberto Juantorena aus Kuba lief 1976 in Montreal 44,26) nur um eine Hundertstelsekunde. Sechs Läufer in diesem olympischen Endlauf von 1984 blieben unter 45 Sekunden.
Neue Entwicklungen werden in Europa und damit auch in der Bundesrepublik Deutschland in der Leichtathletik offenbar meist nur nachvollzogen. Anschauungsunterricht dafür bekam man über 800 m. Die Zeiten, da man auf den klassischen zwei Runden taktische Spielregeln aller Art perfektionierte, scheinen vorbei zu sein. Tempo ist die Devise. Kleine Fehler werden schwerer als früher bestraft. Verschnaufpausen werden nicht mehr gegönnt. Liegt es daran, daß sich auch hier der Typ des Läufers verändert? Der neue Olympiasieger Joaquim Cruz aus Brasilien, 1,87 m groß und 73 kg schwer, walzte mit seiner enormen Kraft die Gegner förmlich in Grund und Boden. Als er im Endlauf zum Spurt antrat, mußte selbst Sebastian Coe, der britische Weltrekordler, weichen. Dabei war der Brite besser denn je in Form. In der Geschmeidigkeit seiner Bewegung und in seiner taktischen Übersicht erwies er sich als der große Meister. Sein 1500-m-Sieg war auch eine Wiederherstellung seines früheren Ansehens und seiner Position. Dem mehrfachen Weltrekordläufer war in Los Angeles vieles abzubitten. Hatte man ihn nach der überraschenden 800-m-Niederlage bei den Europameisterschaften 1982 in Athen und dem etwas schwächeren Jahr 1983 nicht schon abgeschrieben? Daß er unmittelbar nach seinem 1500-m-Triumph in ekstatischer Pose vor der Zieltribüne verhielt und beide Arme triumphierend nach oben streckte, war ihm nachzuempfinden. Ein großer Athlet hatte sich in den entscheidenden Minuten der Bewährung wie ein Phönix aus der Asche erhoben. Es gibt keine bessere Gelegenheit, dies vor aller Welt offenzulegen, als bei Olympischen Spielen.
Die unverminderte Anziehungskraft der Olympischen Spiele: Man kann ganz nach oben getragen werden oder in bodenlose Tiefen fallen. Man kann seiner Zeit aber auch um ein gutes Stück voraus sein. Carl Lewis ist das Beispiel dafür. Kaum ein Athlet hat so unter Leistungsdruck gestanden wie er. Die vier Goldmedaillen, die er, wie der legendäre Jesse Owens einst in Berlin, gewinnen sollte, waren Zwang und Aufgabe zugleich. Jesse Owens war damals 1936 in Berlin knapp 23 Jahre alt, als er die höchste Stufe des Ruhmes erklomm. Carl Lewis, auch 23 Jahre alt, hat dies nun – ohne je eine Schwäche zu zeigen – nachvollzogen. Das alles ging so glatt, daß man wohl einfach davon ausgehen muß, mit Carl Lewis einen Athleten ganz anderer Klasse vor sich zu haben. Zuweilen schien es, als habe er seine Gegner allein durch den propagandistischen Aufwand, der um ihn herum betrieben wurde, vollkommen eingeschüchtert.
Bob Hayes, der 1964 in Tokio die 100 m in 10,06 Sekunden gewann, war als Sprinter vielleicht ähnlich überlegen wie Carl Lewis jetzt oder Jesse Owens damals 1936, aber er war ein bulliger Stampfer, der alles niederwalzte, was sich ihm in den Weg stellen wollte. Kraft verzehrt sich schneller als Ökonomie der Bewegung. Carl Lewis hat beides. Wohl deshalb ist er den anderen so weit voraus. Dennoch bleibt es ein Phänomen, daß ein Athlet, ohne Weltrekordler in einer Einzeldisziplin zu sein, eine solche Publizität und Popularität genießt.
Carl Lewis war da nur einer von mehreren. Die Welle trug. Valerie Brisco-Hooks, bis 1983 eine gute, aber nicht erstklassige Läuferin, wuchs als 200-m- und 400-m-Olympiasiegerin in eine Rolle hinein, mit der man sie selbst Läuferinnen wie Marita Koch aus der DDR oder Jarmila Kratochvilova aus der ČSSR zur Seite stellen kann. Was jahrelang als unantastbares Privileg der Spitzenkönnerinnen aus dem Ostblock galt, ist nun dem

stürmischen Vorwärtsdrängen einer neuen Generation von amerikanischen Sprinterinnen ebenso zugänglich geworden. Evelyn Ashford, Siegerin über 100 m und lange Zeit als einziges Gegenstück der USA gegen die Phalanx des Ostens getätschelt und verhätschelt, hat genügend Konkurrenz im eigenen Land erhalten.

In den Laufstrecken haben die Spiele in Los Angeles neue Perspektiven eröffnet. Von den 400-m- und 800-m-Läufern (Joaquim Cruz!) war schon die Rede. Ein Läufer wie Said Aouita aus Marokko gewann die 5000 m in einem Stil, der über kurz oder lang Zeiten unter dreizehn Minuten möglich werden läßt. Aouita hatte die Qual der Wahl: Er hätte sehr wahrscheinlich auch über 1500 m eine große Rolle gespielt. Im übrigen stellte Marokko mit der 22jährigen Nawal el Moutawakel über 400 m Hürden eine zweite Olympiasiegerin. Afrika, außerden noch durch Julius Korir aus Kenia über 3000 m Hindernis erfolgreich, im Vormarsch: Die Bilder in den Mittel- und Langstreckenläufen sind bunter geworden, aber nicht nur das: Weil Afrikaner anders denken, weniger wissenschaftlich an die Sache herangehen, sind sie unvoreingenommener und radikaler im sportlichen Einsatz. Wo freilich technische Ausbildung und entsprechende Voraussetzungen nötig sind, bewegt sich Afrikas Aufschwung noch auf unterer Stufe. Da bleibt für die USA und Europa weiterhin viel Freiraum übrig.

Rolf Danneberg, ein 31jähriger, zur Zeit arbeitsloser Lehrer („Deshalb hatte ich auch viel mehr Zeit zum Training als früher..."), nutzte seine Chance und die Schwäche der anderen, vor allem der USA-Werfer, und gewann das Diskuswerfen mit 66,60 m. Das Holz, aus dem die olympischen Sieger geschnitzt sind, ist eben nicht immer gleich stark und gleich hart. Aber Rolf Danneberg war schon lange ein Geheimtip für eine Medaille, wie übrigens auch der italienische Kugelstoßrekordler Alessandro Andrei. Er wies die favorisierte amerikanische Phalanx in die Schranken. Das tat übrigens auch der finnische Linkshänder Arto Härkönen im Speerwerfen. Auch hier spielte der frühere Weltrekordler Tom Petranoff, immerhin ein Anwärter auf die Goldmedaille, überhaupt keine Rolle.

Individualisten von der Klasse eines Al Oerter, der von 1956 bis 1968 die Goldmedaille im Diskuswerfen gewann, oder eines Bruce Jenner, der sich als Einzelgänger dem Zehnkampf verschrieb und 1976 in Montreal siegte, sind heutzutage seltener geworden, weil sie sich auch immer schwerer durchsetzen können. Was Bob Mathias (USA), der Zehnkampf-Olympiasieger von 1948 und 1952, oder Rafer Johnson (Olympiasieger 1960 im Zehnkampf) oder Bruce Jenner einmal waren, das vereinte sich nun in der Erscheinung des britischen Zehnkämpfers Daley Thompson.

Fernab von zu Hause hat Daley Thompson in Kalifornien Monate vor den Spielen Quartier bezogen. Der Erfolg hat ihm recht gegeben. Er ist von Vorschußlorbeeren nicht zerrieben worden. Andere haben darunter gelitten. Ed Moses zum Beispiel über 400 m Hürden. Die Überlegenheit, die man ihm zu Beginn der achtziger Jahre bis 1983 nachsagte, ist nicht mehr da. Er stand zu sehr unter der Pression, erfolgreich sein zu müssen. Aus dem „ewigen" Duell zwischen ihm und dem deutschen Europarekordler Harald Schmid zog Danny Harris, ein völlig unvorbelasteter 19jähriger, seinen Nutzen und schob sich noch zwischen Ed Moses und Harald Schmid. Dennoch bleibt der mehrfache deutsche Meister eine Symbolfigur für die bundesdeutsche Leichtathletik: Er ist ein harter Kämpfer und in den Anforderungen sich selbst gegenüber unnachgiebig geblieben. Wer Erfolg will, muß viel dafür geben.

Der Erwartungsdruck: Viele haben ihm widerstanden, andere sind daran gescheitert. Ulrike Meyfarth war ein Muster an Konsequenz. Als die Vorbereitungen für Los Angeles in die entscheidende Phase kamen, war sie für lautstarke Statements nicht mehr zu haben. Aber Mary Decker, seit den Weltmeisterschaften 1983 von Helsinki als Doppelsiegerin ein amerikanisches Idol, ist daran gescheitert. Alberto Salazar, der inoffizielle Weltrekordler im Marathonlauf, rieb sich daran auf. Während er, als Fünfzehnter, erschöpft ins Ziel ging, gab der 37jährige Sieger Carlos Lopes aus Portugal, beinahe noch frisch, schon die ersten Interviews. Lopes, vom Ansehen des „ewigen Zweiten" umgeben, gewann die Hitzeschlacht bei 29 Grad Celsius und wurde damit für seinen nimmermüden Mut belohnt, immer das Äußerste als Läufer zu wagen. 1976 in Montreal hatte er über 10000 m rundenlang das Tempo gemacht und sich dann dem Spurt des legendären Finnen Lasse Viren beugen müssen. 1982 bei den Europameisterschaften in Athen führte er über 10000 m bis eingangs der letzten Runde, dann wurde er überspurtet und lief als Vierter ins Ziel. Die olympischen Götter belohnen nicht immer nur die, die kommen, sehen und siegen. Erfolg kommt auch zu dem, der warten kann.

Letzter Wechsel der 4×100-m-Staffel der USA: Carl Lewis übernimmt den Stab von Calvin Smith und enteilt zum vierten olympischen Gold und zum einzigen Leichtathletik-Weltrekord der Spiele: 37,83 Sekunden! Man wünscht diesem Super-Vierer ernsthafte Gegner; dann erst würde sich nämlich zeigen, zu welchen Fabelzeiten er sich steigern kann.

DRESSUR

Souveränität, Harmonie, Eleganz

Wenn es so etwas wie eine „todsichere" Medaille bei diesen Olympischen Spielen für die Bundesrepublik überhaupt gab, dann in der Mannschaftswertung der Dressur. Wohl niemand unter den Experten hat an diesem Erfolg ernsthaft gezweifelt, zu groß ist seit Jahren, ja Jahrzehnten die Überlegenheit der Deutschen in dieser Disziplin.
Dennoch baute sich in der Mannschaftswertung eine gewisse Spannung auf, nachdem sowohl Herbert Krug mit Muscadeur als auch Uwe Sauer mit Montevideo beträchtlich hinter ihren „Normalleistungen" zurückblieben. Beide Reiter wirkten nervös, ein wenig aufgeladen, wollten es offensichtlich besonders gut machen – und setzten sich damit so unter Druck, daß ihnen klare Patzer unterliefen. Sowohl Uwe Sauer als auch Herbert Krug hatten lange Jahre im Schatten großer Dressurreiter im eigenen Land gestanden, wie etwa Josef Neckermann, Harry

Der sicherste Tip ist aufgegangen, die erwartete Goldmedaille gewonnen. Die deutsche Dressurmannschaft siegte zum sechsten Male bei Olympia. Herbert Krug, Uwe Sauer und Dr. Reiner Klimke nahmen die Medaillen aus der Hand Seiner Königlichen Hoheit Prinz Philipp von England, dem Präsidenten der Internationalen Reiterlichen Vereinigung, entgegen. – Auf die Frage, warum die Deutschen in der Dressur so gut seien, fand ein US-Reporter die Antwort: Was für uns das Rodeo, ist für die Deutschen die Dressur. Warum auch nicht?

Boldt – dem jetzigen Bundestrainer –, Liselott Linsenhoff-Schindling, Gabriela Grillo ... und waren nun zum ersten Mal Mitglieder einer Olympia-Equipe, eine Situation, die ihre Nerven sicherlich ganz besonders auf die Probe stellte. Hinzu kam eine Kulisse von 32 000 Zuschauern, die zunächst lernen mußten, mit dieser für sie zumeist neuen Sportart fertig zu werden, das heißt sich so diszipliniert wie irgend möglich zu verhalten. Und dann war da noch die Hitze, von den Sportlern zu erdulden in schwarzem Frack und Zylinder. Doch diese Bedingungen galten für alle Starter.
Die Spannung entstand vor allem dadurch, daß die anderen Nationen ihre besten Reiterinnen und Reiter als ersten oder zweiten an den Start gehen ließen, während Dr. Reiner Klimke, der Favorit, als letzter des deutschen Teams startete. Zu diesem Zeitpunkt lag die Bundesrepublik „nur" an dritter Stelle, aber ein in Normalform gehender Ahlerich hätte ausgereicht, um unserer Vertretung die Goldmedaille zu sichern.
Was sich dann allerdings im Viereck abspielte, war Dressur in höchster Vollendung. Der Münsteraner Anwalt gab sich mit Normalform nicht zufrieden. Olympiaerfahren, nervenstark und zusammen mit seinem Partner Ahlerich topfit auf die Sekunde, bewies er Mut zum Risiko. In nahezu allen schweren Lektionen ging Klimke bis an die Grenze, bei der Vollendung in Mißgeschick umschlagen, ein Höhepunkt zum Tiefstpunkt werden kann. Bestechend vor allem die Souveränität des Paares, die kaum merkbaren Hilfen des Reiters, Harmonie und Eleganz des Vortrags. Fehlergucker standen auf verlorenem Posten – und versäumten eine Vorstellung, die besonders durch ihre Überlegenheit im Gesamteindruck begeisterte – auch die 32 000 auf den Tribünen, die die Leistung des Paares aus Münster mit tosendem Beifall honorierten, als wär's ein Stück aus dem eigenen Land gewesen.
Wie gesagt, die Normalform dieses Paares hätte ausgereicht für die Goldmedaille in der Mannschaftswertung. Wenn der amtierende Weltmeister dennoch erheblich mehr tat, dann wohl in erster Linie, um sich eine optimale Ausgangssituation für den nächsten Wettbewerb, die Einzelkonkurrenz, zu sichern.
Seine Gegnerin war Anne Grethe Jensen mit Marzog, die das Paar Klimke/Ahlerich bei den Europameisterschaften 1983 in Aachen sehr deutlich auf den zweiten Platz verwiesen hatte. Und Klimke, wie immer sachlich seine Chancen ausrechnend, wußte, daß ein eindeutiger Sieg über die Dänin schon im Mannschaftswettbewerb einen gewissen Bonus bei den Richtern für die Einzelprüfung schaffen würde. Diese Rechnung ging auf. 96 Punkte Vorsprung vor der Konkurrentin; er hatte sie einen Tag vor dem Grand Prix Spezial deutlich geschlagen.
Die zwölf besten Reiter aus dieser Prüfung hatten sich für den Grand Prix Spezial, die Einzelwertung am nächsten Tag, qualifiziert – unter ihnen alle Mitglieder der deutschen Equipe. Sowohl Herbert Krug als auch Uwe Sauer hätten mit einer überdurchschnittlichen Leistung (und dazu brachten sowohl Reiter als auch Pferde alles mit) mindestens auf den dritten Platz reiten können, doch sie

fanden nicht zu ihrer Form und mußten sich mit den Plätzen fünf und sechs zufriedengeben. Der Schweizer Otto Hofer mit Limandus, von den Richtern vielleicht etwas zu wohlwollend bedacht, sicherte sich die Bronzemedaille. Das Duell Dr. Reiner Klimke/Ahlerich–Anne Grethe Jensen/Marzog erreichte seinen Höhepunkt. Klimke mußte zuerst ins Viereck – und brachte das Kunststück fertig, seine Glanzleistung vom Vortag auch auf den Grand Prix Spezial zu übertragen. Wieder ein risikofreudiger Ritt, wieder die konzentrierte Souveränität, mit leichten Schwierigkeiten, vor allem in der Schlußpiaffe. Dennoch 1504 verdiente Punkte. Gleich nach ihm die Dänin. Auch Marzog ging ausgezeichnet. Anna Grethe Jensen riskierte ebenfalls alles, dennoch fehlte etwas die Ausstrahlung, ging das Paar um Nuancen matter. Leistungsgerecht siegten an diesem Tag: Dr. Reiner Klinke mit seinem 13jährigen Westfalen Ahlerich, und damit zweites Gold für einen Dressurreiter aus der Bundesrepublik.

Es gab noch einen dritten Sieger bei dieser Veranstaltung: den Dressursport in den USA. Diese Wettkämpfe wurden von den Zuschauern so begeistert aufgenommen, daß man in den Vereinigten Staaten sicherlich große Anstrengungen unternehmen wird, gewisse Lücken so schnell wie möglich zu schließen.

„Tja, wir Westfalen. Wo wir reiten, ist vorn", resümierte Dr. Reiner Klimke, westfälischer Reiter auf westfälischem Pferd, nach seinem Olympiasieg auf Ahlerich. Für 42 000 Mark hatte er ihn 1975 erworben, heute ist das Pferd unbezahlbar. Mit seiner nunmehr fünften Goldmedaille hat er das gleiche erreicht wie Hans Günter Winkler, der erfolgreichste Olympiareiter aller Zeiten. – Und wen's interessiert: Seit 1956 ist er der erste Reiter, der den Einzel- und den Mannschaftswettbewerb gewinnt; und nach drei Amazonen in Folge seit 1972 siegt erstmals wieder ein Reiter.

Bronze für die Außenseiter

„Zwei komplette Equipen hätten die nominieren können – und sie hätten Gold und Silber gewonnen", schwärmten die Experten. Die Rede war von den amerikanischen Springreitern, die sich in glänzender Form im Park von Santa Anita präsentierten. Sowohl in der Mannschaftswertung als auch beim abschließenden Einzel-Finale spielten sich die wirklich spannenden Wettkämpfe in den Entscheidungen über Silber oder Bronze ab – das begehrteste Metall hatten sich bis dahin längst die Amerikaner gesichert.

Die deutsche Equipe besaß in diesem Wettbewerb allenfalls Außenseiterchancen. Wer glaubte, unsere Vertretung könne sich ganz vorne plazieren, gründete diese Hoffnung eher auf die Erfolge in der Vergangenheit denn auf die tatsächliche Situation. Nachdem Weltmeister Norbert Koof wegen einer Verletzung seines Pferdes Fire nicht antreten konnte, setzte sich die bundesdeutsche Vertretung zusammen aus Paul Schockemöhle/Deister – noch vor den Spielen von den Medien zum besten Springpferd der Welt hochgetrommelt –, Peter Luther/Livius – ein sehr gutes Paar, dem jedoch des öfteren der letzte „Biß" gefehlt hatte –, Fritz Ligges/Ramzes und Franke Sloothaak/Farmer – gute Reiter mit achtjährigen Pferden, für die der Start in den schwersten Springkonkurrenzen der Welt noch ein bis zwei Jahre zu früh kam.

Unter diesen Umständen war das Ergebnis des ersten Umlaufes im Preis der Nationen ein faustdicke Überraschung – abgesehen vom souverän herausgerittenen ersten Rang der Amerikaner –, denn die Equipe der Bundesrepublik lag auf dem zweiten Platz und hatte damit die wesentlich höher eingeschätzten Franzosen, Schweizer und Kanadier hinter sich gelassen.

Schon nach dieser Runde stand fest: Dieses Springfestival gehörte aus sportlicher Sicht zum Besten, was bisher bei Olympischen Spielen überhaupt geboten worden war. Verdienst eines Mannes im Hintergrund: Parcoursbauer und jahrzehntelanger Trainer der amerikanischen Springreiter, Bartelan de Nemethy. Er hatte hier einen Kurs gebaut, der auf elegante Art und Weise die Spreu vom Weizen trennte, olympische Anforde-

Unangefochten gewannen die Amerikaner die beiden Goldmedaillen im Springreiten: Einzel-

Sieger Joe Fargis auf Touch of Class im Parcours. Klagen über den Ausverkauf deutscher Pferde schmälern den US-Triumph nicht.

Jahrzehntelang war man von den deutschen Springreitern Gold gewöhnt. In L. A. war jedoch selbst Bronze eine positive Überraschung. Die Medaillengewinner von links: Fritz Ligges, Franke Sloothaak, Peter Luther, Paul Schockemöhle.

rungen stellte, ohne die schwächeren Teilnehmer ernsthaft in Gefahr zu bringen. Das galt auch für die beiden Parcours des Einzelwettbewerbs.

Der zweite Umlauf des Nationenpreises bestätigte die glänzende Form der Gastgeber, die sich so souverän vom Feld absetzten, daß Melanie Smith ihren Calypso nur noch für die Siegerehrung zu satteln brauchte. Der Sieg der Amerikaner stand schon nach dem dritten Reiter fest. Äußerste Spannung herrschte jedoch beim Kampf um die Silber- und Bronzemedaillen. Nachdem die bundesdeutsche Vertretung in dieser Runde 19¼ Fehlerpunkte vorgelegt hatte, schienen ihre Medaillenchancen dahin. Aus eigener Kraft war nichts mehr zu machen. Doch nun zeigten die Konkurrenten Nerven, einer nach dem anderen verabschiedete sich mit Fehlerzahlen, die die jeweilige Mannschaft hinter die Deutschen setzten – bis auf die britische Vertretung. John Whitacker und Ryans Son leisteten sich nur einen Abwurf und sicherten damit die Silbermedaille für Großbritannien, Bronze für die Bundesrepublik, ein Ergebnis, das bei nüchterner Einschätzung der Situation nicht hoch genug bewertet werden kann. Bester Reiter unserer Equipe – wie nicht anders zu erwarten gewesen war: Paul Schockemöhle mit je einem Abwurf pro Umlauf, das zweitbeste Ergebnis mit acht Punkten in der ersten und vier Punkten in der zweiten Runde lieferte Peter Luther mit Livius, und das dritte Ergebnis für die Teamwertung steuerten Franke Sloothaak und Farmer mit insgesamt 19¼ Punkten bei.

Spannend vom ersten bis zum letzten Ritt geriet das Finale, der Einzelwettbewerb. Nach den beiden „Pflichtrunden" folgender Stand: Stechen um Gold und Silber zwischen den Amerikanern Conrad Homfeld/Abdullah und Joe Fargis/Touch of Class und zwischen den beiden Europäern Heidi Robbiani/Jessica und Bruno Candrian/Slygof (Schweiz) sowie dem jungen Kanadier Deslauriers/Aramis, die um Bronze antreten mußten.

Heidi Robbiani, die Schweizerin, die sich in den letzten beiden Jahren durch couragierte Ritte zum Publikumsliebling nicht nur des CHIO in Aachen emporgearbeitet hatte, bestätigte auch im Park von Santa Anita, daß sie zu Recht zur Weltspitze der Springreiterei zu zählen ist. Mit einem beherzt und dennoch klug eingeteilten Stechparcours legte sie ein Ergebnis vor, das, fehlerlos und in einer Superzeit, zur Verunsicherung der beiden Konkurrenten beigetragen haben dürfte. Der junge Kanadier Deslauriers mit dem Hannoveraner Aramis kam mit vier Fehlerpunkten nach Hause, während Heidi Robbianis Teamkollege Bruno Candrian und Slygof gar acht Fehlerpunkte einsammelten.

Auch im Stechen bewiesen die Amerikaner ihre überragende Form: Conrad Homfeld steuerte seinen Trakehner-Schimmel Abdullah zwar mit zwei Abwürfen über den Stechparcours, dennoch machte das Paar nicht den Eindruck, hier an der Grenze seines Leistungsvermögens angekommen zu sein, es hatte in diesen Sekunden etwas weniger Glück als der Konkurrent aus dem eigenen Team: Joe Fargis mit der 17jährigen Vollblutstute Touch of Class, die ihre Leistung bei diesen Olympischen Spielen verdient mit einem Null-Fehler-Ritt und der Goldmedaille krönten.

Das Abschneiden der Deutschen: Peter Luther und Franke Sloothaak bestätigten ihre gute Form in diesem Weltklassefeld und brauchen sich mit dem Ergebnis von je 16 Punkten beileibe nicht zu verstecken, während Paul Schockemöhle mit insgesamt 12 Fehlerpunkten hinter seinen und den Möglichkeiten Deisters zurückblieb. Hier dürfte nicht allein die „olympische Nervosität", sondern auch der geschäftliche Erfolgszwang mitgeritten sein. Der Mühlener hatte sich in den vergangenen Jahren sehr erfolgreich als Pferdehändler in den Vereinigten Staaten betätigt, und ein Olympiasieg hätte dem kommerziellen Unternehmen P. S. weiter Auftrieb gegeben.

Ein idealer Parcours – schwer, aber fair

Die weite Reise, die große Hitze, der bleierne Smog – es waren nicht die besten Voraussetzungen, unter denen zumal die Vielseitigkeitsreiter aus Übersee mit ihren Pferden in Santa Anita anzutreten hatten. Am Ende aber standen positive Eindrücke, und das nicht nur, weil die Deutschen eine Bronzemedaille mitbrachten.
Denn die Military, nach Bildern von furchtbaren Stürzen und mehreren Todesfällen in den vergangenen Jahren in den Mittelpunkt öffentlicher Kritik geraten, präsentierte sich diesmal von ihrer besten Seite: als eine harte, aber faire Prüfung für Pferd und Reiter in einer herrlichen Gegend. Nur sieben von 48 Teilnehmern bewältigten den 26,465 Kilometer langen Kurs über einen schönen Golfplatz nicht, kein Reiter verletzte sich ernsthaft an den mit Phantasie gestalteten Hindernissen, die Assoziationen zum Wilden Westen von einst hervorrufen sollten. Dietmar Hogrefe aus der bundesdeutschen Equipe lobte: „Es war sehr schwer, aber fair. Wer mit Verstand ritt, der hatte gute Chancen."
Der 21jährige Student war mit seinem Pferd Foliant am Ende bester Deutscher auf dem zwölften Rang, lag vor Bettina Overesch mit Peacetime auf Platz 14, Claus Erhorn mit Fair Lady auf 15 und Burkhard Tesdorpf mit Freedom auf 40. Hogrefe war es auch, der am Ende mit einem fehlerfreien Ritt im Springparcours als letzter seiner Equipe die Nerven behielt, fehlerlos über die Hindernisse ging und so dieser jungen Mannschaft die Bronzemedaille hinter Amerikanern und Briten rettete. Bundestrainer Bernd Springorum schob zu guter Letzt einen Mann in den Vordergrund, der gar nicht gestartet war: Horst Karsten, wohl einer der größten Pechvögel in der Geschichte des Reitsports, hatte seinen Takar wieder einmal verletzt im Stall lassen müssen. Dafür übernahm er die Aufgaben eines Coachs. „Daß unsere unerfahrene Mannschaft ihren dritten Platz in der Welt erfolgreich verteidigt hat", lobte Springorum, „das verdankt sie vor allem ihm."

Als erste Amazone in einem deutschen Military-Team bei Olympia ritt Bettina Overesch mit ihrem Pferd Peacetime. Trotz eines Sturzes im Gelände wurde sie mit der Mannschaft Dritte.

Dressur

		Punkte
1. Reiner Klimke	GER	1504
2. Anne Grethe Jensen	DEN	1442
3. Otto Hofer	SUI	1364
4. Ingamay Bylund	SWE	1332
5. Herbert Krug	GER	1323
6. Uwe Sauer	GER	1279
Ulla Hakansson	SWE	1279
8. Annemarie Sanders-Keyzer	HOL	1271

Dressur · Mannschaft

		Punkte
1. GER	Krug, Sauer, Klimke	4955
2. SUI	Hofer, Stückelberger, de Bary	4673
3. SWE	Nathhorst, Bylund, Hakansson	4630
4. HOL		4586
5. USA		4559
6. DEN		4557
7. CAN		4503
8. GBR		4463

Jagdspringen

		Punkte
1. Joe Fargis	USA	4
2. Conrad Homfeld	USA	4
3. Heidi Robbiani	SUI	8
4. Mario Deslauriers	CAN	8
5. Bruno Candrian	SUI	8
6. Luis Alvarez-Cervera	ESP	8,25
7. Paul Schockemöhle	GER	12
Frederic Cottier	FRA	12
Melanie Smith	USA	12
11. Franke Sloothaak	GER	16
Peter Luther	GER	16

Military

		Punkte
1. Mark Todd	NZL	51,60
2. Karen Stives	USA	54,20
3. Virginia Holgate	GBR	56,80
4. Torrance Fleischmann	USA	60,40
5. Pascal Morvillers	FRA	63,00
6. Lucinda Green	GBR	63,80
7. Mauro Checcoli	ITA	67,00
Marina Sciocchetti	ITA	67,00
12. Dietmar Hogrefe	GER	74,40
14. Bettina Overesch	GER	79,60
15. Claus Erhorn	GER	80,00
40. Burkhard Tesdorpf	GER	216,05

Military · Mannschaft

		Punkte
1. USA	Plumb, Stives, Fleischmann, Davidson	186,00
2. GBR	Holgate, Stark, Clapham, Green	189,20
3. GER	Hogrefe, Overesch, Erhorn, Tesdorpf	234,00

4. FRA 236,00, 5. AUS 258,40, 6. NZL 280,00, 7. ITA 280,70, 8. SWE 339,85.

Jagdspringen · Mannschaft (Preis der Nationen)

		Punkte
1. USA	Fargis, Burr, Homfeld, M. Smith	12,00
2. GBR	M. Whitaker, S. Smith, Grubb, J. Whitaker	36,75
3. GER	Ligges, Sloothaak, Luther, P. Schockemöhle	39,25

4. CAN 40,00, 5. SUI 41,00, 6. FRA 49,75, 7. ESP 56,00, 8. ITA 75,25.

Blumen, Palmen und Barrieren am Wege: Der Geländeritt ist die zweite und meist entscheidende Disziplin in der Military. Fairbanks-Ranch, ein

Seine Schrauben und Auerbach-Salti sind hoch angesprungen und auf den Punkt gedreht. Louganis ist eine ähnlich herausragende Persönlichkeit wie einst Klaus Dibiasi aus Bozen.

Herren

Kunstspringen

		Punkte
1. Greg Louganis	USA	754,41
2. Tan Liangde	CHN	662,31
3. Ronald Merriott	USA	661,32
4. Hongping Li	CHN	646,35
5. Christopher Snode	GBR	609,51
6. Piero Italiani	ITA	578,94
7. Albin Killat	GER	569,52
8. Stephen Foley	AUS	561,93
10. Dieter Dörr	GER	549,33

Turmspringen

		Punkte
1. Greg Louganis	USA	710,91
2. Bruce Kimball	USA	643,50
3. Li Kong Zhen	CHN	638,28
4. Tong Hui	CHN	604,77
5. Albin Killat	GER	551,97
6. Dieter Dörr	GER	536,07
7. Christopher Snode	GBR	524,40
8. David Bedard	CAN	518,13

Damen

Kunstspringen

		Punkte
1. Silvie Bernier	CAN	530,70
2. Kelly McCormick	USA	527,46
3. Christina Seufert	USA	517,62
4. Yihua Li	CHN	506,52
5. Qiaoxian Li	CHN	487,68
6. Elsa Tenorio	MEX	463,56
7. Lesley Smith	ZIM	451,89
8. Debbie Fuller	CAN	450,99

Turmspringen

		Punkte
1. Jihong Zhou	CHN	378,81
2. Michele Mitchell	USA	367,35
3. Wendy Wyland	USA	365,52
4. Xiaoxia Chen	CHN	359,73
5. Valerie Beddoe	AUS	326,40
6. Debbie Fuller	CAN	311,85
7. Elsa Tenorio	MEX	306,51
8. Julie Kent	AUS	300,27
12. Kerstin Finke	GER	267,51

stimmt eine Übertreibung. Aber andererseits gewinnt der 24jährige seine Wettkämpfe gelegentlich so, daß er mit zehn Sprüngen die Siegerpunktzahl holt, die seine Konkurrenten auch mit elf Hüpfern nicht zu übertreffen vermögen. So ähnlich macht das ja der Leichtathlet Carl Lewis beim Weitsprung auch. Auf jeden Fall besiegte er vom Drei-Meter-Brett mit 754,41 Punkten den Chinesen Tan Liangde, der sich durchaus auch zu bewegen weiß, mit 662,31 Punkten ziemlich deutlich. Tans Vorsprung auf den Dritten, Ronald Merriott aus den USA, betrug genau 0,99 Punkte. Vom Zehn-Meter-Turm distanzierte Louganis seinen amerikanischen Kollegen Kimball mit 67 Punkten, der wiederum lag mit fünf Zählern vor Li Kong Zhen aus China.

Der Münchner Albin Killat hat übrigens in diesen Wettkämpfen nicht nur die große Ehre als bester Deutscher gehabt, sondern die noch viel größere, von Louganis' Trainer Ron O'Brien sehr gelobt worden zu sein, der ihm eine große Zukunft prophezeite. In der Tat haben die beiden Deutschen in Los Angeles, nämlich Killat und sein Kollege Dieter Dörr aus Gelnhausen, ganz Außerordentliches und vor allem durchaus Unerwartetes geleistet. Killat wurde Siebenter vom Brett und sogar Fünfter vom Turm, Dörr Zehnter und Sechster – und dies, nachdem die bundesdeutschen Kunstspringer zwölf Jahre lang auf die Teilnahme an einem Finale hatten warten müssen. Diesen Erfolg versprach Springwart Hans-Peter Burk noch in Los Angeles, sogleich in materielle Forderungen umzusetzen, dergestalt, daß zur Stabilisierung des erstaunlichen Leistungsniveaus ein neuer Bundestrainer eingestellt werden müsse, der die vollständig überbeschäftigte Ursula Klinger ein wenig entlaste.

Solche Mißlichkeiten sind natürlich Greg Louganis vollständig unbekannt, stammt er doch aus der Südsee, wo es Probleme bekanntlich sowieso nicht gibt. Gleich nach seiner Geburt wurde er von einem Ehepaar griechischer Abstammung adoptiert, das ihm auch seinen Namen lieh. Wenig später entdeckte ein Fachmann Gregs phantastisches Bewegungstalent.

1976 in Montreal stand er als Sechzehnjähriger im Turm-Finale, gewann Silber hinter Klaus Dibiasi, dem lange Zeit erfolgreichsten Springer der Welt aus Italien. Die folgenden Weltmeisterschaften gehörten alle Louganis. Bald will er aber aufhören mit seinem Sport und sich dem Beruf des Schauspielers zuwenden. Schöne Menschen werden überall gebraucht.

Wagners Rheintöchtern hätten sie glatt die Schau gestohlen, die Synchron-Sieger im Duo. Tracie Ruiz und Candie Costie von oben und von unten.

Lächeln von glücklichen Mädchen

Synchronschwimmen, die Wassersportart mit Glamour und Show, ist für Amerika wie geschaffen – Esther Williams' Wiedergeburt. – Ein deutscher Journalist: Das ist wie Eiskunstlaufen, wenn das Eis geschmolzen ist.

Einzel		Punkte
1. Tracie Ruiz	USA	198,467
2. Carolyn Waldo	CAN	195,300
3. Miwako Motoyoshi	JPN	187,050
4. Marijke Engelken	HOL	182,632
5. Gudrun Hänisch	GER	182,017
6. Carolyn Holmyard	GBR	182,000
7. Muriel Hermine	FRA	180,534
8. Karin Singer	SUI	178,383

Duo		Punkte
1. Costie/Ruiz	USA	195,584
2. Hambrook/Kryczka	CAN	194,234
3. Kimura/Motoyoshi	JPN	187,992
4. Holmyard/Wilson	GBR	184,050
5. Boss/Singer	SUI	180,109
6. Eijken/Engelken	HOL	179,058
7. Besson/Hermine	FRA	176,709
8. Novelo/Ramirez	MEX	176,409

Unter Wasser zucken die Töne aus dem Lautsprecher, oben johlen und pfeifen 13 500 Begeisterte. Füße wippen im Takt, der Disco-Rhythmus steuert den Beifall, und am Bassin sind sich offensichtlich alle einig, eine kernige bunte Show bei ihrer olympischen Geburtsstunde angemessen begleitet zu haben. Synchronschwimmen, hierzulande bestenfalls wohlwollend bestaunt, landete mit Glamour und Zahnpastalächeln mitten im Herzen der kalifornischen Zuschauer. Hollywood eben. Was Millionen Zuschauer an den Fernsehschirmen ein wenig ratlos machte, war im Schwimmstadion der University of Southern California (USC) vor stets ausverkauften Rängen der große Renner. Und ein Regisseur hätte auch den Ausgang des Einzel- und Doppelwettbewerbes nicht passender für die amerikanischen Fans planen und inszenieren können. „Ihre" Tracie Ruiz, vor 21 Jahren geboren in Honolulu, gewinnt die Einzel-Konkurrenz und zusammen mit Partnerin Candie Costie erwartungsgemäß auch das Duett.

Seit sie zwölf Jahre alt sind, trainieren die Südsee-Schönheit Tracie Ruiz und die blonde Candie Costie miteinander. Tag für Tag üben sie Pflichtfiguren mit diesen fabelhaften Namen wie Flamingo, Reiher oder Kontra-Delphin, schulen Kraft und Ausdauer mit Langstreckenschwimmen und Dauerlauf – und vor allem ihr Lächeln. Wenn sie auftauchen, soll keine Spur von Anstrengung zu sehen sein, mühelos müssen die Kampfrichter beeindruckt werden. Glückliche Mädchen sind gefragt.

Und das amerikanische Duo beherrscht die Show perfekt. Mit Michael Jacksons Musik und Breakdance tauchen die beiden auf, spreizen die Beine zum Spagat gegen die Luft und lassen schließlich immer mehr ihrer Mannequin-Figuren im Zeitlupentempo im Wasser verschwinden. Wenn der letzte Ton verklungen ist, posieren sie zu Lande weiter. Auch das gehört noch zur Kür. Erst danach lassen die Preisrichter ihre Noten aufleuchten: Einmal die Höchstnote 10,0, sechsmal die 9,9, das macht 99,00 Punkte für die Kür. 195,584 Punkte aus Pflicht und Kür zusammen heißt der komplette Wert, die Zahlen eines überlegenen Olympiasieges nach neun Jahren Arbeit und Luftanhalten. Tracie und Candie, die beiden äußerlich so ungleichen Mädchen, haben sich gegenseitig als Spiegelbild begriffen.

Doch auch die Gewinnerinnen der Silbermedaille im Duo setzen auf den Tribünen jene Bewegung in Gang, die die Konstruktion aus Stahlrohr erzittern läßt. Was den Amerikanerinnen Ruiz/Costie der Yankee-doodle ist, wird für die Weltmeister Sharon Hambrook und Kelly Kryczka von Altmeister Bill Haley erledigt. „Rock around the clock", tönt es vom Band, Zuschauer und Kampfrichter sind gleichermaßen beeindruckt. Die Wertung fällt mit 194,234 Punkten nur wenig schlechter aus als für das USA-Duo. Der Einfallsreichtum der japanischen Nixen Saeko Kimura und Miwoko Motoyoshi bringt 187,992 Punkte und Bronze. Alles wie geplant.

So unterschiedlich die Shows auch sind, die Hierarchie des Synchronschwimmens wird auch im Einzelwettbewerb bestätigt. Tracie Ruiz streckt die Fußspitzen erneut steil in den Himmel und ist schließlich überglücklich, als ihre zweite Goldmedaille für 198,467 Punkte über dem mit Pailletten besetzten Badeanzug baumelt. Diesmal ist ihr Vorsprung noch größer. Carolyn Waldo aus Kanada wird Zweite (195,300), Miwako Motoyoshi Dritte (187,050).

Zweimal Gudrun für Deutschland

In den Dreikampf USA–Kanada–Japan können die bundesdeutschen Mädchen erfahrungsgemäß nicht eingreifen. Doch Gudrun Hänisch, die 20jährige aus Willich am Niederrhein, bestätigt in Los Angeles mit dem fünften Platz im Einzel ihren Ruf als Repräsentantin der europäischen Spitzenklasse. Im Duett mit der langbeinigen 16jährigen Dortmunderin Gudrun Scheller hat Gudrun Hänisch Pech: Als Neunte verpassen die beiden den Endkampf um einen Rang. Los Angeles und die begeisterten Zuschauer-Massen waren für Gudrun Hänisch Höhepunkte und Abschluß ihrer Karriere zugleich: Sie verläßt die Wasser-Bühne. Sie will Luft schöpfen nach 13 Jahren Training.

Nicht Petrus allein war schuld

Es seien „sechs Medaillen sicher drin", sagte Uli Libor, Teamchef der bundesdeutschen Segler, vor Beginn der Wettbewerbe. „Was ich auf Bahn Delta gesehen habe, reichte nicht für eine Plazierung unter den ersten Acht", resümierte Bundestrainer Klaus-Peter Stohl, als der Abend des zweiten Regattatages dämmerte. „Wir sind alle ein wenig enttäuscht", sprach Sportdirektor Hans Sendes im Namen der Mannschaftsleitung, als der vierte Segel-Tag von Long Beach zu Ende ging. „Es wäre gut, wenn wir wenigstens noch zwei Medaillen retten würden", erklärte Uli Libor, bevor der Morgen der letzten Wettfahrt graute. Als die vorbei war, atmete er durch: „Ich will mir nicht vorstellen, was passiert wäre, wenn wir medaillenlos geblieben wären."

Als der erfolgreichste Segler-Verband der Welt ging der DSV in die Tage von Long Beach hinein, als einer der weniger bedeutenden kam er heraus. „Wir sind von Tag zu Tag bescheidener geworden", schilderte Libor am Ende die Entwicklung. 1976 vor Kingston waren es noch zwei Gold- und eine Bronzemedaille, die die Deutschen jauchzen ließen, diesmal bewahrte sie die Silbermedaille der Starboot-Crew von Joachim Griese und Michael Marcour vor dem gröbsten Katzenjammer.

In ihrer führenden Rolle sind die Deutschen von den Amerikanern abgelöst worden, die die ersten Plätze in Flying Dutchman, Star und Soling belegten, dazu jeweils zweite Plätze bei Tornados, 470ern und Finn-Dinghies. So etwas ist bisher noch keinem anderen Segler-Verband geglückt: in allen Bootsklassen unter den ersten Drei vertreten zu sein. Dieser Rekord wird Bestand haben – wer sollte ihn denn in absehbarer Zeit brechen?

Die Deutschen werden wohl erst einmal mit sich selbst beschäftigt sein. Praktisch alle Crews trugen sich am Ende der Olympischen Spiele mit Rücktrittsgedanken, die Verbandsspitze ging mit neuen Konzepten für ein besseres Morgen schwanger. „Seit Tagen", ließ sich Libor vernehmen, „mache ich mir nur noch Gedanken, wie es weitergehen soll."

Zu weit differierten aber auch Aufwand der Vorbereitung und Ertrag an Erfolgen. Allein Griese und Marcour konnten ihrer Favoritenstellung annähernd gerecht werden. In diese Position hatten sich die beiden selbst gebracht. Schon eineinhalb Jahre vor Beginn der Olympischen Spiele hatte Joachim Griese begonnen, praktisch sein gesamtes Denken und Handeln auf diese Wettbewerbe auszurichten, genauer: auf den Gewinn der Goldmedaille. „Es muß schon mit dem Teufel zugehen, wenn wir nicht vorne landen", verkündete bei der Abreise der Hamburger Rechtsanwalt und Juniorpartner einer angesehenen Immobilienfirma.

So gewissenhafte Vorbereitung bescherte ihm zunächst den Sieg in der nationalen Qualifikation gegen die Weltmeister von 1981 und dreimaligen Europameister, Alexander Hagen und Vincent Hösch, sodann den ersten Platz bei den vorolympischen Wettkämpfen von Long Beach.

Dennoch: Die olympische Segelei begann für den 31jährigen und seinen sechs Jahre jüngeren Vorschoter Marcour aus Bergisch Gladbach mit einer Niederlage.

Erst ein Sieg am fünften Tag befreite Griese aus der Klemme, brachte ihn dicht heran an die noch führenden Schweden Kent Carlson und Henrik Eyermann, die am Ende bloß noch Vierte waren. Als das bundesdeutsche Starboot dann am sechsten Tag nur den vierten Platz belegte und auch in der Gesamtwertung auf diesen Rang abrutschte, war Griese sogar froh darum. Denn die ersten Vier hatten zu diesem Zeitpunkt allesamt noch Chancen auf den Olympiasieg. „Nur gut", sagte Griese da, „daß ich nicht als Erster in diese Nervenschlacht gehe." Den nämlich hatten alle anderen im Visier.

Die beiden Amerikaner William Buchan und Stephen Erickson behielten ihre Führung dann doch, Griese/Marcour holten durch einen dritten Rang in der letzten Wettfahrt den entscheidenden Vorsprung für die Silbermedaille. Man sei froh, seufzten da die Brüder Jörg und Eckart Diesch, selbst Olympiasieger von 1976 im Flying Dutchman, „daß der Griese die Kohlen aus dem Feuer geholt hat".

Denn auch den Dieschs gelang diesmal nur ein fünfter Rang, genau wie Wolfgang Gerz

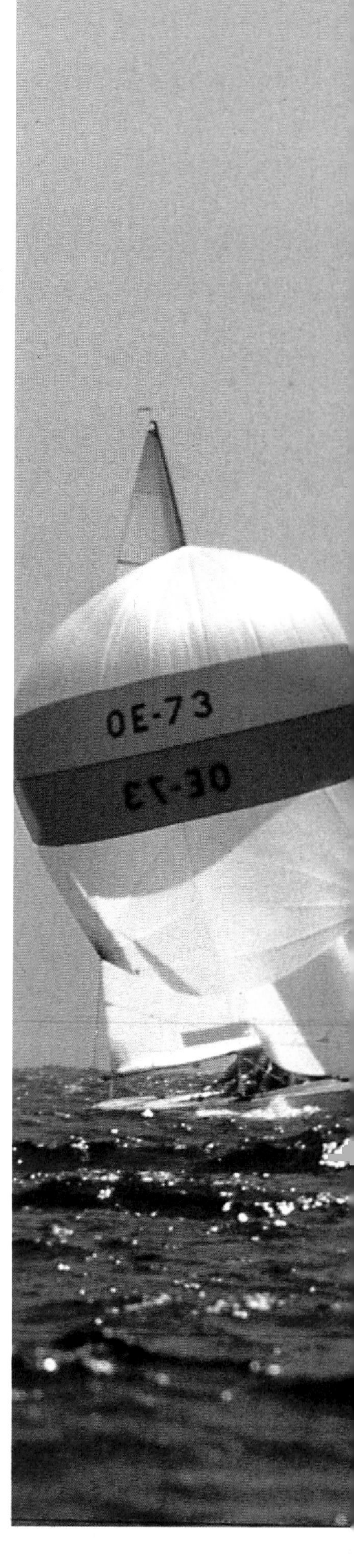

Der Wind hat mir ein Lied erzählt. Vor Long Beach blies er nur selten richtig. Solingsegler haben deswegen die bunten Spinnaker gesetzt.

Bild oben: Sie bewahrten den Deutschen Segler-Verband vor einer riesigen Pleite: Joachim Griese und Michael Marcour holten die Silbermedaille in der Starbootklasse mit einer hervorragenden letzten Wettfahrt.

Mitte: Michael Gerz vom Wörthsee in Bayern wurde immerhin noch 5. im Finn-Dinghy, der Klasse der Einmannjollen. 1964 holte Willi Kuhweide, der auch diesmal für Deutschland segelte, die Goldmedaille in dieser Bootsklasse.

Unten: Sie scheinen schon im Wasser zu sitzen, Stephen Benjamin (l.) und Christopher Steinfeld (r.). Die beiden US-Boys gewannen die Silbermedaille in der 470er-Klasse. Überhaupt waren die amerikanischen Segler auf ihrem Hausrevier die besten. Mit 3 Gold- und 4 Silbermedaillen in den 7 olympischen Bootsklassen erzielten sie auch hier ein einmaliges Ergebnis.

im Finn-Dinghy. Willi Kuhweide im Soling mußte sich mit dem achten, Eckart Kaphengst und Hans-Friedrich Böse im Tornado gar mit dem 13. Rang zufriedengeben. Die Brüder Wolfgang und Joachim Hunger schafften mit dem 470er wenigstens noch den vierten Rang, verpaßten knapp die Bronzemedaille.

Ein Rätsel? Wie ist das möglich, daß Segler, die ansonsten mit Weltmeister- und sonstigen Titeln überhäuft worden sind, verwöhnt in der Gunst von Wind und Wellen, diesmal derartig enttäuscht in den Hafen schippern mußten? „In den letzten vier Jahren", grübelte Günter Uebel, Bundeshonorartrainer der Flying Dutchmen, „stellen wir viermal im Flying Dutchman den Weltmeister, und bei den Olympischen Spielen segeln wir hinterher."

Was zum Beispiel hat denn Willi Kuhweide, dessen Namen in der Bundesrepublik doch jedes kleine Kind mit dem Segelsport in Verbindung zu bringen weiß, falsch gemacht im olympischen Revier, so falsch, daß er sich am Ende von Uli Libor einen „Totalausfall" nennen lassen mußte? „Der Willi ist nervös", argwöhnten seine Crew-Mitglieder May und Löll schon nach der ersten Wettfahrt, und sogleich ging das Gerücht, dem Altmeister sei womöglich das Fahnentragen bei der Eröffnungsfeier im Coliseum nicht gut bekommen. Kuhweide beging am ersten Tag den in diesen Gewässern fatalen Fehler, nach dem Start nicht nach rechts, sondern nach links zu segeln, brauchte lange, um endlich auf den richtigen Kurs zu kommen und mußte sich dann mühsam unter 22 Konkurrenten wenigstens noch auf den zehnten Rang vorarbeiten. „Willi kommt einfach mit dem Revier nicht zurecht", maulte Vorschoter Axel May.

So weit, so gut, aber das ließ sich eher mangelnder Vorbereitung nach zehn Tagen zuschreiben. „Heutzutage", kritisierte Sportdirektor Sendes, „kommt man eben auch im Segeln nicht mehr ohne Training aus. Wenn Willi Kuhweide beruflich zu sehr in Anspruch genommen ist, hätte er die Konsequenzen ziehen müssen."

Aber das konnte ja wohl kaum für die ganze Mannschaft zutreffen. Denn im ganzen gesehen hat es nie eine intensivere und teurere Vorbereitung bundesdeutscher Segler auf Olympische Spiele gegeben. Keiner von ihnen mußte zum Beispiel im olympischen Dorf wohnen – man wollte ihnen strapaziöse lange Wege ersparen. Jeder konnte zwei Wochen lang mit einem Trainingspartner eigener Wahl das Revier testen. Und drei Jahre lang erkundete Bundestrainer Stohl die Thermik- und Strömungsverhältnisse, um schließlich ein ausführliches „Long-Beach-Konzept" für die Deutschen zu entwerfen. Darin stand genau geschrieben, mit welchen Problemen man es hier in Kalifornien zu tun haben würde.

Wie kommt es aber dann, daß nach Abschluß der Olympischen Spiele Joachim Griese sagen mußte: „Wenn wir jetzt einen Schuldigen suchen, dann ist das eindeutig Petrus, der nicht mitgespielt hat"? Genauer gesagt: „Eddie" spielte nicht mit. So hieß ein Tief, das sich zu Beginn der Regatten über den Catalina-Inseln niederließ und dort die ganze Zeit liegenblieb. „Eddie" sorgte für exakt jene schwachen Winde, die den Deutschen überhaupt nicht ins Konzept paßten. Sie hatten sich auf Starkwind eingestellt, die Segel dementsprechend vermessen lassen – und durften sie nun nicht mehr wechseln. (Die Amerikaner setzten übrigens auf eine leichtere Brise.) Griese: „Ich bin sicher, daß die Ergebnisse ganz anders ausgesehen hätten, wenn mehr Wind gewesen wäre."

So war das also. Diese Erklärung war schnell allgemein akzeptiert, und jene, die meinten, die deutschen Segler hätten einfach nur ein bißchen schlecht gesegelt, fanden nur wenig Gehör. Der Bundestrainer Stohl zum Beispiel, der der Ansicht war, man habe „realistisch gesehen ein fast erwartetes Ergebnis erzielt", stand ziemlich alleine da, auch wenn er auf die über die Saison hin nicht so besonders guten Ergebnisse verwies.

Der Wind war schuld, sorgte nicht für die erwartete Geschwindigkeit. Warum aber dann der ganze Aufwand, wenn am Ende auch Silbermedaillengewinner Griese die Ansicht vertrat, daß „es mit unserem normalen Material, das wir auch in Europa verwenden, sicherlich besser gelaufen wäre", wenn auch Uli Libor am Ende meinte, vielleicht seien die Segler zu sehr verwöhnt worden?

Für Jörg Diesch lautete schon nach ein paar Tagen die Erklärung für die Misere so: „Wir haben in den letzten Wochen ganz einfach zuviel gesegelt. Wir hätten einfach vor drei, vier Tagen hierherkommen, uns aufs Boot setzen und losfahren sollen." So einfach ist das.

Neu im olympischen Segelwettbewerb: die Windglider

Problemlos ist sie nicht über die Bühne gegangen: die olympische Premiere der Windsurfer. Ein patentrechtlicher Streit um das einzige zugelassene Brett, den sogenannten Windglider, hatte sie lange Zeit ganz in Fra-

Erstmals bei Olympia dabei: die Windglider. Seit etwa zwölf Jahren bevölkern sie auch in Europa die Küsten und Seen. Aus einem attraktiven Freizeitvergnügen ist nun ein harter Wettkampfsport geworden.

ge gestellt. Das war noch nicht ausgestanden, da beschwerten sich einige der weltbesten Surfer, der aus der Bundesrepublik stammende Windglider entspreche keineswegs der rasanten technischen Entwicklung bei den Surfbrettern, sei allenfalls für schwergewichtige Rentner, nicht aber für hochtrainierte Athleten geeignet. Und schließlich stellte sich die Frage, ob denn hier überhaupt die stärksten Stehsegler der Welt antreten könnten. Die nämlich pflügen längst für klingende Münze die Wellen – als Profis in der sogenannten „Offenen Klasse“, der Formel 1 der Surfer. Unter den schwierigen Bedingungen von Long Beach – nicht auf einem Binnensee wie in Europa, sondern auf dem offenen Meer – setzte sich dann unter 37 Teilnehmern wie erwartet einer der großen Favoriten durch: Weltmeister Stephan van den Berg aus Holland gewann die Goldmedaille vor dem Amerikaner Randall Scott Steele und Bruce Kendall aus Neuseeland. Der 24jährige Berliner Medizinstudent Dirk Meyer schlug sich wacker, gewann sogar die erste Wettfahrt, als der zunächst vor ihm führende französische Europameister Gildas Guillerot disqualifiziert wurde, und belegte am Ende den siebenten Platz.

Segeln

Finn-Dinghy

		Punkte
1. Russel Coutts	NZL	34,7
2. John Bertrand	USA	37,0
2. Terry Neilson	CAN	37,7
4. Yoaquin Blanco	ESP	60,7
5. Wolfgang Gerz	GER	66,1
6. Chris Pratt	AUS	68,0

Flying Dutchman

		Punkte
1. McKee, Buchan	USA	19,7
2. McLaughlin, Bastet	CAN	22,7
2. Richards, Allam	GBR	48,7
4. J. Moeller, Jac. Moeller	DEN	52,4
5. J. Diesch, E. Diesch	GER	56,7
6. Adler, Tenke	BRA	62,7

470er

		Punkte
1. Doreste, Molina	ESP	33,7
2. Benjamin, Steinfeld	USA	43,0
2. Pepponnet, Pillot	FRA	49,9
4. W. Hunger, J. Hunger	GER	50,1
5. T. Chieffi, E. Chieffi	ITA	57,0
6. P. v. Koskull, J. v. Koskull	HOL	67,4

Star

		Punkte
1. Buchan, Erickson	USA	29,7
2. Griese, Marcour	GER	41,4
3. Gorla, Peraboni	ITA	43,5
4. Carlson, Eyermann	SWE	43,7
5. Raudaschl, Ferstl	AUT	53,4
6. Hatzipavlis, Pelekanakis	GRE	67,0

Tornado

		Punkte
1. Sellers, Timms	NZL	14,7
2. Smyth, Glaser	USA	37,0
3. Cairns, Anderson	AUS	50,4
4. P. Elvström, T. Elvström	DEN	51,1
5. Burland, Nash	BER	53,5
6. White, Campbell-James	GBR	53,7
13. Kaphengst, Böse	GER	105,0

Soling

		Punkte
1. Haines, Trevelyan, Davis	USA	33,7
2. Grael, Adler, Senfft	BRA	43,4
3. Fogh, Kerr, Calder	CAN	49,7
4.	GBR	54,7
5.	NOR	57,7
6.	GRE	59,2
9. Kuhweide, May, Löll	GER	73,7

Windglider

		Punkte
1. Stephan van den Berg	HOL	27,7
2. Randall Scott Steele	USA	46,0
3. Bruce Kendall	NZL	46,4
4. Gildas Guillerot	FRA	52,4
5. Klaus Maran	ITA	54,4
6. Greg Hyde	AUS	55,7
7. Dirk Meyer	GER	67,2

Kampf mit dem Eisen und den Nerven

So leicht waren durch das Hochheben zentnerschwerer Lasten noch nie Medaillen zu gewinnen. So stark wie das Turnier der Gewichtheber war keine andere olympische Konkurrenz durch den Boykott des Ostblocks und einiger verbündeter Länder betroffen. Kein einziger der drei Erstplazierten der letzten Weltmeisterschaften von Moskau vertreten – das sagt schon alles aus über den leistungssportlichen Wert des Stemmens um Gold, Silber und Bronze. Von den zehn Gewinnern von Los Angeles hätte wohl kein einziger auch nur Bronze erstritten, wären die Kraftprotze aus dem Osten angetreten. Mit ihren Siegerleistungen im Feder- bzw. Mittelschwergewicht schoben sich der Chinese Weiqiang Chen und der Rumäne Nicu Vlad an die vierte Stelle der Weltjahresbestenliste. Das war's.

Doch Olympia kennt eben nur Sieger, die sich zum direkten Kräftemessen stellen, keine Papiertiger. In das entstandene Vakuum stießen vornehmlich die Athleten aus der Volksrepublik China, hellwach und wohlvorbereitet bei ihrer olympischen Premiere. Viermal stiegen sie auf das oberste Siegertreppchen, zweimal entführten sie sogar Gold und Silber. Damit schlüpften sie in die Rolle der sonstigen Medaillenhamsterer UdSSR und Bulgarien. Je zweimal Gold heimsten die Muskelmänner aus Rumänien und der Bundesrepublik Deutschland ein, je einmal siegten Heber aus Italien und Australien.

Es begann mit einem Siegeszug der Chinesen vom Fliegen- bis zum Leichtgewicht, der die Fachwelt in Erstaunen versetzte. Ebenso wie das ausgeprägte Selbstbewußtsein, wie es etwa der Bantamgewichtler Shude Wu demonstrierte. „Ich werde zu 90 Prozent Olympiasieger", diktierte der 25jährige Sportlehrer, der zwischen 1980 und 1983 drei Weltrekorde im Reißen aufgestellt hatte, der Weltpresse in den Notizblock. Und er hielt sich strikt an seine Prognose, legte in der Halle der Loyola Marymount University eine Gold-Show hin, die auch die Amerikaner begeisterte. Zunächst ließ Shude Wu seinem 21jährigen Landsmann Runming Lai den Vortritt, der 125 Kilogramm riß, fünf mehr als er selbst. Im Stoßen schritt er dann als letzter Heber an die Scheibenhantel, wuchtete 147,5 Kilo in die Höhe und hatte Lai im Zweikampf um 2,5 Kilo distanziert.

Ein ähnliches Bild hatte sich zuvor schon im Fliegengewicht geboten, wo ein Athlet nicht mehr wiegen darf als 52 Kilogramm. Hier sicherte Peishun Zhou den eingeplanten Erfolg des 18jährigen Guoqiang Zeng ab, des jüngsten Gewichtheber-Olympiasiegers aller Zeiten. Einträchtig erzielten beide im Zweikampf 235 Kilo, doch war Zeng beim Wiegen der etwas Leichtere gewesen.

Wie Shude Wu hatten auch zwei bundesdeutsche Schwerathleten keinen Zweifel daran gelassen, das so offen zutage liegende Gold von Los Angeles heben zu wollen, beide am Ende einer großen, aber von bitteren Rückschlägen nicht freien Karriere: Karl-Heinz Radschinsky und Rolf Milser, 31 Jahre alt der eine, schon 33 der andere. Nach Kurt Helbig und Josef Straßberger im Jahre 1928, Rudolf Ismayr 1932 und Sepp Manger 1936 sind sie der fünfte und sechste Deutsche, die olympisches Gold erstritten.

Karl-Heinz Radschinsky, der für den KSV Langen hebende Oberpfälzer aus Postbauer-Heng bei Neumarkt, sah nur einen, der ihm das Gold streitig machen konnte: den Rumänen Dragomir Cioroslan, der ihn 1983 bei der Weltmeisterschaft und auch 1984 bei der Europameisterschaft jeweils auf den fünften Platz abgedrängt hatte, der mit seiner Bestleistung von 362,5 Kilo um runde zehn Kilogramm über dem deutschen Rekord Radschinskys lag und in der aktuellen Weltbestenliste 1984 ebenfalls 352,5 Kilo zu Buche stehen hatte. „Der Wettkampf war nur auf ihn ausgerichtet", erzählte Radschinsky später, als das Werk gelungen war.

Schon im Reißen legte der Mittelgewichtler mit seinen 150 Kilogramm fünf mehr vor als der Rumäne. Die Ausgangsposition war auch deshalb günstig, weil er mit seinem deutschen Rekord von 205 Kilo dem Kontrahenten um 7,5 Kilogramm voraus war. Als Cioroslan zuerst 185 Kilo auflegen ließ, da wartete Radschinsky im Bewußtsein eigener Stärke noch ab. 190 stieß er dann, ein wenig wacklig zwar, aber bombensicher, von der Brust in die Höhe. Cioroslan versuchte dieselbe Last – ungültig. Auch sein letzter Ver-

Gewichtheben

Fliegengewicht

		kg
1. Guoqiang Zeng	CHN	235,0
2. Peishun Zhou	CHN	235,0
3. Kazushito Manabe	JPN	232,5
4. Mahmoud Tarha	LIB	230,0
5. Hidemi Miyashita	JPN	230,0
6. Maman Suryaman	INA	227,5
7. Hyo-Mung Bang	KOR	225,0
8. José Diaz Lopez	PAN	220,0

Bantamgewicht

		kg
1. Shude Wu	CHN	267,5
2. Runming Lai	CHN	265,0
3. Masahiro Kotaka	JPN	252,2
4. Takishi Ishiba	JPN	250,0
5. Bong-Chil Kim	KOR	245,0
6. Dionisio Munoz	ESP	242,5
7. Arvo Ojaletho	FIN	242,5
8. Albert Hood	USA	242,5

Federgewicht

		kg
1. Weiqiang Chen	CHN	282,5
2. Gelu Radu	ROM	280,0
3. Wen-Yee Tsai	KOR	272,5
4. Kaoru Wabiko	JPN	270,0
5. Yosuke Muraki	JPN	267,5
6. Myeong-Su Lee	KOR	267,5
7. Sori Enda Nasution	INA	267,5
8. Uolevi Kahelin	FIN	267,5

Leichtgewicht

		kg
1. Jingyuan Yao	CHN	320,0
2. Andrei Socaci	ROM	312,5
3. Jouni Gronman	FIN	312,5
4. Dean Willey	GBR	310,0
5. Choji Taira	JPN	305,0
6. Yasushige Sasaki	JPN	302,5
7. Basil Stellios	AUS	302,5
8. Jianping Ma	CHN	297,5

Mittelgewicht

		kg
1. K.-H. Radschinsky	GER	340,0
2. Jacques Demer	FRA	335,0
3. Dragomir Cioroslan	ROM	332,5
4. David Morgan	GBR	330,0
5. Shunzhu Li	CHN	322,5
6. M. Y Mohammed	IRQ	320,0
7. Tony Pignone	AUS	317,5
8. Chun-Jong Park	KOR	312,5

Leichtschwergewicht

		kg
1. Petre Becheru	ROM	355,0
2. Robert Kabbas	AUS	342,5
3. Ryoji Isaoka	JPN	340,0
4. Newton Burrows	GBR	327,5
5. Ebraheem Elbakh	EGY	322,5
6. Kang-Seog Lee	KOR	322,5
7. Yvan Darsigny	CAN	322,5

Mittelschwergewicht

		kg
1. Nicu Vlad	ROM	392,5
2. Petre Dumitru	ROM	360,0
3. David Mercer	GBR	352,5
4. Peter Immesberger	GER	350,0
5. Woo-Won Hwang	KOR	350,0
6. Nikos Iliadis	GRE	350,0
7. Henry Junch Hoeg	DEN	347,5
8. José Garces	MEX	342,5

Erstes Schwergewicht		kg
1. Rolf Milser	GER	385,0
2. Vasile Gropa	ROM	382,5
3. Pekka Niemi	FIN	367,5
4. Kevin Roy	CAN	357,5
5. Ken Clark	USA	352,5
6. Franz Langthaler	AUT	350,0
7. Rich Shanko	USA	350,0
8. Jean-Marie Kretz	FRA	342,5

Zweites Schwergewicht		kg
1. N. Oberburger	ITA	390,0
2. Stefan Tasnadi	ROM	380,0
3. Guy Carlton	USA	377,5
4. Frank Seipelt	GER	367,5
5. Albert Squires	CAN	365,0
6. Goran Pettersson	SWE	360,0
7. Richard Eaton	USA	352,5
8. Ionnis Gerontas	GRE	350,0
9. Olaf Peters	GER	347,5

Super-Schwergewicht		kg
1. Dean Lukin	AUS	412,5
2. Mario Martinez	USA	410,0
3. Manfred Nerlinger	GER	397,5
4. Stefan Laggner	AUT	385,0
5. Ioannis Tsintsaris	GRE	347,5
6. B. Oluoma	NGR	337,5
7. Mosad Mosbah	EGY	330,0

Den Göttern dankbar sein und die Gunst der Stunde nutzen, Karl-Heinz Radschinsky aus Postbauer-Heng bei Neumarkt in der Oberpfalz tat beides. Er gewinnt die Goldmedaille im Gewichtheberzweikampf des Mittelgewichts und trug zur guten Bilanz der deutschen Heber bei.

such ging daneben, die Hantel polterte krachend auf das Stemmbrett, und Radschinsky war Sieger. 202,5 Kilo ließ er zwar noch auf die Stange packen, olympischen Rekord. Doch die Spannung war weg, zweimal fiel das Eisen vor der Zeit zur Erde.

„Ich hab' ihn noch nie geschlagen. Heut', wo's am wichtigsten war, hab' ich's geschafft", freute sich Radschinsky. Vor dem Triumph hat er aber ganz schön leiden müssen: „Ich hab' immer gedacht, ich wär' ein harter Hund. Aber das gibt's ja gar nicht, wie einem das an die Nerven geht, weil du weißt, das gibt's nur einmal im Leben. Jetzt fühl' ich mich total kaputt."

Sein Olympiastart war lange in Frage gestanden. Beim Testheben am 29. Juni in München hatte sich Radschinsky eine Rückenverletzung zugezogen, schon beim „Aufwärmen" vor dem Wettkampf. Daß er trotz Trainingsrückstand dann doch antreten konnte, daran war ein Arzt schuld, der zuvor als „Dopingsünder" Schlagzeilen gemacht hatte, allerdings unter ungeklärten Umständen, der aber bei den Athleten höchstes Ansehen genießt. „Der Professor Klümper hat mich wieder hingekriegt", sagte Karl-Heinz Radschinsky voll Dankbarkeit.

In der letzten Vorbereitungsphase hat Radschinsky gefastet. Es sollte ihm auf keinen Fall noch einmal passieren, 50 Gramm schwerer zu sein als Cioroslan, der deshalb bei der Europameisterschaft bei gleicher Leistung vor ihm gelandet war. „Deshalb hab' ich bei jeder Portion Essen immer den letzten Bissen weggelassen." Das Resultat: Radschinsky 74,3, Cioroslan 74,5 Kilo. Das Fasten stellte sich später als überflüssig heraus, und der Rumäne fiel am Ende auch noch hinter den Kanadier Jacques Demer (335 kg) zurück, der wiederum um fünf Kilo hinter dem Deutschen (340 kg) auf dem zweiten Platz einkam. Der hatte zwar schon sechs EM- und WM-Medaillen in seinen Besitz gebracht, 31 deutsche Rekorde und sechs Meistertitel, doch was war das schon gegen olympisches Gold. Jetzt will der Besitzer eines Fitneß-Studios und Reisende in Sachen Kraftsport-Artikel seine Sportler-Laufbahn langsam ausklingen lassen.

Seinen Rücktritt erklärte unmittelbar nach seinem späten Triumph im Schwergewicht der Duisburger Rolf Milser. Auch er wird dem Hantelsport erhalten bleiben, will 1985 dritter Bundestrainer neben dem Erfolgsduo Ewald Spitz und Rainer Dörrzapf werden, das das sechsköpfige Aufgebot des Bundesverbandes Deutscher Gewichtheber bestens vorbereitet ins Rennen geschickt hat.

Das bestätigte auch Peter Immesberger, der 24jährige Pfälzer aus Kindsbach, mit seinem vierten Platz im Mittelschwergewicht. Nur 2,5 Kilo fehlten ihm mit seinen 350 Kilo zur Bronzemedaille, an den Rumänen Nicu Vlad (392,5 kg) reichte keiner heran. Mit den Trainingsleistungen wäre Silber möglich gewesen, doch Olympia hat eben seine eigenen Gesetze.

Vierter wurde auch der 23jährige Frank Seipelt aus St. Ilgen im zweiten Schwergewicht (bis 110 kg). 100,6 Kilo wog Seipelt allerdings nur. Hätte man ihn in Milsers 100-Kilo-Kategorie eingesetzt, so wäre ihm womöglich Bronze zugefallen für seine 367,5 Kilogramm, dieselbe Leistung, die eine Klasse tiefer dem Finnen Pekka Niemi unverhofft Edelmetall einbrachte. So unverhofft, daß Niemi als Sieger der schwächeren Gruppe die Siegerehrung verpaßte und die Plakette mit einiger Verspätung in Empfang nahm. So freigebig ist manchmal die Dame Olympia!

Von schwerer Last zu Boden gedrückt

Im Falle des Münchner Superschwergewichtlers Manfred Nerlinger, eines knapp 24jährigen Soldaten, zeigte sie sich dagegen ein wenig zugeknöpft. Als er die Hand nach Gold ausstreckte, da drückte ihn die 235 Kilo schwere Last buchstäblich zu Boden. Das Eisen auf der Brust, kippte er nach hinten weg, und es begrub ihn und seine Hoffnungen unter sich. Doch auch mit Bronze durfte Nerlinger zufrieden sein, der bei WM und EM Rang sechs belegt hatte. Mit 400 Kilogramm hatte er erst kurz vor Olympia den zwölf Jahre alten deutschen Rekord von Rudolf Mang, des Silbermedaillengewinners von 1972, eingestellt. Mit 397,5 Kilo lag er doch deutlich hinter dem Überraschungssieger Dean Lukin aus Australien, dessen Eltern aus Jugoslawien stammen. 240 Kilo stieß der 24jährige Millionär Lukin und schnappte im Zweikampf mit 412,5 dem US-Athleten Mario Martinez (410 kg) das schon sicher geglaubte Gold weg. Da wäre es nicht fein gewesen, ihn an den Weltrekord des Russen Gunjaschew (465 kg) zu erinnern.

Und auch das Thema „Anabolika" brachten nur einige wenige Kritiker aufs Tapet. Schließlich konnten nur zwei absolute Randgestalten der Heberszene, ein Algerier und ein Libanese, des Hormondopings überführt werden. Man hat sie disqualifiziert und lebenslang gesperrt und ist zur Tagesordnung übergegangen. Inzwischen hat es sich eben beinahe weltweit herumgesprochen, was zu tun ist, um im Ernstfall „sauber" zu sein.

ROLF MILSER

Auf Gegenliebe gestoßen

Wie hab' ich das gemacht! – Glücklich ballt Rolf Milser die Hand zur Faust. Ein Gewichtheberdenkmal strahlt. Soeben ist er Olympiasieger im Gewichtheben des 1. Schwergewichts geworden. Nach der ohnehin schon beeindruckenden Bilanz von 6 Weltmeisterschaften, 5 Europameistertiteln, 2 Weltrekorden, 114 deutschen Bestleistungen und 3 Olympiateilnahmen gewinnt er endlich die lang ersehnte Olympiamedaille: und dies zu einem Zeitpunkt, an dem er – mittlerweile 33 Jahre alt – den Zenit seiner Karriere wohl überschritten hatte. Seine Routine und eine durch den Boykott von 1980 und 1984 erneuerte Motivation verleihen ihm noch einmal Bärenkräfte. – „Es gibt wohl niemanden, auch nicht im Ostblock, der Milser diesen Erfolg nicht gönnt", findet auch Wolfgang Peter, der Präsident des Bundesverbandes Deutscher Gewichtheber.

Der Mann ist einfach ein Naturtalent. Weniger als Interpret des Gewichthebens, dieser auf den ersten Blick auf grobe Klötze des Homo sapiens zugeschnittenen Sportart – er liebt die Show und pflegt sie. Und wenn er beim pp. Publikum auf Gegenliebe stößt, dann ist der Rolf Milser aus Duisburg nicht mehr zu halten. Aus dem „Akrobat stark" wird dann der „Akrobat schööön", der nicht nur zentnerschwere Lasten stemmt, der sich animieren läßt zum ganz großen Auftritt à la Milser.

Und für diesen großen Auftritt standen in Los Angeles, genauer gesagt unter den Tiefstrahlern des Gersten-Pavillons der Loyola-Marymount University, die Vorzeichen günstiger denn je: die kraftstrotzende Ostblock-Phalanx daheimgeblieben, das Auditorium gleichwohl hochgestimmt. „Das ist das beste Publikum der Welt gewesen", sollte Rolf Milser nachher die Komplimente artig zurückgeben. „Ich mußte dann einfach die Goldmedaille holen." Kunststück.

Der Gründe gab es diesmal natürlich noch viel gewichtigere, als den schönen Schein zu wahren vom eleganten Eisenfresser, der aus Heberkunst und Publikumsgunst nicht zuletzt auch den schnöden Mammon schmiedet, ohne den der moderne Leistungssport nicht auskommt. Einer dieser Gründe lag 19 Jahre zurück, am Beginn einer großen Karriere zu Hause in der Turnhalle in Hochfeld, der andere war der Wunsch nach einer olympischen Medaille, die Milser aufgrund verschiedener mißlicher Umstände versagt geblieben war.

Jetzt war er 33 Jahre alt, längst im sportlichen Rentenalter, ein Relikt eigentlich aus vergangenen Stemmerzeiten, doch noch immer kein bißchen müde. Sechs Weltmeistertitel hatte Milser erkämpft, fünf bei den Europameisterschaften, zwei Weltrekorde und 114 – in Worten: einhundertvierzehn – bundesdeutsche Rekorde aufgestellt. Doch der Stachel des vergeblich angestrebten olympischen Edelmetalls saß tief.

„1972 in München wurde ich Siebter im Leichtschwergewicht", erzählte er nach dem Triumph von Los Angeles, „ich war vielleicht noch ein wenig unerfahren. 1976 galt ich als Favorit im Leichtschwergewicht, ich hatte gerade mit 207,5 Kilogramm einen neuen Weltrekord im Stoßen aufgestellt." Doch dann schlug das Schicksal kräftig zu. Rolf Milser blickte zurück: „Durch Gewichtmachen (rund zehn Kilo auf das 82,5-Kilo-Limit) trat offensichtlich eine Übersäuerung ein, ich bekam Wadenkrämpfe, hatte keinen einzigen gültigen Versuch im Reißen und schied im Kampf um die olympischen Medaillen aus. Zum Glück gibt es bei Olympia in den beiden Disziplinen Reißen und Stoßen noch Weltmeistertitel, so daß ich zum Stoßen noch antreten durfte. Mit Erfolg, denn ich wurde noch Weltmeister."

Weltmeister im olympischen Zweikampf ist Rolf Milser dann 1978 im Gettysburg erstmalig geworden, bejubelt vom amerikanischen Publikum und aufgestiegen zum Favoriten für die Spiele 1980 in Moskau. Doch nun machte ihm der Boykott des Westens einen dicken Strich durch die Rechnung. Verständlich, daß er jetzt in Los Angeles, als die übermächtigen Sowjets und Bulgaren fehlten wegen des Diktats des Kremls, den späten Lorbeer ganz selbstverständlich in Empfang nahm – Politik hin oder her. Endlich konnte er abtreten von der Bühne, die ihm die Welt bedeutete. Ganz wird er dem Gewichtheben aber nicht verlorengehen, hat er doch zwischenzeitlich an der Trainerakademie in Köln das Diplom erworben und die Möglichkeit, als dritter Bundestrainer einmal einen Nachfolger aufzubauen.

Mit der Routine des Meisters

Ihm wird er dann auch eine Einsicht mit auf den Weg geben können, die auf höchster Ebene über Sieg und Niederlage entscheidet: „Man muß auch vorher das Vertrauen haben, daß man die Last bewältigt." In der Schwergewichtskonkurrenz von Los Angeles hieß dies konkret, den Rumänen Vasile Groapa in die Schranken zu weisen, der im Jahr zuvor bei der Weltmeisterschaft vor ihm den vierten Platz belegt und dabei 392,5 Kilogramm vorgelegt hatte.

Doch Groapa, der 28jährige Soldat, konnte seine Stärke im Reißen nicht ausspielen, blieb statt bei 180 Kilo schon bei 165 hängen und damit um 2,5 Kilogramm hinter Milser zurück. Daß der Nigerianer Oliver Orok auf 172,5 Kilo enteilte, das konnte ihn schon nicht mehr erschüttern, wußte er doch, daß der Afrikaner mit dem Körper eines Bodybuilders „im Stoßen höchstens auf 205 Kilo kommen" konnte.

Als Rolf Milser nach bombensicheren 210 und 215 Kilo im Stoßen von Groapa mit 217,5 Kilo eingeholt wurde und er aufgrund des höheren Körpergewichts mindestens dieselbe Last bewältigen mußte, da konterte der nur 1,73 Meter große Deutsche mit der Routine des Meisters. 217,5 Kilo fielen ihm „echt leicht"; er habe das Eisen „gar nicht richtig gespürt", verkündete er, als er mit insgesamt 385 Kilo endgültig Sieger war.

YORK
25 kg
YORK
20 kg

RHYTHMISCHE GYMNASTIK

Lohn der Aufholjagd

Unter den zahllosen Tränen, die bei diesen Olympischen Spielen geflossen sind, waren auch die der Regina Weber. Der Boykott hatte sie Hoffnungen hegen lassen auf die erste olympische Goldmedaille in der Rhythmischen Gymnastik überhaupt und auf den größten Erfolg für den Deutschen Turner-Bund seit dem legendären Pferdsprung des Kölners Helmut Bantz 1956, der ihn zum Olympiasieger in dieser Disziplin machte. Aber kaum war die Hälfte des Vierkampfs mit Band, Keulen, Reifen und Ball beendet, da zerfloß das Make-up auf dem Gesicht der 21jährigen Abiturientin unter Tränen der Enttäuschung. Hier schon war der Traum vom großen Erfolg beendet. Das Ergebnis der Weltmeisterschaften 1983 in Straßburg zugrunde gelegt, gehörte Regina Weber zu den großen Favoritinnen in dieser Disziplin. Damals was sie Achte. Strich man aber von der Liste jene Teilnehmerinnen, die aus Ländern des Ostblocks stammten, die nicht in Los Angeles antraten, lag die Wattenscheiderin auf Platz zwei, vor sich nur noch die Rumänin Doina Staiculescu, die den sechsten Rang belegt hatte. Und Regina Webers Trainerin Livia Medilanski hatte schon 1975 Carmen Rischer zur Weltmeisterin gemacht, als die Länder des europäischen Ostens in Madrid nicht dabeisein mochten.

Aber als Halbzeit des ersten Vierkampfes war in Pauleys Pavillon, da lag Regina Weber auf Rang zwölf – nicht besonders gut für eine Favoritin. Alle Gedanken an Gold waren zerronnen. Am Ende hing doch noch die Bronzemedaille um ihren Hals, Lohn einer unvergleichlichen Aufholjagd. Regina Weber war mit 57,70 Punkten nur der bis dahin völlig unbekannten Kanadierin Cori Fung mit 57,95 und eben Doina Staiculescu mit 57,90 unterlegen.

Brücke in Gelb, mit rotem Ball. Leichtigkeit, Spannung und Ausdruckskraft beherrschen das Bild. Die Rhythmische Gymnastik war es, die solche Szenen bescherte. Mit Band, Keule, Reifen und Ball kämpften die Damen in dieser noch jungen Sportart erstmals um olympische Medaillen. – Nach anfänglichen Enttäuschungen konnte die deutsche Mitfavoritin Regina Weber doch noch den Bronzeplatz belegen.

Mit makellosen Übungen schließlich doch noch aufs Treppchen

Das beweist, was ihr möglich gewesen wäre in Los Angeles. Daß es nicht gelang, das hat viel mit dem Nervenkostüm der hübschen jungen Dame zu tun, mit einem Problem, an dem sie bei großen, internationalen Wettkämpfen schon oft gescheitert ist. In Los Angeles flog anfangs einmal die Keule weit heraus aus dem Geviert, dann fiel das Band zu Boden. „Sie nutzt ihre Chancen nicht", kritisierte Livia Medilanski. „Das ist eine große Enttäuschung für uns alle", sagte traurig die DTB-Bundesfachwartin Rosemarie Napp. Es war das alte Problem: Wenn es ernst wird im Wettkampf, wenn das große Publikum wartet und die Kampfrichterinnen ihre strengsten Gesichter aufsetzen, dann klappt nicht mehr viel bei Regina Weber.

Das ist freilich nur die halbe Wahrheit. Denn die Deutsche kann – zum Beispiel mit den Keulen – die schwersten Übungen der Welt zeigen, beherrscht sie im Training vollkommen. Und als sie plötzlich hinten lag in Los Angeles, als alles schon verloren schien, da kam dann doch die Stunde der Regina Weber, da schaffte es ihre Trainerin, sie aus dem Tief herauszulotsen, und die Gymnastin zeigte endlich einmal ihr wahres Können. Vor der abschließenden Keulen-Kür lag sie nach makellosen Übungen plötzlich auf Rang vier, mußte unter dem Druck, nur mit einer fehlerfreien Leistung noch eine Medaille gewinnen zu können, ihre Parade-Kür zeigen. Sie schaffte sogar das, wurde belohnt mit 9,70 Punkten und dann doch mit dem größten Erfolg ihrer zehnjährigen Karriere. Sie trat als Dritte aufs Ehrentreppchen. Von Tränen keine Rede mehr.

Rhythmische Gymnastik

Mehrkampf		Punkte
1. Cori Fung	CAN	57,950
2. Doina Staiculescu	ROM	57,900
3. Regina Weber	GER	57,700
4. Alina Dragan	ROM	57,375
5. Milena Reljin	YUG	57,250
6. Marta Canton	ESP	56,950
10. Claudia Scharmann	GER	56,250

„Paskes“ großer Coup

Mit Gold für Pasquale Passarelli, Silber für Markus Scherer sowie mit dem vierten Platz für den Freiburger Uwe Sachs im Halbschwergewicht und dem sechsten des Aschaffenburgers Fritz Gerdsmeier im Schwergewicht schnitten die bundesdeutschen Ringer im griechisch-römischen Stil beinahe so erfolgreich ab wie Rumänien, die USA und Japan. Am meisten freuten sie sich natürlich über „Paskes“ großen Coup.
Ein Nasenbeinbruch, eine Rißwunde am rechten Augenlid und ein lädiertes linkes Auge – nichts konnte Pasquale Passarelli, den kleinen, 1,64 m großen Bantamgewichtler, vom Olympia-Gold abhalten. Die größten Blessuren zog sich der Wahl-Nürnberger aus dem pfälzischen Ludwigshafen mit italienischer Abstammung schon in der Vorrunde zu. Mit dem starken Rumänen Nicolae Zamfir lieferte er sich eine wahre Mattenschlacht. Beide bluteten und mußten mehrmals den Arzt konsultieren; quälend lange zog sich das Ringen um jeden Millimeter Boden dahin, ehe die Kampfrichter den Osteuropäer zum vierten Mal verwarnten und Passarelli zum Disqualifikationssieger erklärten. „Das macht alles nichts“, winkte er kurz ab, als er gefragt wurde, ob denn die Verletzungen nicht zu schwerwiegend wären. „Ich ringe nicht mit der Nase!“

Nie ans Aufgeben gedacht

Da wußte Passarelli noch nicht, daß ihm im Finalkampf noch eine Tortur besonderer Art bevorstand. Mit 8:2 Punkten ging er relativ leicht gegen den Japaner Masaki Eto in Führung, und die Sache schien gelaufen. Da leistete sich der 27jährige eine kleine Unachtsamkeit, wurde von Eto mit einem Kopfhüftzug gekontert und in die bedrohlichste aller Ringerlagen befördert, die sogenannte Brücke. Eineinhalb Minuten harrte er dort aus, bis zum Ende der Kampfzeit von sechs Minuten, ein Häufchen Elend zwar nur noch, doch mit 8:5 Punkten Olympiasieger. Mit dem rechten Ellbogen – der linke ist schon lange lädiert – verhinderte Passarelli, daß ihn der Japaner endgültig auf beide Schultern zwang.
Als die Leidenszeit vorüber war, mußten ihn Bundestrainer Heinz Ostermann und seine Kameraden von der Matte tragen. „Eine fast unmenschliche Leistung“, zollte Ostermann seinen Respekt. Die linke Hand des Olympiasiegers war auch nach zwei Stunden noch wie abgestorben, kalt wie Eis. „Alles taub“, sagte Passarelli lakonisch. „Der Japaner hat meinen Kopf und meine Arme so zusammengedrückt, daß das Blut in den Adern stockte.“ Doch ans Aufgeben habe er gleichwohl nie gedacht. „Als die Uhr 1:11 zeigte, dachte ich zum ersten Mal, das hältst du durch. Ich hätte mir eher den Arm abhacken lassen, als aufzugeben.“ Die erste Goldmedaille seit jener des Wilfried Dietrich im Jahre 1960 für den Deutschen Ringer-Bund, die fünfte für einen Deutschen, war der verdiente Lohn.
Da waren all die Verletzungen leicht zu verschmerzen, mit denen Pasquale Passarelli gelernt hat zu leben. Seine Geschichte liest sich wie ein ärztliches Bulletin: Außenbandabriß am Fußgelenk rechts, Adduktorenabriß, Sprengung und Abriß des Schultereckgelenks links, Kapsel- und Bänderriß im linken Ellbogen. Zwei Jahre hatte der Welt- und Europameister von 1981 aussetzen müssen und wegen der bewußten Ellbogenverletzung im Mai nicht zum EM-Finale antreten können. Die Schmerzen waren einfach zu groß. Des großen Ziels Olympia wegen verzichtete der Versicherungskaufmann gleichwohl auf eine Operation, nach der Devise: „Ärzte verschenken Medaillen, ich nicht!“

In die Brücke gegangen ist auch der Ringer in der Bodenlage. Sein Gegner versucht sie einzudrücken. Erdverbundenheit und Kraft strahlt der Ringkampf aus. Auch hier ist der Boden das Medium der sportlichen Auseinandersetzung. Der Ringkampf, eine der ältesten Sportarten, stand schon 1896 in Athen auf dem Programm.

An Passarellis Gold klebt auch keineswegs der Makel des Boykotts. Er hat oft genug gezeigt, daß er auch gegen Ostblock-Athleten bestehen kann. „Der Japaner ist schließlich im Vorjahr in Kiew gegen den Sowjetrussen Kamil Fatkulin Weltmeister geworden“, zog Bundestrainer Ostermann das Resümee, nachdem es Passarelli gelungen war, eine goldene Brücke zu bauen.
Der im süditalienischen Gambatesa geborene zweite von drei ebenfalls zu Ringer-Mei-

Der schier unmenschliche Kampf des Pasquale Passarelli

sterehren gekommenen Brüdern zog mit fünf Jahren mit seinen Eltern nach Ludwigshafen, durchlief die dortige Ringerschule, erlernte das Kfz-Handwerk und wechselte dann ins benachbarte Schifferstadt, wo ihm Rolf Krauß und Hans-Jürgen Veil als Trainingspartner zur Verfügung standen. „Ihnen verdanke ich viel", bedankte er sich nachträglich.

Aus Schifferstadt beziehungsweise Ludwigshafen stammt auch Markus Scherer, der nicht ganz so viel Glück hatte wie Passarelli, der aber auch mit Silber im Papiergewicht recht zufrieden sein durfte. Allerdings nicht mit der Art und Weise, wie seine Finalniederlage gegen den Italiener Vicenzo Maenza zustande kam. „Ich war plötzlich unten, und dann ging alles sehr schnell", ließ der 22jährige gelernte Bauschlosser später seine Blitzniederlage Revue passieren.

Bereits nach 20 Sekunden schickte der Mattenleiter den Deutschen, der mit 68 Wertungspunkten zuvor der aktivste Ringer des Turniers gewesen war, wegen Passivität in

die Bodenlage. Und der gleichaltrige Italiener nutzte die Gelegenheit: Ein Durchdreher, eine Serie von Überwürfen, es stand 12:0, und Maenza war nach 1:59 Minuten am Ziel, noch ehe Scherer einen einzigen seiner gefürchteten Schleuderwürfe ansetzen konnte. Wie ein Bündel Federn wirbelte der Italiener den nur 48 Kilo schweren Deutschen über die Matte. Da gab es kein Entrinnen. „Ich habe 14 Pfund abtrainieren müssen", wußte Markus Scherer, der ebenfalls noch zwei im Ringen erfolgreiche Brüder hat, nur eine Erklärung für das Mißgeschick, „das hat viel Kraft gekostet." Sieben Kilogramm hatte er in den zurückliegenden vier Wochen „abkochen" müssen, bei nur 1,50 Meter Größe ein überaus schmerzliches Unterfangen.

Warnung mißachtet

Eigentlich hätte Markus Scherer gewarnt sein müssen vor den Qualitäten des Italieners in der Bodenlage. Erst drei Monate zuvor hatte Maenza, der dynamische Mann aus

„Als die Uhr 1:11 zeigte, dachte ich zum ersten Mal, das hältst du durch. Ich hätte mir eher den Arm abhacken lassen, als aufzugeben", sagte Pasquale Passarelli nach dem Sieg, der ihm die Goldmedaille brachte. – Wenn es im Ringen so etwas wie einen Kampf des Jahrzehnts gibt, Pasquale hätte ihn gekämpft. Etwa eineinhalb Minuten hatte ihn der Weltmeister Masaki Eto aus Japan im Schwitzkasten und versuchte seine Brücke einzudrücken. Vergeblich, der Deutsche hielt durch.

Faenza, seinen älteren Bruder Bernd geschultert und war Europameisterschafts-Dritter geworden.
Das Freistil-Turnier im Convention Center von Anaheim verlief für die Athleten des DRB nicht ganz so erfolgreich. Während sich die US-Kämpfer in einen richtigen Siegesrausch hineinsteigerten, sich sieben von zehn Goldmedaillen schnappten, mußten sie mit Silber für den ehemaligen Weltmeister Martin Knosp zufrieden sein. „Mattensprinter" Knosp, ein 24jähriger aus Urloffen im Schwarzwald, spurtete mit der gewohnten Schnelligkeit ins Weltergewichts-Finale, schulterte problemlos die ersten fünf Gegner in insgesamt 8:08 Minuten. Doch dort bremste ihn ein Stärkerer, der amerikanische Weltmeister Dave Shultz, gegen den er vorher schon zweimal unterlegen war. Ein Kopfstoß des ganz und gar nicht zimperlichen Shultz, dessen Bruder Mark im Mittelgewicht triumphierte, setzte den Anfang vom Ende der Knospschen Blütenträume. Der 25jährige Shultz wurde dafür nach 1:15 Minuten verwarnt, als er Knosps Augenbraue aufplatzen ließ, tauchte aber kurz darauf blitzschnell zum Beinangriff hinab und war auch nach dem zwischenzeitlichen 1:1 nicht mehr zu bremsen. Knosp sprach zwar später davon, daß ihn die Blessur nicht sonderlich behindert oder gar seine 1:4-Niederlage verursacht habe, ein bitterer Nachgeschmack blieb jedoch. „Der Kopfstoß hat Martin aus dem Rhythmus gebracht", sagte Bundestrainer Ostermann.

Keine zwei Minuten dauerte der Traum von der goldenen Medaille. Im Finale besiegte Vicenzo Maenza (rot) aus Italien Markus Scherer (blau) und holte sich Gold im Papiergewicht.

„Unseren jungen Leuten fehlt einfach noch die Nervenstärke"

„Wir haben mit drei Medaillen unser Ziel erreicht", zog Ostermann das Fazit. Gegen neunmal Gold der US-Boys wirkte das aber nicht eben üppig, berücksichtigt man das Fehlen der Asse aus dem Ostblock und Kuba.
„Unseren jungen Leuten fehlt einfach noch die nötige Nervenstärke, Härte und Schmerzunempfindlichkeit", bemängelte der Bundestrainer. Das zeigte sich zuletzt auch an dem 21jährigen Mittelgewichtler Reiner Trik aus Winzeln im Schwarzwald. Das Finale gegen Mark Shultz verpaßte er, als er nach einer 3:0-Führung gegen den Japaner Hideyoki Nagashima noch 3:6 verlor. Im Duell um Bronze mit dem Kanadier Chris Rinke verließen ihn die Kräfte. Seine Beinattacken verpufften wirkungslos, so daß er nach der 2:5-Niederlage mit Rang vier zufrieden sein mußte. Aus der Traum für den EM-Zweiten!

Er fand erst im Finale seinen Meister. Erwin Knosp verlor zum 3. Mal gegen Dave Shultz.

Ergebnisse Ringen Griechisch-Römisch

Papiergewicht · bis 48 kg

1. Vicenzo Maenza	ITA
2. Markus Scherer	GER
3. Ikuzo Saito	JPN
4. Salih Bora	TUR
5. Kent Andersson	SWE
6. Jun Dae-Jee	KOR

Fliegengewicht · bis 52 kg

1. Atsuji Miyahara	JPN
2. Daniel Aceves	MEX
3. Dae-Du Bang	KOR
4. Richa Hu	CHN
5. John Rönningen	NOR
6. Taisto Halonen	FIN

Bantamgewicht · bis 57 kg

1. Pasquale Passarelli	GER
2. Masaki Eto	JPN
3. Haralambos Holidis	GRE
4. Nicolae Zamfir	ROM
5. Frank Famiano	USA
6. Benni Lungbeck	SWE

Federgewicht · bis 62 kg

1. Weon-Kee Kim	KOR
2. Kentolle Johansson	SWE
3. Hugo Dietsche	SUI
4. Abdurahim Kuzu	USA
5. Douglas Yeats	CAN
6. Salem Bekhit	EGY

Leichtgewicht · bis 68 kg

1. Vlado Lisjak	YUG
2. Tapio Sipila	FIN
3. James Martinez	USA
4. Stefan Negrisan	ROM
5. Dietmar Streitler	AUT
6. Mohamed Mutei Alnakdali	SYR

Weltergewicht · bis 74 kg

1. Jouko Salomäki	FIN
2. Roger Tallroth	SWE
3. Stefan Rusu	ROM
4. Nam-Young Kim	KOR
5. Karolj Kasap	YUG
6. Martial Mischler	FRA

Mittelgewicht · bis 82 kg

1. Ion Draica	ROM
2. Dimitrios Thanopoulos	GRE
3. Sören Claeson	SWE
4. Momir Petkovic	YUG
5. Jarmo Overmark	FIN
6. Mohamed El-Ashram	EGY

Halbschwergewicht · bis 90 kg

1. Steven Fraser	USA
2. Ilie Matei	ROM
3. Frank Andersson	SWE
4. Uwe Sachs	GER
5. Jean-François Court	FRA
6. George Pozidis	GRE

Schwergewicht · bis 100 kg

1. Vasile Andrei	ROM
2. Greg Gibson	USA
3. Jozef Tertelje	YUG
4. George Pikilidis	GRE
5. Fritz Gerdsmeier	GER
6. Franz Pitschmann	AUT

Superschwergewicht · über 100 kg

1. Jeffrey Blatnick	USA
2. Thomas Johansson	SWE
3. Refik Memisevic	YUG
4. Viktor Dolipschi	ROM
5. Panavotis Pikilidis	GRE
6. Hassan El-Hadad	EGY

Freistil

Papiergewicht

1. Robert Weaver	USA
2. Takashi Irie	JPN
3. Son-Gab Do	KOR
4. Gao Wenhe	CHN
5. Reiner Heugabel	GER
6. Kent Andersson	SWE

Fliegengewicht

1. Saban Trstena	YUG
2. Jong-Kiu Kim	KOR
3. Yuji Takada	JPN
4. Ray Takahashi	CAN
5. Aslan Seyhanli	TUR
6. Mahavir Singh	IND

Bantamgewicht

1. Hideaki Tmiyami	JPN
2. Barry Davis	USA
3. Eui-Kon Kim	KOR
4. Caceres	PUR
5. R. Sing	IND
6. Sorov	YUG

Federgewicht

1. Randy Lewis	USA
2. Kosei Akaishi	JPN
3. Jung-Keun Lee	KOR
4. Chris Brown	AUS
5. Martin Herbster	GER
6. Antonio la Bruna	ITA

Leichtgewicht

1. In-Tak You	KOR
2. Andrew Rein	USA
3. Jukku Rauhala	FIN
4. Masakazu Kamimura	JPN
5. Zsigmond Kelevitz	AUS
6. Fevzi Seker	TUR
7. Erwin Knosp	GER

Weltergewicht

1. David Shultz	USA
2. Martin Knosp	GER
3. Saban Sejdi	YUG
4. Rajender Singh	IND
5. Naomi Higuchi	JPN
6. Myung-Woo Han	KOR

Mittelgewicht

1. Mark Shultz	USA
2. Hideyoki Nagashima	JPN
3. Chris Rinke	CAN
4. Reiner Trik	GER
5. Tae-Woo Kim	KOR
6. Kenneth Reinsfield	NZL

Halbschwergewicht

1. Ed Banach	USA
2. Akira Ota	JPN
3. Noel Loban	GBR
4. Clark Davis	CAN
5. Macauley Appah	NGR
6. Ismail Temiz	TUR

Schwergewicht

1. Lou Banach	USA
2. Joseph Atiyeh	SYR
3. Vasile Puscasu	ROM
4. Hayri Sezgin	TUR
5. George Pikilidis	GRE
6. Tamon Honda	JPN

Superschwergewicht

1. Bruce Baumgartner	USA
2. Bob Molle	CAN
3. Ayhan Taskin	TUR
4. Hassan El Haddad	EGY
5. Mamadou Sakho	SEN
6. Vasile Andrei	ROM

Wenn die Finger des Kämpfers keinen Halt mehr finden. Ringen, Bergsteigen im sechsten Grad.

30 Sekunden vor Schluß wischte der Südkoreaner Hyoung-Zoo Ha dem Favoriten Günther Neureuther die Beine weg und siegte durch diesen Wertungspunkt.

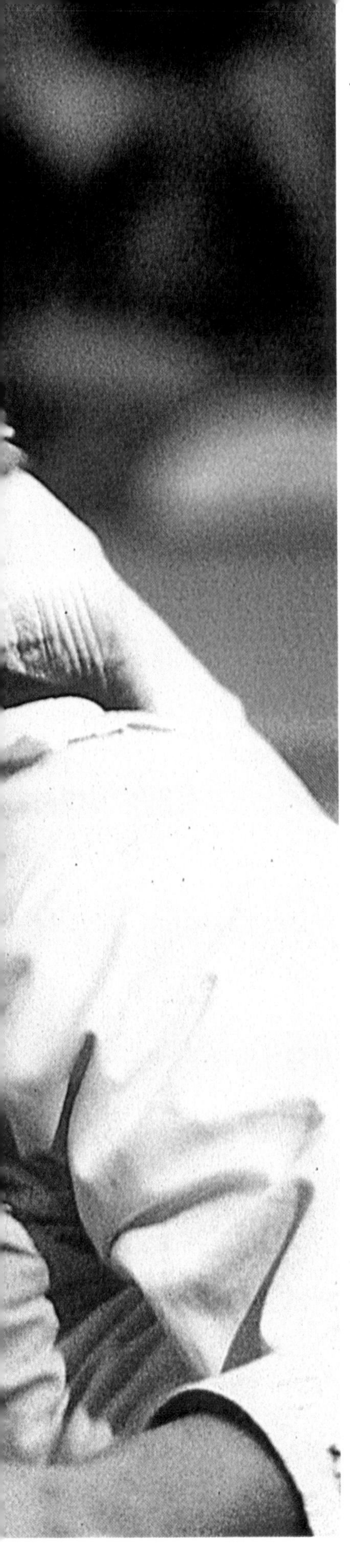

Ein Seionage brachte die Wende

Das olympische Judoturnier steckte voller Überraschungen. Anfangs trumpften zwar die Japaner wie gewohnt in ihrer ureigenen Domäne auf, ließen sich das Gold in den beiden untersten Gewichtsklassen nicht nehmen, doch dann lief beinahe nichts mehr programmgemäß. Es kamen große Tage der Weißkittel aus Südkorea, für die größte Überraschung aber sorgte ein Deutscher: Frank Wieneke aus Hannover, der für den VfL Wolfsburg kämpft, stellte mit einem Schulterwurf (japanisch: Seionage) alle Prognosen auf den Kopf. Schon sein Vordringen in das Halbmittelgewichts-Finale war sensationell genug, daß er auch noch den britischen Welt- und Europameister, den Olympiazweiten von 1980, Neil Adams, bezwingen würde, das hätte vorher jeder Fachmann ins Reich Utopia verwiesen. Doch Wieneke gelang dieses Kunststück gegen den besten nichtjapanischen Judotechniker mit einem simplen Schulterwurf.

Am meisten hat sich Frank Wieneke mit dem Olympiasieg selbst überrascht. „Ich hätte überhaupt nie damit gerechnet, nur eine Plazierung zu machen", verriet er nachher. „Ich hatte während des Kampfes gar nicht mal so'n gutes Gefühl."

Ausgerechnet Frank Wieneke, erst 1984 zum internationalen deutschen Meister aufgestiegen und 1983 Zweiter bei den nationalen Titelkämpfen, beendete die Gold-lose Zeit des Deutschen Judo-Bundes. Seit 1964, als Judo in Tokio erstmalig auf dem olympischen Programm stand, hatten seine Kämpfer nur fünf Medaillen gewonnen, dreimal Silber und zweimal Bronze.

Alle Attacken des blitzschnellen und gewandten Briten Neil Adams wehrte Frank Wieneke im Finale aufmerksam ab. „Ich wußte, wie er kämpft", sagte er, als sei dies eine schiere Selbstverständlichkeit. Das taktische Konzept, das er mit den beiden Bundestrainern Heiner Metzler und Albert Verhülsdonk ausgeheckt hatte, das habe „ganz gut geklappt".

„Plötzlich machte er einen zu großen Schritt zurück, da habe ich ihn mir gegriffen", schilderte er den entscheidenden Moment des Finalkampfes. Nach 4:04 Minuten setzte er blitzschnell seine Spezialität, den Schulterwurf, an, und der überraschte Brite landete mit Schwung auf dem Rücken – Ippon, voller Punkt, die Entscheidung.

Stets während dieses Turniers habe er sich nur „konzentriert auf den nächsten Kampf", erklärte sich Frank Wieneke selbst den unverhofften Erfolg, nicht in der Halle die Kämpfe der Konkurrenten verfolgt, sondern draußen abgeschaltet. Der Gewinn der Goldmedaille fiel ihm leichter als der lange Weg ins Finale. Da mußte er viel Schweiß vergießen, ehe er Gaston Oula von der Elfenbeinküste mit einem Schenkelwurf, den Japaner Hiromitsu Takano durch Fußwurf, Mohamed Walid aus Ägypten durch Schulterwurf, Kevin Doherty (Kanada) durch zwei Verwarnungen und schließlich den WM-Dritten Mircea Fratica im härtesten Gefecht durch Kampfrichter-Entscheid hauchdünn mit 2:1 Kampfrichterstimmen bezwungen hatte. Als schwere Prüfungen erwiesen sich dann nur noch die Dopingkontrolle und die Siegerehrung, über die er berichtete: „Ich hab' mich kaum auf dem Podest halten können. Ich hab' das alles nicht so richtig mitbekommen." Doch ändern, so glaubt er, wird sich durch den Olympiasieg in seinem Leben nichts: „Es geht genauso weiter jetzt." Nämlich mit dem Studium.

„Du stehst da oben, siehst die Fahne, hörst die Nationalhymne – aber der Kopf ist leer." So beschrieb Überraschungssieger Frank Wieneke seine Gefühle während der Siegerehrung.

Frank Wienekes Glück war das Pech des Günther Neureuther. „Dieses Gold hat Günthers Stimmung gedrückt", ließ Klaus Glahn wissen, der vor Neureuther der erfolg-

Judo

Superleichtgewicht · bis 60 kg

1. Shinji Hosokawa	JPN
2. Jae-Jup Kim	KOR
3. Edward Liddie	USA
3. Neil Eckersley	GBR

Halbleichtgewicht · bis 65 kg

1. Yoshiyuki Matsuoka	JPN
2. Jung-Oh Hwang	KOR
3. Josef Reiter	AUT
3. Marc Alexandre	FRA

Leichtgewicht · bis 71 kg

1. Ahn-Beyong Keun	KOR
2. Ezio Gamba	ITA
3. Luis Onmura	BRA
3. Kenneth Brown	GBR

Halbmittelgewicht · bis 78 kg

1. Frank Wieneke	GER
2. Neil Adams	GBR
3. Mircea Fratica	ROM
3. Michel Novak	FRA

Mittelgewicht · bis 86 kg

1. Peter Seisenbacher	AUT
2. Robert Berland	USA
3. Walter Carmona	BRA
3. Seiki Nose	JPN

Halbschwergewicht · bis 95 kg

1. Hyoung-Zoo Ha	KOR
2. Douglas Vieira	BRA
3. Günther Neureuther	GER
3. Bjarni Fridriksson	ISL

Schwergewicht · über 95 kg

1. Hitoshi Saito	JPN
2. Angelo Parisi	FRA
3. Mark Berger	CAN
3. Yong-Chul Cho	KOR

Allkategorie (offene Klasse)

1. Yasuhiro Yamashita	JPN
2. Mohamed Rashwan	EGY
3. Artur Schnabel	GER
3. Mihai Cioc	ROM

Frank Wieneke gewann die erste Goldmedaille im Judo bei Olympischen Spielen für die Bundesrepublik. Wenn man noch die dritten Plätze von Günther Neureuther im Halbschwergewicht und Artur Schnabel in der Allkategorie hinzurechnet, so können die deutschen Judokas zufrieden sein. In der inoffiziellen Länderwertung liegt Deutschland als bestes europäisches Team hinter Japan und Südkorea an dritter Stelle.

reichste bundesdeutsche Judoka gewesen war und heute als Vizepräsident die sportlichen Geschicke des Judo-Bundes lenkt. „Er konnte ja nur noch mit Frank gleichziehen.“ Und das ist dem frischen Europameister dann prompt mißlungen.

Dabei hatte sich alles recht gut angelassen. Zwar habe er sich „die ganze Zeit nicht so gut gefühlt“, ließ Neureuther durchblicken, die Vorrunde überstand der 28jährige Münchner Bereitschaftspolizist aber in strammer Haltung. Überdies profitierte er davon, daß seine vermeintlich stärksten Kontrahenten, Olympiasieger Robert van de Walle aus Belgien, sein Angstgegner Robert Köstenberger aus Österreich, Robert Vachon aus Frankreich und auch der Japaner frühzeitig scheiterten. „Ich hab' starken psychischen Druck auf mir gefühlt“, klagte der vielmalige deutsche Meister. Als er bei den Europameisterschaften erstmalig van de Walle bezwungen hatte, da machten ihn alle schon zum Olympiasieger.

Dem Erfolgsdruck ist er schließlich im Kampf um den Einzug ins Finale erlegen, weniger dem Koreaner Hyoung-Zoo Ha. 1976 in Montreal schon Silbermedaillengewinner, schien Neureuther schon Silber im Halbschwergewicht sicher, als er mit einer kleinen Wertung (Koka) in Führung ging und der Asiate schon am Ende seiner Kräfte schien: „Ich wußte, daß er nicht besonders konditionsstark ist.“ Da legte der Koreaner, ein „rechtes Schlitzohr“, wie Trainer Gerd Egger wußte, eine Verletzungspause ein. Und dann stand Ha auf, setzte 30 Sekunden vor Schluß eine Fußsichel an, bekam eine etwas höhere Wertung als Neureuther (Yuko) gutgeschrieben und zog ins Finale ein. Dort hatte er mit dem 18jährigen Brasilianer Douglas Vieira keinerlei Mühe, während der enttäuschte Neureuther nur noch um Bronze kämpfen durfte. Die erstritt er gegen den Kanadier Joe Meli zwar souverän, freuen konnte er sich aber nicht mehr darüber, wo Gold da so nahe gewesen war.

„Es ist schon sehr enttäuschend, daß ich zu dem Zeitpunkt noch eine Wertung abgegeben hab'“, zog Günther Neureuther bitter Fazit. Da war es auch kein Trost, daß er 1981 bei der Weltmeisterschaft gegen den schlauen Hyoung-Zoo Ha „noch deutlicher verloren“ hatte.

Nachdem der zweite Europameister des DJB, Schwergewichtler Axel von der Gröben (Wolfsburg), schon in der Vorrunde ausgeschieden war, setzte ausgerechnet der 35jährige Mannheimer Artur Schnabel einen effektvollen Schlußpunkt. Nur gegen den überragenden japanischen Sieger Yamashita unterlag der selbständige Konditormeister, eine Art Edelamateur, doch in der Trostrunde griff er sich noch Bronze, als er im Duell mit dem Franzosen Laurent del Colombo von den Kampfrichtern zum 2:1-Sieger gekürt wurde. Trotz einer Beinverletzung, die ihn stark behinderte, marschierte der große Yamashita zielstrebig zum Gold, dem dritten für die Japaner, die viel von ihrer einstigen Überlegenheit eingebüßt haben.

WASSERBALL

Nervlich „baden gegangen“

Eine Bronzemedaille und doch gescheitert. Die bundesdeutschen Wasserballer wollten im olympischen Turnier Gold gewinnen, und sie hätten es wohl auch gekonnt. „Hier war eigentlich viel mehr drin“, kommentierte Sportwart Bodo Hollemann. „Die Spieler könnten sich jetzt sicherlich in den Hintern beißen.“

Die große Chance vertaten Hollemanns Wasser-Männer vor allem im Spiel gegen Jugoslawien, dem dritten in der Endrunde. Da setzte es eine 9:10-Niederlage, und die Deutschen hatten auf einmal nur 3:3 Punkte, während sich vorne in der Tabelle die USA und Jugoslawien duellierten. Zwischen diesen beiden gab es im letzten Spiel der Runde sogar ein wirkliches, spannendes Endspiel, das 5:5 endete. Jugoslawien war damit Olympiasieger der besseren Tordifferenz wegen, die Amerikaner blieben ungeschlagen nur Zweite. Die Deutschen holten sich mit einem 15:2 gegen die Niederlande wenigstens noch Bronze – „ein geringer Trost“, wie Hollemann fand. Denn sogar um den dritten Platz hatte man bangen müssen, weil im vorletzten Spiel gegen die USA eine weitere 7:8-Niederlage die Deutschen zurückgeworfen hatte.

Kein Fortschritt also, verglichen mit jenem enttäuschenden fünften Platz bei der Europameisterschaft 1983 in Rom, als die Männer aus dem Deutschen Schwimm-Verband den fünften Rang belegt hatten – bei Beteiligung von Weltmeister UdSSR und Rekord-Olympiasieger Ungarn. Was fehlt den Deutschen denn bloß zum Erfolg?

„Insgesamt“, versuchte sich Hollemann an einer Antwort, „fehlten uns nur 20 Sekunden zur Teilnahme am Kampf um Gold.“ Armando Fernandez und Rainer Osselmann hatten jeweils einige Wimpernschläge vor Schluß gegen USA und Jugoslawien den Ausgleich vertan, die Schiedsrichter hatten beim 8:8 gegen Spanien in den letzten zehn Sekunden den deutschen Erfolg verhindert.

Aber bleibt eine solche Antwort nicht zu sehr an der Oberfläche? Hollemann selbst tauchte tiefer, als er nach der Jugoslawien-Niederlage „eine exakte Parallele zu Rom“ entdeckte. An ihren schwachen Nerven waren sie dort gescheitert, und auch diesmal beobachtete der Sportwart: „Die haben schon eine nasse Badehose, bevor sie ins Wasser springen.“ Masseur Peter Bohleder aus Berlin hieb in die gleiche Kerbe: „Das Spiel ist nur psychisch verloren worden. Körperlich sind die Jungs topfit, aber manche schaffen es einfach nicht, die Spieler nervlich richtig einzustellen. So haben wir schon in Rom alles vergeigt, und hier ist es wieder so.“

Wer aber ist „manche“? Am Ende des Turniers konzentrierte sich die Kritik wieder einmal auf Bundestrainer Nicolae Firoiu, der schon durch seine konzeptionslose Art der Aus- und Einwechslung von Spielern für viel Verwirrung sorgte, die Mannschaft nicht in einen wirklichen Spielfluß kommen ließ. Hollemann bemängelte darüber hinaus, daß Firoiu vorwiegend einen Stamm von älteren Spielern einsetzte, statt der Mannschaft eine breitere Basis zu geben, wie es in 24 vorangehenden Länderspielen des Jahres 1984 schon ganz gut gelungen war. „Warum der Nico jetzt wieder Bedenken hat“, rätselte der Funktionär, „kann ich einfach nicht verstehen.“

Auch Firoiu freilich hatte für seine Schwierigkeiten Erklärungen nicht anzubieten. „Ich bin total durcheinander. Schade, daß ich in der Hosentasche keinen Zettel mit der Lösung meines Problems habe.“

Vergeblich zu stoppen versuchten die deutschen Wasserballer die Amerikaner: Hier einer der stärksten Deutschen, Hagen Stamm (l.), im Abwehrkampf. Heimvorteil und Schiedsrichter sicherten das 8:7 für die Gastgeber.

Endstand

Wasserball

1. YUG	47:33	9:1
2. USA	43:34	9:1
3. GER	49:34	5:5
4. ESP	42:46	4:6
5. AUS	38:48	3:7
6. HOL	25:48	0:10

Die chinesische Mauer wankte nicht

Auch Gudrun Wittes Schmetterball nutzte nichts. Die US-Girls besiegten die deutschen Volleyballerinnen, scheiterten aber ihrerseits im Finale an den Chinesinnen.

Der Lockruf des Goldes: Ihm sind ein Dutzend amerikanischer Girls vor sechs Jahren erlegen. Sind bedingungslos einem Mann gefolgt, der ihnen den Olympiasieg im Volleyball versprach: Arie Selinger, ein israelischer Trainer. Es war blindes Vertrauen, denn die Amerikanerinnen spielten international keine Rolle.

Selinger herrschte wie ein Zuchtmeister. Er zog mit den Mädchen in ein ständiges Trainingslager. Schule, Beruf, Freund? Dem mußten sie abschwören; dafür blieb keine Zeit. Ihre Liebe gehörte fortan dem Volleyball, ihre Bewunderung ihrem Trainer, und für ihr Auskommen sorgte ein Sponsor. Der war glücklich, jährlich eine Million Mark über den Tisch schieben zu können.

Der erste Teil des Plans ging auf. Das Team qualifizierte sich für die Spiele in Moskau. Der Boykott traf die Mannschaft wie ein Schock. Die Hälfte gab enttäuscht auf, der Rest folgte Selinger weiter in blindem Gehorsam. Terry Place ausgenommen, die jetzt Brandel heißt, beim SV Lohhof München spielt und Deutsche geworden ist. Sie saß beim olympischen Turnier wegen einer Verletzung meist draußen. Der Trainer trieb seine Schülerinnen in die Weltspitze. In Los Angeles schmetterten sie sich ins Finale. Gold schien greifbar, nach sechs Jahren Schinderei. Und dann war nach 82 Minuten alles vorbei. Im Finale scheiterte das US-Team in der Convention Hall zu Long Beach an der chinesischen Mauer, verlor 3:0 (16:14, 15:3, 15:9). Alle haben sie geweint und versichert, das seien Freudentränen über den Gewinn der Silbermedaille. Vielleicht haben sie auch ihrer verlorenen Jugend nachgetrauert. Acht sind älter als 25, die farbige Flo Hyman, Star der Mannschaft, ist während des Turniers 30 geworden.

Dann sind alle ihrer Wege gegangen. Da gab es Angebote italienischer Vereine, auch eines für Debbie Green (26) vom bundesdeutschen Meister SV Lohhof. So zahlt sich auch Silber aus.

Wir im Westen zeigen gern mit dem Finger gen Osten, wenn von professionell betriebenem olympischen Sport die Rede ist. Die Amerikanerinnen haben sechs Jahre nichts anderes getan als Volleyball spielen; die japanischen Olympiasiegerinnen von 1964, eine Werksmannschaft, hatten dieselbe Erfolgsmasche gestrickt. Und Andrzej Niemczyk, Trainer der bundesdeutschen Mannschaft und des SV Lohhof, würde nichts lieber tun, als dort anzuknüpfen.

Immerhin erkämpfte sich sein Team Rang sechs, hinter Bronzemedaillengewinner Japan, dem WM-Zweiten Peru und Südkorea, das im Kampf um Platz fünf 3:0 (15:10, 15:10, 15:2) gewann. Besiegt wurden Brasilien und Kanada, Niederlagen setzte es gegen die USA, China und schließlich Südkorea. „Was wir hier erreicht haben, langt in anderen Sportarten schon für eine Medaille“, behauptete Niemczyk, der sein Team allerdings nicht überschätzt. „Die ersten Vier der letzten Weltmeisterschaft waren hier dabei. Wenn man den Ostblock dazurechnet, liegen wir ungefähr auf Platz zehn in der Welt.“ Und das sei schon was, angesichts von 148 Millionen Menschen, die Volleyball spielen. Fußball folgt in der Rangliste der beliebtesten Sportarten erst an siebenter Stelle. Niemczyk zog einen süffisanten Vergleich mit den bundesdeutschen Olympiafußballern: „Soviel wie die tranieren, verdienen wir Volleyballer. Und soviel, wie die verdienen, wird bei uns trainiert.“ Am Morgen der Spieltage setzte Niemczyk bisweilen zweistündige Trainingseinheiten an. In Los Angeles war Andrzej Niemczyk zufrieden. „Aber nicht sehr. Richtig zufrieden bin ich erst, wenn ich Weltmeister werde.“ In sechs, sieben Jahren etwa könne das sein. Das hat Arie Selinger auch versprochen. Niemczyk lebt für Volleyball. Da kennt er keine Rücksichten. In Polen ging seine erste Ehe mit einer Nationalspielerin in die Brüche. Seine zweite Frau spielt beim SV Lohhof, seine Tochter in der polnischen Jugendauswahl. Was er sich selbst abverlangt, fordert er auch von anderen. Wer nicht spurt, der fliegt. Regina Vossen wechselte vom SV Lohhof zu Viktoria Augsburg und darf ein Jahr lang darüber nachdenken, daß sportlicher Abstieg unverzeihlich ist. Ruth Holzhausen und Birgitta Rühmer wurden ausgemustert. Sylvia Meiertön-Laug und Danuta Niemitz waren Niemczyk schon vorher davongelaufen.

Der SV Lohhof, das Ziehkind des Verbandspräsidenten Roland Mader, bleibt die Kaderschule der Volleyballerinnen. Ihnen geht es künftig besser. Helmut Meyer, Direktor des Bundesausschusses für Leistungssport (BAL), hat mehr Sporthilfe versprochen, und einen besseren Vertrag für Andrzej Niemczyk. Sein nächstes Ziel: Vierter bei der Europameisterschaft 1987, zugleich die Qualifikation für Olympia 1988 in Seoul.

Davon können die bundesdeutschen Volleyballer nur träumen. Sie sind drittklassig geblieben, in Los Angeles nicht dabeigewesen, wo sich die Mannschaft der USA überraschend mit einem 3:0-(15:6, 15:6, 15:7)-Finalsieg über den Weltmeisterschaftszweiten Brasilien die Goldmedaille sicherte.

Gute Niederlage

Über die amerikanischen Sportler ist bei ihren olympischen Heimspielen in Los Angeles ein Goldregen niedergegangen. Die sichersten Medaillen waren für die Basketballer der USA reserviert. Im Finale haben die Ballkünstler Katz und Maus gespielt mit den Spaniern und 96:65 gewonnen. Es war der neunte Erfolg im elften olympischen Basketballturnier. „1972 in München, bei unserer einzigen olympischen Niederlage gegen die Russen, hat man uns Gold gestohlen. Gegen diese Mannschaft hätten auch die Russen nicht den Hauch einer Chance gehabt", versicherte Trainer Bobby Knight, dem seine Boys die abmontierten Korbnetze über den Kopf zogen. Seine Mannschaft hat er danach gleich verabschieden können. Die meisten wechselten ins Lager der Profis, wie der 1,95 m große Michael Jordan. Von dem hat der spanische Trainer Miguel Diaz bewundernd erzählt: „Er kommt durch die Luft daher wie ein Flugzeug."

Die bundesdeutschen Basketballer haben auch mitmachen dürfen und erst mal kräftig verloren gegen Jugoslawen und Italiener, was nicht überraschend kam, aber dann auch noch gegen die Australier. Danach mußte Ägypten als Prügelknabe herhalten (85:58), wobei die drei USA-Studenten Christian Welp (14), Detlef Schrempf (10) und Uwe Blab (10) fleißig punkteten. Und tatsächlich gelang mit einem 78:75-Sieg über Brasilien der Einzug in die Finalrunde, vor allem dank der 36 Punkte von Schrempf.

Nummer 12 Wayman Tisdale erzielt einen Korb zum 104:68-Vorrundensieg gegen Uruguay. Die US-Amerikaner gewannen unangefochten das olympische Basketballturnier. Wer hätte sie auch schlagen sollen? Daß auch die US-Mädchen die Goldmedaille im Spiel unter dem Korb gewannen, versteht sich fast von selbst. Ihren Dribbelkünsten und ihrer Treffsicherheit waren auch die Ostasiatinnen nicht gewachsen.

Bei Platz acht war Ende der Fahnenstange

Dort war gegen die USA das vorzeitige Ende abzusehen. Aber das DBB-Team hat trotzdem Gewinn aus der Partie gezogen, nur 67:78 verloren, und Bundestrainer Ralph Klein sprach von „einer guten Niederlage". Obwohl am Ende mit dem achten Rang das Plansoll erreicht wurde, der besten internationalen Plazierung in der Geschichte des Verbands, sind schließlich längst nicht alle zufrieden gewesen.

„Ich fürchte, das Ende der Fahnenstange ist erreicht", glaubt Hans Leciejewski, für den Leistungssport verantwortlicher Vizepräsident. Und Trainer Klein mußte eingestehen: „Deutschland ist noch lange keine Basketball-Nation, wie beispielsweise Brasilien, ganz zu schweigen von den USA." An der nötigen sportlichen Einstellung scheint es auch gefehlt zu haben. Schon vor dem letzten Spiel sind seine langen Männer baden gegangen – am Strand.

Volleyball Männer

1. USA	2. BRA
3. ITA	4. CAN
5. KOR	6. ARG
7. JPN	8. CHN

Volleyball Frauen

1. CHN	2. USA
3. JPN	4. PER
5. KOR	6. GER
7. BRA	8. CAN

Basketball Männer

1. USA	2. ESP
3. YUG	4. CAN
5. ITA	6. URU
7. AUS	8. GER

Basketball Frauen

1. USA	2. KOR
3. CHN	4. CAN
5. AUS	6. YUG

Handball Männer

1. YUG	2. GER
3. ROM	4. DEN
5. SWE	6. ISL
7. SUI	8. ESP

Handball Frauen

1. YUG	2. KOR
3. CHN	4. GER
5. USA	6. AUT

Fußball

1. FRA	2. BRA
3. YUG	4. ITA

Hockey Männer

1. PAK	2. GER
3. GBR	4. AUS
5. IND	6. HOL
7. NZL	8. ESP

Hockey Frauen

1. HOL	2. GER
3. USA	4. AUS
5. CAN	6. NZL

Silber für den Lückenbüßer

Eine Medaille? Die bundesdeutschen Handballer sind mal Weltklasse gewesen und Weltmeister. Aber nach Los Angeles gnadenhalber geflogen, als Lückenbüßer, nicht qualifiziert, weil Siebente bloß bei der letzten WM in Dortmund. Nachgerutscht für die Boykotteure und zur Belohnung auch noch in die leichtere der beiden Gruppen geraten, zu den Dänen, Schweden und Spaniern. Jugoslawien und Rumänien, einzige Vertreter osteuropäischer Handballkunst, bekämpften sich in der anderen, wobei die Rumänen den kürzeren zogen und mit der Bronzemedaille vorliebnehmen mußten.

Nein, eine Medaille hat keiner von ihnen erwartet. Allenfalls Platz sechs, um auf diese Weise wieder aufzusteigen ins A-Turnier um die Weltmeisterschaft und nicht in die Qualifikation bei der B-Weltmeisterschaft zu geraten, wo alle nachsitzen müssen, die in Los Angeles geschwänzt haben: die UdSSR, die DDR, Ungarn, ČSSR.

Und was war das Ende vom Lied? Stocksauer sind sie erst mal alle gewesen, weil sie ihre Silbermedaille nicht hatten vergolden können. Und die norwegischen Schiedsrichter haben sie beschimpft nach der 17:18-Niederlage im Finale. „Dem kleinen Dicken mit dem Bierbauch empfehle ich eine Schlankheitskur in den bayerischen Bergen, und der andere sollte sich vom Arzt eine Brille verschreiben lassen.“ Originalton Bundestrainer Simon Schobel über Haakon Bolstad und Ruud Anthonsen. Tatsächlich hatten die beiden vor der Pause achtmal auf Siebenmeter für die Jugoslawen entschieden, und kein einziges Mal für die bundesdeutsche Mannschaft. Deshalb versicherte Schobel: „Die Jugos haben Gold geholt, aber als eigentlichen Olympiasieger betrachte ich uns.“

Verständlich, daß, wer so nahe dran ist am Gold, erst mal sauer reagiert, wenn der Griff zu kurz geriet. Das alles ist aber nur im ersten Augenblick der Enttäuschung gesagt worden. Erhard Wunderlich, im letzten Augenblick aus Spanien zurückgekehrt und wieder in die DHB-Auswahl eingereiht, der schon mal Weltmeister gewesen ist und oft genug Europacupsieger mit dem VfL Gummersbach, zuletzt mit dem FC Barcelona,

Blauschwarz gestreifte Mauer für Wunderlich. Den Dänen nutzte sie im entscheidenden

Vorrundenspiel nichts. Die bundesdeutschen Olympia-„Nachrücker“ gewannen 24:18 und avancierten vom Lückenbüßer zum Endspielteilnehmer.

kein heuriger Hase also, hat seine jungen Kameraden dann überzeugt, daß man die Feste feiern muß, wie sie fallen. Und die bundesdeutsche Fahne vom Mast geholt, sie über der Mannschaft wehen lassen bei der Ehrenrunde.

Und so ist es ja auch nicht gewesen, daß die Schiedsrichter ihnen das Gold gestohlen haben. Mit den Strafwürfen ist es halt so: Die kriegt, wer kämpft am Kreis, sich wehrt gegen die Umklammerung des Gegners. Uli Roth beispielsweise, der Mannschaftskapitän. Der hat statt dessen auf andere gezielt, wie Wunderlich: „Der hat sich zum Schluß ein bißchen rausgehalten." Das war gar nicht nett. Hat Roth vom MTSV Schwabing München nicht gepaßt, daß Schobel sich der Dienste von Wunderlich versicherte, der beim Zweitligisten TSV Milbertshofen Tore wirft?

Auf dem Weg ins Endspiel ist das DHB-Team unbesiegt geblieben. Die Erfolgsserie: 21:19 über die USA, mühsam genug, 18:16-Erfolg über Spanien, ein Zittersieg von 18:17 über Schweden, gleichbedeutend mit der Qualifikation für die A-WM, 37:25 über Südkorea, schließlich 20:18 über Dänemark. Gegen die Jugoslawen lag die Mannschaft fast ständig im Hintertreffen. Der Großwallstädter Paul glich ein letztes Mal aus (15:15), ehe Ball und Sieg dem Gegner mit Fehlpässen und Fehlwürfen in die Hände gespielt wurden. Nach dem 15:18-Rückstand waren die Treffer von Fraatz und Wunderlich nur noch Schönheitskorrekturen. „Die Jugos waren einfach abgezockter", urteilte Torhüter Andreas Thiel, dem maßgeblicher Anteil am Höhenflug seiner Mannschaft zukam, einer jungen Mannschaft, mit einem Durchschnittsalter von 22,4 Jahren. „Absolut zu jung, um ein solches Turnier zu spielen", behauptete Trainer Schobel.

„Endlich müssen wir uns nicht mehr verstekken, wenn wir nach Hause kommen", freute sich Uli Roth, der auch ein zweites Vorhaben als gelungen betrachtete: „Wir wollten das Bild einer jungen, sympathischen Mannschaft bieten und jene Arroganz ablegen, die man einigen Sportlern zu Recht nachsagt." Klar, worauf er abzielte: „Wir haben uns jedenfalls besseer verkauft als die Fußballer, die ja auch erst durch den Boykott nachgerückt sind."

Während die Handballer ihre Chancen nutzten, sind die Handballerinnen mit leeren Händen heimgeflogen. Im entscheidenden Spiel um die Bronzemedaille unterlagen sie Korea 17:26, nachdem sie bis zum 13:13 hatten mithalten können. „Wir haben die Chance unseres Lebens vertan", klagte Astrid Hühn, die herausragende Torhüterin aus Leverkusen. Doch war es etwas vermessen gewesen, auf Medaillen zu hoffen nach den knappen Siegen über Österreich und die USA (jeweils 18:17), wenngleich auch die Niederlagen gegen Jugoslawien und China (jeweils 19:20) knapp ausgefallen waren. Die Jugoslawinnen gewannen die Goldmedaille, Südkorea erhielt Silber und die Chinesinnen Bronze.

Beinahe hätte es gereicht. Zweifelhafte Schiedsrichterleistungen und eine nachlassende Konzentration am Ende verhinderten die Sensation. Jugoslawien wurde durch den 18:17-Erfolg Olympiasieger. Grund zum Jubeln hatte die deutsche Mannschaft (im Bild) trotzdem. Ein sechster Platz war ihr Ziel, nachdem sie nur durch den Boykott des Ostblocks nach Olympia gekommen war. Nun wäre sie fast Olympiasieger geworden. Ob man von Schwab, Paul und Happe einst genauso spricht wie von Deckarm, Ehret und Klühspies? Der Anfang dazu ist gemacht.

Ribbecks Kicker glücklos

Soccer, das Fußballspiel, kümmert in den USA seit Jahren dahin. Dem Höhenflug dank Weltstars wie Pelé und Franz Beckenbauer im Trikot von Cosmos New York folgte ein tiefer Sturz, der noch nicht zu Ende ist. Die Amerikaner mögen Football und Baseball, Basketball und Eishockey. Fußball? No!

Weiß der Teufel, weshalb sie sich dann um Karten für das olympische Fußballturnier gerissen haben und einen Zuschauerrekord nach dem anderen aufstellten. 78 265 kamen zum Eröffnungsspiel zwischen den USA und Costa Rica, wahrlich kein fußballerischer Leckerbissen. 83 642 Fans sahen im Halbfinale in Palo Alto Brasilien als 2:1-Gewinner über Italien, 97 451 in Pasadena Frankreich die Jugoslawen 4:2 besiegen. Als Jugoslawien dank eines 2:1-Erfolgs über die Italiener Bronze holte und Frankreich mit 2:0-Toren im Finale gegen Brasilien Gold, war die Rose Bowl in Pasadena mit ihren 104 000 Plätzen jeweils ausverkauft. Das summierte sich auf rund 1,4 Millionen Zuschauer.

Diese unerwartete Begeisterung für den Fußball hätten den Herren des Weltverbands FIFA eigentlich Grund sein müssen, sich stolz in die Brust zu werfen. Statt dessen hat ihr Finanzchef Erwin Schmid geklagt, er sei schon froh, wenn sein Verband nicht draufzahle. „Die Kosten sind immens“, versicherte der Schweizer: rund 900 000 Mark. Ein Klacks, wenn da nicht ein Haken wäre. Schmid: „Von den Zuschauer-Einnahmen erhalten wir leider nichts. Wir sind nur an den Fernseh-Honoraren des IOC beteiligt.“

Aus diesem Grund ist FIFA-Präsident Joao Havelange nicht daran interessiert, das olympische Fußballturnier für die weltbesten Profis zu öffnen, sondern eher dem Vorschlag des DFB-Präsidenten Hermann Neuberger zugetan, künftig Spieler unter 23 Jahren bedingungslos zuzulassen; bislang waren Weltmeisterschaftsteilnehmer ausgeschlossen. Schließlich wollen Havelange und sein Vizepräsident Neuberger nichts weniger, als sich selbst Konkurrenz zu machen, ohne kassieren zu dürfen wie bei der Weltmeisterschaft. Wer verdirbt sich schon gern das eigene Geschäft?

Der bundesdeutsche Fußball hat sich auch vertreten lassen durch die vieldiskutierte Olympia-Mannschaft, eine Mischung aus Veteranen wie dem Braunschweiger Torhüter Bernd Franke (36) und ehrgeizigen jungen Kickern wie Guido Buchwald aus Stuttgart, der eine für ihn ereignisreiche Saison abschloß: Meister mit dem VfB, Europameisterschaft, Olympia. Der Auftakt geriet vielversprechend: „Das war spielerisch die beste Leistung einer deutschen Senioren-Mannschaft, die ich seit zwei Jahren erlebt habe“, behauptete Berti Vogts nach dem 2:0-Erfolg über Marokko. Jugendtrainer Vogts hatte bei seiner Einschätzung wohlüberlegt die Darbietungen der DFB-Nachwuchsmannschaften ausgeklammert.

Gut gespielt, aber verloren, lautete das Fazit der zweiten Begegnung in der Gruppe C, die gegen Brasilien 0:1 endete. Das Viertelfinale erreichte Trainer Erich Ribbecks Team aber mühelos, dank eines klaren 6:0-Siegs über Saudi-Arabien. Je zweimal Schreier (Bayer Leverkusen) und Bommer (Fortuna Düsseldorf) sowie Rahn und Mill (beide Borussia Mönchengladbach) schossen die Tore.

Darauf zog die Mannschaft um ins Olympische Dorf, und Teamkapitän Dieter Bast schwärmte: „Wir sind alle sehr glücklich, daß wir nun dazugehören und das olympische Flair erleben, das wir in der Ferne doch sehr vermißt haben.“ Drei Tage später sind die Kicker schon wieder ausgezogen und nach einem Besuch in Disneyland heimgeflogen, der Bundesliga entgegen, nach der 2:5-Niederlage gegen Jugoslawien. „Krasse persönliche Fehler in der Abwehr“, kreidete Trainer Ribbeck an. „Drei der fünf Treffer waren Eigentore.“ Nach dem Ausgleichstreffer von Rahn zum 2:2 hatten die Jugoslawen leichtes Spiel. Dieter Schatzschneider, nach mäßiger Darbietung zum Reservisten degradiert, hat es trotzdem gefallen: „Olympia mit seinen 25 Dollar pro Tag vom NOK würde ich sofort wieder machen.“

Auch im Fußball blieb alles beim alten. Wer geglaubt hatte, daß der deutschen Mannschaft wenigstens teilweise eine Verbesserung der Ergebnisse bei der Europameisterschaft gelänge, sah sich getäuscht. Ribbecks Bundesligakicker boten zwar in der Vorrunde durchaus ansprechende Leistungen, vor allem im Sturm, gegen Jugoslawien (Bild) war dann im Viertelfinale Endstation. Einige individuelle Fehler in der Abwehr bewirkten die 5:2-Niederlage. Olympiasieger wurde Frankreich vor Brasilien und Jugoslawien. – Fußball war übrigens „in“. Weit über eine Million Zuschauer, das ist mehr als ein Sechstel der Gesamtzahl, sahen „Soccer“. Böse Zungen behaupten, die Amerikaner hätten beim Kartenkauf gemeint, es handle sich um Eishockey.

Gleich wird die kurze Ecke hereingegeben und der deutsche Torwart herauslaufen. Die übrigen Spieler sichern das Tor.

Silber für Damen und Herren

Wie im richtigen Leben, so gibt es auch in der Geschichte des Sports Daten, die man sich merken muß, Wendepunkte, Einschnitte, Markierungen. Was das Hockey angeht, so wird jedem Interessierten sofort der 10. September 1972 einfallen, der die Entwicklung dieser Disziplin revolutionierte. Es war 13.14 Uhr, als der Kölner Michael Krause die vierte Strafecke des Münchner olympischen Finales Deutschland–Pakistan zum 1:0, dem entscheidenden 1:0, verwandelte. Dieser Sieg bedeutete den Einbruch in die Vorherrschaft von Indern und Pakistani, die mit ihrer technischen Brillanz das Hockey beherrscht hatten, war gleichbedeutend mit dem Durchbruch einer neuen, europäischen Spielweise, die athletischer und vor allem sehr viel mehr von Spieltaktik geprägt wurde. Wie tief der Schnitt war, der hier getan wurde, ließ sich an den Reaktionen der Unterlegenen ablesen, die vor einem empörten Publikum ihre Silbermedaillen verächtlich durch die Luft schwenkten. Alle Spieler, alle Funktionäre wurden dafür mit lebenslänglicher Sperre bedacht, eine Strafe, die freilich schon ein Jahr später wieder aufgehoben wurde.

Nun, nicht ganz zwölf Jahre später standen sich beide Mannschaften wieder in einem olympischen Endspiel gegenüber, und alte Gefühle waren immer noch wach, denn Tausende von pakistanischen Zuschauern forderten „Rache für München". Und einer war noch dabei von damals: Michael Peter, Goldmedaillengewinner von München, 260 oder auch nur 254 Länderspiele, so genau weiß er das selbst nicht. Nur eines hat er gewußt: Daß dieses sein letztes Spiel für den Deutschen Hockey-Bund sein sollte, mithin seine letzte Chance, den großen Erfolg zu wiederholen.

Und ausgerechnet dieser Michael Peter schoß in der 44. Minute nach einer der vielen Strafecken-Varianten, die die Deutschen beherrschten, das 1:0. Es muß viel in ihm vorgegangen sein in diesem Moment der Hoffnung, er selbst beschrieb das so: „Als ich die Führung geschossen hatte, da war plötzlich so ein Kribbeln im Magen. War es das, fragt man sich. Und ein paar Minuten später weiß es jeder: Das war es nicht. So einfach ist das."

So einfach war das: Hassan Sardar, Torjäger der Pakistani, glich schon in der 49. Minute aus. Es gab eine Verlängerung, und in deren elfter Minute erzielte Kaleemullah den Siegtreffer für die Pakistani. Als abgepfiffen wurde, saßen die Deutschen mit leeren Augen auf dem Kunstrasen in glühender Hitze, und Mittelfeldspieler Blöcher sagte: „Das Traurige ist, wenn man so nahe dran ist, dann will man die Goldmedaille auch haben."

Sie haben sie nicht bekommen, weil die Pakistani diesmal in der Tat besser waren, weil die Deutschen Abwehrfehler machten, weil sie nicht entschlossen genug vor dem gegnerischen Tor handelten, weil sie, in Rückstand geraten, nicht clever genug den Ball laufen ließen, sondern sich selbst in der Spielfeldmitte laufend zermürbten.

Aber die Silbermedaille war ja ein Erfolg für diese Mannschaft, die sich erst Monate zuvor fast als eine Verlegenheitslösung gefunden hatte, ein Team von noch sehr jungen Spielern, unter ihnen zum Beispiel Andreas Keller, der 18jährige Sohn jenes Carsten Keller, der in München Gold gewann, dessen Vater wiederum in Berlin 1936 zu jener Elf gehörte, die eine Silbermedaille holte.

Ganz anders war die Situation in der bundesdeutschen Frauen-Elf, in der mindestens die Hälfte der Spielerinnen nach den Olympischen Spielen ihre Karriere zu beenden gedachte und dies dann ebenfalls mit einer Silbermedaille um den Hals tat. Ein Finale hat es hier nicht gegeben, denn es wurde in Tabellenwertung gespielt. Da setzte sich überlegen Holland durch, ohne wirkliche Konkurrenz fast. Auch die Deutschen konnten sich mit den Niederländerinnen nicht messen, unterlagen ihnen gar 2:6.

Es war dann die Münchnerin Birgit Hahn, die mit ihrem Treffer zum 1:1 gegen die USA die letzten Chancen von Strödters Mädchen auf eine Medaille rettete, und es waren die Holländerinnen, die ihnen die Silbermedaille bescherten, indem sie im letzten Gruppenspiel Australien 2:0 besiegten. Die armen Australierinnen unterlagen dann in einem Siebenmeterschießen um die Bronzemedaille auch noch den USA. Als das Turnier zu Ende war, besaßen die Deutschen dann also doch den erfolgreichsten Hockey-Verband der Welt. Und das auch ohne Olympiasieg.

Sie waren eigentlich als Favoritinnen angereist, die deutschen Hockeydamen. Sie mußten aber zum Schluß mit dem zweiten Platz zufrieden sein.

Mit dem Pfeil, dem Bogen ... gewann Darrell Pace (USA) nach Montreal 1976 erneut Gold.

BOGENSCHIESSEN

Nebenrolle für unsere Schützen

Männer		Ringe
1. Darrell Pace	USA	2616
2. Richard McKinney	USA	2564
2. Hiroshi Yamamoto	JPN	2563
4. Takayoshi Matsushita	JPN	2552
5. Tomi Poikoainen	FIN	2538
6. Goran Bjerendal	SWE	2522
7. Marnix Verninck	BEL	2519
8. Ja-Chung Koo	KOR	2500
9. Harry Wittig	GER	2497
10. Armin Garnreiter	GER	2494
15. Detlef Kahlert	GER	2486
Frauen		Ringe
1. Hyang-Soon Seo	KOR	2568
2. Lingjuan Li	CHN	2559
3. Jin-Ho Kim	KOR	2555
4. Hiroko Ishizu	JPN	2524
5. Paivi Meriluoto	FIN	2509
6. Manuela Dachner	GER	2508
7. Katrina King	USA	2508
8. Yanan Wu	CHN	2493
11. Doris Haas	GER	2480

Die Dauerfehde der beiden besten amerikanischen Bogenschützen fand im Eldorado-Park von Long Beach eine spannungsgeladene Fortsetzung. Seit über einem Jahrzehnt messen sich der 27jährige Darrell Pace, der Olympiasieger von 1976, und Richard McKinney auf höchster Ebene. Vor einem Jahr hatte McKinney an gleicher Stelle bei den Weltmeisterschaften seinen Rivalen besiegt. Beide erreichten dieselbe Ringzahl, doch konnte sich McKinney aufgrund der zahlreicheren Treffer in der Scheibenmitte mit dem Titel schmücken.

Diesmal drehte Darrell Pace den Spieß wieder um. Vor den an allen vier Tagen ausverkauften Tribünen beendete er die Jagd aufs Gold mit deutlichem Vorsprung von 52 Ringen. Nur neun Zähler betrug am Ende dagegen der Vorsprung der 17jährigen südkoreanischen Olympiasiegerin Hyang-Soon Seo vor der 18jährigen Chinesin Lingjuan Li, die sich angeblich erst vor drei Jahren mit Pfeil und Bogen vertraut gemacht hat.

Die bundesdeutschen Schützen spielten erwartungsgemäß eine Nebenrolle. Für das beste Ergebnis sorgte die zweimalige Meisterin Manuela Dachner, eine 24jährige Krankengymnastin aus Höfen. Mit den 288 Pfeilen der doppelten FITA-Runde erreichte sie 2508 Ringe, 60 weniger als die Siegerin, und den sechsten Platz. Am vorletzten von vier langen Wettkampftagen entschwand die Medaillenchance. Bei den Männern erreichte Harry Wittig aus Berghaupten 119 Ringe hinter Pace den neunten Platz.

Nun kann Eicke siegen

Sie erpaddelten sich eine Bronzemedaille auf dem Lake Casitas: die deutschen Kanutinnen Barbara Schüttpelz und Josefa Idem, hier mit ihrem Trainer Josef Capousek.

„Jetzt will ich Gold. Alles andere wäre eine Enttäuschung.“ Das hatte Uli Eicke verkündet, als der Ostblock den Olympia-Boykott ausrief. Ein Großmaul, dieser 32jährige Veteran im Canadier, der im Laufe seiner langen Laufbahn in entscheidenden Augenblikken mit zitternden Händen an der großen Chance vorbeigepaddelt war? 35 bundesdeutsche Meisterschaften zwar, bis zu sechs Stück an einem Tag. Aber bei den Weltmeisterschaften 1977 und 1979 als Favorit nur Zweiter gewesen, 1976 im olympischen Finale Achter.

„Ich habe mich mit Absicht unter eine extreme Belastung gesetzt“, erläuterte der Wuppertaler, der für Rheintreue Düsseldorf startet. „Ich wollte diesen Druck und habe ihn ausgehalten.“ Uli Eicke überließ nichts dem Zufall. Er verzichtete auf die 500 m, konzentrierte sich auf den Wettbewerb über 1000 m. Am Tag vor dem Finale zog er vom olympischen Dorf in Santa Barbara um in ein Hotel in Ventura, nahe des Lake Casitas. Im Vorlauf schockte er die Konkurrenz, legte acht Längen zwischen sie und sich. „Da habe ich gewußt, daß ich einfach nicht verlieren kann.“

Im Finale hielt er sich bis 400 m zurück. „Dann ging die Post ab. Ich hab' immer mal zum Dänen Henning Jakobsen rübergeguckt, der auf der Außenbahn lag.“ Larry Cain aus Kanada sah Eicke nicht. Der spielte ebensowenig eine Rolle wie der 500-m-Weltmeister Costica Olaru aus Rumänien. Uli Eicke gewann überlegen die Goldmedaille, von der Sportwart Jürgen Glismann behauptete: „Das ist echtes Gold. Niemand, auch keiner aus dem Ostblock, hätte ihn an diesem Tag schlagen können.“ Es war in der Tat die schnellste jemals bei Olympischen Spielen erzielte Zeit: 4:06,32 Minuten.

Am Bootssteg schloß Ehefrau Eva, die sich durch die Kontrollen gemogelt hatte, ihren Sieger in die Arme. Ihr verdankte Uli Eicke viel auf dem langen Weg zum Erfolg. „Meine Frau hat Geld verdient, und ich hab' Sport getrieben.“ Fünf Jahre mindestens habe er in seinem Beruf verloren und bisher keinen Pfennig verdient. „Ohne die Sporthilfe hätte ich schon lange aufhören müssen. Sie deckt nicht alles ab, aber das soll sie auch nicht.“

Olympia war Erfüllung und Abschluß eines Lebensabschnitts für Uli Eicke. Gleich danach hat der Lehrer eine Referendarstelle am Max-Planck-Gymnasium in Düsseldorf angetreten. Und an einer zweiten Karriere gebastelt. Der lockige Athlet, den seine Gitarre überallhin begleitet, sang seinen ersten Titel auf Platte: „Hey, wir sind alle okay“.

Doch Uli Eicke stellt nicht einfach die Paddel in die Ecke und zieht einen Schlußstrich. Seinem Verein Rheintreue bleibt er treu, und als Mitglied der Athleten-Kommission im Nationalen Olympischen Komitee hat der Olympiasieger den ersten Schritt in die Sportpolitik schon getan.

Hinter dem Goldmedaillengewinner Uli Eikke fuhren die Boote des Deutschen Kanu-Verbands zur besten Bilanz seit langer Zeit: Silber für Barbara Schüttpelz im Kajak-Einer und Bronze für Schüttpelz, zusammen mit Josefa Idem, im Zweier-Kajak. Zwölf Jahre lang war die 33malige Meisterin Barbara Schüttpelz, 27jährige Bankkauffrau von der KG Wanderfalke Essen, hinter den muskelbepackten Athletinnen aus dem Ostblock hergefahren, chancenlos mit ihren 64 kg bei 1,68 m Größe. In den letzten Jahren hatte sie sich deshalb in den Mannschaftsbooten versteckt, ehe sie beschloß, es in Los Angeles noch einmal im Einer zu versuchen. Sie legte 1000 Trainingskilometer zu und faßte dreimal in der Woche Eisen an beim Krafttraining. Schon bevor der Boykott ausgerufen wurde, schlug Barbara Schüttpelz bei Regatten in Sofia und Szeged die Weltelite überzeugend.

Auf dem Lake Casitas war die Schwedin Agneta Andersson, die zweimal Gold und einmal Silber gewann, nicht zu schlagen, und erst nach Auswertung des Zielfotos wurde Barbara Schüttpelz die Silbermedaille zuerkannt, dank 18 Hundertstelsekunden Vorsprung vor der Holländerin Annemiek Derckx. Ebenso knapp verpaßte sie, zusammen mit der 19jährigen Josefa Idem vom KV Herringen, die Silbermedaille im Zweier, hinter den Schwedinnen Agneta Andersson/Anna Olsson und den Kanadierinnen Alexandra Barre/Sue Holloway.

Freilich gab es auch Enttäuschungen für die bundesdeutschen Kanuten. Die Hamburger Zwillinge Oliver und Matthias Seack, 1982 in Belgrad WM-Dritte gewesen, fielen ihrem scharfen Anfangstempo zum Opfer und enttäuschten mit den Plätzen fünf über 1000 m und sieben auf der 500-m-Strecke. Reiner Scholl (Rheydt) wurde Letzter im Finale über 500 m mit dem Kajak. Einer Medaille am nächsten war der Wuppertaler Ralph Wienand mit Hartmut Faust im Canadier-Zweier als Vierter über 1000 m.

In Abwesenheit der dominierenden Verbände aus der DDR und der UdSSR glänzten die Neuseeländer mit vier Goldmedaillen. Ein verblüffender Erfolg angesichts der Tatsache, daß in Neuseeland nur 17 Leistungssportler registriert sind.

Ergebnisse Kanu
Männer

Kajak-Einer 500 m

		Min.
1. Ian Ferguson	NZL	1:47,84
2. Lars-Erik Morberg	SWE	1:48,18
3. Bernard Bregeon	FRA	1:48,41
4. Vasile Diba	ROM	1:48,77
5. David Upson	GBR	1:49,32
6. Daniele Scarpa	ITA	1:49,60
7. Guillermo del Riego	ESP	1:49,71
8. Reiner Scholl	GER	1:49,89

Kajak-Zweier 500 m

		Min.
1. Ferguson, McDonald	NZL	1:34,21
2. Bengtsson, Moberg	SWE	1:35,26
3. Fisher, Morris	CAN	1:35,41
4. Scarpa, Uberti	ITA	1:35,50
5. Fedosei, Velea	ROM	1:35,60
6. Hervieu, Legras	FRA	1:36,40
7. M. Seack, O. Seack	GER	1:36,51
8. Sheriff, West	GER	1:36,73

Canadier-Einer 500 m

		Min.
1. Larry Cain	CAN	1:57,01
2. Henning Jakobsen	DEN	1:58,45
3. Costica Olaru	ROM	1:59,86
4. Philippe Renaud	FRA	1:59,95
5. Timo Grönlund	FIN	2:01,00
6. Kiyoto Inoue	JPN	2:01,79
7. Hartmut Faust	GER	2:01,86
8. Robert Rozanski	NOR	2:02,12

„Ich habe gewußt, daß ich nicht verlieren kann." So der strahlende Sieger Uli Eicke nach dem Endlauf im Einer-Canadier über 1000 m. Einer Karriere als Schlagersänger steht nichts mehr im Wege. Warum soll, was einem Sprinter (Martin Lauer) gelang, ein Kanute nicht auch können? Bleibt zu hoffen, daß dem Gold am Hals Gold in der Kehle entspricht.

Canadier-Zweier 500 m

		Min.
1. Ljubek, Nisovic	YUG	1:43,67
2. Potzaichin, Simionov	ROM	1:45,68
3. Miguez, Suarez	ESP	1:47,71
4. Hoyer, Renaud	FRA	1:47,72
5. Botting, Smith	CAN	1:48,81
6. Faust, Wienand	GER	1:48,97
7. Jamieson, Train	GBR	1:49,59
8. Fukuzato, Izumi	JPN	1:50,22

Kajak-Einer 1000 m

		Min.
1. Alan Thompson	NZL	3:45,73
2. Milan Janic	YUG	3:46,88
3. Greg Barton	USA	3:47,38
4. Kalle Sundquist	SWE	3:48,69
5. Peter Genders	AUS	3:49,11
6. Philippe Boccara	FRA	3:49,38
7. Vasile Diba	ROM	3:51,61
8. Stephen Jackson	GBR	3:52,25

Kajak-Zweier 1000 m

		Min.
1. Fisher, Morris	CAN	3:24,22
2. Bregeon, Lefoulon	FRA	3:25,97
3. Kelly, Kenny	AUS	3:26,80
4. Kent, White	USA	3:27,01
5. M. Seack, O. Seack	GER	3:27,28
6. Scarpa, Uberti	ITA	3:27,46
7. Menendez, del Riego	ESP	3:27,53
8. Andersson, Sundquist	SWE	3:29,39

Kajak-Vierer 1000 m

	Min.
1. NZL	3:02,28
2. SWE	3:02,81
3. FRA	3:03,94
4. ROM	3:04,39
5. GBR	3:04,59
6. ESP	3:04,71
7. AUS	3:06,02
8. GER Scholl, Schmidt, Kegel, Hessel	3:06,47

Canadier-Einer 1000 m

		Min.
1. Ulrich Eicke	GER	4:06,32
2. Larry Cain	CAN	4:08,67
3. Henning Jakobsen	DEN	4:09,51
4. Timo Gronlund	FIN	4:15,58
5. Costica Olaru	ROM	4:16,39
6. Stephen Train	GBR	4:16,64
7. Bruce Merritt	USA	4:18,17
8. Kiyoto Inoue	JPN	4:18,72

Canadier-Zweier 1000 m

		Min.
1. Potzaichin, Simionov	ROM	3:40,60
2. Ljubek, Nisovic	YUG	3:41,56
3. Hoyer, Renaud	FRA	3:48,01
4. Faust, Wienand	GER	3:52,69
5. Plankenhorn, McClein	USA	3:52,72
6. Miguez, Suarez	ESP	3:56,92
7. Botting, Smith	CAN	3:56,99
8. Ferrer, Velasco	MEX	3:57,49

Frauen

Kajak-Einer 500 m

		Min.
1. Agneta Andersson	SWE	1:58,72
2. Barbara Schüttpelz	GER	1:59,93
3. Annemiek Derckx	HOL	2:00,11
4. Tecla Marinescu	ROM	2:00,12
5. Beatrice Basson	FRA	2:01,21
6. Sheila Conover	USA	2:02,38
7. Lucie Guay	CAN	2:02,49
8. Elizabeth Blencowe	AUS	2:02,63

Kajak-Zweier 500 m

		Min.
1. Andersson, Olsson	SWE	1:45,25
2. Barre, Holloway	CAN	1:47,13
3. Schüttpelz, Idem	GER	1:47,32
4. Constantin, Ionescu	ROM	1:47,56
5. Dera, Klein	USA	1:49,51
6. Hettich, Mathevon	FRA	1:51,40
7. Ofstad, Wahl	NOR	1:51,61
8. Perrett, Smither	GBR	1:51,73

Kajak-Vierer 500 m

	Min.
1. ROM	1:38,34
2. SWE	1:38,87
3. CAN	1:39,40
4. USA	1:40,49
5. GER Schüttpelz, Idem, Schmidt, Skolnik	1:42,68
6. NOR	1:42,97
7. GBR	1:46,30

„Operation Gold“ erfolgreich

Olympia ist auch die Chance auf hochdotierte Jobs. Längst lebt der Athlet vom Kapital, das er in seinem Körper angesammelt hat. Doch in keiner anderen Sportart führt der Weg so unmittelbar ins Profilager wie im Boxen. Die besten Faustkämpfer haben ihre Verträge längst in der Tasche, wenn sie ins olympische Seilgeviert klettern. Aber eine Goldmedaille als Morgengabe beim Debüt als Berufskämpfer fördert den Marktwert. Was sich in und um den Ring in Los Angeles ereignet hat, stellte jedoch alles in den Schatten. Nicht nur, daß da José Suleiman saß, der Präsident des World Boxing Councils (WBC), ein libanesischer Textil-Millionär aus Mexico City, im Kreis zahlreicher Profi-Manager. Bei ihm schienen auch die Fäden zusammenzulaufen, an denen er nur zu ziehen brauchte, um die Kämpfer nach seinen Interessen zu lenken, dazu die Ringrichter samt Punktrichter und die Jury. Oder war der TV-Gigant ABC federführend bei der Inszenierung? Er bestimmte den zeitlichen Ablauf des Turniers, um Werbung günstig zu plazieren, wenn nicht mehr. Wer zahlt, schafft an.

Umstritten war der Kopfschutz, mit dem die Boxer erstmals ein großes Turnier zu bestreiten hatten. Das Blickfeld sei eingeengt, meinten die einen, wenigstens Schutz der empfindlichen Augenbrauen und vor Kopfstößen, die anderen. Ein ungewohntes Bild boten sie allemal.

In die Knie gegangen ist nicht nur Helmut Gertel durch die Schlagkraft seines Gegners Jerry Page, USA, sondern die gesamte deutsche Boxstaffel. Trotz überwiegend günstiger Auslosung blieb nur ein dritter Platz.

Angesichts dieser Regie mußte der „Operation Gold“ der US-Amerikaner Erfolg beschieden sein. Chef-Coach Pat Nappi (67) träumte von zwölf Medaillen. Elf sind wahr geworden. Zehn seiner Boxer fighteten in den Finals, neun wurden als Olympiasieger dekoriert, je einmal gab es Silber und Bronze. Schamlos nützten die Amerikaner ihren Einfluß auf die Zusammenstellung der Kampfgerichte und der Jury, die nach einer neuen Regel 3:2-Urteile umkehren kann.

Die Betrogenen wehrten sich. Mit dem Rückzug ihrer Staffel drohten die Koreaner, olympische Gastgeber 1988. Diskriminierung beklagten die Afrikaner, vom Veranstalter gratis als Programmfüller eingeflogen. Nigeria protestierte beim IOC. Ungeniert von Betrug sprachen die Briten. Der Italiener Angelo Musone, im Kampf gegen den amerikanischen Schwergewichtler Henry Tillman um den Sieg geprellt, schimpfte: „Hier müssen wir die Amerikaner im Ring erschießen, um zu gewinnen.“ ZDF-Kommentator Werner Schneyder, Kabarettist und im Besitz einer Ringrichter-Lizenz, fand das alles gar nicht komisch, sondern vermutete: „Kampfrichter und die Jury schieben die von ABC gewünschten Kämpfe für das Finale zusammen.“ Der bundesdeutsche Sportwart Heinz Birkle höhnte nach dem 5:0-Punktsieg des Karlsruher Weltergewichtlers Alexander Künzler über den Syrer Mohamed Ali Aldahan: „Alex konnten sie nicht verlieren lassen. Es sei denn, man hätte die Punktrichter mit dem Rücken zum Ring gesetzt.“

Als Star des Turniers wurde Mark Breland gefeiert, ein hochgewachsener farbiger Weltergewichtler, der im Finale den Koreaner Young-Su An klar nach Punkten besiegte. Sogar der legendäre Sugar Ray Robinson kam, um ihn zu sehen. WBC-Präsident Suleiman zeigte sich allerdings wenig angetan vom Jahrgang '84, im Vergleich mit dem Angebot 1976: „Selbst ein Mark Breland kann Sugar Ray Leonard oder den Spinks-Brüdern nicht das Wasser reichen.“

Die drei Goldmedaillen, welche die Amerikaner übrigließen, teilten sich ein Italiener, ein Jugoslawe und ein Koreaner. Anton Josipovic (Jugoslawien) gewann sie kampflos, und das kam so: Sein Gegner Kevin Barry (Neuseeland) war von Evander Holyfield (USA) zwar k. o. geschlagen worden, aber nach dem Trennkommando des jugoslawischen Ringrichters Gligorije Novisic, welcher den Bösewicht disqualifizierte und anschließend im Hagel vielerlei Wurfgeschosse und unter den Beschimpfungen des Publikums mit Geleitschutz aus der Halle ge-

USA
FRG
adidas

bracht werden mußte. Barry durfte sich zum Trost für seinen Brummschädel die Silbermedaille umhängen, anstatt um Gold zu boxen, weil nach dem Niederschlag die automatische Schutzsperre von 28 Tagen in Kraft getreten war. Joon-Sup Shin wurde im Mittelgewicht zur eigenen Überraschung zum Punktsieger über den Amerikaner Virgil Hill erklärt, vermutlich als Opfer zur Besänftigung der Konkurrenz. Im einzigen Endkampf ohne US-Beteiligung besiegte der Italiener Maurizio Stecca den Mexikaner Hector Lopez.
Acht bundesdeutsche Boxer hatten die beiden Bundestrainer Dieter Wemhöner und Helmut Ranze in den Ring geschickt. Nur der Dürener Halbmittelgewichtler Manfred Zielonka kehrte nicht mit leeren Fäusten zurück; er gewann Bronze. Auf das zweifelhafte Vergnügen, mit dem Amerikaner Frank Tate um den Einzug ins Finale kämpfen zu dürfen, mußte Zielonka wegen einer Fingerverletzung verzichten, schweren Herzens, wie er versicherte: „Ich wollte unbedingt boxen und schäme mich ein wenig."

Einigen fehlte Biß

Schlimmer erging es dem Bantamgewichtler Stefan Gertel aus Worms, dem der Franzose Louis Gomes den kaum verheilten Kiefer brach, worauf der Getroffene aufgab. Superschwergewichtler Peter Hussing war der größte, schwerste und mit 36 Jahren älteste Teilnehmer. Er bezwang seinen österreichischen Freund Olaf Mayer, klammerte sich im Viertelfinale ängstlich an den Jugoslawen Azis Salihu und verlor 1:4. Ursprünglich sollte der ehemalige Europameister und Bronzemedaillengewinner der Spiele 1972 als Ehrengast nach Los Angeles fliegen; das wäre besser gewesen. Die Aktiven erwiesen sich übrigens kritischer als die Funktionäre. Alexander Künzler meinte: „Einige von uns haben sich etwas vorzuwerfen. Uns fehlt einfach der Biß."
Erstmals war Kopfschutz Pflicht, der flugs als Reklamefläche mißbraucht wurde; die Werbung mußte überklebt werden. Prof. Hans Grebe (Frankenberg), Präsident der Ärztekommission des Weltverbands, bestreitet die Wirksamkeit: „Es gab zwar nur eine Augenbrauenverletzung. Doch daran ist noch keiner gestorben. Der Boxhelm bietet nur einen Pseudoschutz und verleitet zu großem Risiko." Auch Dr. Wolfram Lemme (Berlin), Arzt der bundesdeutschen Staffel, warnte: „Das Rotieren der Gehirnmasse wird dadurch nicht verhindert."

Ergebnisse Boxen

Halbfliegengewicht

1. Paul Gonzales	USA
2. Salvatore Todisco	ITA
3. Keith Mwila	ZAM
3. José Marcelino Bolivar	VEN

Fliegengewicht

1. Steven McCrory	USA
2. Redzep Redzepovski	YUG
3. Eyup Can	TUR
3. Ibrahim Bilali	KEN

Bantamgewicht

1. Maurizio Stecca	ITA
2. Hector Lopez	MEX
3. Dale Walters	CAN
3. Pedro Nolasco	DOM

Federgewicht

1. Meldrick Taylor	USA
2. Peter Konyegwachie	NGR
3. Catari Peraza	VEN
3. Turgut Aykac	TUR

Leichtgewicht

1. Pernell Whitaker	USA
2. Luis Ortiz	PUR
3. Martin Ndongo Ebanga	CMR
3. Chil-Sung Cun	KOR

Halbweltergewicht

1. Jerry Page	USA
2. Dhawee Umponmaha	THA
3. Mirko Puzovic	YUG
3. Mirceo Fulger	ROM

Weltergewicht

1. Mark Breland	USA
2. Young-Su An	KOR
3. Joni Nyman	FIN
3. Luciano Bruno	ITA

Halbmittelgewicht

1. Frank Tate	USA
2. Shawn O'Sullivan	CAN
3. Manfred Zielonka	GER
3. Christophe Tiozzo	FRA

Mittelgewicht

1. Joon-Sup Shin	KOR
2. Virgil Hill	USA
3. Mohammed Zaoul	ALG
3. Aristides Gonzales	PUR

Halbschwergewicht

1. Anton Josipovic	YUG
2. Kevin Barry	NZL
3. Mustapha Moussad	ALG
3. Evander Holyfield	USA

Schwergewicht

1. Henry Tillman	USA
2. Willie de Witt	CAN
3. Angelo Musone	ITA
3. Arnold Vanderlijde	HOL

Superschwergewicht

1. Tyrell Biggs	USA
2. Francesco Damiani	ITA
3. Robert Wells	GBR
3. Azis Salihu	YUG

Paul Gonzales (l.), Sieger im Halbfliegengewicht, wurde als bester Boxer ausgezeichnet.

Das Glück auf der Planche

Er focht, als ginge es auf Leben und Tod, als sei das ein Duell mit tödlichen Klingen und kein sportlicher Wettkampf mit stumpfen Waffen und wattierter Brust. Volker Fischer kämpfte um seine letzte Chance, gegen die Franzosen in diesem Finale des Mannschaftswettbewerbs auf Degen. Der Münchner Industriekaufmann ist 34, hatte sich freistellen lassen von seiner Firma in den letzten Wochen vor Olympia, war mehr als hundertmal in einem Jahr die rund 250 Kilometer nach Tauberbischofsheim gefahren ins Leistungszentrum, um mit Bundestrainer Emil Beck die Klingen zu kreuzen.

Volker Fischer gab kein Pardon: 5:2-Sieg über Michel Salesse, 5:4 gegen den ehemaligen Weltmeister Philippe Riboud, 5:3 den Weltcupsieger Olivier Lenglet von der Planche getrieben. Als er auf den Olympiasieger Philippe Boisse traf, führte das bundesdeutsche Team 7:5 und brauchte schon keinen Sieg mehr, um Gold zu gewinnen, sondern nur noch vier Treffer. Fischer setzte sie, und als er den Franzosen zum vierten Mal getroffen hatte, sprang er brüllend in die Höhe, riß sich die Maske vom Kopf. Und so sicher er den Gegner in Schach gehalten hatte, so wenig war er dem Ansturm der Gratulanten gewachsen. Als Volker Fischer wieder stand, um den Kampf zu beenden, machte er auch noch den letzten Stich.

In der Tat versicherte Fischer später: „Ich habe heute wie um mein Leben gekämpft. Zwanzig Jahre lang habe ich für diesen Tag gelebt und trainiert." Es war auch die Genugtuung für die Enttäuschung im Einzelwettbewerb, wo Fischer wegen einer Verletzung im Sprunggelenk nur Achter geworden war, unmittelbar hinter seinen Teamgefährten Borrmann und Pusch. Und Trainer Emil Beck schämte sich seiner Freudentränen nicht: „Daß es gerade im Degen hinhaute, ist das Größte. Der Degen ist meine heimliche Liebe. Er ist die Königin des Fechtsports."

Emil Beck hatte bei der olympischen Fecht-Gala im Theater von Long Beach schon vorher Grund zum Jubel gehabt. Die Florettfechter bescherten ihm zweimal Silber. Zuerst Matthias Behr, der haarscharf Gold verfehlte. 7:3 führte der Tauberbischofsheimer im Finale gegen den Italiener Mauro Numa, dann 8:7, glich in letzter Sekunde den 8:9-Rückstand aus. Aber am Ende traf Numa entscheidend zum 12:11. So blieb Matthias Behr der ganz große persönliche Erfolg versagt, nach einer Mannschafts-Goldmedaille 1976 und zwei Weltmeistertiteln mit dem Team. Daß er in Los Angeles die Silbermedaille gewann, verdankte Behr nicht zuletzt seinem Trainer Beck. Der half ihm, mit den Schuldgefühlen fertigzuwerden, nachdem er 1982 den sowjetischen Weltmeister Wladimir Smirnow so unglücklich durch die Maske getroffen hatte, daß dieser nach langen Tagen im Koma starb.

Die andere Silbermedaille hat Beck neben Freude auch Ärger eingebracht. Nach der 7:8-Niederlage gegen Italien im Mannschafts-Florett schimpfte der Bundestrainer: „Ich werde die Aufzeichnungen den französischen Kampfrichtern zu Weihnachten schenken."

Hart ins Gericht mit den Kampfrichtern gingen auch die Säbelfechter, von denen im Einzelwettbewerb keiner das Finale erreicht hatte und die als Mannschaft im Kampf um Bronze den Rumänen 7:8 unterlagen. „Wir sind verschaukelt worden", erboste sich der Tauberbischofsheimer Dieter Schneider, dem gegen Marin Mustata zwei Treffer aberkannt wurden. Italien schlug Frankreich im Finale 9:3 und nützte die Gunst der Stunde, da die UdSSR, Ungarn, Polen und Bulgarien fehlten.

Die bundesdeutschen Fechterinnen haben diesmal die Fechter sogar noch ausgestochen. „Eigentlich ist meine beste Zeit längst vorbei", hatte die 32jährige Offenbacherin Cornelia Hanisch einsichtsvoll kundgetan, andererseits aber auch erstaunt festgestellt: „Technisch bin ich noch nie so gut gewesen." Die Berufsschullehrerin war schon 1976 Olympia-Fünfte und seitdem zweimal Weltmeisterin. Im olympischen Finale 1984 unterlag sie der Chinesin Ju Jie Luan, einer 25jährigen Sportstudentin, klar 3:8. „Die Chinesin hatte mehr Dampf und Energie", räumte Cornelia Hanisch ein. „Ich habe mir Energie für die Mannschaftskämpfe aufgespart."

Es ist keine leere Versprechung gewesen. Als die Hanisch im Gefecht mit der Rumänin Guzganzu den entscheidenden Treffer setzte zum 9:5-Sieg im Finale und die Goldmedaille gewann für das Team, stürzten sich ihre vier Mitkämpferinnen wie wild auf sie und balgten sich auf der Planche vor lauter Begeisterung und Glück. Und daneben hüpfte ein kleiner Mann auf und nieder wie Rumpelstilzchen: Trainer Horst Christian Tell. Er brüllte: „Heute bin ich der Größte, morgen bin ich wieder normal." Cornelia Hanisch, Christiane Weber (22), Sabine Bischoff (28) und Zita Funkenhauser (18), 1979 aus Rumänien ausgesiedelt, von Emil Beck unterrichtet und von Matthias Behr betreut, bildeten das Gold-Quartett. „Sie ist mein Joker gewesen", sagte Trainer Tell über Zita Funkenhauser. „Ich wußte, sie würde stechen."

Emil Beck, der kleine Mann, bei dem alles rund zu sein scheint, gilt als der Vater der deutschen Fechterfolge, zumindest bei den Männern. Becks Musketiere gewannen beinahe alles, was es zu gewinnen gibt; Weltcups, Weltmeistertitel und Olympiasiege en masse. Ein Triumph fehlt dem ehemaligen Friseurmeister allerdings noch, ein Floretteinzeltitel bei den Herren. Matthias Behr war im Finale mit einer 7:3-Führung gegen Mauro Numa schon auf der Siegesstraße, mußte sie dann aber, zum Leidwesen von „Emil", noch verlassen. Dafür gewann endlich sein Degenteam die Goldmedaille.

Die Bretter einer Bühne bedeuteten diesmal die Welt für die Fechter. In der vornehmen Atmosphäre des Terrassentheaters von Long Beach kreuzten sie diesmal ihre Klingen. Eine Umgebung von Smoking, Plüsch und Samt tat den mitreißenden Duellen in allen Waffengattungen keinen Abbruch.

Der Vorhang hob sich für die deutsche Florettmannschaft der Damen. Nach der Silbermedaille in der Einzeldisziplin gewannen sie Gold in der Mannschaft. „Es ist halt schöner sich gemeinsam zu freuen, als alleine“, meinte die bereits im Einzel erfolgreiche Cornelia Hanisch.

CORNELIA HANISCH

Chance trotz Show und Geschäft

...„Olympia ist trotzdem immer noch eine Sache der Begegnung", sagt Cornelia Hanisch, mit Gold und Silber die am höchsten dekorierte bundesdeutsche Sportlerin in Los Angeles, bei ihrem persönlichen Fazit. Trotzdem? Immer noch? Es habe einfach zu viele Dinge gegeben, meint die 32jährige Fechterin, zu viele Dinge, die dem Sinn Olympischer Spiele genau entgegengewirkt hätten, Vorkommnisse, die bitter aufstoßen mußten.

Da seien zum Beispiel die Sicherheitsvorkehrungen, die buchstabengetreu befolgt wurden und also ein Gefühl der Beklemmung hervorriefen. „Man ist dabei mit einer Sturheit vorgegangen, wie sie bei der Armee üblich ist. Das bürokratische Vorgehen ließ keinen Spielraum." Den Fechterinnen habe man im olympischen Dorf eine bestimmte Zeit zur Benützung der Laufbahn eingeräumt. Als sie einmal außerhalb dieses Zeitraums rennen wollten, hat man dies untersagt, obwohl die Bahn völlig leer war. „It's the rule", es sei Bestimmung, habe man ihnen bedeutet. Olympia, die Stätte der Begegnung.

Cornelia Hanisch hat sich jedoch gefreut „über die Begeisterung der Zuschauer". Ein bißchen war das so, wie sie es 1972 in München als Zuschauerin erlebt hat. Doch damals hat sie „nicht das Gefühl gehabt, daß wir Deutschen unser Nationalbewußtsein übersteigern". Diesmal wohl schon. „Es ist mir sehr auf den Wecker gegangen, daß hier in den USA das nationale Selbstgefühl mit dem sportlichen Erfolg gleichgesetzt wurde." Sportler aus anderen Ländern wurden zu oft zu Randfiguren degradiert. Olympia, die Stätte der Begegnung.

Cornelia Hanisch sagt auch, diese Spiele seien die Spiele des Fernsehens gewesen. Das amerikanische TV habe die Anfangszeiten der Wettbewerbe festgesetzt ohne Rücksicht auf die Bedürfnisse der Sportler, aber mit Blick auf die Einschaltquoten. Sie selbst sei sich beim bombastischen Siegerzeremoniell der Fechtwettbewerbe vorgekommen „wie D'Artagnan, wie eine Shownummer, ein Programmpunkt, wie im Panoptikum". Der Sportler als Teil der Werbeeinblendungen, ein Commercial. „Bei uns in der Bundesrepublik", meint sie, „hilft die Werbung dem Sport. Hier hat sie ihn total in den Klauen." Und trotzdem, sagt Cornelia Hanisch, sei Olympia eine Stätte der Begegnung, des Friedens. „Vielleicht auf einem kleinen gemeinsamen Nenner. Aber solange man miteinander Sport treibt, kann man nicht mit dem Gewehr aufeinander losgehen. Wir haben nicht so viele Chancen, und Olympia ist eine Chance." Viel sei das nicht, aber immerhin etwas.

Natürlich hat Cornelia Hanisch nach diesen Spielen mehr denn je die Befürchtung, daß Politik und Big Business „den Sport immer mehr auffressen. Ich weiß nicht, wie man dem begegnen kann. Ich weiß nur, daß man den Mißständen mit Engagement begegnen muß." Immerhin hätten nun wohl alle begriffen, daß Boykotts keine Lösung seien, sondern nur sinnlos.

Zum Abschluß ihrer Karriere hat die Sportlerin bei diesem Olympia die größten Erfolge ihrer Laufbahn errungen. Nun kann sie sich auf ihren Beruf konzentrieren. Aber auch da haben die Medaillen ihre Kehrseiten. Weil sie, mit Zustimmung der verantwortlichen Stellen übrigens, ihr Wochenpensum als Berufsschullehrerin wegen der Olympiavorbereitung von 27 auf 18 Wochenstunden reduzierte, bekommt sie nun die Quittung. Cornelia Hanisch hat telegrafisch Bescheid bekommen, daß ihr deswegen der Beamtenstatus verweigert wird.

Conny Hanisch, Mädchen mit Mut und Medaille.

Herren

Florett

1. Mauro Numa	ITA
2. Matthias Behr	GER
3. Stefano Cerioni	ITA
4. Frederic Pietruszka	FRA
5. Andrea Borella	ITA
6. Mathias Gey	GER

Florett Mannschaft

1. ITA	
2. GER	Behr, Gey, Hein, Beck
3. FRA	
4. AUT	
5. USA	
6. GBR	

Säbel

1. Jean-François Lamour	FRA
2. Marco Marin	ITA
3. Peter Westbrook	USA
4. Hervé Granger-Veyron	FRA
5. Pierre Guichot	FRA
6. Marin Mustata	ROM

Säbel Mannschaft

1. ITA	
2. FRA	
3. ROM	
4. GER	Nolte, Scholz, Stratmann, Schneider
5. CHN	
6. USA	

Degen

1. Philippe Boisse	FRA
2. Björne Vaggö	SWE
3. Philippe Riboud	FRA
4. Stefano Bellone	ITA
5. Michel Poffet	SUI
6. Elmar Borrmann	GER
7. Alexander Pusch	GER
8. Volker Fischer	GER

Degen Mannschaft

1. GER	Fischer, Pusch, Borrmann, Nickel, Heer
2. FRA	
3. ITA	
4. CAN	
5. SWE	
6. CHN	

Damen

Florett

1. Ju Jie Luan	CHN
2. Cornelia Hanisch	GER
3. Dorina Vaccaroni	ITA
4. Elizabeta Guzganzu	ROM
5. Veronique Brouquier	FRA
6. Laurence Modaine	FRA

Florett Mannschaft

1. GER	Hanisch, Bischoff, Funkenhauser, Weber, Wessel
2. ROM	
3. FRA	
4. ITA 5. CHN 6. USA	

Ein Fest der Sterne zum Happy-End

David Wolper hatte mit präzisester Planung ein gigantisches Spektakel organisiert, aber Dieudonne Lamothe aus Haiti brachte ihn doch ein bißchen aus dem Konzept. Dieudonne Lamothe benötigte für seinen Marathonlauf nämlich 2:52:18 Stunden und wurde damit Letzter von 78 ins Ziel gekommenen Läufern. Hollywood-Produzent David Wolper mußte mit dem Beginn seiner Show für die Schlußfeier warten, bis auch der Mann aus Haiti unter dem Jubel von 90000 Zuschauern im Coliseum die Ziellinie überquert hatte. Danach wurden noch die Sieger der Strapaze geehrt, die besten drei Springreiter galoppierten zur Medaillenverleihung ins Stadion und sprengten rund um die Bahn.
Das machte aber auch schon nichts mehr, denn David Wolpers schöner Zeitplan war sowieso nicht mehr so richtig einzuhalten. Die Menschen brachten ihn durcheinander.

Auf Wiedersehen in Seoul! Fächerwinkend laden fernöstliche Schönheiten zu den nächsten Olympics in Süd-Korea 1988.

Von den 11400 gemeldeten Aktiven und Betreuern waren am letzten Tag der Olympischen Spiele von Los Angeles noch nahezu 8000 in der Stadt, und das IOC stimmte eigens einer Protokolländerung zu, wonach am Sonntagabend alle anwesenden Teilnehmer erneut in den Innenraum des Coliseums einziehen durften und nicht nur die eigentlich in den Regeln festgeschriebenen sechs Teilnehmer pro Land. Dort unten fühlten sich die Teilnehmer dann derart wohl, daß sie gar nicht aufhören mochten mit ihren Ehrenrunden. Der Stadionsprecher mußte schon einen geradezu flehenden Tonfall anschlagen, um endlich den Beginn von David Wolpers Show durchzusetzen.
Es war dann 21.20 Uhr, als IOC-Präsident Samaranch die Spiele offiziell für beendet erklärt hatte. Peter Ueberroth, Präsident des ersten privaten Organisationskomitees der olympischen Geschichte, erhielt den olympischen Orden in Gold, Seouls Bürgermeister Bo Hyun Yum erstmals bereits während der olympischen Schlußfeier die traditionelle „Antwerpen-Fahne" des IOC. Wenige Minuten nachdem Samaranch seine Rede beendet hatte, erlosch das olympische Feuer über dem Stadion.
Dafür setzte ein Feuerwerk ein, das Publikum und Teilnehmer erst recht in Feier-Stimmung versetzte. „Ein Fest der Sterne" hatte Wolper beabsichtigt: Ein UFO schwebte überraschend über einem Meer grünfunkelnder Taschenlampen, auch ein Marsmensch fehlte nicht – dies alles auch als Hinweis, daß die Olympischen Spiele aller Skepsis zum Trotz auch das nächste Jahrtausend noch erreichen würden. „Ein rührendes Happy-End" hatte Wolper versprochen, und sogar Zehnkampf-Olympiasieger Daley Thompson trug diesmal auf einem seiner berüchtigten T-Shirts nur Dankbarkeit zur Schau: „Danke, L. A., Auf Wiedersehen in Seoul" (Jürgen Hingsen wird's mit Schrecken gelesen haben). „Ich fühle mich wie ein Weltbürger", bekannte euphorisiert Olympiasieger Edwin Moses. Die Turnerin Ecaterina Szabo, mit vier Gold- und einer Silbermedaille die erfolgreichste Athletin der Spiele, wurde auf den Schultern ihrer Mannschaftskameraden in das Stadion getragen.
Den Abschluß der Zeremonie bildete ein Song, vorgetragen von Lionel Ritchie, versehen mit einigen zusätzlichen Strophen in Sachen Olympia: „All night long". Am Ende wurde getanzt im Coliseum, und Ritchie dachte an die Zuschauer vor den Fernsehapparaten der Welt. „Zweieinhalb Milliarden Menschen! Soviel passen in keinen Nachtklub."

„Ich hätte am liebsten mitgetanzt", schwärmte Gold-Heidi Rosendahl über die Schlußfeier, die mit einem 1,5-Millionen-Mark-Feuerwerk ausklang.

Die Medaillen von Los Angeles

Leichtathletik

Männer

100-m-Lauf
1. Carl Lewis USA
2. Sam Graddy USA
3. Ben Johnson CAN

200-m-Lauf
1. Carl Lewis USA
2. Kirk Baptiste USA
3. Thomas Jefferson USA

400-m-Lauf
1. Alonzo Babers USA
2. Gabriel Tiacoh CIV
3. Antonio McKay USA

800-m-Lauf
1. Joaquim Cruz BRA
2. Sebastian Coe GBR
3. Earl Jones USA

1500-m-Lauf
1. Sebastian Coe GBR
2. Steve Cram GBR
3. José Abascal ESP

5000-m-Lauf
1. Said Aouita MAR
2. Markus Ryffel SUI
3. Antonio Leitao POR

10 000-m-Lauf
1. Alberto Cova ITA
2. Martti Vainio FIN
3. Michael McLeod GBR

Marathonlauf
1. Carlos Lopes POR
2. John Treacy IRL
3. Charles Spedding GBR

4×100-m-Staffel
1. USA 2. JAM 3. CAN

4×400-m-Staffel
1. USA 2. GBR 3. NGR

110 m Hürden
1. Roger Kingdom USA
2. Greg Foster USA
3. Arto Bryggare FIN

400 m Hürden
1. Edwin Moses USA
2. Danny Harris USA
3. Harald Schmid GER

3000-m-Hindernislauf
1. Julius Korir KEN
2. Joseph Mahmoud FRA
3. Brian Diemer USA

20 km Gehen
1. Ernesto Canto MEX
2. Raul Gonzalez MEX
3. Maurizio Damilano ITA

50 km Gehen
1. Raul Gonzalez MEX
2. Bo Gustafsson SWE
3. Sandro Bellucci ITA

Weitsprung
1. Carl Lewis USA
2. Gary Honey AUS
3. Giovanni Evanglisti ITA

Hochsprung
1. Dietmar Mögenburg GER
2. Patrik Sjöberg SWE
3. Jianhua Zhu CHN

Stabhochsprung
1. Pierre Quinon FRA
2. Mike Tully USA
3. Earl Bell USA
   Thierry Vigneron FRA

Dreisprung
1. Al Joyner USA
2. Mike Conley USA
3. Keith Connor GBR

Kugelstoßen
1. Alessandro Andrei ITA
2. Michael Carter USA
3. Dave Laut USA

Diskuswerfen
1. Rolf Danneberg GER
2. Mac Wilkins USA
3. John Powell USA

Hammerwerfen
1. Juha Tiainen FIN
2. Karl-Hans Riehm GER
3. Klaus Ploghaus GER

Speerwerfen
1. Arto Härkönen FIN
2. David Ottley GBR
3. Kenth Eldebring SWE

Zehnkampf
1. Daley Thompson GBR
2. Jürgen Hingsen GER
3. Sigi Wentz GER

Frauen

100-m-Lauf
1. Evelyn Ashford USA
2. Alice Brown USA
3. Merlene Ottey-Page JAM

200-m-Lauf
1. Valerie Brisco-Hooks USA
2. Florence Griffith USA
3. Merlene Ottey-Page JAM

400-m-Lauf
1. Valerie Brisco-Hooks USA
2. Chandra Cheeseborough USA
3. Kathryn Cook GBR

800-m-Lauf
1. Doina Melinte ROM
2. Kim Gallagher USA
3. Fita Lovin ROM

1500-m-Lauf
1. Gabriella Dorio ITA
2. Doina Melinte ROM
3. Maricica Puica ROM

3000-m-Lauf
1. Maricica Puica ROM
2. Wendy Sly GBR
3. Lynn Williams CAN

Marathonlauf
1. Joan Benoit USA
2. Grete Waitz NOR
3. Rosa Mota POR

4×100-m-Staffel
1. USA 2. CAN 3. GBR

4×400-m-Staffel
1. USA 2. CAN 3. GER

100 m Hürden
1. Benita Fitzgerald-Brown USA
2. Shirley Strong GBR
3. Kim Turner USA
   Michele Chardonnet FRA

400 m Hürden
1. Nawal El Moutawakel MAR
2. Judi Brown USA
3. Cristina Cojocaru ROM

Weitsprung
1. Anis. Stanciu-Cusmir ROM
2. Vali Ionescu ROM
3. Susan Hearnshaw GBR

Hochsprung
1. Ulrike Meyfarth GER
2. Sara Simeoni ITA
3. Joni Huntley USA

Kugelstoßen
1. Claudia Losch GER
2. Michaela Loghin ROM
3. Gael Martin AUS

Diskuswerfen
1. Ria Stalman HOL
2. Leslie Deniz USA
3. Florenta Craciunescu ROM

Speerwerfen
1. Tessa Sanderson GBR
2. Tiina Lillak FIN
3. Fatima Whitbread GBR

Siebenkampf
1. Glynis Nunn AUS
2. Jackie Joyner USA
3. Sabine Everts GER

Turnen

Männer

Mannschafts-Mehrkampf
1. USA 2. CHN 3. JPN

Einzel-Mehrkampf
1. Koji Gushiken JPN
2. Peter Vidmar USA
3. Li Ning CHN

Bodenturnen
1. Li Ning CHN
2. Yun Lou CHN
3. Koji Sotomura JPN
   Philippe Vatuone FRA

Seitpferd
1. Li Ning CHN
   Peter Vidmar USA
3. Timothy Daggett USA

Ringe
1. Koji Gushiken JPN
   Li Ning CHN
3. Gaylord Mitchell USA

Pferdsprung
1. Yun Lou CHN
2. Li Ning CHN
   Koji Gushiken JPN
   Gaylord Mitchell USA
   Shinji Morisue JPN

Barren
1. Bart Conner USA
2. Nobuyuki Kajitani JPN
3. Gaylord Mitchell USA

Reck
1. Shinji Morisue JPN
2. Tong Fei CHN
3. Koji Gushiken JPN

Frauen

Mannschafts-Mehrkampf
1. ROM 2. USA 3. CHN

Einzel-Mehrkampf
1. Mary Lou Retton USA
2. Ecaterina Szabo ROM
3. Simona Pauca ROM

Pferdsprung
1. Ecaterina Szabo ROM
2. Mary Lou Retton USA
3. Lavinia Agache ROM

Stufenbarren
1. Yanhong Ma CHN
   Juliane McNamara USA
3. Mary Lou Retton USA

Schwebebalken
1. Ecaterina Szabo ROM
   Simona Pauca ROM
3. Kathy Johnson USA

Bodenturnen
1. Ecaterina Szabo ROM
2. Juliane McNamara USA
3. Mary Lou Retton USA

Fußball
1. FRA 2. BRA 3. YUG

Hockey

Männer
1. PAK 2. GER 3. GBR

Frauen
1. HOL 2. GER 3. USA

Basketball

Männer
1. USA 2. ESP 3. YUG

Frauen
1. USA 2. KOR 3. CHN

Volleyball

Männer
1. USA 2. BRA 3. ITA

Frauen
1. CHN 2. USA 3. JPN

Handball

Männer
1. YUG 2. GER 3. ROM

Frauen
1. YUG 2. KOR 3. CHN

Schießen

Männer

Kleinkaliber liegend
1. Edward Etzel USA
2. Michel Bury FRA
3. Michael Sullivan GBR

Kleinkaliber Dreistellungskampf
1. Malcolm Cooper GBR
2. Daniel Nipkow SUI
3. Alister Allan GBR

Freie Pistole
1. Xu Haifeng CHN
2. Ragnar Skanaker SWE
3. Yifu Wang CHN

Schnellfeuerpistole
1. Takeo Kamachi JPN
2. Corneliu Ion ROM
3. Rauno Bies FIN

Skeet
1. Matthew Dryke USA
2. Ole Riber Rasmussen DEN
3. Luca Scribani-Rossi ITA

Trap
1. Luciano Giovanetti ITA
2. Francisco Boza PER
3. Daniel Carlisle USA

Laufende Scheibe
1. Yuwei Li CHN
2. Helmut Bellingrodt COL
3. Shiping Huang CHN

Luftgewehr
1. Philippe Heberle FRA
2. Andreas Kronthaler AUT
3. Barry Dagger GBR

Frauen

Sportpistole
1. Linda Thom CAN
2. Ruby Fox USA
3. Patricia Dench AUS

Kleinkaliber Dreistellungskampf
1. Xiaoxuan Wu CHN
2. Ulrike Holmer GER
3. Wanda Jewell USA

Luftgewehr
1. Pat Spurgin USA
2. Edith Gufler ITA
3. Xiaoxuan Wu CHN

Bogenschießen

Männer
1. Darrell Pace USA
2. Richard McKinney USA
3. Hiroshi Yamamoto JPN

Frauen
1. Hyang-Soon Seo KOR
2. Lingjuan Li CHN
3. Jin-Ho Kim KOR

Moderner Fünfkampf

Einzelwertung
1. Daniele Masala ITA
2. Svante Rasmusson SWE
3. Carlo Massullo ITA

Mannschaftswertung
1. ITA 2. USA 3. FRA

Fechten

Herren

Florett
1. Mauro Numa ITA
2. Matthias Behr GER
3. Stefano Cerioni ITA

Florett Mannschaft
1. ITA 2. GER 3. FRA

Degen
1. Philippe Boisse FRA
2. Björne Vaggö SWE
3. Philippe Riboud FRA

Degen Mannschaft
1. GER 2. FRA 3. ITA

Säbel
1. Jean-François Lamour FRA
2. Marco Marin ITA
3. Peter Westbrook USA

Säbel Mannschaft
1. ITA 2. FRA 3. ROM

Damen

Florett
1. Ju Jie Luan CHN
2. Cornelia Hanisch GER
3. Dorina Vaccaroni ITA

Florett Mannschaft
1. GER 2. ROM 3. FRA

Gewichtheben

Fliegengewicht
1. Guoqiang Zeng CHN
2. Peishun Zhou CHN
3. Kazushito Manabe JPN

Bantamgewicht
1. Shude Wu CHN
2. Runming Lai CHN
3. Masahiro Kotaka JPN

Federgewicht
1. Weiqiang Chen CHN
2. Gelu Radu ROM
3. Wen-Yee Tsai KOR

Leichtgewicht
1. Jingyuan Yao CHN
2. Andrei Socaci ROM
3. Jouni Gronman FIN

Mittelgewicht
1. Karl-Heinz Radschinsky GER
2. Jacques Demers FRA
3. Dragomir Cioroslan ROM

Leichtschwergewicht
1. Petre Becheru ROM
2. Robert Kabbas AUS
3. Ryoji Isaoka JPN

Mittelschwergewicht
1. Nicu Vlad ROM
2. Dumitru Petre ROM
3. David Mercer GBR

Erstes Schwergewicht
1. Rolf Milser GER
2. Vasile Gropa ROM
3. Pekka Niemi FIN

Schlußfeier im Coliseum. Ulrike Meyfarth mit den deutschen Farben.

Zweites Schwergewicht

1. Norberto Oberburger	ITA
2. Stefan Tasnadi	ROM
3. Guy Carlton	USA

Superschwergewicht

1. Dean Lukin	AUS
2. Mario Martines	USA
3. Manfred Nerlinger	GER

Ringen

Griechisch-Römisch

Papiergewicht

1. Vicenco Maenza	ITA
2. Markus Scherer	GER
3. Ikuzo Saito	JPN

Fliegengewicht

1. Atsuji Miyahara	JPN
2. Daniel Aceves	MEX
3. Dae-Du Bang	KOR

Bantamgewicht

1. Pasquale Passarelli	GER
2. Masaki Eto	JPN
3. Haralambos Holidis	GRE

Federgewicht

1. Weon-Kee Kim	KOR
2. Kentolle Johansson	SWE
3. Hugo Dietsche	SUI

Leichtgewicht

1. Vlado Lisjak	YUG
2. Tapio Sipila	FIN
3. James Martines	USA

Weltergewicht

1. Jouko Salomäki	FIN
2. Roger Tallroth	SWE
3. Stefan Rusu	ROM

Mittelgewicht

1. Ion Draica	ROM
2. Dimitrios Thanopoulos	GRE
3. Sören Claeson	SWE

Halbschwergewicht

1. Steven Fraser	USA
2. Ilie Matei	ROM
3. Frank Andersson	SWE

Schwergewicht

1. Vasile Andrei	ROM
2. Greg Gibson	USA
3. Jozef Tertelje	YUG

Superschwergewicht

1. Jeffrey Blatnick	USA
2. Thomas Johansson	SWE
3. Refik Memisevic	YUG

Freistil

Papiergewicht

1. Robert Weaver	USA
2. Takashi Irie	JPN
3. Son-Gab Do	KOR

Fliegengewicht

1. Saban Trstena	YUG
2. Jong-Kiu Kim	KOR
3. Yuji Takada	JPN

Bantamgewicht

1. Hideaki Tmiyami	JPN
2. Barry Davis	USA
3. Eui-Kon Kim	KOR

Federgewicht

1. Randy Lewis	USA
2. Kosei Akaishi	JPN
3. Jung-Keun Lee	KOR

Leichtgewicht

1. In-Tak You	KOR
2. Andrew Rein	USA
3. Jukka Rauhala	FIN

Weltergewicht

1. David Shultz	USA
2. Martin Knosp	GER
3. Saban Sejdi	YUG

Mittelgewicht

1. Mark Shultz	USA
2. Hideyoki Nagashima	JPN
3. Chris Rinke	CAN

Halbschwergewicht

1. Ed Banach	USA
2. Akira Ota	JPN
3. Noel Loban	GBR

Schwergewicht

1. Lou Banach	USA
2. Joseph Atiyeh	SYR
3. Vasile Puscasu	ROM

Superschwergewicht

1. Bruce Baumgartner	USA
2. Bob Molle	CAN
3. Ayhan Taskin	TUR

Judo

Superleichtgewicht

1. Shinji Hosokawa	JPN
2. Jae-Yup Kim	KOR
3. Edward Liddie	USA
3. Neil Eckersley	GBR

Halbleichtgewicht

1. Yoshiyuki Matsuoka	JPN
2. Jung-Oh Hwang	KOR
3. Josef Reiter	AUT
3. Marc Alexandre	FRA

Leichtgewicht

1. Ahn-Byeong Keun	KOR
2. Ezio Gamba	ITA
3. Luis Onmura	BRA
3. Kenneth Brown	GBR

Halbmittelgewicht

1. Frank Wieneke	GER
2. Neil Adams	GBR
3. Mircea Fratica	ROM
3. Michel Nowak	FRA

Mittelgewicht

1. Peter Seisenbacher	AUT
2. Robert Berland	USA
3. Walter Carmona	BRA
3. Seiki Nose	JPN

Halbschwergewicht

1. Hyoung-Zoo Ha	KOR
2. Douglas Vieira	BRA
3. Günther Neureuther	GER
3. Bjarni Fridriksson	ISL

Schwergewicht

1. Hitoshi Saito	JPN
2. Angelo Parisi	FRA
3. Mark Berger	CAN
3. Yong-Chul Cho	KOR

Allkategorie

1. Yasuhiro Yamashita	JPN
2. Mohamed Rashwan	EGY
3. Artur Schnabel	GER
3. Mihai Cioc	ROM

Boxen

Halbfliegengewicht

1. Paul Gonzales	USA
2. Salvatore Todisco	ITA
3. Keith Mwila	ZAM
3. José Marcelino Bolivar	VEN

Fliegengewicht

1. Steven McCrory	USA
2. Redzep Redzepovski	YUG
3. Eyup Can	TUR
3. Ibrahim Bilali	KEN

Bantamgewicht

1. Maurizio Stecca	ITA
2. Hector Lopez	MEX
3. Dale Walters	CAN
3. Pedro Nolasco	DOM

Federgewicht

1. Meldrick Taylor	USA
2. Peter Konyegwachie	NGR
3. Catari Peraza	VEN
3. Turgut Aykac	TUR

Leichtgewicht

1. Pernell Whitaker	USA
2. Luis Ortiz	PUR
3. Martin Ndongo Ebanga	CMR
3. Chil-Sung Cun	KOR

Halbweltergewicht

1. Jerry Page	USA
2. Dhawee Umponmaha	THA
3. Mirko Puzovic	YUG
3. Mirceo Fulger	ROM

Weltergewicht

1. Mark Breland	USA
2. Young-Su An	KOR
3. Joni Nyman	FIN
3. Luciano Bruno	ITA

Halbmittelgewicht

1. Frank Tate	USA
2. Shawn O'Sullivan	CAN
3. Manfred Zielonka	GER
3. Christophe Tiozzo	FRA

Mittelgewicht

1. Joon-Sup Shin	KOR
2. Virgil Hill	USA
3. Mohammed Zaoul	ALG
3. Aristides Gonzales	PUR

Halbschwergewicht

1. Anton Josipovic	YUG
2. Kevin Barry	NZL
3. Mustapha Moussad	ALG
3. Evander Holyfield	USA

Schwergewicht

1. Henry Tillman	USA
2. Willie de Wit	CAN
3. Angelo Musone	ITA
3. Arnold Vanderlijde	HOL

Superschwergewicht

1. Tyrell Biggs	USA
2. Francesco Damiani	ITA
3. Robert Wells	GBR
3. Azis Salihu	YUG

Radfahren

Sprint

1. Mark Gorski	USA
2. Nelson Vails	USA
3. Tsutomu Sakamoto	JPN

1000-m-Zeitfahren

1. Fredy Schmidtke	GER
2. Curtis Harnett	CAN
3. Fabrice Colas	FRA

4000-m-Einerverfolgung

1. Steve Hegg	USA
2. Rolf Gölz	GER
3. Leonard Harvey Nitz	USA

4000-m-Mannschaftsverfolgung

1. AUS 2. USA 3. GER

Einer-Straßenrennen

1. Alexi Grewal	USA
2. Steve Bauer	CAN
3. Dag Otto Lauritzen	NOR

100-km-Mannschaftsfahren

1. ITA 2. SUI 3. USA

Punktefahren

1. Roger Ilegems	BEL
2. Uwe Messerschmidt	GER
3. José Manuel Youshimatz	MEX

Einer-Straßenrennen Frauen

1. Connie Carpenter-Phinney	USA
2. Rebecca Twigg	USA
3. Sandra Schumacher	GER

Schwimmen

Herren

100 m Freistil

1. Rowdy Gaines	USA
2. Mark Stockwell	AUS
3. Per Johansson	SWE

200 m Freistil

1. Michael Groß	GER
2. Mike Heath	USA
3. Thomas Fahrner	GER

400 m Freistil

1. George Dicarlo	USA
2. John Mykanen	USA
3. Justin Lemberg	AUS

1500 m Freistil

1. Michael O'Brien	USA
2. George Dicarlo	USA
3. Stefan Pfeiffer	GER

100 m Rücken

1. Rick Carey	USA
2. David Wilson	USA
3. Mike West	CAN

200 m Rücken

1. Rick Carey	USA
2. Frederic Delcourt	FRA
3. Cameron Henning	CAN

100 m Brust

1. Steve Lundquist	USA
2. Victor Davis	CAN
3. Peter Evans	AUS

200 m Brust

1. Victor Davis	CAN
2. Glenn Beringen	AUS
3. Etienne Dagon	SUI

100 m Delphin

1. Michael Groß	GER
2. Pedro Pablo Morales	USA
3. Glenn Buchanan	AUS

200 m Delphin

1. Jon Sieben	AUS
2. Michael Groß	GER
3. Rafael Vidal Castro	VEN

200 m Lagen

1. Alex Baumann	CAN
2. Pedro Pablo Morales	USA
3. Neil Cochran	GBR

400 m Lagen

1. Alex Baumann CAN
2. Ricardo Prado BRA
3. Robert Woodhouse AUS

4×100-m-Freistil-Staffel

1. USA 2. AUS 3. SWE

4×200-m-Freistil-Staffel

1. USA 2. GER 3. GBR

4×100-m-Lagen-Staffel

1. USA 2. CAN 3. AUS

Damen

100 m Freistil

1. Carrie Steinseifer USA
2. Nancy Hogshead USA
3. Annemarie Verstappen HOL

200 m Freistil

1. Mary Wayte USA
2. Cynthia Woodhead USA
3. Annemarie Verstappen HOL

400 m Freistil

1. Tiffany Cohen USA
2. Sarah Hardcastle GBR
3. June Croft GBR

800 m Freistil

1. Tiffany Cohen USA
2. Michelle Richardson USA
3. Sarah Hardcastle GBR

100 m Rücken

1. Therese Andrews USA
2. Betsy Mitchell USA
3. Jolanda de Rover HOL

200 m Rücken

1. Jolanda de Rover HOL
2. Amy White USA
3. Aneta Patrascoiu ROM

100 m Brust

1. Petra van Staveren HOL
2. Anne Ottenbrite CAN
3. Catherine Poirot FRA

200 m Brust

1. Anne Ottenbrite CAN
2. Susan Rapp USA
3. Ingrid Lempereur BEL

100 m Delphin

1. Mary Meagher USA
2. Jenna Johnson USA
3. Karin Seick GER

200 m Delphin

1. Mary Meagher USA
2. Karen Phillips AUS
3. Ina Beyermann GER

200 m Lagen

1. Tracy Caulkins USA
2. Nancy Hogshead USA
3. Michèle Pearson AUS

400 m Lagen

1. Tracy Caulkins USA
2. Suzanne Landells AUS
3. Petra Zindler GER

4×100-m-Freistil-Staffel

1. USA 2. HOL 3. GER

4×100-m-Lagen-Staffel

1. USA 2. GER 3. CAN

Springen

Herren

Kunstspringen

1. Greg Louganis USA
2. Liangde Tan CHN
3. Ronald Merriott USA

Turmspringen

1. Greg Louganis USA
2. Bruce Kimball USA
3. Li Kong Zhen CHN

Frauen

Kunstspringen

1. Slivie Bernier CAN
2. Kelly McCormick USA
3. Christina Seufert USA

Turmspringen

1. Jihong Zhou CHN
2. Michele Mitchell USA
3. Wendy Wyland USA

Synchronschwimmen

Einzel

1. Tracie Ruiz USA
2. Carolyn Waldo CAN
3. Miwako Motoyoshi JPN

Duo

1. USA 2. CAN 3. JPN

Wasserball

1. YUG 2. USA 3. GER

Rudern

Männer

Einer

1. Pertti Karppinen FIN
2. Peter-Michael Kolbe GER
3. Robert Mills CAN

Zweier ohne Steuermann

1. ROM 2. ESP 3. NOR

Zweier mit Steuermann

1. ITA 2. ROM 3. USA

Doppelzweier

1. USA 2. BEL 3. YUG

Vierer ohne Steuermann

1. NZL 2. USA 3. DEN

Vierer mit Steuermann

1. GBR 2. USA 3. NZL

Doppelvierer

1. GER 2. AUS 3. CAN

Achter

1. CAN 2. USA 3. AUS

Frauen

Einer

1. Valeria Racila ROM
2. Charlotte Geer USA
3. Ann Haesebrouck BEL

Zweier ohne Steuerfrau

1. ROM 2. CAN 3. GER

Doppelzweier

1. ROM 2. HOL 3. CAN

Vierer mit Steuerfrau

1. ROM 2. CAN 3. AUS

Doppelvierer

1. ROM 2. USA 3. DEN

Achter

1. USA 2. ROM 3. HOL

Kanu

Männer

Kajak-Einer 500 m

1. Ian Ferguson NZL
2. Lars-Erik Moberg SWE
3. Bernard Bregeon FRA

Kajak-Einer 1000 m

1. Alan Thompson NZL
2. Milan Janic YUG
3. Greg Barton USA

Kajak-Zweier 500 m

1. NZL 2. SWE 3. CAN

Kajak-Zweier 1000 m

1. CAN 2. FRA 3. AUS

Kajak-Vierer 1000 m

1. NZL 2. SWE 3. FRA

Canadier-Einer 500 m

1. Larry Cain CAN
2. Henning Jakobsen DEN
3. Costica Olaru ROM

Canadier-Einer 1000 m

1. Ulrich Eicke GER
2. Larry Cain CAN
3. Henning Jakobsen DEN

Canadier-Zweier 500 m

1. YUG 2. ROM 3. ESP

Canadier-Zweier 1000 m

1. ROM 2. YUG 3. ESP

Frauen

Kajak-Einer 500 m

1. Agneta Andersson SWE
2. Barbara Schüttpelz GER
3. Annemiek Derckx HOL

Kajak-Zweier 500 m

1. SWE 2. CAN 3. GER

Kajak-Vierer 500 m

1. ROM 2. SWE 3. CAN

Segeln

Finn-Dinghy

1. Russel Coutts NZL
2. John Bertrand USA
3. Terry Neilson CAN

Flying Dutchman

1. USA 2. CAN 3. GBR

470er

1. ESP 2. USA 3. FRA

Star

1. USA 2. GER 3. ITA

Tornado

1. NZL 2. USA 3. AUS

Soling

1. USA 2. BRA 3. CAN

Windglider

1. Stephan van den Berg HOL
2. Randall Scott Steele USA
3. Bruce Kendall NZL

Reiten

Dressur Einzel

1. Reiner Klimke GER
2. Anne Grethe Jensen DEN
3. Otto Hofer SUI

Dressur Mannschaft

1. GER 2. SUI 3. SWE

Jagdspringen

1. Joe Fargis USA
2. Conrad Homfeld USA
3. Heidi Robbiani SUI

Jagdspringen Mannschaft (Preis der Nationen)

1. USA 2. GBR 3. GER

Military

1. Mark Todd NZL
2. Karen Stives USA
3. Virgina Holgate GBR

Military Mannschaft

1. USA 2. GBR 3. GER

Medaillenspiegel

	Gold	Silber	Bronze
USA	83	61	30
ROM	20	16	17
GER	17	19	23
CHN	15	8	9
ITA	14	6	12
CAN	10	18	16
JPN	10	8	14
NZL	8	1	2
YUG	7	4	7
KOR	6	6	7
GBR	5	10	22
FRA	5	7	15
HOL	5	2	6
AUS	4	8	12
FIN	4	3	6
SWE	2	11	6
MEX	2	3	1
MAR	2	–	–
BRA	1	5	2
ESP	1	2	2
BEL	1	1	2
AUT	1	1	1
POR	1	–	2
KEN	1	–	1
PAK	1	–	–
SUI	–	4	4
DEN	–	3	3
NOR	–	1	2
JAM	–	1	2
GRE	–	1	1
PUR	–	1	1
NGR	–	1	1
SYR	–	1	–
COL	–	1	–
PER	–	1	–
CIV	–	1	–
THA	–	1	–
EGY	–	1	–
IRL	–	1	–
VEN	–	–	3
TUR	–	–	3
ALG	–	–	2
TPE	–	–	1
ISL	–	–	1
CMR	–	–	1
ZAM	–	–	1
DOM	–	–	1

2. und 3. Platz in der Dressur, 3. im Jagdeinzelspringen, Schweizer Reiter auf dem Sprung. Hier Bruno Candrian, der Fünfte im Jagdspringen.

BILANZ SCHWEIZ

Durchbruch bei den Schwimmern

Ohne eine Goldmedaille zu gewinnen, stand die Schweiz einen Tag lang in den olympischen Schlagzeilen der Weltmedien. Der Beinahe-Kollaps der mit einem Amerikaner verheirateten und in Colorado als Skilehrerin tätigen Gaby Andersen-Schiess beim ersten Frauen-Marathonlauf in der olympischen Geschichte hat die Öffentlichkeit schockiert. In der Schweiz, wo das Fernsehen den peinlichen Zwischenfall in seiner ganzen Länge zeigte, lebten die Diskussionen über Sinn und Unsinn des Sports neu auf.

Gaby Schiess (39), die tags darauf schon wieder leicht trainieren konnte und keine Lust hatte, sich die TV-Aufzeichnung im nachhinein anzusehen, erlebte aber ganz andere Reaktionen, auch wenn ihr der ganze Rummel peinlich war und sie sich nach ihrem furchterregenden Auftritt vor Hunderten von Millionen Fernsehzuschauern durchaus „nicht als Heldin fühlte". Sie wurde mit Einladungen zu Gratisferien überhäuft und erhielt aus Afrika und Griechenland, der Geburtsstätte des Marathonlaufs, für ihren „beispielhaften Durchhaltewillen" Auszeichnungen offiziell überreicht.

Großes Stehvermögen sichert Ryffel Silber

Die Schweizer Olympiamannschaft (gegen 140 Frauen und Männer) hat seit 32 Jahren (Helsinki 1952) nie mehr so viele Medaillen heimgebracht. Insgesamt waren es acht, fünf silberne und drei bronzene. Und Diplome gab es mehr als jemals zuvor. Doch kein Zweifel: Das ist vor allem die Folge des Boykotts. Er läßt Vergleiche quer durch die Sportarten nicht zu. Der Wert eines achten Platzes beispielsweise ist nicht überall gleich. Und die Resultate und Ränge von Los Angeles geben kein wahrheitsgetreues Bild des Weltniveaus der einzelnen Sportarten wieder.

Die „schönste" aller Schweizer Medaillen war jene, die Markus Ryffel im letzten Finale, jenem über 5000 m, errang. Sieht man vom Gehen ab, so war es die erste olympische Leichtathletik-Medaille seit 60 Jahren, seit 1924 in Paris, als mit Paul Martin (800 m) und Willy Schärer (1500 m) gleich zwei Schweizer zweite Plätze belegten.

Ryffels „Silberne" kam überraschend, weil der Langstreckler, der im Winter immer in der anderen Hemisphäre trainiert, seit Moskau unter langwierigen Verletzungen litt. Deshalb konnte er vor Los Angeles nur wenige Rennen laufen. Aber Ryffel erwies sich in diesem von der Tempoeinteilung für ihn idealen Rennen erneut als gewiegter Taktiker. Er lief sparsam, aufmerksam, hielt sich nach Möglichkeit immer an der Innenkante auf, zeigte sich aber, wenn „Löcher" zu entstehen drohten, entschlußkräftig und war deshalb in der letzten Runde noch so frisch, daß er 230 m vor dem Ziel in einem Zwischenspurt die Spitze zu erreichen suchte. Das jahrelange, konsequent durchgeführte und auf die Förderung des Stehvermögens ausgerichtete Training hatte sich in den drei schweren, kurz aufeinanderfolgenden Rennen ausgezahlt.

Die „wertvollste" aller Schweizer Medaillen war die des Schwimmers Etienne Dagon über 200 m Brust – wie überhaupt die Schwimmer in Los Angeles bestätigten, daß ihnen in einigen Disziplinen der Anschluß an die Weltspitze gelungen ist. Jahrzehntelang waren die Schwimmer nur Mittelmaß gewesen. Wenn ihnen jetzt auch olympisch der Durchbruch gelungen ist, so deshalb, weil sie in ihrem Trainingszentrum in Genf seit Jahren unter dem gleichen, zielbewußten Trainer langfristig arbeiten – allerdings unter beträchtlichen persönlichen Opfern, vor allem auch finanziellen. Als die Mannschaft im letzten Winter zu einem zweiwöchigen Trainingslager nach Kalifornien aufbrach, um Olympia zu simulieren, zahlten alle Schwimmer den größten Teil der Kosten aus der eigenen Tasche.

Doch es gab natürlich auch Enttäuschungen. Im Rudern ging der Vierer-ohne, zwei Jahre zuvor noch Weltmeister, unter, nicht nur weil einer des Quartetts kurz vor den Vorläufen noch 39 Grad Fieber hatte.

Nach der Vizeweltmeisterschaft nun die olympische Silbermedaille. Im 100-km-Mannschaftsfahren auf dem Artesia-Freeway belegten die vier Eidgenossen Rang zwei. Mit dieser einzigen Medaille retten sie die Ehre des sonst so angesehenen Schweizer Radsportes.

Im Kampf um die Bronzemedaille schlägt Griechisch-römisch-Ringer Hugo Dietsche den Amerikaner Abdurahim Kuzu in der Federgewichtsklasse nach Punkten (oben).

Etienne Dragon aus Genf (Mitte) überraschte mit einem dritten Platz über 200 m Brust.

Mit 1163 Ringen belegte Daniel Nipkow (unten) den 2. Platz im KK-Dreistellungskampf.

Die Degenfechter, bei früheren Olympischen Spielen immer mit hervorragenden Resultaten aufwartend, gingen im Mannschaftswettkampf ein. Die Leute sind älter geworden. Eine Epoche ist zu Ende gegangen, weil auch der Fechtsport athletischer geworden ist und die Schnelligkeit heute eine größere Rolle spielt als Erfahrung, Taktik und Technik.
Mehr hatte man auch von den Schützen erwartet. Der einzige, der eine Medaille schoß, Daniel Nipkow im Kleinkaliber-Dreistellungsmatch, bereitete sich gewissermaßen als Einzelgänger vor.
Und Tiefschläge gab es auch bei den Leichtathleten. Pierre Delèze, der 1500-m-Läufer, der durchaus Aussicht auf einen Medaillenrang gehabt hätte, stürzte im Vorlauf drei Meter vor dem Ziel, weil er den vor ihm laufenden, plötzlich stark abbremsenden Ovett berührte. Es war ein ebenso fataler wie stupider Zwischenfall, der eine jahrelange professionelle Vorbereitung illusorisch machte.
Und der Hochspringer Roland Dalhäuser, seit Jahren als „Hausmann" tätig, damit er sich gut vorbereiten kann, war nervlich so mitgenommen, daß er im Finale ohne gültigen Versuch auf seiner Anfangshöhe von 2,21 m hängenblieb. Dalhäuser ist ein Opfer der Prüfungsangst geworden. „Ich bin froh, daß es durchgelitten ist, so macht Sport wirklich keinen Spaß mehr", diktierte er nach seinem Versagen den Reportern offensichtlich erleichtert in die Notizblöcke.
Geld und Zeit allein genügen zum Erfolg nicht. Dieses Fazit zieht man in der Schweiz. Einige Athleten, nicht alle, die sich hundertprozentig, ohne Berufsarbeit auf die Spiele vorbereiteten, versagten; andere, die halbtags arbeiten, hatten Erfolg.
Entscheidend sind, so ein weiteres Fazit, nicht die Modelle, die Planung, der „Apparat", erstklassige Infrastrukturen. Diese sind zwar nötig. Aber, so glaubt man, noch wichtiger ist, Talente frühzeitig zu entdecken, sie gezielt zu fördern und Trainer einzusetzen, die sich, mit allen Vollmachten ausgestattet, langfristig mit ihren Athleten beschäftigen können. Wie im Schwimmen, wie im Turnen, wie im Modernen Fünfkampf, wie beim Rad-Straßenvierer. Mit ständigem Auswechseln der Trainer kommt man auf die Dauer nicht weit.
Deutlich erkennbar wurde auch, daß die Verbände im Vorfeld der Selektionen ihre Athleten oft überschätzen. Sie neigen dazu, möglichst viele Leute aus der eigenen Sportart in einer Olympiamannschaft unterzubringen – mit dem Ergebnis, daß dann viele die Grundforderung – Rang in der ersten Hälfte der Teilnehmer – nicht einmal erreichen.

Langeweile und Grenzkoller erfolgreich vermieden

Daher ist das schweizerische Selektionssystem, auch wenn Quervergleiche zwischen den einzelnen Sportarten fast nicht zuverlässig vorzunehmen sind, richtig: Eine neutrale Expertengruppe von zwei, drei Persönlichkeiten siebt die Kandidaten aus und schlägt sie dem Olympischen Komitee für die Selektion vor. Die Verbände haben nicht das letzte Wort. Für Los Angeles wurden gegen 40 ihrer Vorschläge abgelehnt. Die Olympiamannschaft war noch so groß genug.
Die ersten „privaten" Spiele fanden in der Schweiz ein gutes Echo – trotz langer Distanzen, Hitze und Smog. Die sorgfältigen Rekognoszierungen der Missionsleitung, die dezentralisierte Unterbringung der Athleten einzelner Sportarten, die zusätzliche Miete von Studios in der Nähe des Coliseums für Leichtathletik und Schwimmen und damit der Wegfall von beschwerlichen Anreisen zu den Wettkämpfen haben sich bewährt, desgleichen die Tendenz, nicht zu früh nach Kalifornien zu reisen. Die sonst üblichen Fälle von Langeweile und Grenzkoller gab es diesmal nicht. Vielleicht auch, weil die Infrastrukturen der Organisatoren für die Freizeitgestaltung sehr gut waren und das neue elektronische Bildschirm-Informations- und -Übermittlungssystem die Kontakte mit den Außenstellen erleichterte.

BILANZ
ÖSTERREICH

Drittbestes Ergebnis seit 1948

Auf der Matte der State University of California wuchs der vermeintliche Judozwerg Österreich zu einer Großmacht. Peter Seisenbacher schrieb Judogeschichte. Ein gelernter Goldschmied eroberte die Goldmedaille. Ein Judoheld wie aus einem Filmdrehbuch. Groß, attraktiv, bärenstark, aber auch blitzschnell und geistig unheimlich gewandt. Der Mittelgewichtler war allen Gegnern eine Nummer zu groß. Er erwischte eine schwierige Auslosung, aber er zwang das Schicksal in imponierendem Stil. Nach schwachen Aufbaugegnern (Lopatic/Jugoslawien, Chang/Taiwan) legte Seisenbacher den Japaner Nose, der ihn noch bei der WM 83 in Moskau geschulmeistert hatte, buchstäblich aufs Kreuz. Die Lektionen, die er an der Tokai-Universität bei Tokio mehrmals genommen hatte, verwandelte er in eine Unterrichtsstunde für Japans Hoffnung und machte dann mit dem Franzosen Canu ebenso kurzen Prozeß wie im Finale mit dem amerikanischen Lokalmatador Robert Berland, den er nach 2:26 Minuten mit einer Kombination von Hüftwurf und Beinhebel erledigte. Seisenbacher wirkte in seinen Kämpfen und danach unheimlich souverän, ein Olympiasieger, wie man ihn sich vorstellt, ein wahrer Siegfried unter den Judokämpfern und trotz allem die Bescheidenheit in Person. Der gelernte Goldschmied, der jetzt Judo-Soldat beim Bundesheer ist, bot eine gigantische Vorstellung. Es war die erfolgreich kanalisierte Aggressivität. Einst war der schlimme Schulbub nämlich von der Frau Mama in einen Judoklub eingeschrieben worden, weil sich die Lehrer über seine ausufernde Rauflust beklagt hatten. Früh übt sich eben, was ein wahrer Meister werden will. Und ein Olympiasieger.

Landwirt auf der Matte

Josef „Pepi" Reiter, das schlaue Bäuerlein aus Niederwaldkirchen bei Linz, eroberte in der 68-kg-Klasse nur die Bronzemedaille, aber betrachtete diesen dritten Platz wie einen Olympiasieg. Als Zweijähriger hatte er zwei Finger der rechten Hand verloren, von 1983 bis 1984 mußte er nicht weniger als vier Operationen überstehen, um überhaupt in Los Angeles antreten zu können. An Ort und Stelle verletzte er sich nochmals den Knöchel, aber er verbiß alle Rückschläge und Schmerzen. Ein Bauernbub mit Dickschädel, der geradezu signifikant über die Hoffnungsrunde (nach Niederlage gegen den späteren Zweiten Hwang/Korea) das Duell um Bronze gegen den Italiener bestreiten und erfolgreich bestehen konnte. Der japanische Schiedsrichter Kaminaga gab bei 1:1-Kampfrichterentscheid den Ausschlag zugunsten des Bauern („Ich bin ein besserer Judokämpfer als Landwirt") aus Oberösterreich. Aber auch dem österreichischen Kurt Kucera zuliebe, einem gewichtigen, aber durchschlagskräftigen Wiener, dem keiner mehr ansieht, daß er einst selbst Judokämpfer war. Dank Kucera bauen die Japaner in Wien ein Judo-Center mit allem Drum und Dran. Dort wird der Olympiasieger Seisenbacher sein Gold von Los Angeles in Zukunft vermarkten können, aber nur, wenn Judo aus einem Minderheiten- zum Volkssport wird. Denn die beiden Medaillen 1984 kommen aus einem Verband mit nur 186 Vereinen und 10000 Mitgliedern. Ein Maximum aus einem Minimum, so wie sich auch in Los Angeles das Blatt nach fünf Tagen

Einzug der rotweißroten Gladiatoren. Segler Hubert Raudaschl, später Fünfter im Starboot, trägt die Fahne.

Oben: Josef Reiter, Bronzemedaillengewinner in der Halbleichtgewicht-Klasse des olympischen Judoturniers, im ORF-Studio Los Angeles. Gleich wird er die Fragen seiner Reporter beantworten. Zusammen mit der Goldmedaille von Peter Seisenbacher kann sich die Bilanz der österreichischen Judokas durchaus sehen lassen. Seine Goldmedaille ist die 5., die Austrias Sommersportler nach dem Kriege gewinnen. – Unten: „Ich bin schon oft am Stockerl gestanden, aber ein derartiges Gefühl hab' ich noch nie gehabt", beschrieb der 33jährige Tiroler Andreas Kronthaler, der in Wien arbeitet und für den niederösterreichischen Klub Königsstetten schießt, den schönsten Augenblick seiner Sportlerkarriere. Um seinen Hals baumelt die Silbermedaille für den zweiten Platz im Luftgewehrschießen.

gewendet hatte. Und aus dem Nichts Medaillen wurden.

Da und dort ein Schwimmrekord (Thomas Boehm, 100 m Brust, Sonja Hausladen, 400 m Lagen, jeweils 13. Plätze), ein Segel-Tagessieg von Hubert Raudaschl, dem Alt-Star im wahrsten Sinn des Wortes, das waren zu Beginn der Spiele die einzigen Lichtblikke. Schon sahen viele schwarz, schon tauchte das Sarajevo-Gespenst auf, erst recht, als der Schnellfeuer-Pistolenschütze Gerhard Petritsch, 1980 in Moskau Olympiadritter, schon am ersten Tag seine Chancen in der letzten Serie mit zwei Achtern verpulvert hatte. Dem Routinier zitterten die Knie, und vor lauter Aufregung brachte er die Pistole nicht in die rechte Anschlagshöhe. Das Visier war falsch eingestellt. Am zweiten Tag fehlte Petritsch die nötige Spannung, um sich nochmals aufzuladen. Hätte er es getan, er hätte noch einen Volltreffer erzielen können. Der wahre Schrecken und Zorn packten den Werbespezialisten aus Salzburg erst, als er die Umfaller der anderen sah. Mit seiner Leistung von Moskau hätte er in Prado, wo Wüstenklima herrschte und drückende Schwüle die Schußkraft reduzierte, „spielend gewonnen". So wurde er nur Neunter – mit der schwächsten Ringzahl, die er je bei Großwettkämpfen zuwege gebracht hatte. Ob ein Psychologe die Zielsicherheit gehoben hätte?

Petritsch antwortete auf seine Weise, schlagfertig und treffsicherer als beim Wettkampf am Schießstand: „Lieber bin ich Neunter und normal – als ein totaler Spinner mit einer Medaille!"

Ein Psychiater (Paul Weingarten) hingegen arbeitete in aller Stille mit einem anderen Schützen so gut, daß der wie eine Präzisionsmaschine schoß und mit seinen Zehnern überraschend die Angst vor einem olympischen Debakel zerfetzte. Eben noch mußte der NOK-Präsident Kurt Heller Rede und Antwort zum vermeintlichen Versagen der größten Olympiamannschaft der Nachkriegszeit bei Sommerspielen stehen, da platzte die Erfolgsmeldung in die depressive Stimmung: Silber für Österreich, ein Schuß ins Schwarze wie einst jener des Vorarlbergers Hubert Hammerer in Rom 1960, den damals niemand gekannt hatte. Auch den ersten Medaillengewinner von Los Angeles mußten die meisten erst im Olympiaführer identifizieren, denn weder sein Name noch sein Gesicht waren ein Begriff.

Ausgehanzug im Schußkoffer

So wurde der erste Held auch ständig verballhornt. Kronsteiner? Kronberger? Kronhuber? Nein, Kronthaler war's – ein Tiroler aus dem Passionsort Erl, der als Verkaufsingenieur bei den Veitscher Magnesitwerken arbeitet und in dieser Funktion weltweit unterwegs ist – zwischen Skandinavien und Südafrika, zwischen Kanada und Südamerika. Ein echter Globetrotter, der sich ursprünglich auf die Armbrust spezialisiert hatte und damit auch 1983 in Innsbruck eine WM-Silbermedaille erobert hatte – mit der Mannschaft. Im Prado-Parkstand galt er als krasser Außenseiter und stand auch im Schatten von Gerhard Krimbacher, ehe er sein Luftgewehr auf dem 10-m-Stand in die richtige Stellung brachte. Mit 587 Ringen eroberte der Weltmann Kronthaler die Silbermedaille, die niemand erwartet hatte. Allein er spekulierte – heimlich – darauf, und darum hatte er auch vorsorglich den Ausgehanzug ins Schußköfferchen gepackt. Er konnte ihn bei der Siegerehrung stolz zur Schau tragen. Der Mister Nobody entpuppte sich als Geheimwaffe der Schützen, die vom Ex-Weltmeister Gottfried Kustermann aus München betreut wurden.

Mit je einem Treffer in den Medaillenklassen erreichte das Austria-Team das drittbeste Sommerergebnis seit 1948. Nur damals (als es allerdings noch Kunst-Olympiasieger gab) und 1980 in Moskau war die Ausbeute ein wenig größer. Olympia war eine Reise wert, schon gar gemessen an den Winterspielen in Sarajevo, wo vom einstigen Ski-Riesen Österreich mit einer mageren Bronzemedaille nicht viel übriggeblieben war.

„Weil ich in der Schule immer gerauft habe, hat mich die Mama zum Judo geschickt." Peter Seisenbacher gewinnt Judo-Gold im Mittelgewicht.

Es ist geschafft. Die Freude des Athleten über die Leistung, die Freude des Betrachters an der Leistung, Politik hin oder her, wer will sie uns nehmen?

POLITIK UND OLYMPIA

Für die Spiele gibt es keinen Ersatz

Die Bilanz scheint eindeutig zu sein: Der Sport, der olympische vorab, steckt im Würgegriff der Politik – und dies nicht erst seit heute oder gestern. Olympische Spiele fielen den Weltkriegen zum Opfer; anschließend blieben die Besiegten zunächst geächtet und ausgeschlossen. Die fünfziger und sechziger Jahre waren erfüllt vom Streit um eine gesamtdeutsche Mannschaft. In Mexiko 1968 stellte erst ein Blutbad unter Studenten und anderen Demonstranten den olympischen Frieden her, und die „Black Power"-Demonstration bei der Siegerehrung für amerikanische Athleten verstörte die Funktionäre. Die „heiteren Spiele" von München 1972 gerieten in die Finsternis des Terrors. 1976 wurde Montreal von Afrikanern boykottiert, weil die teilnehmenden Neuseeländer – übrigens in einer nichtolympischen Sportart – mit Südafrika sich eingelassen hatten. Und der Carter-Boykott gegenüber Moskau weckte bereits 1980 trübe Ahnungen: Für Los Angeles 1984 wird den Russen die Begründung für ein „Revanchefoul" schon einfallen.
Verblüffend wirken allenfalls noch die Wandlungen der öffentlichen Meinung. Um 1970 entdeckte die „Neue Linke" den durch und durch politischen Charakter des Sports – zum Schrecken aller braven Sportfunktionäre und der „bürgerlichen" Publizistik. Aber zehn Jahre später galt im Streit um den Boykott gegenüber Moskau die Faustregel: Je konservativer die politischen Positionen, desto eindeutiger und unbedenklicher wurde der Boykott befürwortet, mit der Begründung, daß Sport und Politik nicht zu trennen seien. Die Russen hingegen vertraten mit biederem Augenaufschlag die These, daß es sich um verschiedene Dinge handle, die man auseinanderhalten müsse. Und jetzt?
Doch gerade die sozialistischen Staaten haben dem Sport seit je einen hohen politischen Stellenwert eingeräumt. „Wir sind der Ansicht, daß ein Spitzensportler für unseren Arbeiter-und-Bauern-Staat mehr leistet und dessen Ansehen mehr hebt, wenn er sich mit der Hilfe der Förderung durch Partei und Staat auf hohe sportliche Leistungen vorbereiten kann, als wenn er an seinem Arbeitsplatz einer unter vielen ist." Dieser Satz stammt von Walter Ulbricht, und seine konsequente Befolgung hat die DDR neben den Vereinigten Staaten und der Sowjetunion zur dritten olympischen „Weltmacht" aufrücken lassen – trotz einer vergleichsweise winzigen Bevölkerungsbasis von nur 17 Millionen.
Aber der Sachverhalt gilt ja nicht nur im Osten. Staatspräsidenten reden – wie de Gaulle nach dem schlechten Abschneiden Frankreichs bei den Spielen von Rom – von „nationaler Schande" und fordern die sportliche Aufrüstung. „Sieg oder Tod!" telegrafiert ein anderer Staatspräsident anläßlich der Fußballweltmeisterschaft 1974 seiner Mannschaft, und der Reporter, der darüber berichtete, fügte hinzu, es wäre einem wohler, wenn man ganz sicher sein könnte, daß dies nicht wörtlich gemeint sei. Politischer Prestigegewinn: Spätestens seit den Spielen von Berlin, 1936, gehört das zum Thema. Im Wettkampf der Nationen oder der Systeme erscheinen sportliche Siege oder Niederlagen als Symbole.
Die Frage ist freilich, ob man Symbol und Realität nicht unterscheiden muß. Über den Rang der Staaten und der Völker, über ihren Reichtum oder ihre Armut, über Macht und Ohnmacht im internationalen Kräftespiel, über Stabilität und Instabilität der Regime, über Achtung oder Mißachtung der Menschenrechte wird doch wohl auf anderer Ebene und mit anderen Mitteln entschieden.
Sofern man das bejaht, stellt sich die weitere Frage: Ist der Sport seinem Wesen nach nicht doch unpolitisch? Es gibt keinen „kapitalistischen" oder „sozialistischen" Weitsprung, und der Jahrhundertsprung des Bob Beamon von Mexiko 1968 zeugt weder für noch gegen die Vereinigten Staaten; er sagt auch nichts über Gleichberechtigung oder Diskriminierung der Farbigen in Amerika. Gelten also für den Sport nicht seine eigenen Regeln, seine nur sportspezifischen Normierungen, die ihn von anderen Lebensbereichen unterscheiden – und die grundsätzlich auch gegenüber der Politik eine Grenze setzen?
Oder anders gefragt: Wird der Sport nicht immer dann von der Politik eingeholt, wenn man ihn kompensatorisch nötig hat? Kaum zufällig haben die Machthaber der DDR, ihrer Bürger so wenig sicher, alle ihre Anstrengungen auf das international Prestigeträchtige und zumal auf die olympischen Kernbereiche konzentriert. In den USA dagegen gilt das Hauptinteresse den nur national wichtigen Sportarten wie Baseball, Football und anderem Berufssport. Von den aktuellen Aufregungen um Los Angeles einmal abgesehen, würde darum eine endgültige Zerstörung der Olympischen Spiele die verschiedenen Nationen und Staaten sehr unterschiedlich – und gerade die DDR besonders bitter treffen.

Exaktheit und Vergleichbarkeit

Politischer oder unpolitischer Sport: Was ist nun richtig? Für die These von seiner relativen Eigenständigkeit und Ausgrenzung aus anderen Bereichen spricht ein Blick in die Geschichte. Der moderne Sport hat von England aus seinen Siegeszug angetreten, unter anderem deshalb, weil konfessioneller Fanatismus, die puritanische Verfolgung ihn aus der Einordnung ins Religiöse, in den Rhythmus des Kirchenjahres und aus allen sonstigen traditionellen Bindungen heraus in das „Getto" seiner Eigenständigkeit abdrängte. Genau damit wurde die Tendenz zur bloß sportspezifischen Normierung bestimmend, im Unterschied zu älteren Formen von Spiel und körperlicher Betätigung, auch zu neueren Bewegungen wie dem deutschen Turnen. Es siegte gewissermaßen die Technizität des Wettkampfsports, der um der Exaktheit und Vergleichbarkeit der Leistungen willen von quantifizierenden Maßeinheiten ausgeht und sich von Stoppuhr, Bandmaß oder Punktetabellen regieren läßt. Aus dieser Technizität und damit Neutralität gegenüber allen religiösen, politischen, ständischen oder regionalen Einfärbungen ergibt

Moskaus Boykott-Begründung

Die Erklärung, mit der das sowjetische Nationale Olympische Komitee am 8. Mai 1984 die Teilnahme sowjetischer Sportler an den Olympischen Sommerspielen in Los Angeles absagte, hat (nach einer Übersetzung der DDR-Presseagentur ADN) folgenden Wortlaut:

Das Nationale Olympische Komitee der UdSSR hat die Lage um die XXIII. Olympischen Spiele in Los Angeles allseitig analysiert und die Frage der Teilnahme einer sowjetischen Sportdelegation daran erörtert.

Bekanntlich hat das NOK der UdSSR in einer Erklärung vom 10. April 1984 ernste Besorgnis im Zusammenhang mit den groben Verletzungen der Regeln der olympischen Charta durch die Organisatoren der Spiele sowie der von den reaktionären Kreisen der USA und mit Duldung der offiziellen Behörden entfesselten antisowjetischen Kampagne zum Ausdruck gebracht und sich an das Internationale Olympische Komitee (IOC) mit der Bitte gewandt, die entstandene Lage zu erörtern.

Am 24. April dieses Jahres hat das IOC auf seiner Tagung die Rechtmäßigkeit und Stichhaltigkeit der Haltung des NOK der UdSSR anerkannt.

Doch ungeachtet der Auffassung des IOC mischen sich die Behörden der USA weiter in grober Weise in die Angelegenheiten, die ausschließlich in der Kompetenz des Olympischen Vorbereitungskomitees von Los Angeles (LAOOC) liegen, ein. Bekanntlich hat die amerikanische Regierung von den ersten Tagen der Vorbereitung auf die jetzige Olympiade an Kurs darauf genommen, die Spiele für ihre politischen Ziele zu benutzen. Im Land werden chauvinistische Stimmungen geschürt und eine antisowjetische Hysterie entfesselt.

Unter direkter Duldung der amerikanischen Behörden haben die verschiedensten extremistischen Organisationen und Gruppen, die sich offen das Ziel gestellt haben, unerträgliche Bedingungen für den Aufenthalt einer UdSSR-Delegation und die Teilnahme sowjetischer Sportler zu schaffen, ihre Aktivitäten drastisch aktiviert. Gegen die UdSSR werden feindselige politische Demonstrationen vorbereitet. Das NOK der UdSSR, sowjetische Sportler und offizielle Persönlichkeiten werden unverhohlen mit physischer Gewalt bedroht. Vertreter der US-Regierung empfangen die Chefs antisowjetischer, antisozialistischer Organisationen, für deren Tätigkeit in den Massenmedien umfassend geworben wird. Um diese Kampagne zu rechtfertigen, berufen sich die US-Behörden und die Organisatoren der Olympischen Spiele immer wieder auf die verschiedensten Gesetze.

In der letzten Zeit beteuert Washington die Bereitschaft, die Regeln der olympischen Charta einzuhalten. Indessen zeugen die praktischen Handlungen der amerikanischen Seite davon, daß sie nicht beabsichtigt, die Sicherheit aller Sportler zu gewährleisten, ihre Rechte und Menschenwürde zu achten und normale Bedingungen für die Durchführung der Spiele zu schaffen.

Die rücksichtslose Haltung der amerikanischen Behörden zur olympischen Charta und die grobe Mißachtung der Ideale und Traditionen der olympischen Bewegung zielen direkt auf deren Untergrabung. Dieser Kurs, der sich auch schon früher deutlich zeigte, wird auch jetzt verfolgt.

Unter diesen Bedingungen sieht sich das Nationale Olympische Komitee der UdSSR zu der Erklärung veranlaßt, daß die Teilnahme der sowjetischen Sportler an den XXIII. Olympischen Spielen in Los Angeles unmöglich ist. Anders zu reagieren würde bedeuten, die antiolympischen Handlungen der amerikanischen Behörden und der Organisatoren der Spiele zu billigen.

Wenn wir diese Entscheidung treffen, so wollen wir keinesfalls die amerikanische Öffentlichkeit in Mißkredit bringen und die guten Gefühle trüben, die die Sportler unserer Länder verbinden.

Das Nationale Olympische Komitee der UdSSR, die Sportorganisationen unseres Landes werden auch in Zukunft die Anstrengungen des Internationalen Olympischen Komitees, der Vereinigung der Nationalen Olympischen Komitees, der internationalen Sportföderationen sowie der internationalen Sportjournalisten-Vereinigung unterstützen, die darauf gerichtet sind, die internationale olympische Bewegung zu festigen und für die Wahrung ihrer Reinheit und Einheit zu kämpfen.

sich, wie für alles wesentlich technisch Bestimmte, die universelle Übertragbarkeit, die den Welterfolg des „englischen“ Sports überhaupt erst erklärt. Zugespitzt ausgedrückt: Mit dem Sport verhält es sich kaum anders als mit Penicillin – oder mit Maschinengewehren.

Um das am Beispiel anschaulich zu machen: Im China der Kulturrevolution und der „Viererbande“ wurde alles erbittert bekämpft, was ausländischen Ursprungs war, bis hin zu Beethoven. Zur gleichen Zeit aber konnte man überall – in Fabriken, Dörfern, Hochschulen, Schulen und sogar Kindergärten – Basketballanlagen sehen. Niemand störte sich daran, daß es sich um ein Erbe ausgerechnet des imperialistischen Klassenfeindes handelte, um den einstigen Import amerikanischer Missionsschulen. Es hatte sich eine vollständige Ablösung vom Ursprung vollzogen – wie eben beim Penicillin oder bei Maschinengewehren.

Nun steckt in dem Sachverhalt allerdings eine vertrackte Dialektik. Denn gerade die Ausgrenzung des Sports aus anderen Bereichen, sein grundsätzlich unpolitischer Charakter weckt die politische Gier. Erst Systemneutralität macht den Systemvergleich möglich und prestigeträchtig: Wer springt weiter, wer triumphiert im „Medaillenspiegel?“ So und nur so kann man „Weltniveau“ oder gar Überlegenheit demonstrieren. Und so wird die Nichtteilnahme, der Boykott zur Waffe: Der andere läuft mit dem Aufwand seiner Großveranstaltung gewissermaßen ins Leere. Denn mühelos

kann man durch beliebige Konkurrenzveranstaltungen den Nachweis erbringen, wie viel oder wie wenig zum Beispiel ein Olympiasieg noch wert ist. Die strenge Vergleichbarkeit der Leistungsbedingungen, ihre Technizität macht es in der Kombination mit der modernen Nachrichtentechnik möglich zu zeigen: Unsere Mädchen schwimmen viel schneller, unser Mann springt höher.
Im Ergebnis wird damit sichtbar, daß es wenig taugt, kurzweg zu sagen: Sport ist unpolitisch. Aber ebensowenig taugt die Gegenthese vom schlechthin politischen Sport. Die Pointe steckt in der Dialektik, in der Verschränkung der Bereiche, in der wechselseitigen Bedingtheit des Unpolitischen und des Politischen.
Speziell mit der Stoßrichtung gegen Olympische Spiele drängt die weitere Folgerung fast gebieterisch sich auf: Laß fahren dahin! Und was fallen will, das soll man auch noch stoßen. Haben die „Spiele" nicht längst alles Spielerische verloren, sind sie nicht hypertroph geworden, mit unsinnigem, ja frevlerischem Aufwand – um von Staats- und sonstigen „Amateuren", von Reklame und Kommerz, von Doping und Gesundheitsschäden, von der Farce des Fußballturniers oder der des Zeremoniells gar nicht erst zu reden? Gewiß. Doch es bleibt ein Problem. Es bleibt, was man den Beitrag des Sports zur politischen Kultur nennen könnte – oder, geläufiger, die Friedensfunktion Olympischer Spiele.
Natürlich liegt es da erst recht nahe, alle Kübel des Hohns auszugießen. Daß die sportliche Begegnung den Weltfrieden und die Völkerverständigung fördere, gehört zwar zum ehernen Bestand olympischer Ideologie und ihrer Barden. Aber wie weit lernen die Athleten, von ihren Betreuern ängstlich abgeschirmt, einander überhaupt kennen und besser verstehen? Und selbst wenn im Einzelfall sogar Freundschaften sich anbahnen mögen: Werden sie nicht weit überwogen durch negative Effekte, zum Beispiel durch die Mobilisierung des Chauvinismus, wenn ganze Nationen mit „ihren" Siegern triumphieren – oder in Geifer geraten über angeblich unfaire Behinderungen? Schon im Vokabular steckt eher Kriegerisches als Friedfertiges: Rüstung und Aufmarsch, Kampf, Schlacht, Sieg, Niederlage...
Dennoch bleibt etwas, was wieder mit der Doppelnatur oder Dialektik des Unpolitischen und Politischen zu tun hat. Solange man nämlich zu Wettkämpfen zusammenkommt, statt sie getrennt zu veranstalten und nur über Massenmedien die Ergebnisse zu übermitteln, so lange bleibt der „andere" wenigstens auf diesem Felde noch Partner, noch Mensch. Was immer sonst und gleichzeitig die Gegnerschaften, die Spannungen und Abgrenzungen sein mögen: Man hat es nicht mit dem Teufel schlechthin, nicht mit dem totalen Bösewicht, nicht mit Ungeziefer zu tun. Denn zu dem gibt es keine Partnerschaft des Spiels oder des Wettkampfes.
Übrigens gehört zu politischer Kultur seit je der Versuch, durch Ausgrenzungen aus dem Konflikt das Äußerste der Feindschaft abzuwenden. Ein klassisches Mittel stellt die Immunität des Diplomaten dar, die das Verhandeln noch in kritischer Lage ermöglichen soll. Oder man denke an die Genfer Konvention, an das Rote Kreuz. Unser Grundgesetz stellt in Artikel 3 einen ganzen Katalog von Ausgrenzungen auf:
„Niemand darf wegen seines Geschlechtes, seiner Abstammung, seiner Rasse, seiner Sprache, seiner Heimat und Herkunft, seines Glaubens, seiner religiösen und politischen Anschauungen benachteiligt oder bevorzugt werden."

Symbol der Gemeinsamkeit

Selbstverständlich gibt es die Unterschiede, sonst müßte man sie nicht aufzählen. Sie werden nicht geleugnet, sondern ausgegrenzt. Sie sollen, was immer sonst sie bedeuten, politisch und rechtlich keine Rolle spielen.
Jedermann weiß, wie unvollkommen, wie gebrechlich, wie leicht zerstörbar das alles ist und bleibt. Diplomaten treiben Spionage oder werden ermordet. Das Rote Kreuz erweist sich als ohnmächtig. Es gibt Geschlechter- und Rassendiskriminierung wie die Bevorzugung und Benachteiligung nach dem Partei- und Gesangbuch. Wer aber das Unvollkommene zur Lüge erklärt und es niederreißen möchte, weil das Vollkommene ausbleibt, der handelt kurzschlüssig, um nicht zu sagen selbstmörderisch; er flüchtet in die Traumwelt des Niemals und Nirgendwo. Er verzichtet auf die einzige Chance, in kleinen Schritten zur Besserung im Unvollkommenen beizutragen. Und immer sollte man bedenken, daß die Ausgrenzungen keineswegs natürlich sind, vielmehr durch und durch künstlich: ein Kunstwerk politischer Kultur. Es einzureißen ist leicht, es zu erhalten unendlich schwer.
Im Blick auf den Sport und die Olympischen Spiele muß man gewiß an den Symbolcharakter erinnern: Für den politischen Frieden und die Völkerverständigung wird direkt nur wenig oder gar nichts bewirkt; insofern muß man in der Tat von einer Funktionärs- oder Bardenideologie sprechen. Doch der Mensch ist ein Symbolwesen. Auch und womöglich gerade die Gemeinsamkeit symbolischen Handelns macht die Gemeinsamkeit des Menschseins sichtbar.
Es wird manchmal gesagt, daß der riesige materielle Aufwand für Olympische Spiele angesichts der Not in so vielen Gebieten der Welt ein Frevel sei; man solle das Geld besser für die Notleidenden spenden. Und entsprechend heißt es, daß man Spiele nicht veranstalten dürfe, wenn es irgendwo Konflikte, bittere Kämpfe und blutige Unterdrückung gibt. Doch vielleicht sollte man genau umgekehrt argumentieren:
Gerade weil unsere Welt von so viel Unheil geplagt und kreuz und quer vom Streit zerrissen wird, ist die gemeinsame Veranstaltung wichtig. Und sie gewinnt genau in dem Maße an Gewicht, in dem die Spannungen zunehmen und die Vernichtungsmittel, die im äußersten Falle eingesetzt werden können, an die totale Zerstörung, an das Ende aller Zivilisation und der Menschheit heranführen. Denn die totale Vernichtung beginnt ja nicht mit den Mitteln der Massenvernichtung, sondern sie beginnt in den Köpfen und Herzen, im Denken und Fühlen. Die gemeinsame Veranstaltung aber durchbricht diese Totalität im Freund-Feind-Verhältnis. Und die weltweit mit Abstand massenwirksamste gemeinsame Veranstaltung, die wir haben, sind nun einmal die Olympischen Spiele. Es gibt für sie absehbar keinen Ersatz.
Sollte daher sich wirklich und unwiderruflich herausstellen, daß ein weltweit gemeinsames symbolisches Handeln in der Gestalt der Olympischen Spiele nicht mehr möglich ist, so sollte diese Tatsache uns weit eher schaudern machen als zur Schadenfreude oder zum fröhlichen Zynismus zu verführen.

Christian Graf von Krockow

Die Spiele von Los Angeles 1932

Es sind zwar inzwischen 52 Jahre vergangen. Aber wenn man die Geschichte und die Geschichten dieser X. Olympischen Sommerspiele nachliest, kommt einem doch vieles geradezu vertraut, sozusagen „modern" vor. Von den Schwierigkeiten der Zulassung als „Amateur" über kuriose Kampfrichter-Entscheidungen und seltsame Bestimmungen der Organisatoren bis hin zu Ausschreitungen und Prügelszenen.

Der große finnische Läufer Paavo Nurmi durfte nicht am Marathonlauf teilnehmen, weil er beschuldigt wurde, gegen die Amateurbestimmungen verstoßen zu haben. Er habe bei einer Deutschland-Tournee Spesen verlangt, ein paar Mark sollen es in Königsberg gewesen sein. Hatten deutsche Funktionäre „gepetzt"? Alle Proteste nützten nichts, Nurmi erlebte die Spiele nur als Zuschauer.

Der schwedische Dressurreiter Sandström, eigentlich Zweiter, wurde disqualifiziert, weil er sich angeblich eines unerlaubten Mittels zum Antreiben seines Pferdes bedient hatte. Irgendein „Mann", der nicht dem Kampfgericht angehörte, meldete der Jury, der Schwede habe „mit der Zunge geschnalzt"! Sandström sagte, nur sein neues Sattelzeug habe geknarzt, aber die Jury glaubte seinem Ehrenwort nicht. Er flog aus dem Wettbewerb (blieb aber in der Mannschaftswertung!), und schon damals munkelte man, die Jurymitglieder aus den USA und Frankreich hätten ein „Bündnis" geschlossen.

Die beiden Amerikanerinnen Mildred Ella „Babe" Didrikson, der Star der Spiele, und Jean Shiley hatten im Hochsprung exakt die gleiche Höhe (1,657 m) geschafft. Gold aber bekam Jean, obwohl auch Babe die 1,67 m im Stichkampf bewältigte. Nun aber wurde plötzlich ihr Sprungstil („Western Roll" – mit dem Kopf voran über die Stange) als unerlaubt bezeichnet und sie, entgegen aller Logik, auf Rang zwei gesetzt. Die beiden Mädchen machten nach den Spielen aus dem „Skandal" eine „salomonische Lösung". Sie ließen ihre Medaillen zu einer Gold-Silber-Legierung zusammenschmelzen und machten zwei neue daraus.

Der Ire Bob Tisdall gewann die 400 m Hürden in 51,8 – der Weltrekord gehörte aber dem Zweiten, Glenn Hardin, USA (52,0). Tisdall hatte die zehnte und letzte Hürde gerissen, was für einen WR damals nicht statthaft war.

Die brasilianische Wasserballmannschaft wurde nach der 3:7-Niederlage gegen Deutschland disqualifiziert. Die Südamerikaner waren über Schiedsrichterentscheidungen so erbost, daß sie den armen Mann erst beschimpften und dann verprügelten.

Über 3000 m Hindernis liefen die Olympioniken eine Runde zuviel, weil sich der Ersatzmann des offiziellen, aber erkrankten Rundenzählers geirrt hatte. Zum Glück veränderte sich die Reihenfolge auf den Medaillenrängen nicht.

Aber es gab bei diesen Spielen vom 30. Juli bis 14. August mit 1408 Teilnehmern (fast genau halb so viele wie 1984), darunter 127 Frauen, aus 37 Ländern auch viel Erfreuliches, Neues: Das erste olympische Dorf, 550 Spezialhäuschen (kleine „Hütten" mit Pappwänden) in den Baldwin-Hills, aber nur für Männer (die Frauen wohnten im Chapman-Park-Hotel, und ins olympische Dorf durften keine Frauen, nicht einmal Köchinnen); das erste Siegerpodest mit Stufen, erstmals Landesfahnen bei der Siegerehrung, erstmals eine Startpistole, kombiniert mit Stoppuhr und Zielfotografie.

Erst zum zweitenmal seit St. Louis 1904 (was eher eine Farce gewesen war) fanden die Spiele außerhalb Europas statt. Trotz großer Bedenken (wirtschaftliche und organisatorische Vorbehalte, weite Reisen der Europäer erst zur Ostküste und dann per Bahn noch zur Westküste, hohe Kosten) bekam L. A. den Zuschlag schon 1923, wohl wegen des günstigen Wetters und des Versprechens der Organisatoren, Zuschüsse für Reise, Unterkunft und Essen zu zahlen.

Goldmedaille in Literatur für Deutschland

Die Spiele wurden dann ein großer Erfolg, mit etwa elf Millionen Zuschauern und einem Reingewinn von zirka einer Million Dollar!

Das Olympiastadtion „Coliseum", Baubeginn 1921, wurde 1930 auf 101 000 Sitzplätze erweitert, es bekam eine neue Aschenbahn, über die die Europäer staunten. 10 000 Plätze hatte das Schwimmstadion, 10 000 Fans sahen im Olympic Auditorium den Boxern, Ringern und Hebern zu, gesegelt und gerudert wurde in Long Beach, die Radfahrer tummelten sich im Pasadena Rose Bowl auf der eigens konstruierten Holzrennbahn.

Die deutsche Mannschaft umfaßte 82 Sportler, darunter sieben Frauen. Ellen Braumüller und Tilly Fleischer holten Silber und Bronze mit dem Speer, die Männer heimsten dreimal Gold (Heber Ismayr, Ringer Brendel und der Ruder-Vierer-mit), zwölfmal Silber und dreimal Bronze ein, dazu Gold und zweimal Bronze in den Kunstwettbewerben

Los Angeles ruft die Jugend der Welt zum Wettstreit um olympischen Lorbeer – Plakat der X. Sommerspiele. Die kalifornische Metropole mit ihren 1,2 Millionen Einwohnern (heute 9 Millionen), darunter 70 000 Deutsche, lag für die europäischen Kämpfer am Ende der Welt.

(Literatur bzw. Architektur und Grafik). Teilnehmer Max Danz schrieb damals in sein Tagebuch die kühne Prophezeiung: „Frauen werden Deutschland nicht so schnell wieder vertreten. Die ganze Mannschaft ist überzeugt, daß Frauenkämpfe bei Olympia die überflüssigste Einrichtung sind." Dabei wurde L. A. zum Meilenstein im Frauensport. Und dazu trug nicht zuletzt die schon genannte Babe Didrikson bei: Die vielseitige Texanerin sorgte mit einem Ausnahmewurf mit dem Speer für einen der spannendsten Wettkämpfe. Bei 43,69 Metern bohrte sich die Spitze in den Rasen. Mehrfach übertrafen die deutschen Damen Braumüller und Fleischer die 43-Meter-Marke. Am Ende fehlten dennoch 19 Zentimeter zum Sieg.

Die Deutschen reisten sechs Tage mit der „Europa" nach New York, dann noch vier Tage mit den Zug durch den Kontinent. Der Münchner Wirt und Schwergewichtsheber Josef Straßberger wollte ein Faß Bier getarnt als „Massageöl" ins olympische Dorf schmuggeln, aber es „verschwand" schon während der Schiffsreise. Vielleicht hat der verbitterte Sepp deshalb dann nur Bronze geschafft.

Deutsche Reiter starteten in L. A. 1932 nicht, aus Sorge um die Gesundheit der Pferde, was das Medaillenkontingent dann schmälerte. Medaillen im Nationenpreis, der sich damals noch aus dem Einzel-Jagdspringen errechnete, wurden übrigens nicht vergeben, da kein Team die erforderlichen drei Reiter durchbrachte. Die deutsche Vertretung im olympischen Radsport waren vier „ausgewanderte Radler" vom Deutschen Radfahrer-Club New York. Sie starteten nur im 100-km-Straßenfahren mit Einzelstart im Zwei-Minuten-Abstand und endeten unter „ferner fuhren". Der Bund Deutscher Radfahrer konnte das Geld für einheimische Fahrer (pro Teilnehmer mußten von den jeweiligen Verbänden je 1000 Reichsmark an den „Deutschen Reichsausschuß für Sport" gezahlt werden) nicht aufbringen. Der Ringer Jakob Brendel aus Nürnberg, später Olympiasieger, hatte „seine" 1000 Reichsmark übrigens durch eine private Sammlung aufgebracht.

Schwächer schnitt eine deutsche Mannschaft nur 1952 in Helsinki ab, aber dafür erlebte sie in L. A. eine „Audienz" bei Marlene Dietrich (damals schon von zwölf Scharfschützen in ihrem Haus bewacht) und eine Führung durch Hollywoods Filmstudios.

Die deutschen Sportler bekamen ein Taschengeld von einem Dollar (damals 4,10 Mark) pro Tag, daheim gab es sechs Millionen Arbeitslose! Arthur Jonath war als Dritter der schnellste „weiße Mensch" über 100 Meter. Die Läufer gruben noch eigenhändig Startlöcher in die Bahn, Ergebnisse wurden in englischen Maßeinheiten angesagt, was für Ausländer sehr verwirrend war, und im „Medaillenspiegel" lagen am Ende die USA (41 Gold, 32 Silber, 30 Bronze) vor Italien (je 12), Frankreich (10/5/4), Schweden (9/5/9) und Japan (7/7/4) auf Platz eins. Natürlich.

X. OLYMPIAD
LOS ANGELES
X. OLYMPIAD
LOS ANGELES

Linke Seite oben: Vor der Abfahrt nach New York stellte sich das deutsche Olympiateam samt Funktionären auf dem Deck des Lloyd-Luxusdampfers „Europa" für ein Erinnerungsfoto auf. War den insgesamt 82 Sportlern angesichts von sechs Millionen Arbeitslosen daheim nach olympischen Rekorden zumute?

Linke Seite unten: Herzlich begrüßt wurden die deutschen Sportler vor dem Rathaus von Los Angeles. 800-m-Läufer Max Danz notierte: „Vom Bahnhof zum Rathaus kamen wir nur im Schritt vorwärts. Die Straßen konnten den Autostrom nicht fassen. Amerika, das Land der Autos . . ."

Oben: Schon vor 50 Jahren verstanden es die Amerikaner, Werbung zu machen. Eine Reklame, die für deutsche Puristen damals „für Olympische Spiele einfach unvorstellbar war", wie es Zeitkritiker formulierten.

Rechts oben: Das deutsche Wasserballteam blies sich selbst den Marsch: von links Benecke, Schumburg, Gunst, Schulze, Pohl, J. Rademacher.
Mitte: Berühmtheiten unter sich: Der frühere Meisterschwimmer Duke Kahanamoku, Miß Putnam, Paavo Nurmi, Filmheld Douglas Fairbanks und Sprinter Arthur Jonath (von links).
Unten: Kanadas Leichtathletinnen: flott, elegant und strahlender Laune.

Oben: Eröffnungsfeier. Teilnehmer Max Danz schrieb in sein Tagebuch: „Wir erhielten mit den stärksten Beifall. Wie eine lebende Mauer bis in den Himmel standen die Zuschauer. In dem gewaltigen Bau kamen wir uns klein und häßlich vor."

Rechts: US-Fechter Callnan spricht den olympischen Eid: „Wir schwören, daß wir uns bei den Olympischen Spielen als ehrenhafte Mitbewerber zeigen und die für die Spiele geltenden Bestimmungen achten wollen. Unsere Teilnahme soll in ritterlichem Geiste zur Ehre unseres Vaterlandes und zum Ruhme des Sports erfolgen."

Rechte Seite oben: Schöne Männer, starke Athleten. Die drei besten Zehnkämpfer: Achilles Järvinen (Finnland), Sieger James Bausch (USA) und Bronzegewinner Wolrath Eberle. Seine beiden deutschen Kollegen Sievert und Wegner wurden Fünfter und Neunter.

Rechte Seite unten: Eine denkwürdige Siegerehrung: Arthur Jonath, der „schnellste Weiße", neben den schwarzen Studenten Eddie Tolan (Gold) und Ralph Metcalfe (Silber) auf dem Siegerpodest nach dem 100-m-Lauf. Jonath galt als „Genie", er trainierte einmal pro Woche, und wenn er ein Mädchen „sah", fiel dieses Training auch noch aus.

Rechte Seite außen: Hochsprungstile seinerzeit. Der Kanadier Duncan McNaugthon siegte, kaum 20 Jahre alt, Student in Südkalifornien, Bestleistung 1,91 m, nach vier Stunden im siebenten Sprung des Stechens unter vier Konkurrenten (alle 1,97 m). Viel Glück und Wohlwollen brauchte die hübsche Jean Shiley zum Goldgewinn.

CANADA
13

Linke Seite oben: Die schnellsten Schwimmerinnen im „Festkleid“ bei der Siegerehrung im Olympiastadion. Die jungen Damen, die hier Olympiamode à la '32 präsentieren, sind: Helen Madison, USA, die Siegerin über 100 m Kraul, die Holländerin den Ouden (links) und die Amerikanerin Serville (Bronze).

Linke Seite unten: Startblöcke für Schwimmer waren 1932 noch nicht erfunden. Man wuchtete sich vom Beckenrand ab, krallte die Zehen in den Beton.

Rechts: Die Wasserballer waren die „Asse“ des deutschen Schwimmteams. Den Ungarn gelang aber die Revanche für 1928, diesmal gewannen sie vor Deutschland. Das Silber, dank des besseren Torverhältnisses gegenüber den USA, holten (stehend von links): Schumburg, Cordes, Pohl, Erich Rademacher; sitzend von links: Schwartz, Benecke, Joachim Rademacher, Schulze.

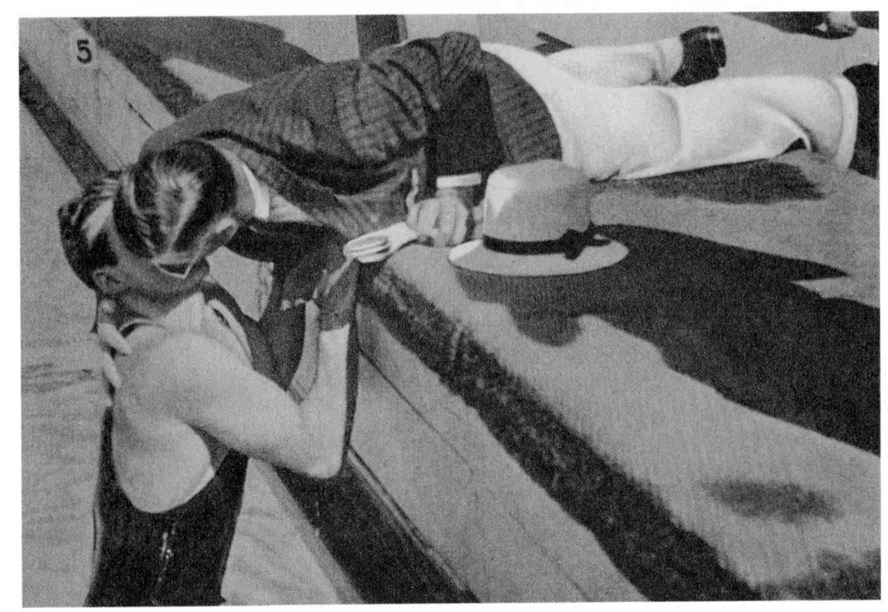

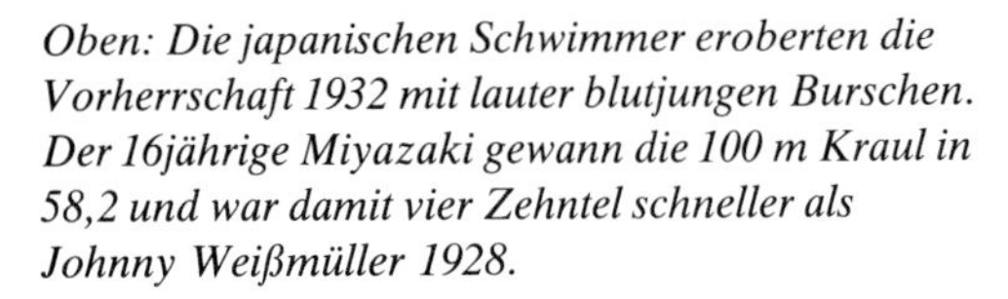

Oben: Die japanischen Schwimmer eroberten die Vorherrschaft 1932 mit lauter blutjungen Burschen. Der 16jährige Miyazaki gewann die 100 m Kraul in 58,2 und war damit vier Zehntel schneller als Johnny Weißmüller 1928.

Rechts: Jubel und überschwengliche Gratulationen sind keine Erfindungen unserer Tage. Papa Crabbe gibt seinem Sohn Clarence einen Kuß nach dem Sieg des Amerikaners im 400-m-Kraulschwimmen gegen die schier übermächtigen Japaner. Helen Madison und Lenore Kight busseln sich nach Gold und Silber über 400 m Freistil gleich noch im Becken ab. Die beiden Amerikanerinnen waren der Konkurrenz 20 Sekunden voraus.

Rechts: Schwergewichte unter sich. Der Münchner Gastwirt Josef Straßberger (links) gratuliert Sieger Skobla aus der Tschechoslowakei. Skobla hob 380 Kilo, Straßberger wurde mit „nur" 377,5 Kilo Dritter. Fehlte ihm das gewohnte „Kraft-Bier"?

Unten: In Los Angeles war Rennrudern bis dato unbekannt. Es gab keine Regattastrecke, man baute das Marinestadion in Long Beach aus. In den sieben Klassen kamen immer vier Boote in den Endlauf, die bequem nebeneinander Platz hatten und von erstaunlich vielen Zuschauern umjubelt wurden. In den langen Pausen sorgten übrigens springende Fische, Makrelen, für Unterhaltung. Die deutschen Ruderer wohnten unweit der Strecke, holten einmal Gold und zweimal Silber, der Achter schied im Hoffnungslauf aus.

Rechte Seite rechts oben: Helene Mayer war die größte deutsche Hoffnung und die größte Enttäuschung. Die Olympiasiegerin von 1928 wurde diesmal nur Fünfte. Aber die „blonde He" blieb der Liebling des deutschen Sports.

Rechte Seiten links oben: Die besten Fechterinnen in voller „privater" Schönheit: Siegerin Ellen Preis aus Österreich (Mitte), Heater Seymour-Guiness aus England (Silber, links) und die Ungarin Erna Bogen.

Rechte Seite unten: In allen acht olympischen Boxklassen war je ein deutscher Faustkämpfer mit dabei, und drei von ihnen wurden mit Silber belohnt. Eine wahrlich gute Ausbeute, die mit ein bißchen Glück noch besser (in Gold und Bronze) hätte ausfallen können. Links der Münchner Josef Schleinkofer mit seinem Bezwinger Robledo aus Argentinien, rechts der Berliner Erich Campe, im „Bodenkampf" mit dem Dänen Jensen. Silber Nummer drei gewann der Münchner Hans Ziglarski.

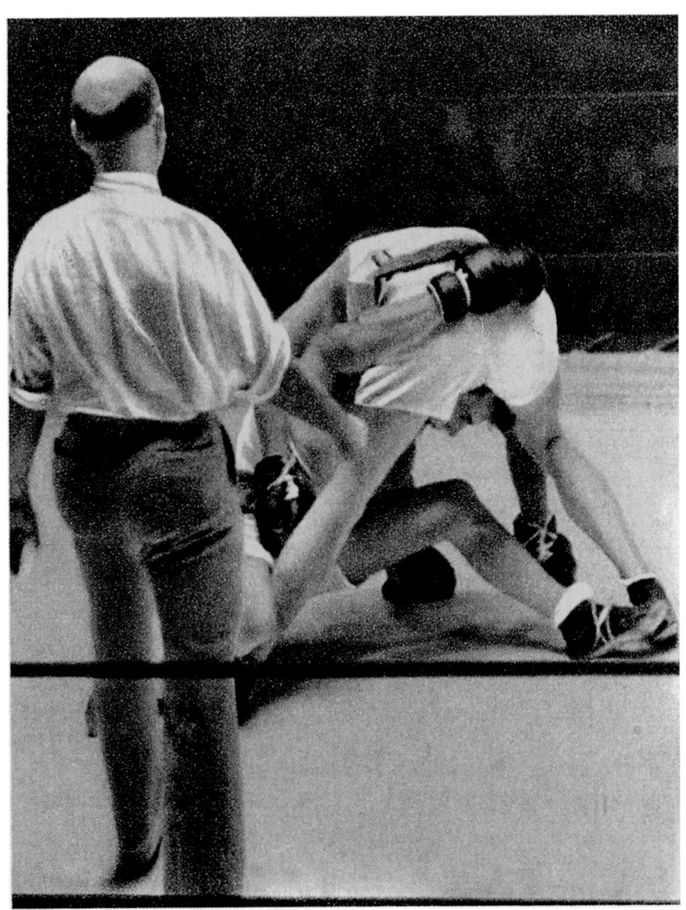

Oben: Das Team der starken Männer und der vielen Medaillen. Die deutschen Ringer und Heber holten sieben der insgesamt 20 Medaillen. Von links, stehend: Reichsringwart Steputat, Földeak (Ringen/Silber), Gehring (Ringen), Straßberger (Heben/Bronze), Ismayr (Heben/Gold), Wölpert (Heben/Silber), Reichsstemmwart Eickeltrath; sitzend Ehrl (Ringen/Silber), Brendel (Ringen/Gold), Sperling (Ringen/Silber) und Schäfer (Heben/Vierter). Eine Schwerathletikmannschaft, neun Athleten, sieben Medaillen – wenn das keine vorbildliche Quote ist.

Rechts: Gold in Los Angeles: Der Münchner Rudolf Ismayr holte den ersten Olympiasieg des deutschen Teams 1932. Er siegte im Gewichtheben der Mittelgewichtler mit 345 Kilo im Dreikampf. Der Student riskierte sehr viel, wäre fast durch seinen Rekord-Wagemut im Reißen zu Fall gekommen.

Rechte Seite oben: Schlußfeier im Olympiastadion. IOC-Präsident Graf Baillet Latour erklärt die X. Olympischen Spiele für beendet. Vorher hatte es noch viele Siegerehrungen gegeben, darunter auch die für die Brüder Franz und Toni Schmid aus Deutschland, die den „goldenen" Bergsteiger-Preis für die Erstbesteigung der Matterhorn-Nordwand bekamen. Nochmals wurden Flaggen aufgezogen, die griechische, das Sternenbanner und die deutsche, die auf die Spiele 1936 in Berlin hinwies. Die letzte Schrift auf der Anzeigetafel hieß: Möge der olympische Gedanke sich seinen Weg bahnen durch die Zeiten. Er wurde arg zerzaust, bis er nun, erneut in Los Angeles überdacht werden mußte.

Rechte Seite unten: Down-town Los Angeles 1932 mit dem olympischen Motto: citius (schneller), altius (höher), fortius (stärker).

I OLYMPIAD ATHENS 1896
II OLYMPIAD PARIS 1900
III OLYMPIAD ST. LOUIS 1904
IV OLYMPIAD LONDON 1908
V OLYMPIAD STOCKHOLM 1912

STACK BLDG
METROPOLITAN BLDG
E.W. REYNOLDS CO.
WHOLESALE JEWELERS
CITIUS
FORTIUS
ALTIUS
OLYMPIC GAMES
TUXEDOS RENTED

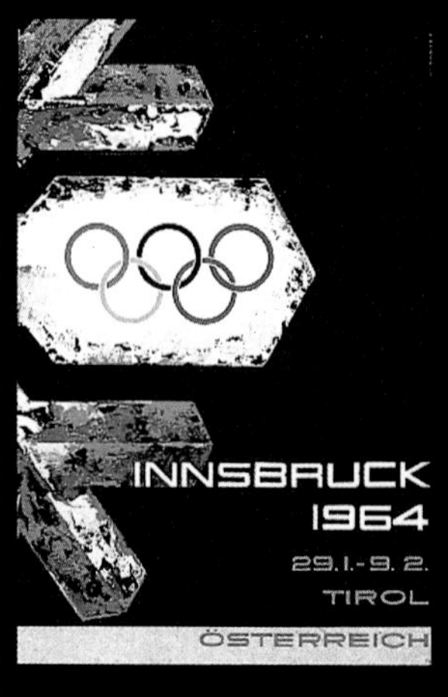

Sie warben für Olympia einst und heute: die offiziellen Plakate der vierzehn Olympischen Winterspiele. Die kleine Galerie weckt sicherlich Erinnerungen an Innsbruck, Garmisch oder Squaw Valley. Sie zeigt aber auch die Entwicklung des olympischen Plakats von Chamonix 1924 bis Sarajevo 1984.

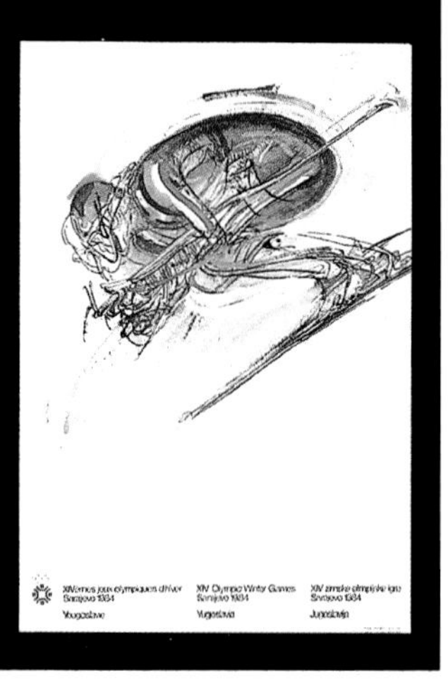

XIV. OLYMPISCHE WINTERSPIELE

Sarajevo 8.–19. Februar 1984

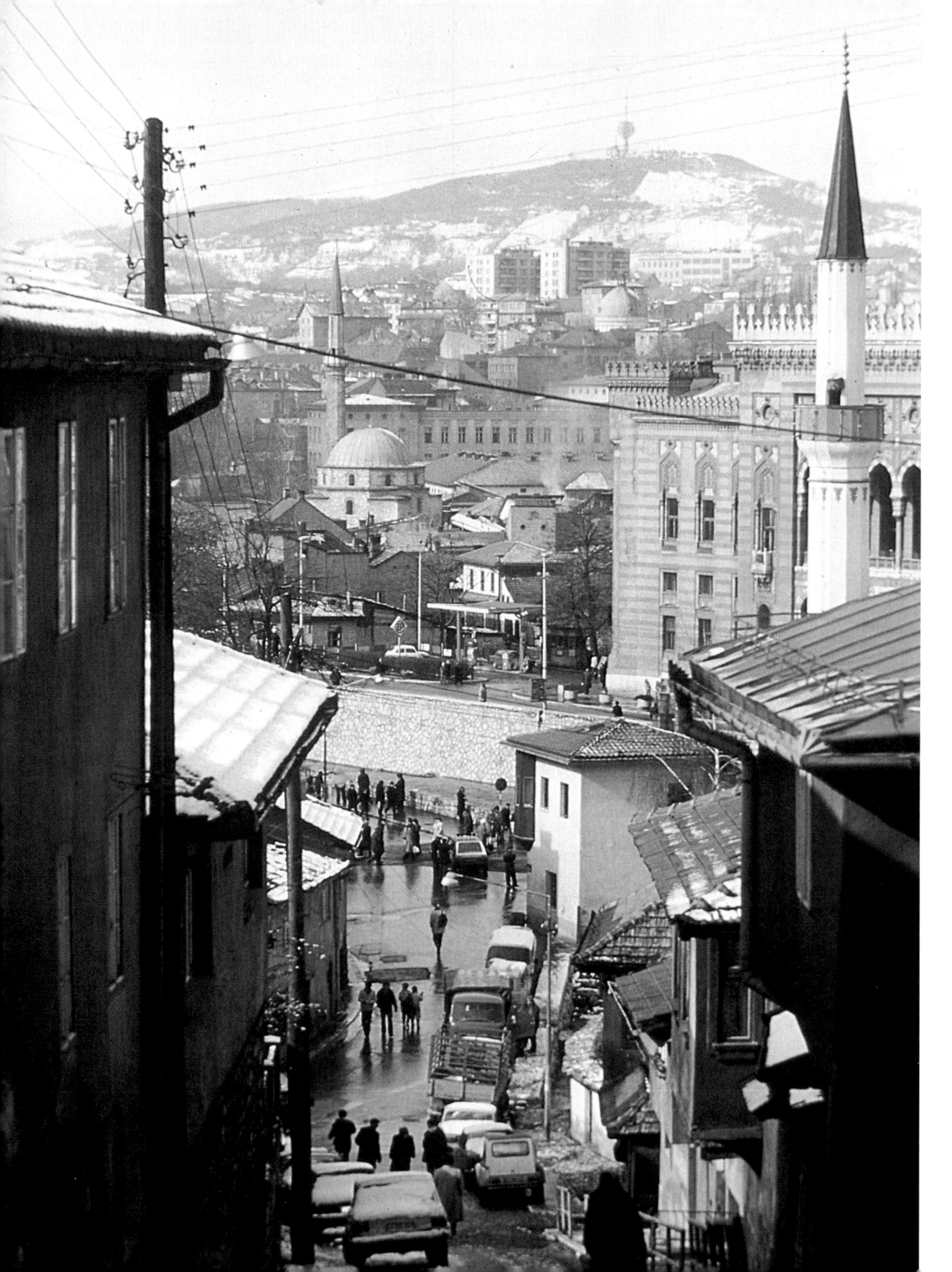

DIE VERKANNTEN WINTERSPIELE

Superlative für Sarajevo?

Sarajevo, die Metropole der Republik Bosnien und Herzegowina, war mit ihrer bezaubernden Altstadt und ihren modernen Bauten eine ebenso freundliche wie umsichtige Gastgeberin für die Wintersportler, deren Fest mit der traditionellen Eröffnungsfeier und der Hissung der Olympiafahne offiziell am 8. Februar begann.

Unter schönen Frauen die schönste herauszufinden, kann schwierig und amüsant zugleich sein: Greta Garbo, Bo Derek oder Prinzessin Di? Natürlich verdient jede unser höchstes Lob. Vielleicht wäre es klüger, unter unverfänglichen Köpfen männlicher Größen den hübschesten zu wählen: Waldi, Vučko oder Sam? Hier könnte Vučko die Nase vorn haben, obwohl doch die von Waldi auch nicht kurz geraten ist. Die Lust des Menschen, in Erinnerungen zu kramen und zu vergleichen, muß doch erlaubt sein! Das Vergleichen von Städten, Autos, Stränden und Leistungen natürlich, zu allererst die von Olympiasiegern. Wir kennen alle das streitbare Spielchen, unter sehr Ungleichen den Besten zu ermitteln: Karin Witt oder Peter Angerer, Scott Hamilton oder Matti Nykänen, Stanggassinger/Wembacher oder Torvill/Dean? Reizvoller mag manchem Betrachter der Vergleich von Olympiaorten sein: Chamonix oder Sapporo, Innsbruck oder Squaw Valley, Oslo oder Grenoble?
Juan Antonio Samaranch, der spanische IOC-Präsident, wagte bei der Schlußfeier Kühnes und behauptete, die XIV. Olympischen Winterspiele in Sarajevo seien die bisher besten in der Geschichte gewesen. Rasender Beifall in der Skenderija-Halle. Samaranch, der gewiegte Diplomat, Samaranch, der souveräne Präsident! Wer sollte widersprechen? Also: Gold für Sarajevo, Silber für Innsbruck, Bronze für St. Moritz oder umgekehrt, je nach Belieben. Spielverderber sind sowieso nicht gefragt.

Viel Geduld, wenig Tradition

War dieses Lob nicht ein erlaubtes Superlativ für die Leistung eines hochverschuldeten Landes, in dem die Inflation weiterwuchert wie sonst nur in Südamerika? Die Jugoslawen brauchten für diese Winterspiele nicht nur ein gehöriges Maß an Geduld und Opferbereitschaft, sondern auch Rückenwind durch ausdrückliches Lob von höchster Stelle. Sie meisterten das Spektakel mit knapp 1500 Teilnehmern aus 49 Ländern. Vorausgesagt war vielfach ein organisatorisches Chaos, nachgesagt werden diesem Ereignis nun „Spiele menschlicher Hilfsbereitschaft". Längst plagt die herzlichen Gastgeber der triste Alltag wieder. Fast alle unter ihnen waren sehr freundliche Menschen, die einem in der Altstadt, in Restaurants, in Wohnhochhäusern oder an irgendeiner Wettkampfstätte begegneten. Doch die Kritiken fielen gegensätzlich aus. Ein Franzose bemängelte „zuwenig Abenteuer für soviel Geduld und Mobilität, eher eine Stadt für Fußball als für Wintersport". Ärgerliches tönte aus Wien nach Sarajevo: „Welch ein Fluch liegt über dieser Stadt, die uns Österreichern immer Unglück bringt? Nach dem historischen, das die Welt veränderte, nun das sportliche ..." Doch alles in allem ernteten die Organisatoren, von üblichen Unzulänglichkeiten und Ärgernissen einmal abgesehen, weit mehr Zustimmung als Ablehnung. Die Herausforderung durch eine nicht zu bändigende Natur verlangte ungeheuren Einsatz. Tagelang anhaltende Schneefälle mit orkanartigen, bitterkalten Stürmen – wann mußten Räumkommandos, Soldaten und freiwillige Helfer selbst die Nächte hindurch unter strengsten Bedingungen so hart arbeiten? Die Menschen aus der Republik Bosnien und Herzegowina haben Hervorragendes geleistet. Mannschaftsleiter Walter Tröger meinte: „Besser hätte man es eigentlich gar nicht machen können!"
Es bestanden viele Vorurteile gegenüber den ersten Winterspielen in einem sozialistisch regierten Land. Mancher späte Überschwang im Lob kommt vielleicht aus dem jetzt verdrängten Vorurteil, am Balkan gäbe es weder richtige Berge noch eine gemütliche Wintersportatmosphäre. Wie also sollte man sich wohl fühlen in einer geschichtsträchtigen, grauen Halbmillionenstadt ohne olympische Vergangenheit und Tradition wie z. B. in Norwegen oder Österreich?
Vorbehalte freilich sind geblieben. Den Jugoslawen fehlte die in Wintersportländern übliche Lust und das rechte Verständnis für Wettkämpfe auf Schnee und Eis. Sympathie und Beifall brachte man überwiegend den eigenen Landsleuten entgegen. Favoriten, die den jugoslawischen Widersachern den ohnehin schmalen Weg eines Erfolges hätten verbauen können, ließ man Ablehnung und Störung heftig spüren. Aber wer wirft den ersten Stein? 1976 in Innsbruck wurden z. B. die DDR-Springer als die damals gefährlichsten Konkurrenten der Österreicher gnadenlos ausgepfiffen. Und vergessen wir nicht: Den Jugoslawen fehlte ein wirklich überragendes Erfolgserlebnis. Sie konnten einfach nicht genauso empfinden und jubeln, wie die Amerikaner in Lake Placid mit ihren Eishokkey-Spielern; wie die Österreicher am Patscherkofel mit Franz Klammer; wie die Japaner in Sapporo mit Yukio Kasaya, erst recht nicht wie die Franzosen mit Jean-Claude Killy in Grenoble. Als Besucher stand man häufig mehr am Rand der Ereignisse als mittendrin, zwangsläufig in ungewollter Distanz, aus der heraus die gewünschte Begeisterung

Das olympische Versprechen darf nicht fehlen. Bojan Krizaj, der als Jugoslawiens erfolgreichster Skisportler noch keine olympische Medaille gewann, nahm es fast zu wörtlich – und blieb mitten im Text stecken. Millionen Fernsehzuschauer erlebten sein rührendes Bemühen, den Faden wiederzufinden. Eine Panne, die ihm keiner übelnahm, der sogenannte „Eid" bekam menschliche Züge.

Zum vierten Mal bei Olympischen Winterspielen. Monika Holzner, die erfolgreichste deutsche Eisschnellläuferin, trug bei der Eröffnungsfeier die deutsche Fahne ins Stadion. Zwölf Jahre früher hatte sie sich als Monika Pflug in Sapporo Gold geholt. Daß sie nun als Mutter von zwei Kindern noch auf die Ränge sieben und acht kam, war fast auch eine Medaille wert.

und der heitere Sinn für die liebenswerten Kleinigkeiten nur schwer entstehen konnte. Und deshalb kann ein Kritiker nicht in Superlativen für Sarajevo schwelgen, obwohl die olympischen Tage fraglos eindrucksvoller waren, als die meisten Gäste aus dem Westen wohl erwartet hatten. Verkannte Winterspiele.

Zwölfmal die Höchstnote

Wer prägte die Spiele, von wem wird man noch in zehn oder zwanzig Jahren sprechen? Sicher von Jayne Torvill und Christopher Dean, dem Eistanzpaar aus Nottingham. Ein dutzendmal die Höchstnote sechs für sie! Die Engländer lagen dem Publikum, das Publikum den Engländern zu Füßen.
Leistungen anderer Athleten dürfen auf eine ähnlich hohe Stufe gestellt werden, selbst wenn das Vergleichen arge Mühe bereitet. Die finnische Langläuferin Marja-Liisa Hämäläinen gewann drei Goldmedaillen, außerdem Bronze in der Staffel. Ein Teil dieses Erfolges ist gründlichen, wissenschaftlichen Arbeiten zuzuschreiben, zur Herstellung einer optimalen Wachsmischung. Für Ärger allerdings sorgte der Vorwurf von norwegischer Seite, Blutdoping sei letztlich die Ursache für die einzigartigen Leistungen der 28jährigen Physiotherapeutin gewesen. Finnische Ärzte, im übrigen auch FIS-Präsident Marc Hodler, wiesen diese Anschuldigung zurück mit dem Bemerken, man habe lediglich medizinisches Wissen genutzt und große Dosen von Vitamin B_{15} verabreicht, um die Sauerstoffabnahme und die Muskeleffizienz zu erhöhen.
Unter Hunderten von Urinproben ist in Sarajevo letztlich nur ein Fall bekannt geworden, in dem einem Sportler die Einnahme von Dianabol nachgewiesen werden konnte. Purjeval Batsukch mußte daraufhin mit der 4×10-km-Langlaufstaffel der Mongolei disqualifiziert werden. Ein völlig anderer Ausschluß betraf die jugoslawische Slalomläuferin Andrea Leskovsek. Im Zielraum hatte sie vor der roten Markierung ihre Ski hochgehoben, so daß man den Namen des Ski-Herstellers lesen konnte. Macht der Gewohnheit oder der untaugliche Versuch, auf verbotene Art eine Schlagzeile zu liefern?
Zu einem Star der Spiele entwickelte sich Karin Enke, hübsche Eisschnelläuferin aus Dresden und bereits in Lake Placid Olympiasiegerin. Ihr großes Vorhaben, das weibliche Pendant zu Eric Heiden zu werden, ging zwar nicht in Erfüllung. Doch die 22jährige Studentin der Kunstwissenschaft, ursprünglich aus dem Lager der Eiskunstläufer hervorgegangen, holte sich vier Medaillen, zwei davon in Gold. Eric Heiden brauchte im übrigen in seiner Eigenschaft als Fernsehkommentator um keinen seiner olympischen Rekorde aus dem Jahre 1980 zu bangen. Sein damaliger kanadischer Widersacher Gaetan Boucher (zweimal Gold, einmal Bronze) blieb eindeutig hinter den Leistungen Heidens zurück. Unbegreiflich, warum die Internationale Eislaufunion nicht längst den uralten Zopf abschneidet und die Zusammensetzung der Läuferpaare, statt durch Los, aufgrund jüngster Saisonergebnisse vornimmt.
Im Bobsport sind Vorausdenker und Tüftler noch einmal erfolgreich davongekommen. Schlittenkonstruktionen und Mannschaften der DDR erwiesen sich der Konkurrenz überlegen. Der unvermeidliche Materialwettstreit nahm teils groteske Formen an, weil auch bundesdeutsche Bobsportler die sowjetischen Schlitten zu kopieren versuchten. Erfolglos, wie man weiß. In vier Jahren soll es nun einen Einheitsbob geben.
Zu den großen Verlierern der Winterspiele zählten Erika Hess, Bojan Krizaj, Pirmin Zurbriggen, Frank Ullrich, Juha Mieto, Amerikas Eishockey-Spieler und vor allem Österreichs alpine Skimannschaft. Als in der Bundesrepublik Deutschland kritisch Bilanz gezogen wurde, hieß es aus Bonn, „der Staat sei kein Reisebüro für Sportler und Funktionäre, die keine Lust mehr haben, etwas zu bringen". Also wolle man die Olympia-Gelder kürzen. Wie hätte Karl Valentin vielleicht gesagt: „Wollen täten's schon mögen, aber können traun sie sich halt nicht . . ."
Rühmlich war die Bilanz nicht. Für die insgesamt 88 Teilnehmer gab es ganze vier Medaillen, nur 1956 waren es weniger. (Die DDR als erfolgreichste Mannschaft in Sarajevo errang 24 Medaillen!) Und noch eins: Lediglich die Hälfte aller Aktiven schaffte einen der angestrebten Endkampfplätze. Unter allen herausragend: natürlich Peter Angerer mit drei Medaillen. Dazu die Rodler Hans Stanggassinger/Franz Wembacher sowie die drei Biathlon-Staffelläufer Ernst Reiter, Walter Pichler und Fritz Fischer. Nicht zu vergessen Rudi Cernes vierter Platz, die fünften Ränge von Marina Kiehl, Thomas Müller und den Eishockey-Spielern mit Lehrmeister Xaver Unsinn an der Bande. Erstaunlich die Serie von Monika Holzner. Sie nahm zum vierten Male an Olympischen Winterspielen teil und erreichte als Mutter von zwei Kindern, zwölf Jahre nach ihrem Olympiasieg im japanischen Sapporo, noch die Ränge sieben und acht. Keine andere

Eisschnelläuferin unseres Landes war besser! Wem nun die Schuld zuschieben für Enttäuschungen und Versäumtes? Für die ungeschickte Terminierung der nordischen Ski-Meisterschaften (wo war Behle, wo Karin Jäger?), für die ungenügende Materialauswahl im Bobsport, für den internen Krach bei Eiskunstläufern und Funktionären, für falsches Einschätzen der Athleten durch Betreuer oder auch durch Sportler selbst (z. B. Irene und Maria Epple, Michaela Gerg)? Weil vieles mißlang, sollen jetzt die Trainer – was geschieht eigentlich mit Sportwarten und Präsidenten? – umfassender geschult und dann auch Leute „mit stabilerem Ego“ aufgestöbert werden. Glück auf, ihr Suchenden!

Kommen die offenen Spiele?

Der Trend zu offenen Spielen ist selbst nach den Vorstellungen des IOC-Präsidenten unverkennbar. Jedenfalls soll mehr Chancengleichheit auf breiter Linie angestrebt und erreicht werden, ohne allerdings, wie Herr Samaranch ausdrücklich feststellte, die Olympischen Spiele in die Hände des Kommerzes fallen zu lassen. Welch ein Gedanke, welch blauäugige Forderung, nachdem das Internationale Olympische Komitee für Sarajevo bereits von einer amerikanischen Fernsehgesellschaft 91 Mio. US-Dollar kassiert und die Winterspiele von Calgary für die unvorstellbare Summe von 309 Mio. US-Dollar verkauft hat. Vorläufig die letzte Verbrüderung von purem Geld und olympischem Geist. Eines ist jetzt schon klar: Kommende Winterspiele werden künftig auf 16 Tage verlängert, die Anzahl der Wettbewerbe auf mindestens 40 erhöht. Nicht alles an diesem Verbands- und Funktionärsgigantismus läßt sich mit der arg strapazierten völkerverbindenden Idee des Sports begründen. Bill Pratt, Organisations-Chef in Calgary, kündigte für 1988 einige Verbesserungen an: billigere Eintrittskarten, preiswertere Unterkünfte, mehr Attraktionen für Touristen und eine kürzere Eröffnungsfeier. Zuschauer sollen weniger frieren. Wo bleibt nur die computergesteuerte Fußbodenheizung auf den Tribünen? Wo das gedeckte Eisschnellauf-Oval? Wo die Sprungschanze in der Halle, mit künstlicher Thermik selbstverständlich? Kanada, so hoffen wir, wird uns noch ein Stück natürlichen Himmels geöffnet halten.

Fast ein Dokument der „Unsterblichkeit“. Neunmal, von sämtlichen Punktrichtern gegeben, leuchtete die Höchstnote Sechs an der Anzeigetafel für Jayne Torvill und Christopher Dean (oben) auf. Insgesamt erhielt das Eistanzpaar aus Nottingham in England zwölfmal diese unüberbietbare Bewertung. Für viele Zuschauer mag ihre Umsetzung von Maurice Ravels „Bolero“ in Tanzbewegungen auf dem Eis das einprägsamste Ereignis dieser Spiele gewesen sein.

Paoletta, Michela, Debbie, Bill und andere . . .

Eigentlich hätten die Sieger anders heißen müssen: Erika, Irene, Pirmin, Maria, Franz... Doch wer behauptet denn, daß Prognosen der Fachleute besser sind als die Chancen der Außenseiter? Ein Vergleich mit den Meteorologen in Sarajevo sei erlaubt: Sie erlebten immer wieder aufs neue wetterwendische Tage, die weniger auf ihre wissenschaftlich fundierten Voraussagen, sondern eher auf uralte Bauernregeln zutrafen. Gewaltige Schneefälle und orkanartige Stürme bereiteten den Programmplanern schlaflose Nächte. Zu guter Letzt erlebte man doch reguläre Rennen, wenn auch mit „falschen Siegern“.

In den Damenwettbewerben überragte niemand wie Hanni Wenzel in Lake Placid oder Rosi Mittermaier in Innsbruck. Perrine Pelen holte sich zwar zwei Medaillen; Phil Mahre erkämpfte sich nach dem Silber von 1980 nun sogar Gold; und auch Andy Wenzel sprang wieder aufs Treppchen. Doch Stars, wie einst Toni Sailer und Jean-Claude Killy, fehlten in Sarajevo. Kommen sie je wieder? Der größte Medaillenreibach gelang den Amerikanern: dreimal Gold, zweimal Silber. Durch die Leistung eines Außenseiters zog Österreich gerade noch „lumpiges Bronze“ an Land. Die erfolgsgewohnten deutschen Damen standen am Ende der hochwinterlichen Spiele mit leeren Händen da.

Und noch eins: Während eines halben Jahrhunderts ist es noch keinem alpinen Rennläufer und keiner Rennläuferin gelungen, bei zwei aufeinanderfolgenden Winterspielen zu siegen. Ingemar Stenmark oder Hanni Wenzel hätten dieses ungeschriebene Gesetz widerlegen können, durften aber wegen ihrer B-Lizenz (Profisportler) bei Olympia nicht mehr starten. In vier Jahren wird man darüber lächeln, wie man heute über den Ausschluß Karl Schranz' von 1972 lächelt. Doch ohne irgendein Theater fehlte ja auf der schwankenden olympischen Bühne das Hintergründig-Doppelbödige, das längst zum Programm-Repertoire der Alpinen gehört. Was wird uns Calgary Neues bescheren?

RIESENSLALOM
DAMEN

Triumphfahrt der US-Girls

Dem langen Warten folgte ein versöhnliches Ende. Nach tagelangen wilden Eskapaden eines nicht zu bändigenden Winters konnten die alpinen Rennen gerade noch rechtzeitig gestartet werden. Vier Tage später als vorgesehen, dafür aber gestrafft und nicht unsportlich weit gedehnt. Dies trifft besonders auf den Riesenslalom zu, der seit 1976 an zwei Tagen ausgetragen wird. Jetzt waren die Organisatoren und der Internationale Skiverband gezwungen, zu improvisieren.
Kein heiterer Tag, zwischendurch wohl ein Hauch von Sonne, doch mit minus 14 Grad am Start bitter kalt. Stimmung war erst spürbar unter den fröstelnden Zuschauern, als nach dem ersten Durchgang Jubelrufe aus dem Zielraum den Hang hinaufschallten. Wer anders als die Amerikanerinnen kann schon so ungehemmt Freude verbreiten?

Die alpinen Skirennläufer hatten kein Wetterglück in Sarajevo. Das Programm geriet völlig durcheinander, und statt der Ergebnisse bot die Leuchttafel oft genug diesen schrecklichen Satz: Männer-Abfahrt abgesagt! So begannen unprogrammgemäß und vier Tage verspätet die Mädchen das alpine Spektakel, mit dem Sensationssieg der Amerikanerin Debbie Armstrong (Nr. 15) vor ihrer Landsmännin Christin Cooper (Nr. 9) im Riesenslalom. Maria Epple (Nr. 4) hatte als 13. keinen Grund zum Strahlen, wohl aber die Großstädterin Marina Kiehl (oben). Die Münchnerin wurde Fünfte, hatte kurz sogar von einer Medaille geträumt.

Wer so frei lachen, sich untereinander so neidlos und herzlich gratulieren? Wer verkörpert so beeindruckend das Bild einer verschworenen Gemeinschaft, in der es offenbar egal ist, wer siegt? In diesem Team muß sich selbst der Unterlegene als Gewinner fühlen. Normalerweise, dachten die Experten, sollte das Rennen mit einem Erfolg für Erika Hess enden. Zwei von drei Weltcupwettbewerben hatte die Schweizer Weltmeisterin kurz vor den Winterspielen gewonnen – „Siege zum rechten Zeitpunkt", wie Erika Hess damals meinte. So dachten natürlich auch Erikas Landsleute und ihre Mannschaftsführung. Gold sollte es sein. Nicht so sahen das die US-Girls, die sich der Herausforderung ebenso entschlossen wie zuversichtlich stellten. Gleich im ersten Lauf setzten sie sich ab von Erika Hess. Nach eigenen Worten fuhr die Schweizerin „zu steif, zu verkrampft, ohne die gewohnte Selbstsicherheit". Tamara McKinney, Christin Cooper und Debbie Armstrong dagegen kurvten wie im Traum durch die Tore. Lediglich die Französin Perrine Pelen konnte den US-Girls noch gefährlich werden, obwohl sie bereits 8/10 Sekunden zurücklag. Der Spanierin Blanca Fernandez-Ochoa, eine der Schwestern des Slalom-Olympiasiegers von 1972, traute kaum jemand eine medaillenreife Leistung zu. Immerhin lag sie nach dem ersten Lauf überraschend auf Rang 3 (Erika Hess war 14.). Marina Kiehl konnte noch für eine Sensation sorgen. Die 18jährige Münchnerin stand nämlich auf Platz 5, gehörte jedoch zu den Außenseiterinnen dieser Spitzengruppe. Als beste Plazierung der Saison hatte sie einen zehnten Rang vorzuweisen. Die Epple-Schwestern und Michaela Gerg kamen für eine Medaille nicht mehr in Frage, genauso wie ein halbes Dutzend anderer Läuferinnen von Format. Das Ende ist schnell erzählt: Marina Kiehl fuhr einen ausgezeichneten zweiten Lauf; ein vorderer Platz schien ihr sicher zu sein. Doch Tamara McKinney kam mit besserer Zeit ins Ziel. Blanca Fernandez-Ochoa hingegen büßte ihren Vorsprung ein und fiel auf den sechsten Rang zurück. Perrine Pelen korrigierte danach die vorläufige Reihenfolge, vorübergehend war sie Erste. Doch nach ihr jagten Debbie Armstrong und Christin Cooper durch die weit gesteckten Tore, geringfügig langsamer als die Französin Pelen, im Gesamtergebnis aber doch besser.
Debbie Armstrongs Sieg galt als riesige Überraschung. Die 20jährige aus Seattle (Washington) hatte vor Sarajevo lediglich in einem Super-Riesenslalom einen dritten Platz belegt. Zwei Beinbrüche im Winter 1982 (mit allen Schmerzen und Handikaps) warfen sie weit zurück; ähnliches hatte Christin Cooper im vorolympischen Winter wegen einer schweren Knieverletzung durchzustehen, ohne dadurch entmutigt worden zu sein. Dieser Doppelerfolg sowie der vierte Platz von Tamara McKinney sind das herausragendste Mannschaftsergebnis der alpinen Wettbewerbe in Sarajevo.
Marina Kiehl behauptete ihren fünften Platz gegenüber so namhaften Läuferinnen wie Erika Hess, Olga Charvatova, Michela Figini und Anni Kronbichler. Aus deutscher Sicht wurde in keiner anderen Damen-Konkurrenz der Olympischen Winterspiele ein besseres Resultat erzielt. Die Frage sei erlaubt: Marina, wolltest du wirklich mehr?

ABFAHRT DAMEN

Zwei Starts für ein Rennen

Das Vorspiel (manche nannten es skandalös, andere meinten, die Entscheidung sei unvermeidlich gewesen): Nachdem zehn von 32 Damen den Abfahrtslauf bei ungünstigen Wind- und Sichtverhältnissen hinter sich gebracht hatten, entschied die Jury, das Rennen zu unterbrechen. Begründung: Ivana Valesova und Weltmeisterin Gerry Sörensen waren an gleicher Stelle, durch einen Schlag in einer Querrippe, ein Ski verlorengegangen. Das Schiedsgericht veranlaßte zunächst die Ausbesserung der mangelhaft präparierten Piste und forderte, zusätzlich Tannenreisig zur besseren Orientierung der Läuferinnen zu streuen. Danach sollte das Rennen neu gestartet werden. Deutsche, österreichische und Schweizer Trainer wehrten sich vehement gegen die beabsichtigte Wiederholung. Besonders Dieter Bartsch hielt die Neuansetzung des Wettbewerbs für unzulässig. Sein Schützling, die 17jährige Michela Figini, war nämlich bereits mit einer fabelhaften Zeit im Ziel – medaillenreif, wie man glaubte. Statt nun, wie geplant, um 14 Uhr zum zweiten Mal zu starten, sagte die Jury das Rennen kurzerhand ab.

Bei der abendlichen Mannschaftssitzung kritisierte der Technische Direktor der Winterspiele, Artur Tabač, das Vorgehen des Schiedsgerichts scharf: „Aus unserer Sicht bestand überhaupt kein Grund für eine Absage!“ Hank Tauber/USA, Verantwortlicher der Jury, hielt diesem Vorwurf das klare Abstimmungsergebnis des internationalen Schiedsgerichts von 7:1 entgegen; nur ein Jugoslawe hatte gegen den Abbruch gestimmt. FIS-Präsident Marc Hodler unterstützte die Entscheidung mit den Worten: „Vor allem anderen müsse die Sicherheit der Läuferinnen Vorrang haben, außerdem hätten die Eltern ein Recht darauf, ihre Kinder unversehrt wieder zu bekommen...“ Hank Tauber durfte aufatmen.

Tags darauf fand das Rennen unter hervorragenden äußeren Bedingungen statt. Die Sprintstrecke, von nicht einmal zwei Kilometer Länge, war in optimalem Zustand. Drei Viertel des Kurses konnten die Damen ausschließlich in Hockstellung fahren! Die Entscheidung fiel so knapp aus wie nie zuvor in einem olympischen Abfahrtslauf: Michela Figini siegte mit 5/100 Sekunden Vorsprung vor ihrer Teamgefährtin Maria Walliser. Ihre Laufzeit von 1:13,36 Minuten stellte „olympischen Rekord“ dar; 1936 in Garmisch-Partenkirchen war die norwegische Abfahrtssiegerin Laila Schou-Nielsen fünf Minuten und vier Sekunden unterwegs gewesen! Dreimal so lange wie 1984.

Sie ähneln sich wie ein Ei dem anderen. Aber unter den knallig bunten Schweizer Rennanzügen und Helmen verbergen sich durchaus „verschiedene“ Mädchen. Sie fuhren praktisch auch gleich schnell, doch im Ziel war Michela Figini (oben rechts) um den zarten Hauch von fünf Hundertstelsekunden eher als ihre Mannschaftskameradin Maria Walliser (oben). Schon beim ersten, dann abgebrochenen, Abfahrtsversuch hatte die 17jährige Michela Figini eine fabelhafte Zeit vorgelegt. Daß sie auch beim zweiten Anlauf gewann, war also nur gerecht.

Die junge Münchnerin Marina Kiehl, Junioren-Weltmeisterin 1983, überraschte durch einen respektablen sechsten Rang, gemeinsam übrigens mit der kanadischen Weltmeisterin Gerry Sörensen. Irene Epple, vor Beginn der Spiele eine der Favoritinnen, lag als 23. ähnlich weit zurück wie vor vier Jahren in Lake Placid: „Meine Knieverletzung hat mir einen Knacks gegeben. Die Ärzte und ich glaubten, man könnte die Verletzung bis zum Rennen noch unter Kontrolle bringen. Doch mir fehlte die läuferische Sicherheit und damit auch das Selbstbewußtsein...“ Wochen nach Sarajevo unterzog sich Irene Epple in Kalifornien bei dem amerikanischen Knie-Spezialisten Dr. Richard Steadman aus South Lake Tahoe einer Operation. Falls der Heilungsprozeß gut verläuft, will die zweitbeste Abfahrtsläuferin der olympischen Saison (im Weltcup von Maria Walliser nur um einen Punkt bezwungen) bei der WM 1985 wieder starten.

SLALOM DAMEN

Im Nebel wie Fledermäuse durch die Tore

Die hitzigen Debatten nach der umstrittenen Absage des Abfahrtslaufes mußten bei den Funktionären einen Schock verursacht haben. Anders ließ sich die Entscheidung, den Damen-Slalom trotz widriger Wetterverhältnisse doch zu starten, nicht erklären.

Ein unvergessenes Erlebnis wurde plötzlich lebendig: Beim Slalom 1968 in Chamrousse war dem Österreicher Karl Schranz im dichten Nebel ein französischer Soldat über die Piste gelaufen. Dadurch irritiert, stoppte Schranz seinen Lauf. Unter Vorbehalt durfte er ein zweites Mal starten, fuhr tatsächlich Bestzeit und ließ sich danach, zusammen mit den Nächstplazierten, Killy und Huber, als Goldmedaillengewinner fotografieren. Die Ernüchterung folgte kurz darauf: Schranz wurde disqualifiziert, Killy zum Sieger erklärt. Konnte sich ähnliches in Sarajevo nicht wiederholen? Selbst moderne Fernsehaufzeichnungen hätten Zweifel unter Torrichtern und Schiedsrichtern nur schwer ausräumen können. Denn durch die TV-Kameras verdichtet sich der Nebel auf dem Bildschirm mehr als mit bloßem Auge erkennbar.

Insgesamt waren 45 Damen gestartet, nur 21 kamen ins Ziel. Gefahren wurde bei ständigem dichtem Nebel – ungezügelt, riskant und dementsprechend schnell. Der Laie am Fernsehschirm glaubte bei den Damen an die Fähigkeit von Fledermäusen bei Nacht.

Wie vor dem Riesenslalom, so war auch im Slalom ein Sieg von Erika Hess prophezeit worden; Anni Kronbichler, Daniela Zini, Roswitha Steiner und Rosa-Maria Quario zählten gleichfalls zum engen Kreis der Favoritinnen, jede einzelne hatte vor Sarajevo einen Weltcup-Slalom gewonnen. Doch wer kannte die Französin Christelle Guignard, führend nach dem ersten Durchgang? Wer wußte etwas über Paoletta Magoni? Reporter fragten sich gegenseitig, wie denn der Name der Italienerin überhaupt ausgesprochen werde? Noch dachten die Kenner, der zweite Lauf werde alles richten, Spreu vom Weizen sondern. Nur einen Wimpernschlag waren die ersten Fünf voneinander getrennt, ganze $^{14}/_{100}$ Sekunden! Siegreich in dieser nebligen Raserei blieb schließlich die 19jährige Bauerntochter Paoletta Magoni aus dem kleinen italienischen Dorf Selvino bei Bergamo – im ersten Lauf Vierte, im zweiten Erste. Aufgefallen war die kleine Paoletta vorher nur einmal: beim Slalom in Piancavallo (6.). Die Französin Perrine Pelen, im Januar wegen einer Doping-Affäre noch in den Schlagzeilen der Presse, schob sich auf Platz zwei. Den undurchsichtigen Kampf um Bronze entschied die Liechtensteinerin Ursula Konzett für sich, Roswitha Steiner aus Österreich wurde gerade noch Vierte. Und die Damen des Deutschen Skiverbandes? Abgeschlagen landete Maria Epple auf Platz zwölf, fünf andere der Mannschaft schauten zu. Sportwart Kuno Meßmann meinte hinterher, von ihnen hätte sowieso keine eine gute Figur abgegeben. 1976 Gold durch Rosi Mittermaier, 1980 Silber durch Christa Kinshofer, 1984 nur noch eine einzige Läuferin aus der Bundesrepublik am Start. Wie sagte doch Cheftrainer Willi Lesch: „Die wollten einfach nicht."

Nur gelegentlich gab der Nebel den Blick frei auf die Skimädchen beim Slalom. Selbst die elektronischen Geräte hatten Mühe, die Milchsuppe zu durchdringen. Die bis dahin in Fachkreisen relativ unbekannte 19jährige Paoletta Magoni schlich sich sozusagen zum Gold, und der weit renommierteren Französin Perrine Pelen (rechts) blieb „nur" die Silbermedaille bei diesem Blindflug. Immerhin war sie die einzige, die in den olympischen alpinen Skirennen zwei Medaillen ergatterte. Im Riesenslalom war's Bronze gewesen.

RIESENSLALOM
HERREN

Max Julen – wie einst Staub und Hemmi

Starke Nerven mußte der Schweizer Max Julen (oben) haben, um sich im Riesenslalom gegen die jugoslawischen Fans, die wie im Fußballstadion pfiffen, und gegen Lokalmatador Jure Franko (nächste Seite, oben links) zu behaupten. Der Schweizer Hoteliers-sohn aus Zermatt ließ sich nicht beirren und hängte Franko aufgrund seines ersten glanzvollen Laufes noch relativ sicher ab. Aber die Jugoslawen hatten dank Jure Franko ihre erste Medaille.

Wer hätte nicht gerne Stenmark und Giradelli am Start gesehen? Der Riesenslalom wäre in seiner ganzen Attraktivität von unschlagbarer Qualität gewesen. Doch der schwedische Olympiasieger von 1980 durfte wegen seiner B-Lizenz in Sarajevo genausowenig konkurrieren wie der im Weltcup für Luxemburg startende Österreicher.
Ohne die eigentlichen Favoriten war dieser Wettbewerb in seinem Ausgang offener denn je. Andy Wenzel, den ich am Vorabend bei Heilmasseur Toni Mathis im Olympischen Dorf traf, ließ keinen Zweifel an der Schwierigkeit des Hanges am Berg Bjelasniča. Es gebe, so Wenzel, keine zwei oder drei Tore, zwischen denen man sich erholen könnte oder in seiner Konzentration nachlassen dürfe. Von Anfang an ginge es steil bergab; die Piste werde schnell rippig und beinhart, so daß es viele Ausfälle geben würde.
Etwa 20000 Zuschauer erwarteten an diesem sonnigen Tag die erste Medaille für Jugoslawien bei Olympischen Winterspielen – egal, ob von Jure Franko oder von Boris Strel. Wer den angestrebten Erfolg zu gefährden trachtete, dem wurde vom Publikum mit gellenden Pfiffen klargemacht, daß hier Sympathie gleichmäßig nicht zu verteilen ist. Stimmungslage wie beim Elfmeter-Schießen auf einem Fußballplatz. Die Rivalen waren sofort ausgemacht, denn nach dem ersten Lauf führten mit Julen, Wenzel und Gruber drei Ausländer. Unmittelbar dahinter folgten Franko und Strel. Also mußte im Finale von seiten hitziger Fans gestört werden. Angesichts der vorangegangenen Schlechtwetterlage waren ja beide Läufe, wie bei den Damen, auf einen Tag zusammengelegt worden. Besonders Max Julen hielt das für gut, wohl wissend, daß der Führende weder 1976 noch 1980 dem Nervendruck tags darauf gewachsen war. Der Zermatter Hotelierssohn, dessen Vater Martin bereits in den fünfziger Jahren manch bedeutendes Skirennen gewonnen hatte, ließ sich im entscheidenden Lauf von den wütenden Pfiffen der Zuschauer keineswegs beeinflussen. „. . . sie wirkten eher motivierend als hemmend." Aber der Schweizer ahnte, daß Jure Franko, der schon im Ziel war, an der Spitze des Feldes liegen mußte. Gleich nach der glanzvollen, fehlerfreien Fahrt Julens herrschte einen Moment lang Unsicherheit. Die Elektronik der Anzeigetafel war nämlich kurz ausgefallen.

Doch mitten in die Zweifel hinein kamen die ersten Gratulanten. Julen war zwar 4/10 Sekunden langsamer gefahren als der Jugoslawe, rangierte jedoch in der Gesamtwertung 23/100 vor Franko und 57/100 vor Andy Wenzel, der in Lake Placid Silber, in Sarajevo Bronze für Liechtenstein gewann. Der Österreicher Franz Gruber rückte auf den undankbaren vierten Platz, noch vor Boris Strel.
Pirmin Zurbriggen, der aufgrund der Ergebnisse im Dezember und Januar als einer der ersten Medaillengewinner angesehen wurde, schied ebenso aus wie der Österreicher Hans Enn. (Tröstlich für den jungen Schweizer: Ende März gewann er als vielseitigster alpiner Ski-Rennläufer der Saison den Weltcup in der Gesamtwertung!) Der Schwarzwälder Egon Hirt schlug sich in dem riesigen Teilnehmerfeld als Dreizehnter recht achtbar.
Als zu Ehren Max Julens die Schweizer Fahne gehißt und die Nationalhymne gespielt wurde, war der 23jährige immer noch etwas fassungslos: „Gold – das gibt's doch gar nicht!" Julen reihte sich mit diesem außerordentlichen Erfolg in die Liste anderer Schweizer Olympiasieger im Riesenslalom ein: 1960 in Squaw Valley siegte Roger Staub und 1976 in Innsbruck Heini Hemmi.

ABFAHRT HERREN

Bill Johnson zerstört eine Legende

Auf so einen Mann hatten die Fernsehkollegen von ABC seit langem gewartet. Jetzt war er da: Mindestens acht Tage lang konnten die Amerikaner den skifahrenden Sprücheklopfer Bill Johnson wie einen Werbespot in die allmählich monoton gewordene Berichterstattung einschieben: „Seht her, der nächste Sieger bin ich!" Je länger die noch winterlichen Geduldsspiele dauerten, desto unnachgiebiger malträtierte Johnson die Nerven seiner ohnehin irritierten Gegner. Franz Klammer war bereits im Training kopfüber gestürzt, Weltmeister Harti Weirather konnte sich in vier Ausscheidungsrennen am Bjelasnića ebensowenig für den olympischen Start qualifizieren wie der Schweizer Weltcupsieger Franz Heinzer. Bill Johnson indes vergnügte sich förmlich auf der 3 km langen Piste. Er ließ dabei alle Welt, entweder am Start oder im Ziel, großmäulig und zweifelsfrei wissen, daß nur er für Gold in Frage käme. Der 22jährige Mann aus Los Angeles, in seiner Jugend wegen Autoknackerei und anderer Streiche mit dem Gesetz in Konflikt geraten, lebte die Rolle, die Robert Redford in dem amerikanischen Skifilm „Downhill-Racer" gespielt hatte. Kommentar der Österreicher damals: „Ein Amerikaner wird nie eine olympische Abfahrt gewinnen!" Johnson räumte solche Reden überraschend vom Tisch. Er wurde der erste amerikanische Olympiasieger im Abfahrtslauf! Schlagzeile eines Boulevardblattes: „Autodieb raste mit 105 Sachen zum Sieg."
Nach Schranz'scher Manier hatte Franz Klammer Bill Johnson als „Nasenbohrer" bezeichnet (was „zweitklassig" heißen sollte). Wochen später nahm er den Ausdruck öffentlich und mit Bedauern zurück. Ausgerechnet Johnson hatte den seit 1974 bei Weltmeisterschaften und Olympischen Spielen ungeschlagenen Österreichern die erste Niederlage zugefügt.
Das Geheimnis seines Erfolgs? Trainer Theo Nadig unternahm mit Johnson im Windkanal von Buffalo den langwierigen Versuch, ungünstige Körperhaltungen in kürzester Zeit in die aerodynamisch günstigste Position zu verändern. Ziel war es, diesen Vorgang unter simulierten Rennbedingungen zu automatisieren. Das gelang. Verstärkt geübt wurde eine andere Eigenschaft Johnsons: Die Ski auf weichen Pisten so flach wie möglich gleiten zu lassen, selbst in scharfen Kurven kaum zu kanten. Gegenbeispiel: die eisige Abfahrt in Kitzbühel, auf der Johnson chancenlos war. So bestätigte der Amerikaner in Sarajevo seine Fähigkeiten, die er Wochen

Ein wilder Bursche aus den USA, dank kessen Sprüchen und bewegtem jugendlichem Lebenslauf ein „Fressen" für die Medien, zeigte es den recht selbstgefälligen europäischen Abfahrts-Assen. Bill Johnson, bis dato eigentlich nicht recht ernstgenommen, wurde der erste amerikanische Olympiasieger im Abfahrtslauf. Da mußte selbst Franz Klammer seine Charakterisierung „Nasenbohrer" mit dem Ausdruck des Bedauerns zurücknehmen. Denn Johnson siegte auch noch nach Olympia!

vorher bereits als Sieger auf der berühmten Lauberhorn-Strecke im Schweizer Wengen gezeigt hatte. (Nach Olympia gewann er noch die Weltcuprennen in Aspen und Whistler Mountain!)
Erstaunlich bleibt die Leistungssteigerung der beiden anderen Medaillengewinner Peter Müller und Anton Steiner. 1983 mußte der Schweizer bei der Generalprobe in Sarajevo nach einem schlimmen Sturz verletzt und bewußtlos von der Piste getragen werden. Müller schien noch Wochen vor den Winterspielen nicht fit zu sein für Olympia. Doch zu guter Letzt stand er, samt einer Handwurzelverletzung aus dem Training, neben Johnson auf dem Siegerpodest. Steiners Comeback verlief ähnlich erfolgreich. Auch er litt vor einem Jahr unter den Folgen böser Verletzungen und sah deshalb im österreichischen Team lange Zeit nicht wie ein Geheimtip für den Abfahrtslauf aus, der dreimal verlegt werden mußte. Als einziger der vier Qualifizierten hatte er den 48stündigen Aus-Flug mit einem Privatjet nicht mitgemacht. Klammer, Resch und Höflehner dagegen versuchten vergeblich dem Lagerkoller zu entrinnen, um zu Hause neue Kräfte zu tanken. Österreichische Kritiker nannten diese Flucht eine „Geringschätzung der Spiele, die nicht Schule machen dürfe".
Deutscherseits gab es zufriedene Gesichter. Sepp Wildgruber kam auf den hervorragenden 7. Rang, vor Weltcupsiegern wie Klammer, Resch, Podgorski, Brooker und Cathomen; Klaus Gattermann wurde unter 61 Startern immerhin Zwölfter.

Für die Abfahrt war der Berg nicht „hoch" genug, also mußte mit Hilfe des Starthauses nachgeholfen werden. So sausten die Abfahrer anfangs durch eine Art Hohlweg oder auch „durch den Keller" in die Tiefe. Rechts eine eindrucksvolle Studie von Olympiasieger Bill Johnson, der, wie man sieht, nicht nur perfekt gleiten, sondern auch formvollendet springen kann.

DESCENTE
USA

SLALOM HERREN

Zwillingsbrüder auf dem Olymp

Mit Gold und Silber geschmückt, traten die Zwillingsbrüder Phil Mahre (Nr. 11) und Steve Mahre von der internationalen Skibühne ab.

Wer führt eigentlich Regie bei Olympia? Wer baut die Naturkulisse, wer bestimmt die unglücklichsten Verlierer, wer die sensationellen Sieger? Es muß einer sein, der nicht zum Organisationskomitee gehört – kein Funktionär, kein Trainer, kein Präsident. Denn manches bei Olympia wirkt wie klug einstudiertes, dramatisches Theater oder wie ein Roman, dessen Handlung den Leser immer aufs neue fesselt und in dem am Ende Menschen überleben, die man bereits tot wähnte oder für unfähig hielt, doch noch aufzutrumpfen.

Die Zwillingsbrüder Mahre (zwei von neun Kindern in der Familie) waren vor Sarajevo gewiß nicht tot, zum Siegen nicht unfähig. Hervorstechendes vermochten sie aber bis auf diesen letzten Tag der Winterspiele nicht zu zeigen, weder während der laufenden Weltcupsaison noch beim olympischen Riesenslalom. Steve Mahre, Weltmeister von 1982, wurde Siebzehnter, Phil Achter. Nicht genug, um damit aufhorchen zu lassen. Und dann doch dieser unverhoffte Paukenschlag, dieses hinreißende Finale! Wer sich frei fühlt von nationalen Bindungen und persönlichen Wünschen nach diesem oder jenem Sieger, den mußte der erste Triumph von Zwillingsbrüdern bei Olympischen Winterspielen freudig stimmen. Ein Märchen im Schnee. Vergleiche in der Geschichte? Medaillengewinne von Bruder und Schwester: die Wenzels zum Beispiel; ein Ehepaar mit Goldmedaille: Oleg und Ludmilla Protopopow.

Bemerkenswert in diesem Zusammenhang: Bei Olympischen Sommerspielen gelang

schon einmal Zwillingsbrüdern in Einzelwettbewerben ein Doppelerfolg: Es waren die sowjetischen Freistilringer Anatoli und Sergej Beloglasow, Sieger im Jahre 1980. Doch das Besondere bei den Mahre-Zwillingen bestand in dem fortwährenden gegenseitigen Duell und im glanzvollen Ende ihrer langen Karriere.
Wochen vor den Winterspielen hatten Phil und Steve aus Anlaß eines Weltcupslaloms die Startnummern in ihrem Hotel verwechselt. Tatsächlich sind sie mit den unabsichtlich vertauschten Nummern im Rennen gefahren. Steve Mahre siegte sogar! Niemand hätte bemerkt, was vorgefallen war, denn selbst Journalisten und Funktionäre haben nach Jahren noch Schwierigkeiten, die Zwillingsbrüder auseinanderzuhalten. Phil und

Steve stellten sich damals über ihren Coach dem Schiedsgericht, was gleichbedeutend war mit der Disqualifikation. (Sucht nicht eine internationale Jury jedes Jahr aufs neue Preisträger für einen Fairneß-Pokal?)
Zurück zum Slalom vor 70 000 Zuschauern: Statt irgendwo im vorderen Mittelfeld unterzutauchen oder frühzeitig auszuscheiden, schälten sich die 26jährigen aus der Gruppe der am hoffnungsvollsten Gestarteten schnell und mächtig heraus. Steve Mahre lag nach dem ersten Lauf vor dem Schweden Nilsson und seinem Bruder Phil. Sieben von neun Weltklasseläufern der ersten Gruppe waren ausgeschieden, darunter Wenzel, Julen, Steiner, Gruber, Frommelt und de Chiesa – an besseren Tagen jeder einzelne von ihnen gut für eine Medaille! Der Jugoslawe Bojan Krizaj, Olympia-Vierter 1980, hatte den Anschluß auch schon verpaßt. So lebten die Schweden plötzlich in der traumhaften Vorstellung, anstelle von Stenmark könne Nilsson gewinnen. Was für eine Geschichte! Es kam trefflicher: Im zweiten Lauf wechselten Steve und Phil die Rollen, mit dem Ergebnis: Gold für den Zuerstgeborenen, Silber für den, der die vier Minuten, die er später auf die Welt kam, auch am Ende der gemeinsamen Laufbahn nicht einholen konnte. Gemeinsam erreichten sie den Gipfelpunkt einer Karriere, an der ein Deutscher wesentlichen Anteil hat: Harald Schönhaar aus Esslingen, einst Cheftrainer der deutschen Alpinen. Schönhaar entdeckte vor Jahren die Zwillinge und betreute sie mit ständig zunehmendem Erfolg.
Staunen löste die Leistung von Didier Bouvet aus, der Bronze gewann. Seit Killys dreifachem Sieg 1968 die erste olympische Medaille für Frankreich bei den alpinen Herrenwettbewerben. Nilsson wurde – 5/100 zurück – Vierter, vor dem Südtiroler Oswald Tötsch, der im zweiten Lauf so brillant fuhr (Bestzeit!), daß man glaubte, der junge Mann könne die Nachfolge Gustav Thönis antreten.
Zu den großen Verlierern gehörten die Österreicher. Keiner der vier kam in die Wertung. Darf an goldene Zeiten erinnert werden? An Othmar Schneider (1952), Toni Sailer (1956), Ernst Hinterseer (1960) und Pepi Stiegler (1964), vier Slalom-Olympiasieger hintereinander!
Die Deutschen waren in Torlauf-Wettbewerben olympisch nie besonders hervorgetreten, und die Lücke, die Christian Neureuther nach seinem Rücktritt hinterlassen hat, konnten auch Florian Beck und Egon Hirt nicht ausfüllen. Sie schieden beide aus.

Abfahrt, Damen

		Min.
1. Michela Figini	SUI	1:13,16
2. Maria Walliser	SUI	1:13,41
3. Olga Charvatova	TCH	1:13,53
4. Ariane Ehrat	SUI	1:13,95
5. Jana Gantnerova	TCH	1:14,14
6. Gerry Sörensen	CAN	1:14,30
Marina Kiehl	GER	1:14,30
8. Lea Sölkner	AUT	1:14,39
14. Heidi Wiesler	GER	1:14,98
17. Regine Mösenlechner	GER	1:15,16
23. Irene Epple	GER	1:15,65

AUT: 9. Elisabeth Kirchler, 10. Veronika Wallinger, 13. Sylvia Eder
SUI: 12. Brigitte Örtli

Abfahrt, Herren

		Min.
1. Bill Johnson	USA	1:45,59
2. Peter Müller	SUI	1:45,86
3. Anton Steiner	AUT	1:45,95
4. Pirmin Zurbriggen	SUI	1:46,05
5. Helmut Höflehner	AUT	1:46,32
Urs Räber	SUI	1:46,32
7. Sepp Wildgruber	GER	1:46,53
8. Steve Podborski	CAN	1:46,59
12. Klaus Gattermann	GER	1:48,02
22. Herbert Renoth	GER	1:48,39

AUT: 10. Franz Klammer, 11. Erwin Resch
SUI: 14. Conradin Cathomen

Riesenslalom, Damen

		Min.
1. Debbie Armstrong	USA	2:20,98
2. Christin Cooper	USA	2:21,33
3. Perrine Pelen	FRA	2:21,40
4. Tamara McKinney	USA	2:21,83
5. Marina Kiehl	GER	2:22,03
6. Blanca Fernandez-Ochoa	ESP	2:22,14
7. Erika Hess	SUI	2:22,51
8. Olga Charvatova	TCH	2:22,57
13. Maria Epple	GER	2:23,65
21. Irene Epple	GER	2:25,52
24. Michaela Gerg	GER	2:26,28

AUT: 14. Anni Kronbichler, 27. Roswitha Steiner, 34. Sylvia Eder
SUI: 12. Michela Figini, 15. Monika Hess

Riesenslalom, Herren

		Min.
1. Max Julen	SUI	2:41,18
2. Jure Franko	YUG	2:41,41
3. Andreas Wenzel	LIE	2:41,75
4. Franz Gruber	AUT	2:42,08
5. Boris Strel	YUG	2:42,36
6. Hubert Strolz	AUT	2:42,71
7. Alex Giorgi	ITA	2:43,00
8. Phil Mahre	USA	2:43,25
13. Egon Hirt	GER	2:44,11

SUI: 10. Joel Gaspoz, 11. Thomas Bürgler

Slalom, Damen

		Min.
1. Paoletta Magoni	ITA	1:36,47
2. Perrine Pelen	FRA	1:37,38
3. Ursula Konzett	LIE	1:37,50
4. Roswitha Steiner	AUT	1:37,84
5. Erika Hess	SUI	1:37,91
6. Malgorzata Tlalka	POL	1:37,97
7. Maria Rosa Quario	ITA	1:37,99
8. Anni Kronbichler	AUT	1:38,05
12. Maria Epple	GER	1:38,77

SUI: 11. Monika Hess

Slalom, Herren

		Min.
1. Phil Mahre	USA	1:39,41
2. Steve Mahre	USA	1:39,62
3. Didier Bouvet	FRA	1:40,20
4. Jonas Lars Nilsson	SWE	1:40,25
5. Oswald Tötsch	ITA	1:40,48
6. Petar Popangelov	BUL	1:40,68
7. Bojan Krizaj	YUG	1:41,51
8. Lars-Göran Halvarsson	SWE	1:41,80

SUI: 10. Thomas Bürgler

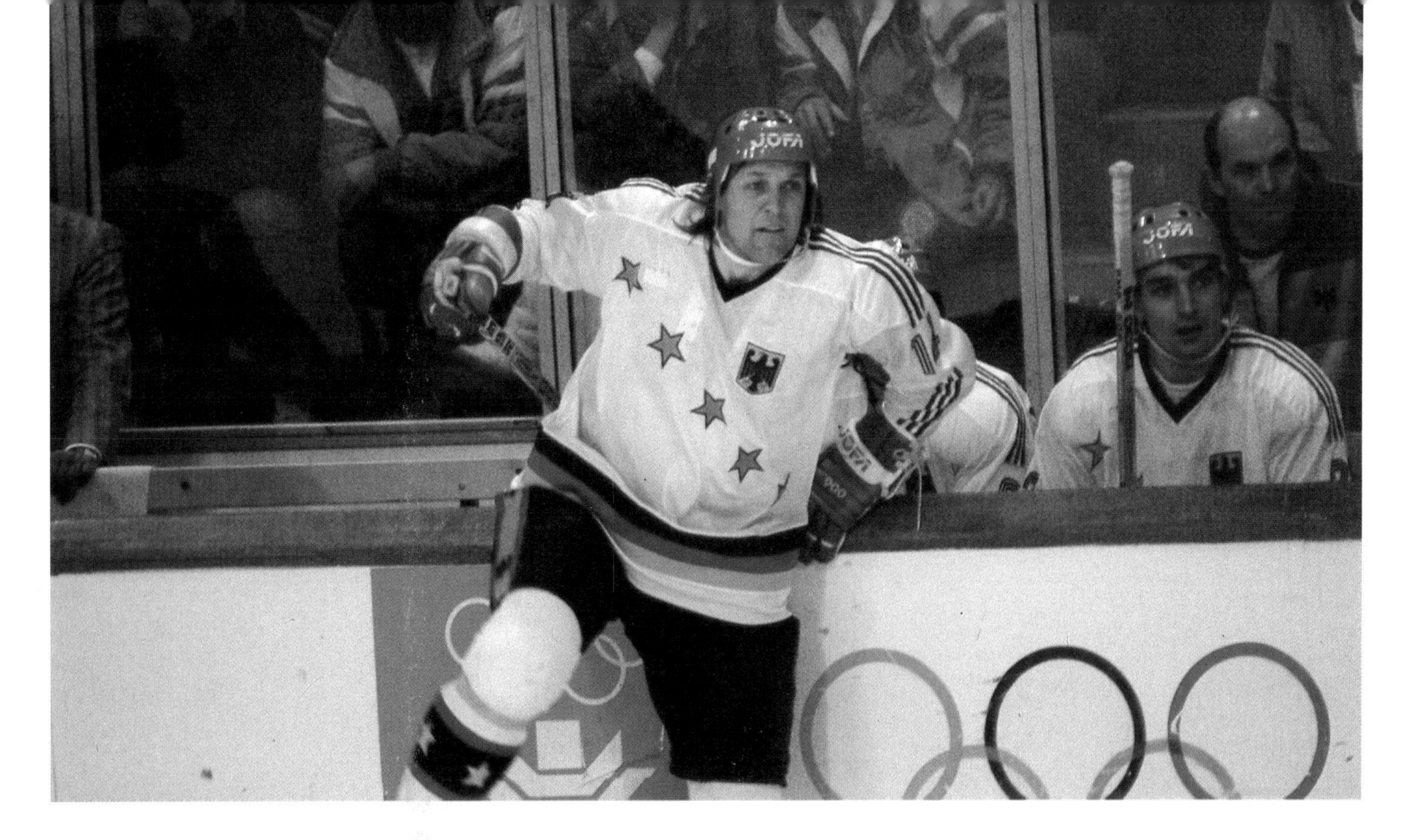

EISHOCKEY

Natürlich das UdSSR-Team

Um ein Haar wäre die deutsche Eishockey-Auswahl so schwungvoll wie hier ihr Stürmer-As Erich Kühnhackl (im Bild oben) in die olympische Endrunde der besten Vier gestürmt. Aber das 1:1 gegen Schweden reichte nicht, die Skandinavier hatten insgesamt mehr Tore geschossen. So wurde sie „realistischer" Fünfter. Kühnhackl konnte sich zusätzlich über seinen „statistischen Titel als Torschützenkönig" freuen.
Vorherige Seite: Keine Medaille gab es für den besten Skifahrer der Weltcupsaison 1983/84. Der Schweizer Pirmin Zurbriggen stürzte im Riesenslalom und Slalom (Bild), glitt in der Abfahrt als Vierter an Bronze vorbei.

Mit sensationellen Wetten hätte man kein Geld verdienen können. Das Eishockeyturnier verlief mehr oder weniger genau so, wie es sich die Experten vorgestellt hatten. Mit der Selbstverständlichkeit früherer Jahre gewann das Team aus der Sowjetunion die Goldmedaille, holte es sich erneut jenen Olympiasieg, der ihm seit 1956 immer nur dann entging, wenn die Winterspiele in den Vereinigten Staaten stattfanden (1960 und 1980) und dort dann das heimische US-Team mit einer unglaublichen Leidenschaft zuschlug. In Sarajevo gab es zwar eine Punktrunde zur Ermittlung der Medaillen, aber es ergab sich zum Schluß die publikumswirksame Konstellation, daß es am Ende tatsächlich zu zwei „echten" Endspielen kam. Die UdSSR schlugen die ČSSR um Gold sicher 2:0, und die Schweden holten sich gegen Kanada mit dem gleichen Ergebnis Bronze.
Die Eishockeyspieler sind ihrer Zeit voraus. Da man ihr Turnier von 1920 in Antwerpen (Kanada vor USA und ČSSR) als olympisch anerkannte, waren sie in Sarajevo schon bei ihren XV. Winterspielen angelangt, und die Sowjets zogen mit ihrem insgesamt sechsten Goldmedaillengewinn mit den Kanadiern gleich. Weiteres Gold ging nur noch an die USA und an England (1936), das damals sensationell die Kanadier und die Amerikaner überflügelte. Die Kanadier brauchten für ihre sechs Olympiasiege 32 Jahre, die Russen schafften es in 26 Jahren. Und es spricht nichts dagegen, daß sie auch weiterhin siegen werden, während es den Kanadiern – wird die Zulassungsformel nicht geändert, werden also keine Profis teilnahmeberechtigt sein – selbst 1988 im heimischen Calgary sehr schwergemacht werden wird, auch nur eine Medaille zu erringen. Die letzte, die die „Erfinder des Eishockeys" holten, war aus Bronze und wurde ihnen 1968 in Grenoble überreicht.
Die Bronzemedaille von Sarajevo gehörte, auch das war eigentlich programmgemäß, den Schweden, obwohl die mit einer ihrer schwächsten, weil jungen, unerfahrenen Mannschaft antraten. Genau wie die Finnen erleben die Schweden Jahr für Jahr einen Aderlaß in Richtung nordamerikanisches Profi-Eishockey, was der Nationalmannschaft natürlich sehr abträglich ist. Nach ihrem Flop von 1980 (nicht in der Endrunde der letzten Vier, am Ende Fünfter, 6:1 gegen Kanada) richtete sich die ČSSR wieder auf ihren fast schon angestammten Silberplatz ein, schien damit sehr zufrieden und war wohl in Gedanken schon mehr bei der Weltmeisterschaft 1985, die im heimischen Prag stattfindet und endlich wieder einmal einen Triumph über die Sowjets bringen soll. Der war in Sarajevo absolut nicht möglich, zu stark zeigte sich die UdSSR in allen Belangen.
Dabei war bemerkenswert, wie das Team der UdSSR agierte, nämlich vor allem ökono-

misch und gelegentlich sogar „defensiv“, wenn es das Erreichte mit ziemlich sparsamen Mitteln zu sichern galt. Nur einmal wurden die Russen „böse“, als sie es den Schweden (10:1!) zeigten. Ansonsten verzichteten sie auf pausenlosen Wirbel und spielten über weite Phasen den soliden Hausherrn, der seinen Besitzstand sichert und verteidigt.
Leider muß man konstatieren, daß die „Seuche des Fußballs“, das Defensivspiel, das Spiel aus der sogenannten sicheren Abwehr heraus, auch das gegenwärtige Spitzeneishockey befallen hat. Alle Teams in Sarajevo, einschließlich der körperlich und technisch turmhoch überlegenen Russen, befleißigten sich dieses zuschauerfeindlichen Systems, das einem den Genuß schon ein bißchen vermiesen kann.
Sowjet-Torwart Wladislaw Tretjak, den die Medien schon zu einer „Legende“ hochjubeln, obwohl so gar nichts Legendäres an ihm ist, wurde in Sarajevo zum erfolgreichsten Eishockeyspieler aller Zeiten. Für den Torwart und Major der Roten Armee (was ihn wahrscheinlich daran hindern wird, zum Karriereschluß nochmals kapitalistische Dollars als Leihprofi in Nordamerika zu scheffeln) gab es die dritte Goldmedaille bei seinen vierten Olympischen Spielen, wobei seine makellose Olympiakarriere nur 1980 (Silber) einen gewissen Knick bekam. Damals hatte ihn UdSSR-Trainer Tichonow im Spiel gegen die USA (3:4) trotz sowjetischer Führung (3:2) ausgewechselt („zuwenig mannschaftsdienlich!“), was ihm der ehrgeizige Tormann heute noch und zu Recht übelnimmt.
Weil alles so programmgemäß ablief, konnte auch die deutsche Mannschaft nicht beiseitestehen. Sie holte sich ihren realistischen Platz fünf (7:4 im Entscheidungsspiel gegen Finnland), verlor nur einmal (1:6 gegen die UdSSR) und ertrotzte von den Schweden ein 1:1. Das aber war zuwenig, um das „Traumziel“ Endrunde der letzten Vier (und vielleicht der Griff nach Bronze?) zu erreichen. Die Schweden zogen in diese Schlußrunde ein, weil sie gegenüber dem DEB-Team die weitaus bessere Tordifferenz aufwiesen. Trainer Xaver Unsinn hatte in jeder Beziehung recht behalten, wenn er immer vom realistischen Platz fünf (den aber als Pflichtaufgabe) und von der realen Möglichkeit gesprochen hatte, „diesmal die Schweden zu packen“. Erich Kühnhackl hatte Sekunden vor Schluß den Siegtreffer gegen Schweden greifbar nahe gehabt. Der Landshuter wurde, gerechnet nach Toren und Pässen, erfolgreichster Stürmer des Turniers, was ihn aber

Eishockeyspieler sind immer dankbare Motive für Fotografen. Diesen sportlichen Breakdance

bieten der Kanadier Bruce Driver (links) und der Schwede Peter Michael Hjalm. Auch der Puck scheint verschwunden zu sein.

Eishockey – Gruppe A
Endstand Vorrunde:

1. UdSSR	5	5 0 0	42: 5	10:0
2. Schweden	5	3 1 1	34:15	7:3
3. BR Deutschland	5	3 1 1	27:17	7:3
4. Italien	5	1 0 4	15:31	2:8
5. Polen	5	1 0 4	16:37	2:8
6. Jugoslawien	5	1 0 4	8:37	2:8

Eishockey – Gruppe B
Endstand Vorrunde:

1. ČSSR	5	5 0 0	38: 7	10:0
2. Kanada	5	4 0 1	24:10	8:2
3. Finnland	5	2 1 2	27:19	5:5
4. USA	5	1 2 2	16:17	4:6
5. Österreich	5	1 0 4	13:37	2:8
6. Norwegen	5	0 1 4	15:43	1:9

Ein weltbekannter Sportheros, der sich bei seinen öffentlichen Auftritten meistens hinter einer ziemlich häßlichen Maske verstecken muß. So weiß zwar alle Welt, wer und was der Moskauer Wladislaw Tretjak ist, aber erkennen würden den weltbesten Eishockey-Torwart wohl nur die wenigsten Menschen, begegnete er ihnen als ganz normal gekleideter Mensch auf der Straße. Tretjaks Medaillen-, Pokal- und Titel-Sammlung könnte jetzt schon ein kleines Museum füllen. Mit drei Gold- und einer Silbermedaille ist er der erfolgreichste Eishockeyspieler aller Zeiten. Nach Olympia trat er vom Leistungssport zurück.

Eishockey-Endrunde

Sowjetunion – Tschechoslowakei	2:0
Schweden – Kanada	2:0
Sowjetunion – Kanada	4:0
Tschechoslowakei – Schweden	4:0

Entscheidungsspiele

Um Platz 5: BR Deutschland – Finnland	7:4
Um Platz 7: USA – Polen	7:4

Schlußtabelle

1. Sowjetunion
2. Tschechoslowakei
3. Schweden
4. Kanada
5. BR Deutschland
6. Finnland
7. USA
8. Polen

natürlich noch längst nicht zum „besten Stürmer der Welt“ machte, wie es in manchen Gazetten hieß. Diese Wertung hat rein statistischen Wert, beinhaltet zum Beispiel auch Eigentore des Gegners (die es im Eishockey offiziell nicht gibt) und ist bei den Punkten für Pässe, die zu Toren führen, auf die „Gnade“ der Schiedsrichter angewiesen, die den „Tor-Assistenten“ benennen müssen.

In den achtziger Jahren hat sich also das bundesdeutsche Eishockeyteam fest auf Platz fünf der Weltrangliste etabliert, mit einer leichten Tendenz nach oben, wobei es gegen jeden Gegner der Weltklasse, mit Ausnahme der Sowjetunion, die ein Spiel immer noch so gestalten kann, wie sie es will, gut aussehen kann. Man darf sogar mal mit Siegen gegen Schweden, das für jeden Titelkampf ein neues Team basteln muß, und gegen die ČSSR, die immer noch recht „launisch“ sein kann, liebäugeln. Dies ist ein großer Fortschritt, den es zu halten gilt, der aber sowohl den eigenen Verbesserungen wie auch einer gewissen Nivellierung in der Weltspitze zu danken ist. Die bundesdeutsche Mannschaft trug in Sarajevo sechs Spiele aus, verlor nur gegen die UdSSR, kämpfte gegen Schweden remis und siegte über Jugoslawien (8:1), Polen (8:5), Italien (9:4) und Finnland (7:4). Es hätte vielleicht doch wieder Bronze werden können, wenn... Und diesmal wäre es, im Gegensatz zu Innsbruck 1976, sozusagen eine „echte“ Medaille gewesen, fehlten doch damals Kanada, Schweden und die seinerzeit recht starke DDR-Mannschaft.

Aber keiner war traurig, das Eishockeyteam hatte sich besser geschlagen als viele andere Teile des bundesdeutschen Gesamt-Olympiaaufgebots. Das Eishockeyturnier insgesamt hatte kein besonders hohes Niveau. Leider waren alle Mannschaften in taktische Konzepte gezwängt, die sie sich unglücklicherweise dem Fußball abgeschaut haben. Eishockey à la Fußballstrategie macht überhaupt keine Freude. Die Nordamerikaner (Kanada 4., Olympiasieger USA gar nur 7.) wurden gedemütigt, und die leidigen Zulassungsbestimmungen der angeblichen Amateure machten auch Ärger. Es wurden läppische Kompromisse geschlossen, wer nun „Amateur“ ist und wer nicht. Zuletzt lief es auf den Unsinn hinaus, kein „Olympia-Amateur“ ist nur der, der in der nordamerikanischen NHL-Profiliga spielt oder gespielt hat. Das kann sicher nicht die Lösung für die Zukunft sein. Aber angesichts „echter“ olympischer Probleme ist die Zulassung von „Amateuren“ heute sicher zweitrangig.

Medaillen-Maximum für die DDR

Es war einmal... Die glanzvollen bundesdeutschen Bobzeiten bei Olympia existieren nur noch in der Erinnerung. Der neunte Rang des Vierers Kopp, Öchsle, Neuberger und Schumacher (Bild) lag doch arg unterhalb der Erwartungen, aber noch fünf Ränge über dem Endresultat des zweiten bundesdeutschen Gefährts. Erfolglosigkeit führt meistens zu Ärger und Vorwürfen, und die blieben im bundesdeutschen Boblager auch nicht aus.

Der Medaillenschlacht am Trebevic ging eine Materialschlacht voraus, wie man sie bisher im Bobsport noch nicht gekannt hatte. Nachdem die DDR ein Jahr zuvor bei den Europameisterschaften an gleicher Stelle einen hydraulisch gefederten Schlitten vorgestellt hatte, löste zu Saisonbeginn eine Neuentwicklung aus der UdSSR (Lettland), wegen ihres Aussehens „Russen-Zigarre" genannt, unter den Konstrukteuren und Bastlern des westlichen Lagers Hektik aus. Die Schweizer schreckten nicht einmal davor zurück, sich auf dunklen Umwegen die Konstruktionsunterlagen der schnellen „Zigarre" zu besorgen, von der ihr Erfinder Roland Upatnieks steif und fest behauptete, sie sei in dreijähriger Arbeit mit einfachsten Mitteln vollendet worden.

Bei den Europameisterschaften in Innsbruck-Igls kurz vor den Spielen von Sarajevo konnten die Letten zwar mit Rang eins, drei und vier im Zweierbob auftrumpfen, dank der Überlegenheit ihres in der elektrotechnischen Fabrik VEF in Riga hergestellten Geräts und der Bärenkräfte ihrer Athleten, bei Olympia spielten sie dann ebenso eine Nebenrolle wie ihre Nachahmer aus dem Westen. Mehr als der dritte Platz im Zweier für die Besatzung Ziniis Ekmanis/Wladimir Alexandrow und der vierte für die Europameister Janis Kipurs/Aiwar Schnepsts sprang nicht heraus. Vom starken Tobak der Zigarre blieb nicht viel mehr als ein Häuflein Asche.

Der neue „Sputnik" aus der Sowjetunion prallte ab an einem ausgereiften Wunderwerk aus der Medaillenschmiede der DDR. Sie erhöhte beinahe im Handumdrehen ihre Goldmedaillen-Sammlung auf fünf seit ihrem ersten olympischen Auftreten 1976. Wären pro Land nicht nur zwei Bobs zugelassen im olympischen Wettstreit, die DDR hätte wahrscheinlich alle sechs Medailen eingeheimst.

Neuer König im Kunsteiskanal wurde der 26jährige Oberhofer Volksarmee-Unteroffizier Wolfgang Hoppe. Beide Konkurrenzen gewann er überlegen, jeweils vor dem von seinem Landsmann Bernhard Lehmann gesteuerten Schlitten DDR II, siebenmal erzielte er in den insgesamt acht Läufen die Bestzeit. Erst vier Jahre zuvor stieß Hoppe zum Bobsport, nachdem er im Zehnkampf einer der besten DDR-Junioren gewesen war, genauso wie sein Bremser Dietmar Schauerhammer, der sich als 8000-Punkte-Zehnkämpfer einen Namen gemacht hatte. „Das Können kommt aus der Familie", frohlockte Wolfgang Hoppe nach seinem zweiten Triumph, eine halbe Sekunde vor Lehmanns Vierer und schon 1,17 Sekunden vor dem Bronzemedaillengewinner Silvio Giobellina aus der Schweiz. „Wir haben in dieser Saison noch kein Rennen verloren, und ich war mir vor dem letzten Lauf schon sicher, daß wir den ersten Platz verteidigen." Zur Taktik der DDR hatte es auch gehört, zu den Europameisterschaften ihre drei besten Besatzungen nicht mitzubringen, sondern deren Können bei weiteren Testfahrten daheim in Oberhof vervollkommnen zu lassen. Am Trebevic waren sie dann nicht mehr zu bremsen, wobei ihr Vorsprung im Zweier vor den beiden lettischen Schlitten weniger deutlich ausfiel.

Die bundesdeutschen Bobfahrer scheiterten letztlich wegen der Unterlegenheit ihres Materials. Vier Jahre vorher in Lake Placid mit dem neuentwickelten Opel-Bob spektakulär ins Abseits gefahren, wurden sie diesmal von der Gegnerschaft völlig überrascht, vor allem von den listigen Letten. Im Januar stellten sie zwar noch eine eigene „Zigarre" vor, deutlich als Plagiat zu erkennen, doch Pilot Klaus Kopp aus Unterhaching bei München kam mit der neuartigen Lenkung nicht mehr wie gewünscht zurecht, und so blieb der Zweier-Schlitten in der Garage.

Das war um so peinlicher, als auch der verbesserte Bob des italienischen Herstellers Siorpaes den Anforderungen einer besonders langen olympischen Saison nicht genügte. Der Schlitten ging immer mehr aus dem Leim und mußte notdürftig geflickt werden. Im Zweier-Rennen belegte der Ohlstädter Anton Fischer mit seinem Bremser Hans Metzler nach gutem Start nur den achten Platz mit einem Rückstand von 3,62 Sekunden auf DDR I und die Unterhachinger Andreas Weikenstorfer/Hans-Jürgen Hartmann 4,85 zurück den elften.

Die Enttäuschungen setzten sich in den vier Läufen der Vierer-Konkurrenz fort. Hier kam Klaus Kopp, im Winter zuvor immerhin noch Weltmeisterschafts-Zweiter, mit seinen drei Mitstreitern Gerhard Öchsle, Günther Neuberger und Hajo Schumacher über den enttäuschenden neunten Rang nicht hinaus, mit dem riesigen Rückstand von beinahe vier Sekunden auf den siegreichen Hoppe. Und für Anton Fischer reichte es gar nur zum 14. Platz.

Spontan erklärten Anton Fischer und Andreas Weikenstorfer ihren Rücktritt, nicht ohne harte Vorwürfe gegen den Deutschen Bob- und Schlitten-Sportverband und seine Funktionäre zu erheben. Sogar von „Deppen" war auf gut bayrisch deutlich die Rede. Vom einst so blühenden bundesdeutschen

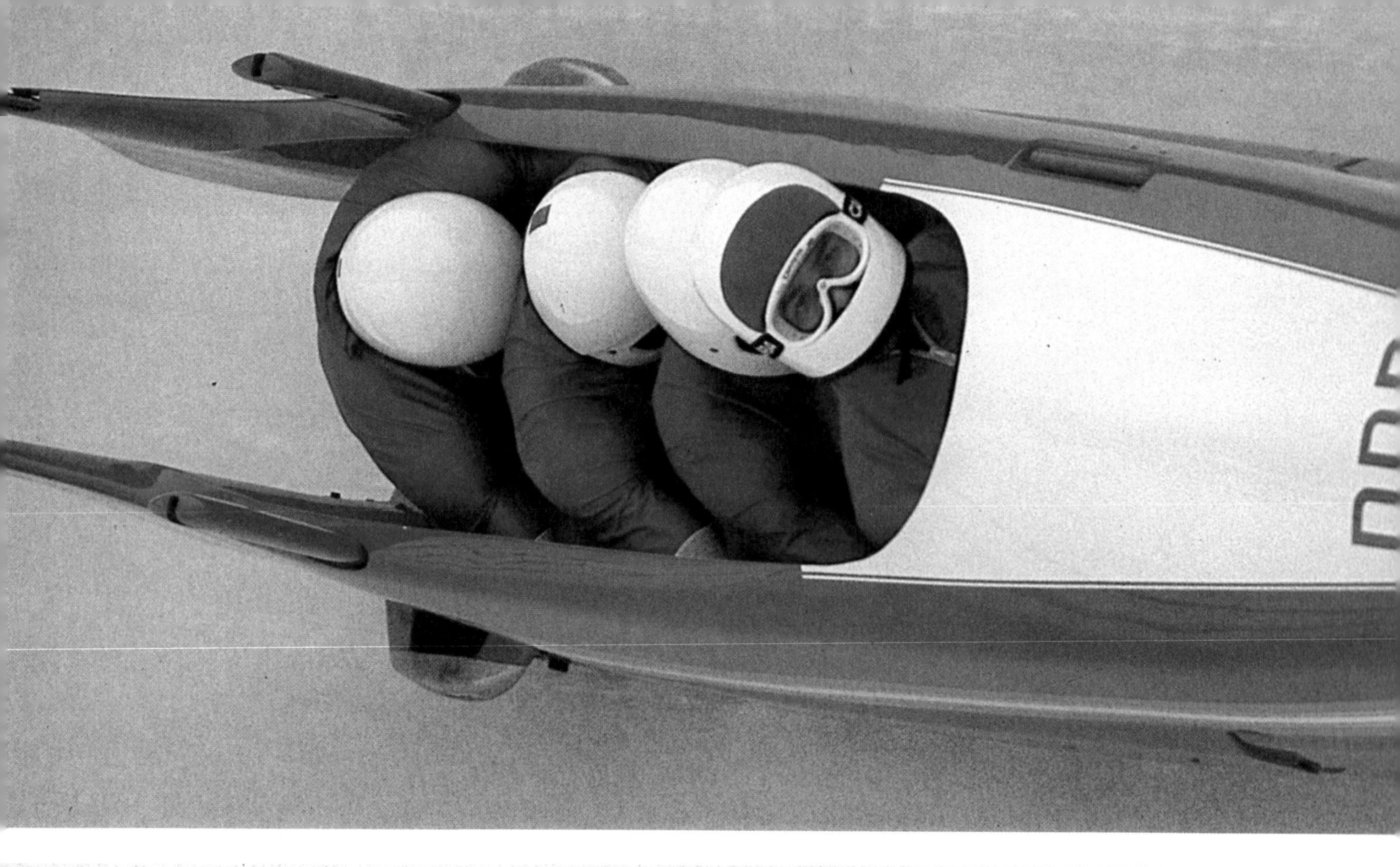

Die rote „Russen-Zigarre“ sieht eigentlich im Vergleich mit der blauen „DDR-Rakete“ eher behäbig aus. Das Ergebnis bestätigt dies.

Unten der UdSSR-Bronze-Zweier, oben der Gold-Vierer aus der DDR.

Bobsport blieb nur ein Scherbenhaufen. Jetzt richteten sich alle Hoffnungen auf das neue Reglement, das Weltverbands-Präsident Klaus Kotter schon nach dem ersten großen Aufsehen um die „Zigarre" angekündigt hatte. Einheitliches Material soll die Grundlage schaffen für einen Wettbewerb, in dem wieder mehr der Mensch im Vordergrund stehen muß. Kotter möchte ein Regelwerk präsentieren, in dem exakt festgehalten ist, „innerhalb welcher technischer und aerodynamischer Toleranzen sich der Bob in der Zukunft darstellen soll". Es gelte vor allem, zwei Komponenten abzuwägen: Sicherheit und Kostenfrage.

Der Weltverband, der es in mühsamer Werbearbeit auf 25 Mitgliedsländer gebracht hat, sieht nicht ganz zu Unrecht die olympische Existenz des Bobsports in Gefahr. Deshalb, so Kotter abschließend, müsse man „all jenen Verbänden die Chance einräumen, mitzumachen, die nicht über unbeschränkte Geldmittel verfügen".

Zweierbob		Min.
1. Wolfgang Hoppe Dietmar Schauerhammer	GDR II	3:25,56
2. Bernhard Lehmann Bogdan Musiol	GDR I	3:26,04
3. Ziniis Ekmanis Wladimir Alexandrow	URS II	3:26,16
4. Janis Kipurs Aiwar Schnepsts	URS I	3:26,42
5. Hans Hiltebrand Meinrad Müller	SUI I	3:26,76
6. Ralph Pichler Rico Freiermuth	SUI II	3:28,23
7. Guerrino Ghedina Andrea Meneghin	ITA I	3:29,09
8. Anton Fischer Hans Metzler	GER I	3:29,18
11. Andreas Weikenstorfer Hans-Jürgen Hartmann	GER II	3:20,41

AUT: 12. Dellekarth/Lindner, 13. Kienast/Mark

Viererbob		Min.
1. Hoppe, Wetzig, Schauerhammer, Kirchner	GDR I	3:20,22
2. Lehmann, Musiol, Voge, Weise	GDR II	3:20,78
3. Giobellina, Stettler, Salzmann, Freiermuth	SUI I	3:21,39
4.	SUI II	3:22,90
5.	USA I	3:23,33
6.	URS I	3:23,51
7.	ROM I	3:23,76
8.	ITA II	3:23,77
9. Kopp, Öchsle, Neuberger, Schumacher	GER I	3:24,15
14. Fischer, Niessner, Eisenreich, Metzler	GER II	3:25,31

AUT: 10. Österreich I, 11. Österreich II

RODELN EINSITZER, DAMEN UND HERREN

Statt auf Medaillenkurs im Pech

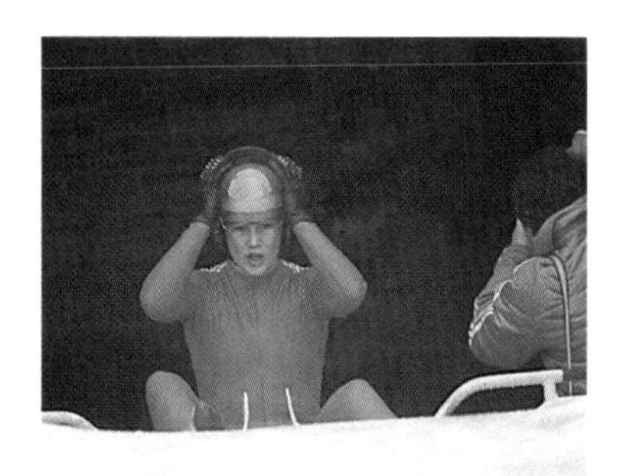

Schwere Fahrfehler und wetterbedingte Zwischenfälle rissen die junge Berchtesgadenerin Andrea Hatle aus allen Träumen von einem guten Platz im Vorderfeld. Da nützt dann alle Konzentration beim Start nichts, wenn sich unterwegs die kleinen Mängel summieren. Die Zeitmessung kennt kein Erbarmen.

Bevor die bundesdeutschen Rodler ihre erste Goldmedaille seit der olympischen Premiere im Jahre 1964 einheimsten, mußten sie erst einmal einige herbe Nackenschläge verkraften. In den Einsitzerrennen lief gleich gar nichts nach Wunsch. Zunächst leistete sich die 18jährige Berchtesgadenerin Andrea Hatle, im Training einmal sogar mitten unter den drei überragenden DDR-Mädchen gelandet, gleich im ersten Lauf „zwei schwere Fahrfehler", wie sie eingestand, und ausgeträumt war der Medaillentraum. Und da ein Unglück selten allein kommt, widerfuhr dem in diesem Winter in die Weltspitze gefahrenen schlanken Mädchen außerdem ein kapitaler Sturz. Weil dieser aber durch einen Batzen Schnee ausgelöst worden war, der von einer der Fichten ausgerechnet auf das Visier ihres Rennhelmes fiel, hatte die deutsche Mannschaftsführung mit ihrem Protest Erfolg. Andrea Hatle durfte den zweiten Lauf wiederholen, erzielt die viertbeste Zeit und stieß damit vom 14. auf den achten Platz vor. Damit war sie dann am Ende noch um einen Rang besser plaziert als Constanze Zeitz aus Königssee.

Vorn aber zog das Dreigestirn aus der DDR einsam seine Bahn. Steffi Martin, die 21jährige aus Oberwiesenthal im Erzgebirge, raste bei allen vier Läufen am schnellsten zu Tal und ließ sich auch durch den Schneefall nicht aus der Ruhe bringen. Sie sei eben drunter weggefahren, scherzte sie danach.

Ähnlich überlegen setzte sich bei den Männern der 31jährige Südtiroler Paul Hildgartner durch. Der Carabinieri, bereits 1972 Olympiasieger auf dem Doppelsitzer-Rodel, zeigte anfangs zwar Nerven, meisterte dann aber dank seiner Routine die ebenso schnelle wie schwierige Kunsteis-Piste am besten. Zweimal erzielte Hildgartner am Ende die Bestzeit, und zweisprachig schlug eine Welle des Jubels über ihm zusammen. „Paolo, bravo!" – „Bravo, Paul!" Auf der Höhe des Ruhms erklärte er seinen Rücktritt.

Wie Andrea Hatle schien auch Johannes Schettel aus Bigge-Olsberg im Sauerland, nachdem er im offziellen Training neben Paul Hildgartner den Bahnrekord unterboten hatte, auf Medaillenkurs. Sein Höhenflug am Trebevic nahm aber ein jähes Ende. Nach Platz sieben im ersten Lauf, nur 23 Hunderstelsekunden hinter dem zunächst führenden Südtiroler Ernst Haspinger, bekam in dem 24jährigen strammen Burschen der Bruder Leichtfuß die Oberhand. Wieder sehr gut im Rennen liegend, kippte Schettel in der Zielkurve vom Schlitten, der ohne ihn die Ziellinie passierte. Gegen die fällige Disqualifikation erwog die bundesdeutsche Mannschaftsführung aufgrund der widrigen Witterungsbedingungen einen Protest, ließ diesen Gedanken aber schnell wieder fallen, da sich offensichtlich keine weitere Delegation angeschlossen hätte. So blieb der Berchtesgadener Thomas Rzeznizok als Zwölfer bester Athlet des sorgengeplagten Deutschen Bob- und Schlitten-Sportverbandes. Über drei Sekunden trennten ihn vom Gold. Alles in allem hat es sich schließlich dank der schnellen Doppelsitzer Hans Stanggassinger und Franz Wembacher doch gelohnt, daß die Rodler erstmalig schon Anfang Oktober mit dem Eistraining auf der Kunsteis-Piste in Königssee beginnen konnten. Im Sommer hatten sie das Konditionstraining auf wöchentlich fünfmal gesteigert. Doch all das reicht noch nicht angesichts der Anstrengungen, die in der DDR, der UdSSR oder in Italien unternommen werden. So muß man den unerwarteten Erfolg des Doppelsitzers wirklich als Glücksfall ansehen – Hans und Franz im Glück. Doch das lacht bekanntlich nur dem Tüchtigen.

Rodeln Einsitzer, Herren

		Min.
1. Paul Hildgartner	ITA	3:04,258
2. Sergei Danilin	URS	3:04,962
3. Valeri Doudin	URS	3:05,012
4. Michael Walter	GDR	3:05,031
5. Torsten Görlitzer	GDR	3:05,129
6. Ernst Haspinger	ITA	3:05,327
7. Jury Chartschenko	URS	3:05,548
8. Markus Prock	AUT	3:05,839
12. Thomas Rzeznizok	GER	3:07,367

AUT: 10. G. Sandbichler, 15. Georg Fluckinger

Rodeln Doppelsitzer, Herren

		Min.
1. Hans Stangassinger/ Franz Wembacher	GER	1:23,620
2. Jewgeni Beloussow/ Alexander Beljakow	URS	1:23,660
3. Jörg Hoffmann/ Jochen Pietzsch	GDR	1:23,887
4. Georg Fluckinger/ Franz Wilhelmer	AUT	1:23,902
5. Günther Lemmerer/ Franz Lechleitner	AUT	1:24,133
6. Hansjörg Raffl/ Norbert Huber	ITA	1:24,353
7. Juris Ejssack/ Einar Wejkscha	URS	1:24,366
8. Thomas Schwab/ Wolfgang Staudinger	GER	1:24,634

Rodeln Einsitzer, Damen

		Min.
1. Steffi Martin	GDR	2:46,570
2. Bettina Schmidt	GDR	2:46,873
3. Ute Weiß	GDR	2:47,248
4. Ingrida Amantowa	URS	2:48,481
5. Vera Sosulja	URS	2:48,641
6. Maria Luisa Rainer	ITA	2:49,138
7. Annefried Göllner	AUT	2:49,373
8. Andrea Hatle	GER	2:49,491
9. Constanze Zeitz	GER	2:49,836

RODELN
DOPPELSITZER

Bronze erhofft – Gold gewonnen

Wer eine mehr oder weniger unverhoffte Goldmedaille gewinnt, hat es verdient, dreimal im Bild vorgestellt zu werden. Franz Wembacher und Hans Stanggassinger, der mit seinen 111 Kilo eine ganz schöne „Last" für seinen „Untermann" darstellt, siegten um den Augenaufschlag von vier Hundertstelsekunden vor der UdSSR-Konkurrenz.

Sie standen da wie vom Blitz gerührt, regunglos. Scheinbar teilnahmslos ließen sie den Begeisterungssturm über sich hinweggehen. Und die Fotografen hatten ihre liebe Not, den beiden Olympiasiegern im Doppelsitzer-Rodeln die dringend benötigten Jubelposen abzuringen. Begriffen, verarbeitet haben der Hans Stanggassinger und der Franz Wembacher aus Bischofswiesen bei Berchtesgaden lange nicht, was ihnen da am Berg Trebevic hoch über Sarajevo widerfahren war.

Ganz auf den dritten Platz eingestellt, den sie zweimal schon bei Weltmeisterschaften errungen hatten, hielten sie statt Bronze auf einmal Gold in den Händen. Ungläubig hatte Franz Wembacher, Untermann oder „Rucksack" des ungleichen Duos, schon nach dem ersten Rennlauf auf seine Frage „Wie weit samma hint'?" das Gegenteil vernommen. Nur die beiden Moskauer Studenten Jewgeni Beloussow und Alexander Beljakow übertrafen noch die Männer vom bundesdeutschen Schlitten um sieben Hundertstelsekunden, während die Weltmeister Jörg Hoffmann und Jochen Pietzsch aus Oberhof in der DDR elf Hundertstel hinter ihnen lagen.

Und jetzt, am Start zum zweiten, entscheidenden Rennlauf, ist ein sichtbarer Ruck durch den Schlittenlenker Hans Stanggassinger gegangen. Weggeblasen war die sonstige „Bierruhe", ohne daß Hektik um sich gegriffen hätte. „Ganz locker" sind sie an den Start gegangen, erzählte Franz Wembacher später. „Entweder wir ham a Glück oder wir ham koans, und jetzt hamma doch a Glück ghabt." Zwar wieder nicht ganz ohne Fehler, rasten die beiden Berchtesgadener aber sehr schnell die Eispiste hinunter, immer im Gleichklang der Bewegungen auf dem schwankenden Gefährt. Und mit der Tagesbestzeit von 41,74 Sekunden entrissen sie den Sowjetrussen noch das olympische Gold. Nur vier Hundertstelsekunden oder wenige Zentimeter lagen zwischen Gold und Silber.

„Amal hamma den Durchbruch halt gschafft", nahm Hans Stanggassinger den unerwarteten Triumph gelassen hin. „Genauso wie vorher aa", erklärte er lakonisch auf die Frage, wie er sich denn nun fühle.

1974 hatten der 24jährige und sein ein Jahr älterer Freund Franz Wembacher „mehr zur Gaudi" die ersten Probefahrten als Doppelsitzer gemacht. Beim Versuch, den zehn Jahre später eingetroffenen vollen Erfolg zu erklären, nannten beide als erstes das gute persönliche Verhältnis, aus dem die Harmonie auf dem Schlitten erwächst. Es gehöre „viel mehr dazu als das ganze Training", verdeutlichte Franz Wembacher, der etwas

impulsivere der beiden. Die Lenkbewegungen mit Füßen und Schultern müssen absolut synchron ausfallen. Und den eher schmächtigen Franz Wembacher darf das „ganz schön erdrückende Gefühl" nicht stören, das er unter dem 111 Kilo schweren Hans Stanggassinger hat, mit seinen 1,90 Metern ein Mann wie ein Kleiderschrank. Wegen des Gewichts hatte Stanggassinger sich schon des öfteren Kritik anhören müssen. Doch er habe sich immer ausgesprochen „gesund gefühlt" und werde deshalb auch jetzt „nichts abnehmen". Nicht seine gut zwei Zentner seien entscheidend ins Gewicht gefallen, betonte Hans Stanggassinger, sondern die langjährige Wettkampferfahrung. 1980 in Lake Placid noch Olympia-Ersatzleute, sind sie in Sarajevo „doch a bißl ruhiger gewesen als wenn man's erste Mal dabei ist". Und auch auf ihren Schlitten haben sie sich verlassen können, fügte Franz Wembacher an. Von Beruf Elektriker beziehungsweise Werkzeugmacher, haben sie ihren Rennrodel „selber optimiert". Kein Wunder also, daß alles so optimal gelaufen ist.

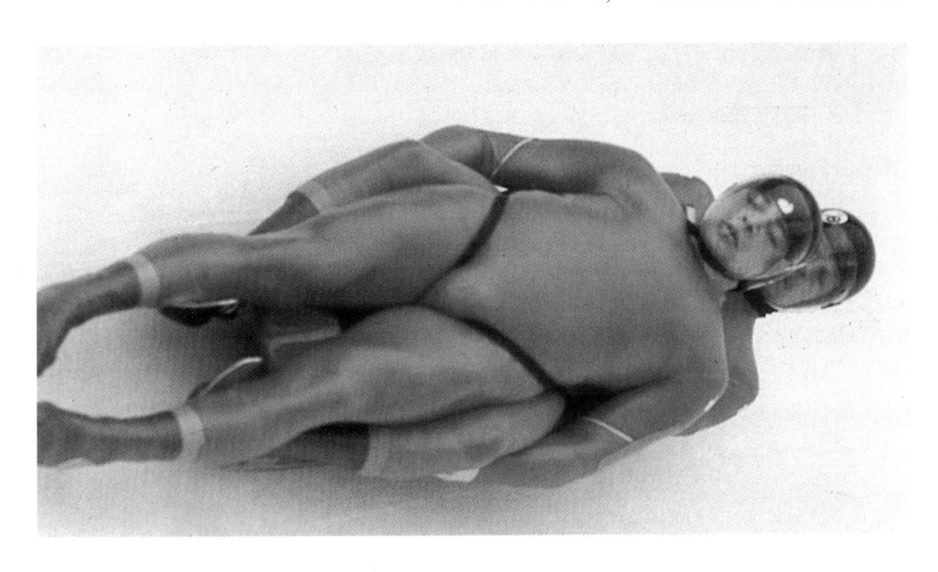

EISSCHNELLAUF
HERREN

Drei Medaillen für Gaetan Boucher

Tomas Gustafson nahm es gelassen. Erst gewann er das 5000-m-Gold um zwei Hundertstelsekunden gegen den Sowjetrussen Igor Malkow, dann „verlor" er den 10 000-m-Sieg um fünf Hundertstelsekunden gegen denselben Konkurrenten. So knapp wie sein Vorsprung und sein Rückstand war auch der Redefluß des Schweden. Eisschnellaufen ist ihm lieber als große Vorträge zu halten.

Als er plötzlich dastand, seine Schlittschuhe anlegte und kraftvoll-entspannt ein paar Runden lang um das Zetra-Oval glitt, da muß einigen der Trainierenden sehr, sehr merkwürdig zumute gewesen sein. Schon wieder Eric Heiden?

Die Zeiten waren wirklich vorbei: Fünfmal Start, fünfmal Sieg, vor vier Jahren in Lake Placid. Diesmal lief der Amerikaner nur für die Fernsehkameras von ABC und überließ das Siegen den Verlierern von damals, einem vor allem, den er damals fast in die Resignation getrieben hätte. „Jahrelang", seufzte Gaetan Boucher, „habe ich mich gefragt, warum ich ausgerechnet zur Zeit eines Eric Heiden laufen mußte. Nun hat es sich doch gelohnt, nach Lake Placid weiterzumachen."

Der Kanadier aus Quebec trat in Sarajevo aus dem Schatten seines großen Gegners, der ihm 1980 nur die Silbermedaille über 1000 m gelassen hatte. Boucher wurde Olympiasieger über 1000 m in 1:15,80 Minuten vor dem Sowjetrussen Sergej Chlebnikow (1:16,63) und dem Norweger Kai Arne Engelstad (1:16,75) und über 1500 m in 1:58,36 vor Chlebnikow (1:58,83) und dessen Mannschaftskameraden Oleg Bogijew (1:58,89). Dazu gewann er Bronze über 500 m in 38,39 Sekunden hinter Sergej Fokitchew aus der UdSSR (38,19) und dem Japaner Joshihiro Kitazawa (38,30), der seinen unerwartet erfolglosen Landsmann Akira Kuroiwa ebenso überraschend vertrat. „Karin Enke und Gaetan Boucher", resümierte Heiden, „haben den Eisschnellauf in Sarajevo geprägt. Keinem habe ich es mehr gegönnt als Gaetan."

Der 25jährige Wirtschaftsstudent, der seit zwei Jahren den größten Teil des Jahres im bundesdeutschen Eisschnellaufzentrum Inzell verbringt, hatte den Erfolg diesmal aber auch fest eingeplant, zumindest jenen über 1000 m. „Nachdem ich meine Konkurrenten im Training beobachtet hatte, ist mir meine große Chance klargeworden", kommentierte er. Über seine Spezialstrecke hatte er dann den 28jährigen Chlebnikow und den 29jährigen Engelstad deutlicher im Griff als über 1500 m.

Dort nämlich legte der Sowjetrusse wie über die 1000 m zunächst die beste Zeit vor, bei leichtem Schneefall und bei Temperaturen um minus sieben Grad, bis im achten Paar Boucher an den Start ging, der hier nicht wie bei seinem ersten Sieg knapp eine Sekunde

Vorsprung ins Ziel brachte, sondern zu kämpfen hatte, um sich mit 0,47 Sekunden durchzusetzen. „Auf den letzten Metern", berichtete er, „bin ich fast gestorben."
Dabei ist diese knappe halbe Sekunde eine halbe Ewigkeit, verglichen mit den zwei Hundertstel, mit denen der Schwede Tomas Gustafson seine Goldmedaille über 5000 m in 7:12,28 Minuten vor Igor Malkow aus der Sowjetunion ins Ziel brachte. Dritter wurde hier René Schöfisch aus der DDR in 7:17,49 – ein einsamer Kampf also unter den beiden an der Spitze. Das hört sich sehr aufregend an, ist es aber für den Mann an der Spitze gar nicht gewesen.
Gustafson war nämlich sehr zeitig gestartet, hatte dann im Ziel seine Zeit gesehen und nicht geglaubt, mit ihr auch nur eine Medaille gewinnen zu können. Er müsse sich jetzt gleich auf die 10 000 m konzentrieren, beschied er folglich die Reporter. „Ich dachte, meine Zeit reicht zum fünften oder sechsten Platz." Mit seinen Eltern ging er, um ein bißchen beim Eiskunstlauf nebenan zuzuschauen. Als Gustafson wieder zurückkehrte, war immer noch keiner schneller gewesen als er. „Na schön", sprach der Europameister von 1982, der, unterstützt von einer schwedischen Firmengruppe, seit Jahren nichts tut als eisschnellzulaufen und der in etwa so redselig ist wie sein Landsmann Ingemar Stenmark, zu den Umstehenden, „dann bin ich eben Olympiasieger." Nur Malkow hatte seine Zeit kurz gefährdet, jener 19jährige, der vor den Olympischen Spielen auf der Höhenbahn von Medeo eine fabelhafte Zeit von 13:54,81 über 10 000 m gelaufen war, die aber keine Anerkennung als Weltrekord fand. Den behielt Gustafson mit 14:23,59.
Dafür mußte sich der Schwede aber in Sarajevo über die 10 000 Meter seinem jungen Konkurrenten beugen, fast genauso knapp wie zuvor über die halbe Distanz. Diesmal hatte der Mann aus Alma Ata mit fünf Hundertstel in 14:39,90 die Nase vorn, viel mehr nicht. Dritter war DDR-Läufer Schöfisch, wieder mit gebührendem Abstand, in 14:46,91. „Ich habe", kommentierte Gustafson die Millimeter-Arbeit seines Gegners, „schon nach den 5000 m gesagt, daß ein so kleiner Abstand nichts daran ändert, daß ich der Sieger bin. Nun bin ich der Geschlagene, wenn auch nicht einmal um einen halben Meter." Über die 10 000 m überraschte der Österreicher Hadschieff mit seinem sensationellen fünften Rang.
Mit Malkows Erfolg beherrschten die Sowjets endgültig als Mannschaft die Szenerie in dieser Disziplin bei den Männern: Fokitchew und er als Olympiasieger, dazu dreimal Silber durch Chlebnikow und Malkow, Bronze von Bogijew. Daneben steht einsam Boucher. Und dennoch: Heidens Größe ist unerreicht. Die Sportart, die er zusammenhielt durch seine umfassende Leistung, ist in Sarajevo wieder zerfallen in die Domänen von Spezialisten.

Zweimal Gold und einmal Bronze – Medaillen gab es für den Kanadier Gaetan Boucher auf allen drei kürzeren Strecken. Er prägte zwar die Eisflitzer-Konkurrenz in Sarajevo, aber längst nicht so wie 1980 der Amerikaner Eric Heiden in Lake Placid. Der hatte damals dem Kanadier fast die Lust an seinem Wettkampfsport genommen.

EISSCHNELLAUF
DAMEN

DDR-Mädchen souverän

Mit Monika Holzner zusammen die vier Olympischen Spiele Revue passieren zu lassen, an denen sie nun als erste Eisschnelläuferin der Welt teilgenommen hat, das bedeutet vor allem über eins zu reden – über das Essen. Zu den Winterspielen 1972 zum Beispiel fällt ihr als erstes ein, „daß es drei verschiedene Küchen gab, man konnte so schön auswählen". 1976 war vor allem deshalb „super", weil die österreichischen Gerichte ganz nach ihrem Geschmack waren, 1980 war neben der „Riesenkameradschaft" in der Mannschaft bemerkenswert: „Die Küche war Tag und Nacht offen." Sarajevo konnte da überhaupt nicht mithalten: „Wenn es zum Frühstück schon kalte Eier gibt", schimpft Monika Holzner, „dann fängt der ganze Tag falsch an."

Sinnbild für den totalen Erfolg der Eisschnelläuferinnen aus der DDR. Von insgesamt zwölf Medaillen überließen sie den Konkurrentinnen nur drei. Dieses Dreigestirn triumphierte im 3000-m-Lauf und repräsentiert insgesamt drei Gold-, vier Silber- und eine Bronzemedaille. Von links Karin Enke (zweimal Gold und zweimal Silber), Andrea Schöne (einmal Gold und zweimal Silber) und Gabi Schönbrunn.

Die Liebe zum Sport geht bei der 29jährigen durch den Magen. „Ich bin da halt sehr empfindlich." So richtig gern, ohne alle Vorbehalte, ist sie sowieso nicht dabei. „Bei Olympischen Spielen laufe ich nicht gern. Da ist die Nervenbelastung zu hoch." Dennoch: Monika Holzner ist auch 1984 die beste bundesdeutsche Eisschnelläuferin gewesen und eine der schnellsten aus einem westlichen Land. Nur Yvonne van Gennip aus den Niederlanden und Mary Doctor aus den USA hatten über 3000 Meter, wo sie nicht startete, als Fünfte und Sechste bessere Plazierungen. Die Dame aus Inzell war Siebte über 500 m und Achte über 1000 m, Kollegin Sigrid Smuda aus Ottobrunn Zehnte über 1500 m, 15. über 1000 m, 18. über 3000, 20. über 500 m. Mehr war nicht drin für die beiden.
Denn der Eisschnellauf, Abteilung Damen, seit 1981 dominiert von den Athletinnen aus der DDR, ist auch in Sarajevo wieder von diesen beherrscht worden. Christa Rothenburger gewann die 500 m in 41,02 Sekunden vor Karin Enke (41,28) und Natalia Chive-Glebowa aus der UdSSR (41,50). Karin Enke siegte über 1000 m in 1:21,61 Minuten vor Andrea Schöne (1:22,83) und Natalia Petrussewa (UdSSR/1:23,21) sowie über 1500 m in der Weltrekordzeit von 2:03,42 vor denselben Konkurrentinnen (2:05,29 und 2:05,78). Und über 3000 m lag Andrea Schöne vorn, in 4:24,79, diesmal vor Karin Enke (4:26,33) und Gabi Schönbrunn (4:33,13). Schön findet Monika Holzner das nicht, in doppelter Hinsicht. „Die ackern doch nur über das Eis", urteilt sie. „Da kann man nichts ausrichten." Die Olympiasiegerin von 1972 läuft nicht mehr auf Sieg. „Was mich reizt, ist nur noch die Technik dieses Sports. Man ist nie perfekt. Das gibt es nicht. Das ist das, wofür ich mich echt begeistere."
Den kraftvollen Laufstil der Karin Enke mag sie nicht. Aber die 22jährige Dresdnerin hat sich damit auch bei schlechteren Eisbedingungen durchsetzen können, wenn es gute Technikerinnen wie die Holzner oder die Sowjetrussin Natalia Petrussewa schwer hatten. Die ehemalige Eiskunstläuferin, die nach ihrem neunten Rang bei den Europameisterschaften 1977 zu den Eisflitzern ging, 18 Monate später bereits die Sprint-Weltmeisterschaft gewann, holte sich schon 1980 in Lake Placid unter dem Namen „Busch" ihres heute wieder geschiedenen Mannes die Goldmedaille über 500 m. Nun ist sie eine der höchstdekorierten Wintersportlerinnen in der DDR, eine der erfolgreichsten Olympiastarterinnen überhaupt in der Geschichte: Nur die Sowjetrussin Lidia Skoblikowa, die 1960 und 1964 insgesamt sechs Goldmedaillen gewann, war als Eisschnellläuferin erfolgreicher.
Es gehört ja auch zum Konzept des DDR-Sports, den Erfolg vor allem in solchen Disziplinen zu suchen, die sozusagen besonders „medaillenintensiv" sind, wo man also mit relativ geringem Aufwand möglichst viele Medaillen gewinnen kann. Das ist in Sarajevo wieder einmal aufgegangen. Ein Wunder nach Plan? Die Olympiasiegerinnen Rothenburger, Enke und Schöne kommen alle vom

SC Einheit Dresden, sind alle zwischen 22 und 24, waren alle mal beim Eiskunstlauf. Eigentlich hatte Karin Enke alle vier Goldmedaillen gewinnen wollen, unterlag aber über 500 m und 3000 m den jeweiligen Spezialistinnen – etwas überraschend. Denn die Sprinterin Rothenburger, bisher mit 39,69 Sekunden auf der Hochlandbahn von Medeo als einzige Frau unter 40 Sekunden geblieben, besiegte diesmal trotz einer Startverschiebung um fünfeinhalb Stunden ihre sonst bei so großen Ereignissen stets etwas schwachen Nerven. Und die junge, hübsche Andrea Schöne nutzte über 3000 m ihre nach eigenem Bekunden „einzige Chance auf den Olympiasieg" gegen ihre langjährige Freundin, spielte hier ihre Erfahrung aus – schließlich war sie schon 1976 in Innsbruck unter ihrem Mädchennamen „Mitscherlich" Zweite über diese Distanz.

Monika Holzner war 1972 Olympiasiegerin, war in Sarajevo über die 1000 m fünfeinhalb Sekunden schneller als damals bei ihrem großen Triumph. „Aber zwischen damals und heute liegen Welten", findet sie. „Man kann die Leistungen eben einfach nicht mehr vergleichen." Also vergleicht sie anderes. „Ich geh' jetzt", sagt Monika Holzner, „erst mal was essen."

Monika Holzner, sozusagen „weiblicher Nestor" des bundesdeutschen Eisschnellaufsports, zog sich auch bei ihren vierten Olympischen Spielen gut aus der Affäre. Platz sieben über 500 m und Rang acht über 1000 m waren aller Ehren wert.

Eisschnellauf 500 m, Damen		Sek.
1. Christa Rothenburger	GDR	41,02
2. Karin Enke	GDR	41,28
3. Natalia Chive-Glebowa	URS	41,50
4. Irina Koulekowa	URS	41,70
5. Skadi Walter	GDR	42,16
6. Natalia Petrussewa	URS	42,16
7. Monika Holzner	GER	42,40
8. Bonnie Blair	USA	42,53
20. Sigrid Smuda	GER	43,74

SUI: 11. Silvia Brunner

Eisschnellauf 1000 m, Damen		Min.
1. Karin Enke	GDR	1:21.61
2. Andrea Schöne	GDR	1:22,83
3. Natalia Petrussewa	URS	1:23,21
4. Valentina Lalenkowa	URS	1:23,68
5. Christa Rothenburger	GDR	1:23,98
6. Yvonne van Gennip	HOL	1:25,36
7. Erwina Rys-Ferens	POL	1:25,81
8. Monika Holzner	GER	1:25,87
15. Sigrid Smuda	GER	1:27,05

SUI: 11. Silvia Brunner

Eisschnellauf 1500 m, Damen		Min.
1. Karin Enke	GDR	2:03,42
2. Andrea Schöne	GDR	2:05,29
3. Natalia Petrussewa	URS	2:05,78
4. Gabi Schönbrunn	GDR	2:07,69
5. Erwina Rys-Ferens	POL	2:08,08
6. Valentina Lalenkowa	URS	2:08,17
7. Natalia Kourowa	URS	2:08,41
8. Björg-Eva Jensen	NOR	2:09,53
10. Sigrid Smuda	GER	2:10,55

SUI: 16. Silvia Brunner

Eisschnellauf 3000 m, Damen		Min.
1. Andrea Schöne	GDR	4:24,79
2. Karin Enke	GDR	4:26,33
3. Gabi Schönbrunn	GDR	4:33,13
4. Olga Pleschkowa	URS	4:34,42
5. Yvonne van Gennip	HOL	4:34,80
6. Mary Doctor	USA	4:36,25
7. Björg-Eva Jensen	NOR	4:36,28
8. Valentina Lalenkowa	URS	4:37,36
18. Sigrid Smuda	GER	4:53,22

Eisschnellauf 500 m, Herren		Sek.
1. Sergej Fokitchew	URS	38,19
2. Joshihiro Kitazawa	JAP	38,30
3. Gaetan Boucher	CAN	38,39
4. Jansen	USA	38,55
5. Nick Thometz	USA	38,56
6. Kozlow	URS	38,57
7. Rönning	NOR	38,58
8. Mey	GDR	38,65
19. Hans-Peter Oberhuber	GER	39,39
26. Streb	GER	39,78

AUT: 31. M. Hadschieff

Eisschnellauf 1000 m, Herren		Min.
1. Gaetan Boucher	CAN	1:15,80
2. Sergej Chlebnikow	URS	1:16,63
3. Kai Arne Engelstad	NOR	1:16,75
4. Nick Thometz	USA	1:16,85
5. Andre Hoffmann	GDR	1:17,33
6. Viktor Schascherin	URS	1:17,42
7. Andreas Dietel	GDR	1:17,46
8. Hilbert van der Duim	HOL	1:17,46
15. Uwe Streb	GER	1:18,65
23. Hans-Peter Oberhuber	GER	1:19,13
26. Andreas Lemcke	GER	1:19,39

AUT: 22. M. Hadschieff, 33. Christian Eminger

Eisschnellauf 1500 m, Herren		Min.
1. Gaetan Boucher	CAN	1:58,36
2. Sergej Chlebnikow	URS	1:58,83
3. Oleg Bogijew	URS	1:58,89
4. Hans van Helden	FRA	1:59,39
5. Andreas Ehrig	GDR	1:59,41
6. Andreas Dietel	GDR	1:59,73
7. Hilbert van der Duim	HOL	1:59,77
8. Viktor Schascherin	URS	1:59,81
25. Wolfgang Scharf	GER	2:02,64
26. Hansjörg Baltes	GER	2:02,68
27. Andreas Lemcke	GER	2:03,13

AUT: 15. W. Jäger, 20. M. Hadschieff, 28. C. Eminger

Eisschnellauf 5000 m, Herren		Min.
1. Tomas Gustafson	SWE	7:12,28
2. Igor Malkow	URS	7:12,30
3. René Schöfisch	GDR	7:17,49
4. Andreas Ehrig	GDR	7:17,63
5. Oleg Bogijew	URS	7:17,96
6. Pertti Niittyla	FIN	7:17,97
7. Björn Nyland	NOR	7:18,27
8. Werner Jäger	AUT	7:18,61
28. Wolfgang Scharf	GER	7:40,90
29. Andreas Lemcke	GER	7:41,69
37. Hansjörg Baltes	GER	7:50,33

AUT: 13. M. Hadschieff, 20. Heinz Steinberger

Eisschnellauf 10 000 m, Herren		Min.
1. Igor Malkow	URS	14:39,90
2. Tomas Gustafson	SWE	14:39,95
3. René Schöfisch	GDR	14:46,91
4. Geir Karlstad	NOR	14:51,40
5. Michael Hadschieff	AUT	14:53,78
6. Dimitri Botschkarew	URS	14:55,32
7. Michael Woods	USA	14:57,30
8. Henry Nilsen	NOR	14:57,81
28. Wolfgang Scharf	GER	15:40,74

AUT: 12. Werner Jäger, 19. Heinz Steinberger

EISKUNSTLAUF
HERREN

Der tiefe Fall des Norbert Schramm

Nationalbewußt zeigte sich der Amerikaner Scott Hamilton nach seinem überlegenen Olympiasieg. Das Sternenbanner schwenkend, nahm er die Ovationen des Publikums entgegen.

Die offizielle Trennung Norbert Schramms von seinem Trainer Erich Zeller unmittelbar vor dem Olympia-Countdown schlug zwei Tage vor dem Jahreswechsel wie eine Bombe ein, von deren Druckwelle nicht nur die Anhänger des weltbesten Eislauf-Entertainers erschüttert wurden. Was war passiert?
Nach der mißlungenen Saisonpremiere im November hatte Zeller die Deutsche Eislauf-Union gebeten, ihn aus der Trainerverantwortung zu entlassen. Beim vorolympischen Test in Zagreb mußte nämlich auch Zeller erkennen, daß Schramm vom Olympia-Gold schon damals so weit entfernt war wie Oberstdorf von Sarajevo. Schramm dagegen reagierte mit doppelten Trainingsanstrengungen. Konzentriert ritzte er Pflichtfiguren ins Eis. Zeller aber kratzte mit eiskalten Vorwürfen am Image seines erfolgreichsten Kufen-Solisten.
Des Trainers Autoritätsverlust war Eislauf-Kennern ebenso bekannt wie die Vertrauenskrise zwischen Schramm und seinem Coach. Schramm war ein eigenwilliger Autodidakt auf Kufen, Zeller ein teuer bezahlter Statist im internationalen Trainer-Ensemble. Bei den deutschen Meisterschaften in Unna wurde es offenkundig! Zeller hatte mehr Kontakt zum EKG-Funkgerät als zu seinem Schüler.
Als Zeller die Trainingsregie an den ungeliebten Konkurrenten Carlo Fassi abgeben mußte, folgten Legenden ebenso wie Intrigen. Ab sofort spielte der Bundestrainer die Zuschauerrolle im bundesdeutschen Eislauf-Theater. Bei der Europameisterschaft in Budapest wurde Schramm Dritter hinter Rudi Cerne, in dem viele den „wahren Europameister“ entdeckten.
Das war die Ausgangsposition für den Weltmeisterschaftszweiten der Jahre 1982 und 1983, als in Sarajevo das Spiel um Punkte und Platzziffern begann.
Starkes Selbstwertgefühl bezog der 23 Jahre alte Soldat der Sportlehrkompanie Sonthofen aus einer wichtigen Erfahrung. Als Meisterschaftsdritter seines Verbandes war Schramm 1982 in Lyon Europameister geworden. In Christa und Carlo Fassi betreute ihn in Sarajevo jenes weltbekannte Trainer-Duo, das bereits John Curry und Robin Cousins zu Olympiasiegern geformt hatte.
Als Schramm aber in der Eishalle Skenderija auf dem ersten Pflichtbogen stand, suchte er vergeblich die Medaillenspur. Nach zwei gezirkelten Figuren hatten die Preisrichter den 6. Pflichtplatz von Budapest auf den Kopf gestellt. Schramm wurde Neunter, als er auffallend spät zur dritten Pflichtfigur antrat. Während er in Sarajevo die Spekulationen vieler Beobachter mit sportlicher Fairneß beantwortete, inszenierte der Eislauf-Harlekin bei der WM in Ottawa einen traurigen Abschied. Als ihn die Preisrichter dort jenseits der Top-Ten-Liste einstuften, verlor der Oberstdorfer den Balanceakt zwischen Gefühl und Kalkül. Er verabschiedete sich mit einem ironischen „Dankeschön“ von Schiedsrichterin Bianchetti und gab den Wettbewerb vorzeitig auf.
Der Rollenwechsel zwischen Norbert Schramm und Rudi Cerne, den beiden „Künstlern“ mit so unterschiedlichen Auffassungen, war mit dem Pflichtergebnis von Sarajevo bereits endgültig vollzogen.

Nur eine Preisrichterstimme fehlte Rudi Cerne in Sarajevo zum zweiten Pflichtplatz hinter dem dreimaligen Weltmeister Scott Hamilton, der erstmals den Franzosen Simond besiegen konnte.
Im Kür-Finale der Herren aber fand der erforderliche Positionswechsel nicht statt. Scott Hamilton, als Kurzprogramm-Zweiter schon auffallend wohlwollend bewertet, verlor in der Kür die Nerven, gewann aber dennoch die Goldmedaille.
Vergeblich warteten die Preisrichter auf große Sprungleistungen des dreimaligen Weltmeisters. Denn so federleicht wie der nur 1,59 Meter große Amerikaner vermag kein Sprungartist zu hüpfen. Nur zweimal drehte Hamilton einen Sprung dreifach: Lutz und Toe-Loop. Wenig, unglaublich wenig für einen Olympiasieger. Scottie wußte es. „I'm sorry", flüsterte er nach der Kür in Richtung von Choreographin und Trainer, deren Gesichter zu Masken erstarrt waren.
In ihren vorgefertigten Urteilen so eng verschlungen wie die olympischen Ringe, riskierten die Punkteverteiler wieder einmal unverständlich hohe Noten. 5,8/5,9 lautete die Wertung der Preisrichter-Mehrheit. Die Damen und Herren am Wertungspult feierten in der Zetra-Halle den gleichen „Verlierer" wie die zahlreichen Amerikaner. Dabei gab es in der Kür-Entscheidung viele Sieger. Welch ein großartiges Sprungspektakel inszenierte Brian Orser! In seiner choreographisch ausgezeichneten Kür setzte er mit dem blitzsauber gestandenen dreifachen Axel, dem kompliziertesten seiner fünf Dreifachsprünge, einen Maßstab für sprungtechnisches Können. Schon im Kurzprogramm zur Musik aus dem Musical „Cats" in der Sprungkombination mit dem dreifachen Lutz zeigte er der Konkurrenz die Krallen.
Faszinierende Kunst spiegelte sich im Vortrag des Sowjetrussen Wladimir Kotin, in dem viele den Europameister der nacholympischen Saison sahen. Keiner malte ein so eigenwilliges Kunstlauf-Gemälde aufs Eis wie Gary Beacon aus Toronto. Ein Individualist, der ohne Trainer bei den Preisrichtern Anerkennung sucht. Wie Toller Cranston bietet der Kanadier Eiskunstlauf mit der Betonung auf der Zwischensilbe.
Roboterhaft wirkte dagegen das Programm des ČSSR-Meisters Jozef Sabovcik. Technisch perfekt gelangen ihm alle sechs verschiedenen Dreifachsprünge. Selten erlebt man eine solch selbstbewußte Sprunglektion. Wegen Sabovciks außergewöhnlicher Leistung purzelte Rudi Cerne aus den Medaillenrängen. Er imponierte mit viel tänzerischem Können. Aber diesmal fehlte der Glanz von Budapest in seiner Kür, suchte man vergeblich jene überzeugende Musik-Interpretation, die ihn zum Liebling des ungarischen Publikums gemacht hatte.
Gemessen an Olympiasieger Hamilton war Cerne sicherlich kein Verlierer. Nicht einmal Norbert Schramm, der trotz siebtbester Kür nur Neunter der Gesamtwertung wurde.
Schramms Aktien an der internationalen Eiskunstlauf-Börse fielen mit dieser Plazierung dramatisch. Cernes Erfolge und vor allem sein sympathisches Auftreten weckten schon unmittelbar nach dem Olympia-Spektakel das Interesse der Eisrevuen.

Gestern noch auf stolzen Rossen, heute durch die Brust geschossen . . . Für Norbert Schramm gehört Sarajevo wohl zu seinen traurigsten Erinnerungen in seiner Karriere als eine Art avantgardistischer Eiskunstläufer. Der Sturz vom Medaillenkandidaten (Silber?) auf Rang neun glich einer mittleren Katastrophe. Schramms Typ war bei den Preisrichtern nicht mehr gefragt. Als die ihm dies auch bei der späteren WM in Ottawa bestätigten, stieg er mitten in der Konkurrenz aus dem Leistungssport aus. Seine Zukunft, soeben noch erfolgsorientiert, war nun ungewiß.

EISKUNSTLAUF
DAMEN

Tränen zwischen Pflicht und Kür

Aus einem deutsch-deutschen Eiskunstlauf-Duell zwischen Claudia Leistner (Bild oben) und Katarina Witt (auf der folgenden Seite ganz groß) wurde nichts. Katarina siegte souverän wie erwartet, Claudia haderte mit ihren Nerven, ihren Verletzungen und mit den Preisrichtern, patzte in der Kurzkür und landete schließlich genau wie Norbert Schramm auf Platz neun. So weit können Erwartung und Realität auseinanderklaffen.

Ein deutsch-deutsches Duell erwarteten die Experten im Kür-Finale der Damen. Katarina Witt und Claudia Leistner zählten zum engen Favoritenkreis. Weltmeisterin Rosalynn Sumners steckte lange in einer Formkrise. Nur das sprungstarke Mädchen vom Mannheimer ERC sollte der Europameisterin die Goldmedaille streitig machen können. Doch es kam anders.

Tränen rollten schon, nachdem die drei Pflichtfiguren gezirkelt waren. Widersprüchliche Wertungen nahmen Claudia Leistner jede Medaillenchance. Nach der ersten Figur von drei Punkteverteilern auf Platz 14(!) eingestuft, setzten drei andere Preisrichter sie auf Position fünf und vier. Solche Noten-Unterschiede in einem Wettbewerbsteil, der öffentlich nur wenig kontrollierbar ist, verlangen nach Erklärungen. Nach der zweiten Figur von der Preisrichter-Mehrheit als Siebte plaziert, war Claudia insgesamt Neunte.

Im vorolympischen Jahr gewann die 18 Jahre alte Verwaltungsangestellte in Helsinki überraschend WM-Silber. Ein fünfter Pflichtrang war damals die Ausgangsposition. Trotz Trainingsrückstand aufgrund einer Verletzungsserie und dem Startverzicht bei den Europameisterschaften in Budapest galt Claudia als Medaillen-Hoffnung. Schon beim ersten Training waren ihr die Augen der Kameras näher als Trainer Günther Zöller. Claudias Nerven streikten. Tränen flossen auch beim letzten Test vor dem alles entscheidenden Kurzprogramm. Claudia klagte über heftige Rückenschmerzen. Als der Doppel-Rittberger nicht gelang, brach sie das Training ab und weinte hemmungslos.

Später stellte der Freiburger Sportmediziner Dr. Klümper fest: übermäßige Belastung der Wirbelsäule. Eine vom Team-Arzt Dr. Hans Rhode verabreichte Beruhigungsspritze bewirkte in Sarajevo wenig. Beim „warming up“, wenn die Läuferinnen Muskeln und Spannung lockern, meisterte Claudia die alles entscheidende Sprungkombination hervorragend. Im Wettkampfstreß aber scheiterte sie nach dem geglückten dreifachen Toe-Loop am Doppel-Rittberger. Wertungen zwischen 4,5 und 5,0 waren die brutale Quittung für das Versagen und ein zehnter Rang unmittelbar hinter Manuela Ruben, die beim Doppel-Axel patzte.

Am Tag vor dem Kür-Finale zeigte Claudia dann wenigstens einmal im Training ihr Können. Lutz, Flip, Salchow und Toe-Loop schüttelte sie, befreit von allen Erwartungen, locker aus dem Sprunggelenk. Zu spät, um sich bei den Preisrichtern zu empfehlen.

Im Kür-Finale konnte sie diese Sprünge nicht wiederholen. Nach vier Minuten, in denen nur Toe-Loop und Salchow gelangen, mußte auch Claudia erkennen: Dies ist das vorläufige Ende einer Blitzkarriere. Erstmals mußte Claudia auf internationalem Parkett Manuela Ruben vorbeilassen, die nicht nur auf dem Eis ihre Rivalin ist. Als Pflicht-Siebente benötigte die dreimalige Meisterin der Deutschen Eislauf-Union in der Kür drei Versuche, um einen Doppel-Axel zu springen. Zwischen den beiden deutschen Mädchen wurde Elena Wodorezowa, Zweite in der Pflicht, Elfte in der Kür, Achte der Gesamtwertung. Ihre Gelenkarthrose hatte den sowjetischen Verband nicht daran gehindert, sie erfolgreich als Schachfigur auf dem internationalen Parkett zu benutzen, um die Medaillenchancen von Kira Iwanowa und Anna Kondraschowa abzusichern. Nicht die Kür, sondern das nervenstrapazierende Kurzprogramm entschied den unerwartet dramatischen Zweikampf. Pflichterste, wurde die Amerikanerin Sumners im Kurzprogramm nur Fünfte, weil sie den Doppel-Axel nur beidfüßig landete. Kati Witt aber imponierte mit sicher ausgeführten Sprüngen, gut zentrierten Pirouetten und tempogeladenen Schrittkombinationen und gewann souverän die Wertung im Wettbewerbsteil mit den sieben geforderten Elementen. Im Kür-Finale standen die Preisrichter vor keiner leichten Aufgabe. Mit dem Lächeln und der Musik „Mona Lisa“ gelang es schließlich dem sympathischen und intelligenten Mädchen aus der DDR, einen Preisrichter mehr zu überzeugen als Rosalynn Sumners. Der elegante Laufstil der Amerikanerin veranlaßte den italienischen Preisrichter Siniscalco, die einzige 6,0 in den Einzelkonkurrenzen zu wagen.

Kein Zweifel, die Goldmedaille der Katarina Witt hat mehr Glanz als der Olympia-Sieg der Anette Pötzsch in Lake Placid. Zwei Dreifachsprünge – Salchow und Toe-Loop – reichten zum Erfolg. Auch in Ottawa bei der WM konnte die Olympiasiegerin siegen.

Dort schloß die Sowjetrussin Anna Kondraschowa, die in Sarajevo nur Fünfte wurde, schon zu Katarina Witt auf, weil Rosalynn Sumners eine erneute Niederlage nicht riskieren wollte und Tiffany Chin, ein bezauberndes Wesen aus Kalifornien, Zweite in der Kürwertung von Sarajevo, wegen Verletzung nicht am Start war.

Witt, Kondraschowa und Chin – sie könnten dem Eiskunstlauf der Damen neue Chancen eröffnen. In ihnen bewegen sich Persönlichkeiten auf dem Eis, die der Zwischensilbe des Eiskunstlaufs jene Aufmerksamkeit schenken, die das Publikum wünscht.

EISTANZ

Ballettänzer auf Schlittschuh-kufen

Vor acht Jahren in Innsbruck erlebten die Eistänzer ihre Olympia-Premiere. In Lake Placid hatte der umstrittene Goldmedaillengewinn der Sowjetrussen Linitschuk/Karponnossow die Eistanz-Konkurrenz in Skandalnähe gerückt. In Sarajevo aber zählten die „Ballettänzer auf Kufen" zu den vielbewunderten Stars. Daß 41 Prozent der deutschen Zuschauer am Bildschirm die Kür-Entscheidung erlebten, dafür gab es nur eine Erklärung: die Show von Jayne Torvill und Christopher Dean.

Mit dem Broadway-Musical „Mac and Mabel" und dem sensationellen Zirkus-Spektakel „Barnum on Ice" hatten die Eistänzer aus Nottingham sich in das Bewußtsein von Millionen getanzt.

In Sarajevo tanzten sie nun die Geschichte zweier unglücklich Liebender, die sich schließlich in einen Krater stürzten: „Bolero" nach der Musik von Maurice Ravel – das war vier Minuten lang Eistanz-Faszination, die man nicht beschreiben kann, die man erlebt haben muß.

Glänzende Ideen, perfektes Gleiten auf den schmalen Kufen und ein bewundernswertes Harmoniegefühl spiegelten sich in der Kür, die zur nie erlebten Show auf dem Olympia-Parkett wurde.

Zarte Gesten, lyrische Dialoge wechselten mit dramatischen Bewegungen, die in eine ebenso eigenwillige wie wirkungsvolle Schlußpose führten.

Die Preisrichter fanden nur ein Mittel, die Eistanz-Kunst zu beschreiben: Jeder wertete den künstlerischen Eindruck mit der Höchstnote 6,0.

Die Olympiasieger waren schon Gäste auf Schloß Windsor. Die Queen hat sie mit dem Empire-Orden ausgezeichnet, Premiermini-

sterin Margaret Thatcher nannte sie während der Torvill/Dean-Abschiedsgala in London nach dem vierten Weltmeisterschaftssieg „Großbritanniens beste Botschafter".
Jayne und Chris bevorzugen britisches Understatement. Ihr öffentliches Auftreten ist frei von taktischen Varianten der Selbstdarstellung.
Im Bundesleistungszentrum Oberstdorf, wo sie fast pedantisch Paso doble, Rumba und Westminster trainierten und mit kaum glaublicher Ausdauer ihre Kür übten, traten sie niemals als Stars auf.
Petra Born und Rainer Schönborn, die deutschen Meister, fanden in Chris und Jayne große Vorbilder. Mehr als 1000 Trainingstage durften die Eistänzer vom Würzburger ERC britischen Trainingswillen erleben.
„In Oberstdorf hatten wir ausgezeichnete Trainingsbedingungen. Und Gold ist ‚made in Germany'", bekannte Jayne unmittelbar nach dem größten Erfolg.
Temperamentvoll, aber eindeutig im Schatten der besten Eistänzer aller Zeiten flitzten Natalja Bestemianowa und Andrej Bukin über das spiegelglatte Parkett. Die möglichen Weltmeister des nacholympischen Jahres mußten sich mit der Silbermedaille begnügen. Ihre Moskauer Teamgenossen Marina Klimowa/Sergej Ponomarenko konnten sich überraschend auf dem dritten Rang plazieren. In ihnen steckt die Begabung künftiger Olympiasieger. Ob Born/Schönborn, die Neunte wurden, bis zu den Spielen in Calgary weitertanzen, muß bezweifelt werden. Mit ihrer Musik aus „Cats" schmeichelten sie Publikum und Preisrichter. Schon bei den Weltmeisterschaften in Tokio 1985 könnte sich herausstellen, daß ihr intensives Training nicht für die „Cats" war.

Eine nie zuvor erlebte Show bot das englische Eistanzpaar Jayne Torvill und Christopher Dean. Den Preisrichtern glitten die Höchstnoten wie von selbst aus den Fingern. Künstlerischer Eindruck: Neunmal die Sechs! Bei der Schlußpose lagen die beiden, wie von der eigenen Leistung überwältigt, flach auf dem Kunsteis, das für sie jene „Bretter" darstellt, die die Welt bedeuten. Nicht nur die Preisrichter, auch die Kritiker überschlugen sich schier vor lauter Begeisterung.

EISKUNSTLAUF
PAARE

Harmonie und Eleganz aus der UdSSR

Die Paarläufer eröffneten in der Eishalle „Zetra“ die Eiskunstlauf-Wettbewerbe der Olympischen Spiele. Und schon im Kurzprogramm purzelten routinierte Paare aus den Medaillenrängen. Sabine Baess/Tassilo Thierbach aus der DDR, Weltmeister 1982, und die Kanadier Barbara Underhill/Paul Martini, die bei den Weltmeisterschaften in Ottawa sensationell den Titel eroberten, zählten zu den prominentesten Opfern. Während Thierbach beim geforderten Doppel-Rittberger sich nur einmal um die eigene Körperachse drehte, stürzten Underhill/Martini fast „synchron“ in der Waage-Pirouette.
Selbstbewußt und fehlerfrei absolvierten Elena Walowa/Oleg Wassiliew, die Paarlauf-Weltmeister der vorolympischen Saison, ihre Aufgaben. Überraschend stark aber zeigten sich ihre Klubkameraden von „Trud“ Leningrad, Larissa Seleznewa/Oleg Makarow. Sie imponierten mit viel tänzerischem Können in einem Wettbewerbsteil, dessen Aufmerksamkeit ja vor allem den technisch sauber ausgeführten Elementen gilt.

Tänzerische Elemente

Ein Leningrader Doppelsieg schien nicht ausgeschlossen, als die Schüler von Igor Moskwin ihren perfekten Vortrag beendet hatten. Zusammen mit dem amerikanischen Geschwisterpaar Kaitlin und Peter Carruthers teilten sie sich den zweiten Kurzkür-Rang vor der Kür-Entscheidung.

Elena Walowa und Oleg Wassiliew setzten in den viereinhalb Minuten ihrer Kür das fort, was sie schon im Vorjahr überzeugend begonnen hatten: künstlerisch inspiriertes Paarlaufen. Musikauswahl, Choreographie, tänzerische Elemente und Schrittpassagen präsentieren sie in einer anderen „Klimazone“ als jene Paarlauf-Roboter aus der Schule des Armee-Sportclubs Moskau.
Dabei fehlten keineswegs jene Schwierigkeiten, die sich an der Leistungsgrenze bewegen: Doppel-Axel und dreifacher Toe-Loop. Die Kür zu Rhythmen der Rolling Stones und der Beatles war ein Ereignis. Kein Paar erfüllte den Wunsch der Zuschauer nach Harmonie und Bewegungseleganz so hinreißend wie die Leningrader, an deren Sieg es keinen Zweifel gab.

Weltpremiere

Zählten Elena und Oleg ein Jahr zuvor als Newcomer, so waren ihre Team-Kameraden Seleznewa/Makarow die Entdeckung der Paarlauf-Entscheidung von Sarajevo. Vielleicht ein wenig durch zu komplizierte Sprünge und Figuren überfordert, begeisterten sie dennoch mit schwierigen und originellen Bewegungen. Mit dem nicht parallel, sondern erstmals hintereinander gesprungenen Doppel-Axel gelang ihnen zudem eine Weltpremiere.
Während die Carruthers sich mit ihrer Kür, in der Show und spektakuläre Figuren überwogen, überraschend die Silbermedaille sicherten, eroberten die Leningrader Paarlauf-Virtuosen Gold und Bronze.

Kreative Intelligenz

Ein Erfolg auch für das Trainer-Ehepaar Tamara Moskwina/Igor Moskwin. Arbeitsteilung und Kooperation, kreative Intelligenz und technisches Perfektionsstreben bestimmen die Trainingsarbeit der erfahrenen Eislauf-Pädagogen.
Trainingssystematik und Selektionssystem lassen sich im Westen nicht kopieren. Mit Rang 13 bewegten sich die deutschen Paarlauf-Meister Claudia Massari/Leo Azzola in der Rückwärtsspur ihrer Karriere.
Ein Sprung wie Underhill/Martini, die als Olympia-Siebte in Ottawa vor großartigem Publikum sensationell Weltmeister wurden, wird den Schülern von Karel Fajfr wohl nie gelingen.

Eiskunstlauf, Herren

		Punkte
1. Scott Hamilton	USA	3,4
2. Brian Orser	CAN	5,6
3. Jozef Sabovcik	URS	7,4
4. Rudi Cerne	GER	8,2
5. Brian Boitano	USA	11,0
6. Jean-Christophe Simond	FRA	11,8
7. Alexander Fadejew	URS	13,2
8. Wladimir Kotin	URS	16,2
9. Norbert Schramm	GER	16,2

Eiskunstlauf, Damen

		Punkte
1. Katarina Witt	GDR	3,2
2. Rosalynn Sumners	USA	4,6
3. Kira Iwanowa	URS	9,2
4. Tiffany Chin	USA	11,0
5. Anna Kondraschowa	URS	11,8
6. Elaine Zayak	USA	14,2
7. Manuela Ruben	GER	15,0
8. Elena Wodorezowa	URS	15,4
9. Claudia Leistner	GER	17,4

SUI: 11. Sandra Cariboni, 14. Myriam Oberwiler

Eiskunstlauf, Paare

		Punkte
1. Elena Walowa/Oleg Wassiliew	URS	1,4
2. Kaitlin und Peter Carruthers	USA	2,8
3. Larissa Seleznewa/O. Makarow	URS	3,8
4. Sabine Baess/Tassilo Thierbach	GDR	5,6
5. Birgit Lorenz/Knut Schubert	GDR	7,0
6. Jill Watson/Burt Lancon	USA	9,2
7. Underhill/Martini	CAN	9,4
8. Matousek/Eissler	CAN	11,6
13. Massari/Azzola	GER	17,4

Eistanzen

		Punkte
1. Jayne Torvill/Ch. Dean	GBR	2,0
2. Natalja Bestemianowa/A. Bukin	URS	4,0
3. M. Klimowa/S. Ponomarenko	URS	7,0
4. Judy Blumberg/Michael Seibert	USA	7,0
5. Carol Fox/Richard Dalley	USA	10,6
6. Karen Barber/Nicky Slater	GBR	11,4
7. Olga Woloschinskaja/A. Swinin	URS	14,6
8. Tracy Wilson/Robert McCall	CAN	15,4
9. Petra Born/Rainer Schönborn	GER	18,0

Medaillen und Beifall für die drei besten olympischen Eiskunstlaufpaare. Von links: Kaitlin und Peter Carruthers aus den USA (Silber), Elena Walowa und Oleg Wassiliew aus der UdSSR (Gold) und deren Landsleute Larissa Seleznewa und Oleg Makarow (Bronze). Die Zeiten, als bundesdeutsche Paare auf solchen Podesten standen, sind lange, lange vorbei.

BILANZ

Pech für Norbert und Claudia

Ohne Medaille blieben die bundesdeutschen Eiskunstläufer. Norbert Schramm wurde 9., 9. auch Claudia Leistner. Goldträume zerplatzten wie 99 Luftballons.
Rücksicht, Vorsicht und Nachsicht sind in der Beurteilung der Kufen-Artisten unverzichtbar. Wie in keiner anderen Wintersportart orientiert sich die Leistungszumessung am Image. Auch die Flüsterpropaganda sogenannter Fachautoritäten nimmt Einfluß auf die Erfolgsaussichten. Das Pflichtergebnis zementiert nicht selten die Plazierung. Und die Noten in der Kür steigen mit der Uhrzeit.
Kein Zweifel, Norbert Schramm war der große Verlierer der Eiskunstlauf-Wettbewerbe von Sarajevo. Aber auch einige Funktionäre der Deutschen Eislauf-Union waren nicht unbeteiligt, als die Medaillenchancen nicht verwirklicht werden konnten. Bei den Weltmeisterschaften in Helsinki ermöglichten Sympathie-Wertungen Norbert Schramm erneut die Silbermedaille, die zur Selbstüberschätzung des Eislauf-Entertainers führte.
„Der Geist von Helsinki“ entpuppte sich beim Olympia-Spektakel als Gespenst.
Zwischen Pflicht und Kür lächelte Verbandspräsident Dr. Montag für die Kunstläufer der Union. Sportdirektor Peter Krick, der die wichtige Flüsterpropaganda bei der WM 1983 in die richtigen Kanäle lenken konnte, fehlte in Sarajevo. Warum saß der routinierte Eugen Romminger in der Zetra-Eishalle nicht am Wertungspult?
Rudi Cerne, als Olympia-Vierter Bester im Team der Deutschen Eislauf-Union, kommt aus dem Verband Nordrhein-Westfalen, wo das Chaos immer eine Chance hat.
Ohne das Leistungszentrum Mannheim und Eugen Romminger, der Cerne forderte und förderte, wäre der Interpret des klassischen Eiskunstlaufs so vergessen wie Karin Riediger. Deren Meisterschaftskür aus dem Jahre 1981 faszinierte kaum weniger als die Darbietung von Katarina Witt, der Olympiasiegerin aus der DDR.
Den Comeback-Versuch der 22 Jahre alten, heutigen Diplom-Trainerin entschieden die Funktionäre bei der Meisterschaft in Unna mit einer Daumenbewegung nach unten.
Was einige Preisrichter dort inszenierten, imitierten nun die Juroren in Sarajevo. Claudia Leistner und Norbert Schramm konnten in der Kür nach einem neunten Pflichtrang nicht mehr siegen.
„Der Verband macht den Star.“ Mit diesem Erklärungsversuch feierten sich einige Funktionäre auf dem Höhepunkt der Schramm-Karriere.
Nun taugen die Plazierungen der Olympischen Spiele nicht einmal mehr für das Spiel „7 aus 38“: 4 (Cerne), 7 (Ruben), 9 (Leistner), 9 (Schramm), 9 (Born/Schönborn), 10 (Fischer), 13 (Massari/Azzola)...

BIATHLON

Die „Retter" des bundesdeutschen Teams

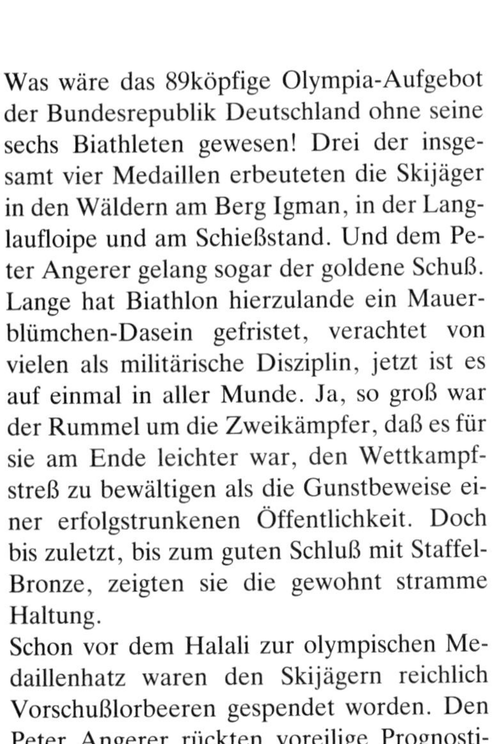

Was wäre das 89köpfige Olympia-Aufgebot der Bundesrepublik Deutschland ohne seine sechs Biathleten gewesen! Drei der insgesamt vier Medaillen erbeuteten die Skijäger in den Wäldern am Berg Igman, in der Langlaufloipe und am Schießstand. Und dem Peter Angerer gelang sogar der goldene Schuß. Lange hat Biathlon hierzulande ein Mauerblümchen-Dasein gefristet, verachtet von vielen als militärische Disziplin, jetzt ist es auf einmal in aller Munde. Ja, so groß war der Rummel um die Zweikämpfer, daß es für sie am Ende leichter war, den Wettkampfstreß zu bewältigen als die Gunstbeweise einer erfolgstrunkenen Öffentlichkeit. Doch bis zuletzt, bis zum guten Schluß mit Staffel-Bronze, zeigten sie die gewohnt stramme Haltung.

Schon vor dem Halali zur olympischen Medaillenhatz waren den Skijägern reichlich Vorschußlorbeeren gespendet worden. Den Peter Angerer rückten voreilige Prognostiker sogar in die Rolle des Favoriten, „ein Schmarrn", wie er angesichts der starken Konkurrenz knurrend verkündete. Als die Goldträume dann gleich im ersten Rennen, dem über die 20-Kilometer-Distanz, Wirklichkeit wurden, fand Bundestrainer Jürgen Seifert denn auch, das Entscheidende sei „nicht seine sportliche, sondern seine psychische Leistung" gewesen. Daß Peter Angerer nicht nur den Gegnern, sondern auch dem Erfolgsdruck „standgehalten hat", das rechne er ihm „hoch an". Angerer, kurz zuvor bei den Weltcuprennen in Ruhpolding Doppelsieger, habe in die Tat umgesetzt, „was er im Training kann". Und das bei widrigen Wetterverhältnissen, bei ständigem starkem Schneetreiben. Drei Tage später unterstrich der blonde Bursche aus dem Chiemgau mit dem zweiten Platz im Sprintrennen über 10 km dicht hinter dem ebenfalls 24jährigen norwegischen Weltmeister Eirik Kvalfoss seinen überlegenen Auftakt-Erfolg. Diesmal lachte die Sonne vom Himmel, trübte kein Windhauch die Hoffnungen.

Wie der Wind stürmte Peter Angerer über 20 km zum Olympiasieg, mit „einem sehr lockeren Gefühl", wie er nachher verriet. Auf dem Schießstand mit der Nummer 13, mit einer 13 auf dem Gewehrkolben, einer von dreien auf Zimmer 313 im Olympiadorf B, leistete sich Angerer bei insgesamt 20 Schüssen nur zwei „Fahrkarten", je eine stehend und liegend. Besser als er schoß keiner, schneller lief nur Eirik Kvalfoss, den fünf Fehlschüsse (gleich Strafminuten) auf den dritten Platz hinter Frank-Peter Rötsch aus der DDR verschlugen.

Glück mit der Nummer 13. Sie begegnete dem zielsicheren Feldwebel Peter Angerer mehrfach bei seinem überlegenen Olympiasieg im Biathlon-Wettbewerb über 20 Kilometer. Mit dem Gewehr, auf dessen Kolben eine große „13" prangte, schoß er auf dem Schießstand Nummer 13, insgesamt bei 20 Schüssen nur zweimal daneben. Ruhig atmen, bei perfekter Schießhaltung – das Bild unterstreicht die Tatsache, daß in diesem Wettbewerb keiner besser als er schoß. Gegen seine angebliche Favoritenrolle hatte er sich vorher energisch gesträubt, aber nun war die Goldmedaille sicher kein „Schmarrn" mehr für ihn. Der Rummel um einen neuen „Goldjungen" konnte mit voller Kraft beginnen.

„Das ist halt das Glück“, kommentierte Peter Angerer anschließend, daß gleich beim ersten Liegendschießen bei zwei Randtreffern die schwarze Trefferklappe in Zeitlupe gefallen war. Stehend war dann aufgrund des beinahe etwas zu hohen Tempos der erste Fehler fällig, doch der brachte Angerer nicht mehr aus dem Gleichgewicht. Nach fünf Volltreffern beim zweiten Stehendschießen wußte er bereits, „daß eigentlich nichts mehr schiefgehen kann“, da Rötsch das Ziel zum dritten Mal verfehlt hatte.

Die sogenannten Skijäger, die Biathleten, müssen eine Menge verschiedener Arbeiten ausführen und beherrschen: Laufen, Schießen liegend und stehend und auch noch den Überblick über das Geschehen behalten. Unsere Bilder (oben und auf der Seite nebenan) zeigen Peter Angerer beim Liegendschießen und beim Loshetzen in die Loipe nach dem Schießen. Wie man weiß, führte beides zu großen Erfolgen.

„Eine Medaille ist immer drin“, habe er sich vorher gesagt, verriet Peter Angerer, aber auch: „Wenn es nicht klappt, dann macht es auch nichts!“ Nach knapp 72 Minuten vom Zielbewußtsein geprägter wilder Medaillenjagd zeigte der strahlende Sieger keinerlei Erschöpfungsanzeichen: „Das ist das Eigenartige, wenn man gewinnt, ist man immer frisch.“ Und nun absolvierte er auch die anstrengende Gratulationscour und den Reigen der Fotografen heiter und gelassen, dabei den Fritz Fischer nicht vergessend, seinen Stubenkameraden beim 2. Gebirgsjäger-Bataillon in Bad Reichenhall, über dessen siebenten Platz er sich freue, „wie sich ein Freund freut“. Nur zwei statt vier Fehlschüsse – und Fischer hätte Bronze gewonnen: „Das ist eben Biathlon!“

Nach dem „Remmidemmi“ um Gold war Peter Angerers Ausgangsposition vor dem Sprint nicht mehr ganz so günstig, zumal er sich eine leichte Erkältung zugezogen hatte. Auf feinem Pulverschnee, bei 14 Grad minus, war der schnelle Eirik Kvalfoss nicht mehr zu halten. Zweimal feuerte der Student aus Voss bei Oslo bei zehn Versuchen zwar am Ziel vorbei, einmal mehr als Peter Angerer, doch diesmal wurden keine Strafminuten angerechnet, sondern mußte jeweils eine Strafrunde von 250 Metern gleich neben dem Schießstand gelaufen werden. Und die bringt nur 30 Sekunden Zeitverlust statt einer Minute. Nur 8,6 Sekunden zurück gewann Peter Angerer zum Gold noch Silber und war „so zufrieden, des ko i gar net sag'n“.

Die Entscheidung fiel beim abschließenden Stehendschießen, als Angerer mit dem dritten von fünf Schüssen mit dem Kleinkalibergewehr das Schwarze um etwa fünf Zentimeter verfehlte, „rechts tief“, wie Schießtrainer Rupert Plechaty anmerkte. Möglicherweise sei der Peter das Rennen etwas „zu verhalten angegangen“, meinte Bundestrainer Jürgen Seifert rückblickend. Obwohl fehlerfrei, lag Angerer nach 3,7 km an sechster Stelle, Kvalfoss trotz einer Strafrunde schon an vierter. Die Aufholjagd kam zu spät, der Dritte des 20-km-Laufs war ganz nach vorn gelaufen. Und wieder verpaßte Fritz Fischer, der 27jährige Kelheimer, der wie die anderen in Ruhpolding im Leistungszentrum trainiert, den dritten Platz. Zwei Schießfehler – vorbei. Bronze gewann Matthias Jacob aus Oberhof in der DDR, neben dem nur noch drei der 64 Biathleten fehlerfrei schossen.

Ganze Serien von Fehlschüssen löste der abschließende Staffel-Wettkampf über 4 × 7,5 km aus. Nur den Anschluß nicht verlieren, hieß es da. Und weil die fünf Ziele nicht nur mit den fünf Patronen im Magazin des Gewehres getroffen werden müssen, sondern noch dreimal nachgeladen werden darf, schleichen sich regelmäßige Flüchtigkeitsfehler ein. Das geht zwar auf Kosten der Präzision, läßt aber andererseits die Spannung ins schier Unerträgliche steigen, auch unter den Zuschauern, ob direkt am Geschehen oder zu Hause am Fernsehschirm.

Es durfte gezittert werden. Erstaunlich wenig zu Beginn um den 21jährigen Ernst Reiter aus Siegsdorf, der über 20 km den 22. Platz belegt hatte. Als etwas schwächerer Läufer spielte er konzentriert seine Stärken beim Schießen aus, traf zehnmal voll und übergab als Fünfter mit 1:09 Minuten Rückstand auf den Sowjetrussen Dimitri Wassiljew. Aus dem Favoritenkreis mußte Holger Wick für die DDR eine Strafrunde drehen und Norwegens Exweltmeister Odd Lirhus sogar deren zwei.

Doch Eirik Kvalfoss brachte Norwegen dank der besten Einzelleistung wieder bis auf 56

59

Ihr Jubel ist wirklich berechtigt, dekorierten sie sich doch nicht nur selbst mit olympischen Medaillen, sondern waren sie doch obendrein noch so etwas ähnliches wie die „Retter des olympischen Ansehens" der bundesdeutschen Wintersportler. Schließlich gewannen diese Biathleten drei Viertel des gesamten bundesdeutschen Medaillenaufkommens. Die Bronzestaffel von links nach rechts, die sich mit den Sportlern aus der UdSSR und aus Norwegen einen nervenzerfetzenden Kampf um die Medaillen geliefert hatte: Fritz Fischer, Peter Angerer, Walter Pichler und Ernst Reiter.

Sekunden an die führenden Sowjets heran, für die Juri Katschkarow einmal in den Strafgarten mußte und bis auf 30 Sekunden an die DDR, die Frank-Peter Rötsch vom vierten auf den zweiten Platz heranbrachte. Und wo blieb Walter Pichler? Der 24jährige Ruhpoldinger, 16. beim Sprint, tauchte beim ersten Schießen zwar als Dritter auf, verlor dann aber beim Nachladen und auf einer Strafrunde viel Zeit und lag schließlich als Fünfter bereits 1:48 Minuten zurück. Pichler, als Zollbeamter einziger Zivilist unter den Sportsoldaten der Bundeswehr, hat sich offenbar zu früh verausgabt und seine Eile mit fünf „Fahrkarten" büßen müssen.
Ganz anders Peter Angerer. Zielbewußt und schnell zugleich löste er die zweifache Aufgabe erneut mit Bravour: Losstürmen mit einem Puls von 200 Schlägen, das Herz vor dem Stand beruhigen auf etwa 140, nur nicht weniger, denn sonst ginge die Spritzigkeit verloren, und neuerlich loslegen wie der Wind auf den schnellen Brettern. Nach vorsichtigem Beginn feuerte Angerer stehend fünfmal mit atemberaubender Behendigkeit, traf und lief mit der insgesamt zweitbesten Zeit, nur 11,7 Sekunden langsamer als Kvalfoss, an die dritte Position unter den 17 Staffeln. Nur noch 28,1 Sekunden betrug der Rückstand, jetzt auf die führende DDR, für die Matthias Jacob trotz dreimaligen Nachladens an der UdSSR vorbeigezogen war, weil Algis Shalna gleich zwei Strafrunden absolvieren mußte. Plötzlich, wie aus heiterem Himmel, war das Rennen wieder völlig offen, zumal auch die Norweger dank Rolf Storsveen den Anschluß nicht verloren, nur 15 Sekunden hinter den Bundesdeutschen auf Rang vier hinterherhetzten.
Und noch einmal überschlugen sich die Ereignisse. Selbst erprobte Kämpen wie der neunmalige Weltmeister und Olympiasieger Frank Ullrich aus der DDR und der Norweger Kjell Soebak schossen übers Ziel hinaus, Soebak zweimal, Ullrich sogar fünfmal. Fritz Fischer, Schußläufer des DSV-Quartetts, bestand die höllische Nervenprobe mit vier „Fahrkarten" noch ganz gut und stürmte zusammen mit Soebak auf die letzte 2,5-km-Schleife, während vorn Sergej Bulygin der UdSSR nach vielen Enttäuschungen wie ein Jahr zuvor bei der WM in Antholz am Ende doch noch Gold erstritt. Der lange Norweger zog an Fischer vorbei, schien schon sicherer Zweiter, als Fischer die letzten Kräfte mobilisierte. Im Ziel trennten Fischer 1,2 Sekunden vom Silber, stürzten beide zu Boden.
Doch auch mit Bronze zeigte man sich im DSV-Lager sehr zufrieden. Der dreifach dekorierte Peter Angerer schätzt diese Medaille sogar „ganz hoch ein". Denn schließlich habe „jeder wieder mit einer Medaille gerechnet". Doch so etwas ist – wie man sieht – leichter gesagt als getan.

Peter Angerer: Ein „Bua“, wie ihn sich jeder Vater wünscht

Lange starrt Peter Angerer die nackte Dame an. Sie steht allein in einer Ecke im „Deutschen Haus“ von Sarajevo, oben im ersten Stock, in Stein gehauen. Die Olympischen Winterspiele sind fast zu Ende, in zwei Wochen haben zahllose Hände die marmorne Jungfer befühlt, und einige Namenszüge zieren den sonst makellosen Körper. „Saubären“, sagt Peter Angerer leise. Dies ist ein sauberer Olympiasieger, aus einer intakten Familie, einem hübschen kleinen Dorf, einer herrlichen Urlaubslandschaft, mit unverfälschtem Naturell. Ein Rosi-Mittermaier-Effekt entsteht, den die gold-gelb-grünen Blätter außer sich vor Begeisterung blind buchen. Eine einschlägige Illustrierte hat den ersten Kuß mit Freundin Traudl Hächer (die paßt wirklich erstklassig) nach Sarajevo fliegen lassen und exklusiv eingekauft. Ansonsten hat er aber ein gutes Image.

„Mei Bua“, sagt der Vater, „der is so brav, so einen Sohn tät ich jedem Vater wünschen. Und wir hätten uns auch gefreut, wenn er keine Medaille gewonnen hätte.“ Als der Sohn in Sachen Gold in der Loipe unterwegs war, ging Franz Angerer spazieren, die Mutter hantierte in der Küche. Vor dem Fernseher, sagen sie, hätten sie die Spannung nicht ertragen. Als der Sohn durchs Ziel stürmte, kehrte Papa Angerer gerade heim. Man weiß schließlich, wie lange einer für die 20 Kilometer braucht. Man öffnete dann eine Flasche Sekt. Unter den 700 Einwohnern von Hammer im Chiemgau machte sich Begeisterung breit. Der Gemeinderat von Siegsdorf, der auch Hammer mitverwaltet, ernannte Peter Angerer umgehend zum sechsten noch lebenden Ehrenbürger. Einstimmig. Der Hauptfeldwebel Jochen Leppert vom Gebirgsjäger-Bataillon 231 in Bad Reichenhall meldete schnellstens pflicht- und vorschriftsgemäß die „besondere Leistung“ eines Untergebenen an das Bonner Verteidigungsministerium. Dort unterzeichnete Minister Wörner eine Urkunde, die aus dem Feldwebel Angerer einen Ober-Feldwebel machte. In Hammer machten unterdes zwölf Freunde Nägel mit Köpfen und schnürten ihr Bündel. Man packte zwei Pfund Butter mit ein, der Olympiasieger hatte telefonisch über den stets etwas ranzigen jugoslawischen Brotaufstrich geklagt. Im Biathlon-Zentrum Ruhpolding beeilte sich die Kurverwaltung, zum Wochen-Kursus im Langlauf noch ein Schießtraining für die Gäste anzubieten, mit Luftgewehren und bloß auf Zehn-Meter-Distanz statt auf 50, sicherheitshalber. Bald mußte der örtliche Schützenverein mit Gewehren aushelfen. Peter Angerer war auf einmal sehr gut zu gebrauchen. Berchtesgadens Kurdirektor Dyckerhoff ist seitdem nicht mehr bang um die Olympischen Winterspiele 1992, schließlich gewannen auch noch zwei heimische Rodler Gold. „Wer solche Sportler hat“, sprach Dyckerhoff, „für den sind Olympische Spiele kein Problem.“

Der, um den es ging, hat sich vergleichsweise leise über seinen Erfolg gefreut. Alles, was laut ist, paßt nicht zu Peter Angerer. „Ich freue mich“, sagt er, „mehr nach innen. Ich kann mich auch ohne Tränen freuen. Aber es gibt kein schöneres Gefühl, als ich es jetzt empfinde.“ Das sei schon „ein ganz Abgebrühter“, fand Rosi Mittermaier – und hatte recht und auch wieder nicht. Angerer ist so kühl, wie es seine Sportart verlangt, aber kein ausgekochter Bursche, der auf den Erfolg nur gewartet hat, um ihn schleunigst zu nutzen. Dann wäre er nie im Leben ausgerechnet Biathlet geworden. Nicht des Rummels wegen freut er sich über seine drei Medaillen. Eher trotzdem.

Nein, Peter Angerer sagt den Satz „Das ist das größte Glück“ nicht nach dem Gewinn der Goldmedaille, sondern nach dem dritten Rang in der Staffel. Und als bei Ankunft des Olympia-Sonderzuges aus Sarajevo in München die siebenhundertneunundfünfzigste Einladung an den allseits vereinnahmten Goldbuben ergeht, sagt er auch dies: „I mog nimmer. Aus. Basta. I geh' nirgends mehr hi.“ Dann ist er aber doch gegangen.

Die Biathleten sind wahre „Staffelkameraden“. Jeder wünscht dem anderen Erfolg, und am schönsten ist es, wenn man zusammen triumphiert. Auch der „Solo-Sieger“ Peter Angerer gibt das Letzte, wenn es um den gemeinsamen Erfolg geht. Hier der letzte Wechsel auf dem Weg zur Staffel-Bronze: Peter Angerer schickt seinen Freund Fritz Fischer (links) in die Spur Richtung Medaille.

Tom Sandberg kann es ja egal sein, denn der Norweger hat seine Goldmedaille ehrlich erkämpft in der Nordischen Kombination, dem Zweikampf aus Skispringen und Langlauf. Doch diesem Wettbewerb wird noch lange der Makel anhaften, er sei durch Kraftproben und Machtworte der Jury schon während der Sprungkonkurrenz entschieden worden, und das kam so: 90 m weit war der Finne Rauno Miettinen hinuntergesprungen im ersten Versuch, ein 34jähriger Veteran, 1972 schon in Sapporo mit Silber dekoriert. Da reagierte die Gegnerschaft gereizt. Mit 4:1 Stimmen entschied das Kampfgericht, die Anlauflänge sei zu reduzieren. Kommando: Alles von vorn. Das trieb Miettinen Tränen der Enttäuschung in die Augen, und in der Wiederholung hat er dann nur noch 79,5 m geschafft. Wie sowas zustande kommt, hat der bundesdeutsche Trainer Hartmut Döpp ganz offen zugegeben: „Ich war an der Verkürzung interessiert, weil ich wußte, daß der Hubert Schwarz weiter springen kann, und der ist ja noch oben gestanden.“ Sicherheit zuerst! „Ich will nicht, daß der als Krüppel weggeht.“

Davon konnte keine Rede sein. Hubert Schwarz aus Oberaudorf, zwei Wochen zuvor in Willingen DSV-Meister geworden, setzte nach dem zweiten Anlauf mühelos bei 92 m auf. Daß der kühne Springer daran aber keine Freude haben würde, war klar: Retourkutsche der Finnen. Gleich hing die rote Flagge über dem Schanzentisch. Der Kritische Punkt war übersprungen, doch die Jury blieb uneins: Zwei Mitglieder für Verkürzen, zwei für Weiterspringen. Die Entscheidung fällte Helmut Weinbuch als ihr Chef: Annullierung. Glücklich sei er darüber nicht gewesen, hat Weinbuch später eingeräumt. „Aber das überleb' ich. Wenn einer im Krankenhaus liegt, das überleb' ich nicht.“ Als Sportdirektor des Deutschen Skiverbandes verlange er von seinen Trainern, stets über die Sicherheit der Athleten zu wachen. Da könne er keine Rücksichten nehmen. „Auch von der Regel her gibt es kein Pardon.“

Was Weinbuch bedrückte und worüber er würde Rechenschaft ablegen müssen, war dies: „Leider hat das dem Hubert viele Chancen genommen.“ Genauer gesagt alle. Denn Schwarz brachte danach nur noch 72,5 m zuwege und beendete den Wettbewerb statt als überlegener Sieger aussichtslos auf Platz 26. Dabei hat Helmut Weinbuch noch froh sein müssen, nicht von seinem mitspringenden Sohn Hermann in so einen Gewissenskonflikt gestürzt worden zu sein, denn wer weiß, wie der ausgegangen wäre.

NORDISCHE KOMBINATION

Die Jury mischte beim Springen mit

Der Sieger und der Enttäuschte. Unter nur 29 Teilnehmern holte sich der Norweger Tom Sandberg (oben) das Gold bei den nordischen Zweikämpfern, während der Oberstdorfer Thomas Müller in der Langlaufloipe seine Medaillenchancen, verkrampft und nervenschwach, verspielte und mit seinem Sportgerät in der Hand den Ort des Geschehens buchstäblich weinend verließ.

Der Junior allerdings hat die Sorgen des Vaters nicht geteilt und wissen lassen, daß man auf dieser Schanze auch bei 96 m noch sicher landen könne.

Unbeeindruckt und unbetroffen vom stundenlangen Hin und Her bei Schneefall, Wind und eisiger Kälte sprang Thomas Müller aus Oberstdorf mit 87 m und 85 m auf Platz drei und versicherte, die Chance auf eine Medaille würde ihm nicht den Schlaf rauben. Leider ist der 22jährige Student an der Uni Freiburg dann doch schon um vier Uhr früh aufgewacht. Und als ihm nach vier von 15 km in der Loipe der Streckenposten zurief, er sei nur noch Vierter, war's ganz aus. Sein Trainer Döpp beobachtete: „Er war verkrampft und ist mit der Verantwortung nicht fertig geworden.“

Fünfter ist Thomas Müller schließlich geworden, das beste Resultat eines bundesdeutschen Kombinierers seit den Olympiasiegen von Georg Thoma (1960) und Franz Keller (1968) sowie Urban Hettichs Gewinn der Silbermedaille (1976). „Eine enorme Leistung“, lobte Sportdirektor Weinbuch, der auch dem FIS-Komitee für Kombination vorsteht. Das half dem enttäuschten Müller die Tränen auch nicht trocknen. Trainer Döpp äußerte sich realistischer: „Ich bin schon ein bißchen enttäuscht. Ich habe mir mehr erhofft nach dem Ergebnis im Springen.“ Selbstbewußter, stabiler müsse der Thomas werden, forderte Döpp. Müller schien sein Erfolg im Schonacher Weltcup über die bislang dominierende DDR-Elite eher verunsichert zu haben. Schönfärberei nützt wenig, wie auch Hermann Weinbuch seinem Vater deutlichmachte. „Eine tolle Leistung“, lobte der Senior, worauf der Junior erwiderte: „Für den achten Platz trainiert man nicht.“

Hinter Olympiasieger Sandberg haben sich drei Finnen gereiht: Silber Jouko Karjalainen, Bronze Ylipulli; leer ausgegangen ist Rauno Miettinen. Eine gehörige Abreibung haben die DDR-Athleten beklagt, mit Uwe Dotzauer als Bestem auf Rang sieben. Ein schlechter Einstand für den dreimaligen Olympiasieger Ulrich Wehling als stellvertretender Generalsekretär des Skiläuferverbands der DDR. An Schadenfreude hat es nicht gefehlt. Weinbuch sah das so: „Daß die DDR eingebrochen ist, kann man als Zeichen dafür sehen, daß die anderen aufgeholt haben in ihren Trainingsmethoden.“ Die bundesdeutschen Zweikämpfer haben davon leider nicht profitiert. Und der mühsam hochgepäppelte Wettbewerb kümmert weiter: 29 Teilnehmer, fast ein verlorener Haufen.

LANGLAUF
HERREN

Gunde Svan – viermal auf dem Siegerpodest

Von Gunde Svan könnten bundesdeutsche Fußballprofis viel lernen, wenn sie wollten: Engagement im Beruf, Kämpfen bis zum Umfallen, keine Vorauskasse, sondern ein leistungsbezogener Vertrag mit geringem Grundgehalt und hohen Prämien. Als typischer Berufsamateur unserer Jahrzehnts hat der Schwede als 16jähriger der Schule den Rücken gekehrt, sich für ein Nasenwasser anwerben lassen von einer österreichischen Skifirma. Seither läuft er nur noch. Bei den Spielen in Sarajevo hat der junge Mann reichlich Lohn der Mühen eingeheimst, Goldmedaillen über 15 km und mit der schwedischen Staffel, Silber im Marathon über 50 km, Bronze auf der 30-km-Strecke, hinter den Sowjets Nikolai Simjatov und Alexander Savjalov.

Ein Langlaufspezialist für knappe Entscheidungen. 1980 gewann der Schwede Thomas Wassberg über 15 km das Gold um eine Hundertstelsekunde vor Mieto, diesmal siegte er über 50 km um 4,9 Sekunden vor seinem Landsmann Svan. Für beide gab es dann zusammen Gold in der Staffel. Die moderne Zipfelmütze der Langläufer verfügt heutzutage sogar über einen ebenso eleganten wie nützlichen Augenschutz.

Mein lieber Svan! Der ist seiner Firma jetzt lieb und teuer. „Weniger als eine Million", koste er pro Saison, hat Servicemann Kurt Matz beteuert, Schilling natürlich, und das sei bloß die Hälfte dessen, was beispielsweise ein Weltklasse-Abfahrer wie der Österreicher Erwin Resch kassiere. Dessen Firma wollte den Svan schon vor Olympia einfangen, weil Entwicklung und Absatz der Langlaufski ohne Engagement im Rennsport stagnieren, aber leider hat der erfolgshungrige Schwede mit seinen Siegen nicht warten mögen.

Aufmerksam gemacht hat Gunde Svan auf sich schon im letzten Winter mit seinem Sieg am Holmenkollen, heuer dann als Gewinner des Weltcuprennens im österreichischen Ramsau, wo sein Landsmann Thomas Wassberg eine Braut und seine zweite Heimat gefunden hat. Dem ist Svan am Schlußtag der Spiele über 50 km um lächerliche 4,9 Sekunden oder rund 30 m unterlegen und hat sich danach bitter beklagt, das sei nicht mit rechten Dingen zugegangen. Keine Zwischenzeiten habe er gehört auf den letzten Kilometern, wohl aber Wassberg, der bei Kontrollpunkt 42,5 km nur eine Sekunde schneller gewesen war. Svans Ärger hat sich in der ersten Enttäuschung entladen, und seine Vorwürfe erschienen ungerecht. Denn auf dem Schlußstück führte die Spur meist bergab, und wie einem da in sausender Fahrt Zeiten und Plazierungen zurufen?

Es war das einzige Stück Wegs, das den Läufern eine Verschnaufpause bot. „Das hat mit Langlauf nichts mehr zu tun", klagte Sepp Schneider aus Grafenau im Bayerischen Wald, mit dem gewaltigen Rückstand von 13:33,7 Minuten bester bundesdeutscher Teilnehmer auf Rang 35. Ein bißchen was ist schon dran. 1500 m Gesamthöhenunterschied gibt das Regelwerk als oberste Grenze für die 50 km an; in Veliko Polje mußten die Läufer 1650 m überwinden.

Doch selbst Griechen und Argentinier haben den Kurs langsam zwar, aber unbeschadet umrundet, weshalb es schon bezeichnend gewesen ist für den Zustand der Langlaufmannschaft des DSV, daß Bundestrainer Detlef Nirschl über Funk den Befehl hat erteilen müssen: „Keiner darf aufgeben." So liefen auch Franz Schöbel (37.) und Peter Zipfel (38.) ins Ziel, während Jochen Behle seiner Rückenschmerzen wegen die Misere vor dem Fernsehschirm kommentieren half. Nirschls Motiv für den Notruf: „Wir haben hier viele Niederlagen erlitten, aber wir dürfen das Gesicht nicht verlieren."

Ihren Anfang genommen hatte die Pleite schon im Rennen über 30 km, als sich Jochen Behle chancenlos durch den Pulverschnee wühlte und mit seinen auf 1,82 m verteilten 75 kg beim kraftvollen Abstoß in der teilweise zugewehten Spur keinen Halt fand. Keinen Hund hätte man an diesem stürmischen Wintertag vor die Tür jagen mögen, es sei denn einen Schlittenhund. Aber bei einer Umfrage am frühen Morgen hatten sich die Mannschaftsführer gegen eine Verlegung ausgesprochen, um mit dem Zeitplan nicht ebenso durcheinanderzugeraten wie die Alpinen. Behle hat unterwegs eine Zeitlang den Schneepflug gespielt für den Schweden Svan. „Der ist nicht einmal vor, als ich ihn vorbeilassen wollte. Den Anstieg ist er dann hoch wie nichts, und ich bin im Schnee ‚rumgetrampelt'." Trainer Nirschl bat indes um Geduld. „Der Dreißiger ist absolut nicht der Wettkampf, auf den wir uns konzentrieren,

Überragender Langläufer war der junge Schwede Gunde Svan, mit seinen beiden Goldmedaillen, seinem Silber und seiner Bronze auf jedem Siegespodest, auf dem Langläufer olympisch geehrt wurden. Weit entfernt von einer Medaille und „mitschuldig“ an der von Experten beklagten bundesdeutschen „Langläufer-Pleite“ blieb Jochen Behle, über 30 km vom miserablen Wetter auf Rang 15 gebremst, über 15 km durch Rückenschmerzen zur Aufgabe gezwungen. Platz sechs in der Staffel war ein kleines Trostpflaster.

sondern die 15 km und die Staffel. Bei besseren Bedingungen wäre der Jochen heute bestimmt unter die ersten Zehn gekommen.“ Statt dessen fand Behle sich auf Rang 15 wieder, doch das sollte mit Abstand der beste Platz bleiben.

Denn über 15 km gab Jochen Behle wegen Rückenbeschwerden auf, die anderen liefen weit hinterher. Nirschl sprach von einer „vernichtenden Niederlage“ und bot seinen Rücktritt an mit dem Hinweis: „Wenn ein Fußballtrainer fünfmal hintereinander verliert, dann muß er sich auch fragen, ob er noch tragbar ist.“ So eilig haben es die Kollegen allerdings meist nicht. Nach dem „Marathonlauf“ hat Nirschl dann rumgerätselt, weshalb seine Mannen, Behle ausgenommen, „einheitlich um den 40. Platz rum gelaufen sind“. Und weshalb nicht wenigstens einer versucht hat, was zu riskieren. „Es ist mir doch lieber, der rennt bis Kilometer 40 vorne mit und bricht dann zusammen.“ Der Schweizer Andreas Grünenfelder beispielsweise hat die Flucht nach vorne angetreten, sich lange auf Platz drei gehalten und ist am Ende nicht einmal auf der Strecke geblieben, sondern auf Platz sechs. Es läge, mutmaßte Nirschl, wohl an der Motivation. So hat Nirschl der schwer erkämpfte sechste Platz über 4×10 km zwar erfreut, aber auch nachdenklich gestimmt.

Weshalb haben die bundesdeutschen Langläufer das olympische Ziel so weit verfehlt? Fehler im Trainingsaufbau sind eingeräumt worden, dazu ein zu später Termin der Meisterschaften und zu früher Abschluß der Qualifikationen. Jochen Behle und Stefan Dotzler haben zudem erkennen müssen, daß sie noch nicht jene ausgekochten Burschen und mündigen Athleten sind, für die wir sie gehalten haben und sie sich selbst wohl auch. Verfehlt wäre es, weiter von der schnellen Pille zu träumen, von der immer der Lahme glaubt, der Flinke habe sie. Vor allem aber erscheint Bescheidenheit in der künftigen Zielsetzung angebracht angesichts von fünf Millionen organisierter Langläufer in der UdSSR und 11 200 diplomierter Trainer längs der sowjetischen Loipen; im Wissen um die Heerscharen, die sich in Skandinavien die schmalen Ski unterschnallen. Da ist halt eher mal das Supertalent dabei, das auch im Langlauf geboren wird. Besser wäre es darauf zu achten, nicht wieder von der Schweiz überholt zu werden, wo die Alpinen zwar dominieren, die Langläufer in ihrem Schatten aber dennoch Erstaunliches vollbringen.

LANGLAUF DAMEN

Immer wieder Hämäläinen

Die Finnin Marja-Liisa Hämäläinen war noch erfolgreicher als ihr männliches Gegenstück Gunde Svan. Neidvoll beobachtet, gewann sie alle drei Einzelrennen. Ratlos hingegen und im geistigen Clinch mit ihren Betreuern, versuchte Karin Jäger (ganz unten) mit ihren ausgesprochen schwachen Plazierungen ins reine zu kommen. Hatte die Individualistin zuviel trainiert?

Wenn die Loipe steil bergab geführt hat, sind Marja-Liisa Hämäläinen vor Angst meist die Knie weich geworden. Vor allem bei den Rennen in Mitteleuropa, wo die Landschaft schwierigere Strecken anbietet als in Skandinavien. Aber bei Olympia in Sarajevo hat die Finnin halsbrecherische Abfahrten mit Bravour bewältigt. „Es kann sein, daß ich die Goldmedaille da gewonnen habe", mutmaßte die Hämäläinen nach ihrem Erfolg über 10 km. Oben sei ihr die zweifache Olympiasiegerin von 1980, Raisa Smetanina aus der UdSSR, mit nur sechs Sekunden Rückstand avisiert worden, unten der Sieg schon sicher gewesen. „Spitze Kurven, aber eine Traumabfahrt", schwärmte Marja-Liisa.

Zwei Männer haben ihr Mut zugesprochen und ihr die Angst genommen. Da ist einmal ein gewisser Härkkinen, der mal den Geschwindigkeitsweltrekord auf Abfahrtsski gehalten hat und mit der Langläuferin übte, bis die den Bogen raus hatte. Der andere heißt Harri Kirvesniemi, hat in Sarajevo zwei Bronzemedaillen gewonnen und lange vorher das Herz von Marja-Liisa Hämäläinen. „In dunklen Stunden" habe ihr Verlobter ihr sehr viel geholfen, verriet die Braut.

Sie hat dann noch zwei goldene Medaillen eingesammelt, über fünf und 20 km, sowie Bronze mit der finnischen Staffel, mehr als jeder andere Teilnehmer. So eine Serie ist nichts Außergewöhnliches, wie ein Blick auf die Ehrentafel der Weltmeisterschaften und Olympischen Spiele zeigt. Der Kulakowa haben sie 1972 und 1974 je drei Goldmedaillen umgehängt, der Norwegerin Berit Aunli vor zwei Jahren bei der WM in Oslo dreimal Gold und einmal Silber. Trotzdem erweckt so was Neid, Mißgunst und Mißtrauen der Konkurrenz. Von Blutdoping ist wieder mal die Rede gewesen, von blutigen Handtüchern, als ob die Sünder auch noch Spuren legen würden beim heimlichen Tun, das noch nicht einmal verboten ist. Nachher hat der finnische Sport-Physiologe Rejko Makela behauptet, die Finnen hätten während der Vorbereitungszeit große Dosen des Vitamins B_{15} verabreicht bekommen, das die Sauerstoff-Aufnahmefähigkeit und die Muskel-Effizienz erhöhe.

Quasi als Werbedame ist Karin Jäger in olympischer Loipe unterwegs gewesen, um den jungen Mädchen des Deutschen Skiverbandes zu zeigen, daß es sich lohnt, sich zu plagen und auf berufliche Chancen zu verzichten. Das Unternehmen ging gründlich schief: Platz 33 über 10 km, Rang 19 im 20-km-Rennen. „Ich hab' gedacht, ich lauf' lokker, aber die anderen haben alle gesagt, ich sei verkrampft gewesen", meinte Karin Jäger kopfschüttelnd. Ihr Trainer Albert Hitz warf ihr vor, bei der Vorbereitung „entscheidende Fehler" gemacht zu haben. Statt sich zu regenerieren, habe sie unsinnig hart" trainiert, in 1800 m Höhe bei Pontresina. „Wenn sie alleine ist, läuft sie sich tot." Der Trainer könne sie schließlich nicht immer am Zügel rumführen. „Man muß ihr ganz klar sagen: Da geht's lang und nirgendwo anders."

Leicht wird das nicht, denn Karin Jäger hat in Sarajevo die Kompetenz ihres Trainers bestritten: „Der ist doch das erste Jahr dabei, und ich hab' die Erfahrung von elf Jahren." Sie soll sich künftig unterordnen, eine Mannschaft Jüngerer akzeptieren, die mit ihr schon im kommenden Winter in Seefeld bei der WM in der Staffel laufen sollen. „'Ne schwere Umstellung" sei das, räumt die Jäger ein. „Ich bin 'ne Einzelgängerin. Aber wenn es um den deutschen Damenlanglauf geht, kann ich ja nicht egozentrisch sein."

15-km-Langlauf, Herren

		Min.
1. Gunde Anders Svan	SWE	41:25,6
2. Aki Karvonen	FIN	41:39,9
3. Harri Kirvesniemi	FIN	41:45,6
4. Juha Mieto	FIN	42:05,8
5. Wladimir Nikitin	URS	42:31,6
6. Nikolai Zimiatow	URS	42:34,5
7. Uwe Bellmann	GDR	42:35,8
8. Tor Haakon Holte	NOR	42:37,4
31. Stefan Dotzler	GER	44:02,6
33. Franz Schöbel	GER	44:11,1
37. Josef Schneider	GER	44:59,7

AUT: 25. Alois Stadlober, 52. Andreas Gumpold
SUI: 11. Andreas Grünenfelder, 12. Giachem Guidon, 28. Konrad Hallenbarter, 32. Markus Fähndrich

30-km-Langlauf, Herren

		Std.
1. Nikolai Simjatov	URS	1:28:56,3
2. Alexander Savjalov	URS	1:29:23,3
3. Gunde Anders Svan	SWE	1:29:35,7
4. Wladimir Sachnow	URS	1:30:30,4
5. Aki Karvonen	FIN	1:30:59,7
6. Lars-Erik Eriksen	NOR	1:31:24,8
7. Harri Kirvesniemi	FIN	1:31:37,4
8. Juha Mieto	FIN	1:31:48,3
15. Jochen Behle	GER	1:32:58,7
32. Peter Zipfel	GER	1:36:26,6
36. Stefan Dotzler	GER	1:37:39,9

AUT: 31. Franz Gattermann, 35. Peter Juric
SUI: 19. A. Grünenfelder, 20. G. Guidon, 28. K. Hallenbarter, 46. Daniel Sandoz

50-km-Langlauf, Herren

		Std.
1. Thomas Wassberg	SWE	2:15:55,8
2. Gunde Anders Svan	SWE	2:16:00,7
3. Aki Karvonen	FIN	2:16:56,8
4. Harri Kirvesniemi	FIN	2:18:26,1
5. Jan Petter Lindvall	NOR	2:19:27,1
6. Andreas Grünenfelder	SUI	2:19:46,2
7. Alexander Savjalov	URS	2:20:27,6
8. Wladimir Sachnow	URS	2:20:53,7
35. Josef Schneider	GER	2:29:31,7
37. Franz Schöbel	GER	2:30:30,2
38. Peter Zipfel	GER	2:30:57,7

AUT: 24. Alois Stadlober, 29. Franz Gattermann
SUI: 9. Konrad Hallenbarter, 19. Giachem Guidon, 25. Markus Fähndrich

4×10-km-Staffel, Herren

	Std.
1. SWE (Wassberg/Kohlberg/Ottosson/Svan)	1:55:06,3
2. URS (Batjuk/Savjalov/Nikitin/Zimjatov)	1:55:16,2
3. FIN (Ristanen/Mieto/Kirvesniemi/Karvonen)	1:56:31,4
4. NOR	1:57:27,6
5. SUI	1:58:06,0
6. GER (Behle/Dotzler/Schöbel/Zipfel)	1:59:30,2
7. ITA	1:59:30,3
8. USA	1:59:52,3

AUT: 11. Platz (Gumpold, Gattermann, Juric, Stadlober)

Biathlon, 10 km

		Min.
1. Eirik Kvalfoss	NOR	30:53,8
2. Peter Angerer	GER	31:02,4
3. Matthias Jacob	GDR	31:10,5
4. Kjell Soebak	NOR	31:19,7
5. Algimantas Shalna	URS	31:20,8
6. Yvon Mougel	FRA	31:32,9
7. Frank-Peter Rötsch	GDR	31:49,8
8. Fritz Fischer	GER	32:04,7
16. Walter Pichler	GER	32:30,2

AUT: 22. Alfred Eder, 35. Rudolf Horn, 39. Walter Hörl
SUI: 32. Beat Meier

Biathlon, 20 km

		Std.
1. Peter Angerer	GER	1:11:52,7
2. Frank-Peter Rötsch	GDR	1:13:21,4
3. Eirik Kvalfoss	NOR	1:14:02,4
4. Yvon Mougel	FRA	1:14:53,1
5. Frank Ullrich	GDR	1:14:53,7
6. Ralf Storsveen	NOR	1:15:23,9
7. Fritz Fischer	GER	1:15:49,7
8. Leif Andersson	SWE	1:16:19,3
22. Ernst Reiter	GER	1:20:37,4

AUT: 30. Hans Schuler, 34. Alfred Eder, 36. Rudolf Horn
SUI: 31. Beat Meier

Biathlon, 4×7,5-km-Staffel

	Std.
1. URS (Wassiljew/Katschkarow/Shalna/Bulygin)	1:38:51,70
2. NOR (Lirhus/Kvalfoss/Storsveen/Soebak)	1:39:03,90
3. GER (Reiter/Pichler/Angerer/Fischer)	1:39:05,10
4. GDR	1:40:04,70
5. ITA	1:42:34,80
6. TCH	1:42:40,50
7. FIN	1:43:16,00
8. AUT	1:43:28,10

Marja-Liisa Hämäläinen

Nordische Kombination

		Pkt.
1. Tom Sandberg	NOR	422,595
2. Jouko Karjalainen	FIN	416,900
3. Jukka Ylipulli	FIN	410,825
4. Rauno Miettinen	FIN	402,970
5. Thomas Müller	GER	401,995
6. Alexander Proswirnin	URS	400,185
7. Uwe Dotzauer	GDR	397,780
8. Hermann Weinbuch	GER	397,390
18. Dirk Kramer	GER	380,245
24. Hubert Schwarz	GER	355,100

AUT: 9. Klaus Sulzenbacher
SUI: 26. Walter Hurschler

5-km-Langlauf, Damen

		Min.
1. Marja-Liisa Hämäläinen	FIN	17:04,0
2. Berit Aunli	NOR	17:14,1
3. Kvetoslava Jeriova	TCH	17:18,3
4. Lillemor Marie Risby	SWE	17:26,3
5. Inger Helene Nybraaten	NOR	17:28,2
6. Britt Pettersen	NOR	17:33,6
7. Anne Jahren	NOR	17:38,3
8. Ute Noack	GDR	17:46,0

SUI: 9. Evi Kratzer, 26. Karin Thomas, 35. Christine Brügger, 42. Monika Germann

10-km-Langlauf, Damen

		Min.
1. Marja-Liisa-Hämäläinen	FIN	31:44,2
2. Raisa Smetanina	URS	32:02,9
3. Britt Pettersen	NOR	32:12,7
4. Berit Aunli	NOR	32:17,7
5. Anne Jahren	NOR	32:26,2
6. Lillemor Marie Risby	SWE	32:34,6
7. Marit Myrmäl	NOR	32:35,3
8. Julia Stepanowa	URS	32:45,7
33. Karin Jäger	GER	35:05,2

SUI: 11. Evi Kratzer, 20. Christine Brügger, 23. Karin Thomas, 38. Monika Germann

20-km-Langlauf, Damen

		Std.
1. Marja-Liisa Hämäläinen	FIN	1:01:45,0
2. Raisa Smetanina	URS	1:02:26,7
3. Anne Jahren	NOR	1:03:13,6
4. Blanka Paulu	TCH	1:03:16,9
5. Lillemor Marie Risby	SWE	1:03:31,9
6. Britt Pettersen	NOR	1:03:49,0
7. Ljubow Liadova	URS	1:03:53,3
8. Evi Kratzer	SUI	1:03:56,4
19. Karin Jäger	GER	1:06:20,2

SUI: 22. Karin Thomas, 34. Monika Germann

4×5-km-Staffel, Damen

	Std.
1. NOR (Nybraaten/Jahren/Pettersen/Aunli)	1:06:49,70
2. TCH (Schvubova/Paulu/Svobodova/Jeriova)	1:07:34,70
3. FIN (Hämäläinen/Matikainen/Hyytiainen/Maatta)	1:07:36,70
4. URS	1:07:55,00
5. SWE	1:09:30,00
6. SUI	1:09:40,30
7. USA	1:10:48,40
8. GDR	1:11:10,70

Jens Weißflog, der Überflieger! Drei von vier Wettbewerben gewonnen bei der Vierschanzentournee und deren überlegener Gesamtsieger, beim Weltcup in Liberec und Harrachov vorne, Olympiasieger von der Normalschanze in Malo Polje. Und neben den hat sich Matti Nykänen gesetzt, lässig das Mikrofon gegriffen und den staunenden Zuhörern versichert, dieser Weißflog sei doch auch nur „ein Mensch wie wir alle“. Man hätte ja gesehen: „Auch ihn kann man schlagen.“ Ganz schön frech für einen, der den halben Winter lang hinter dem sächsischen Winzling hergesprungen ist, ohne ihn zu erwischen, bis zum vorletzten Tag der Spiele in Sarajevo. Da ist der milchgesichtige Finne Nykänen dreimal allen davongesegelt von der Großschanze, auch Weißflog: 112,5 m probehalber, 116 m dann, die Weißflog in die anabolikaverdächtig überdimensionierten Oberschenkel gefahren sein müssen, denn der brachte als Antwort nur 107 m zuwege, schließlich 111 m, ein triumphaler Sieg mit 231,2 Punkten gegen 213,7. Gold für Matti Nykänen, Silber an Jens Weißflog.
Erst mit dieser Goldmedaille um den Hals hat Nykänen seine großen Sprüche riskiert und dabei mit der Linken immer wieder nach der Plakette gegriffen, als müsse er das Edelmetall spüren, um zu glauben, daß alles auch wahr sei und kein Traum. Sanft gelächelt hat Nykänen sogar, als ihm wenig Schmeichelhaftes des Verlierers Weißflog übersetzt wurde. „Gute Luftbedingungen“ habe der andere gehabt. „Wer Luft von vorn bekam, den hat es gehoben. Wer den Wind von hinten hatte, kam eher runter.“ Gelächter ringsum. Aber Weißflog lobte Nykänen auch: „Matti war der Bessere heute. Was mir an ihm so imponiert, ist seine Nervenstärke. Er hat gewußt, er kann gut springen, und hat das auch umgesetzt.“
Die siegreichen Zwei: Nykänen vor Weißflog auf der Großschanze, Weißflog vor Nykänen von der Normalschanze, Nykänen vor Weißflog im Weltcup. Der Rest der weltbesten Springer trudelte hinterher. Die Bronzemedaillen gewannen Pavel Ploc (ČSSR) und Jari Puikkonen (Finnland), chancenlos beide. Weshalb? Sind die beiden Ausnahme-Springer bloß talentierter, fleißiger im Training, mutiger beim Sturzflug in die Tiefe? Es gibt Anzeichen dafür, daß mehr dahintersteckt. Zwei Leichtgewichte sind das: Nykänen 1,75 m, 54 kg, Weißflog 1,68 m, 52 kg. Was das bedeutet, hat Ewald Roscher erläutert, der bundesdeutsche Trainer: „Sie haben eine größere relative Sprungkraft. Und ich vermute, bei ihnen wirken die Ski, die gleich

SKISPRINGEN

Weißflog und Nykänen teilen die Beute

Auf beiden Schanzen spielte der Wind eine gewichtige Rolle. Oft genug signalisierte die rote Fahne: Gesperrt, bitte warten! Laut Expertenmeinung waren die Sprunghügel zwar eine Augenweide, aber auch die Bühnen für ein äußerst windiges Lotteriespiel.

lang und gleich breit sind wie die ihrer Konkurrenten, weit mehr als tragendes Element. Der Leichtere kann mit Hilfe der Ski besser segeln.“ So sei die Einheit Tragfläche/Körper effektiver als bei größeren Springern. Zustimmung erfährt Roscher durch den Österreicher Armin Kogler, Weltmeister 1982, ein athletischer Typ (1,75 m, 73 kg). Das flache Profil der modernen Schanzen begünstige die leichtgewichtigen Konkurrenten, und dieser Vorteil sei durch höhere Anlaufgeschwindigkeit und Sprungkraft nicht auszugleichen.
Klar, daß die beiden Luftikusse nichts davon halten. „Daß der Vorteil, ein Leichtgewicht zu sein, gar kein Vorteil ist“, versichert Jens Weißflog, und rät den Mitbewerbern: „Wer schlecht springt, soll den Grund in der eigenen Leistung suchen und nicht bei Größe und Gewicht.“ Matti Nykänen bietet eine eigene Theorie an, die ganz plausibel klingt: „Wenn die Springer schwer sind, haben sie eine größere Geschwindigkeit beim Absprung. Wenn sie leichter sind, fliegen sie weiter.“
Dabei kann einer noch ein bißchen nachhelfen durch Manipulationen am Rande der Legalität. Zwar sind die sogenannten Ballonanzüge längst verboten, in die durch den porösen Brustlatz während des Flugs Luft gepreßt wurde, welche das Rückenteil blähte. Die Overalls müssen durchgehend aus demselben Material gefertigt sein. Heinz Krecek, Material-Beauftragter der FIS, prüft die Luftdurchlässigkeit, aber um die Paßform, die laut Reglement körpergerecht sein soll, kümmert sich keiner. Deshalb schlottern vor allem den überschlanken Springern die Anzüge am Leib. Am runden Halsausschnitt dringt immer Luft ein bei über 100 km/h während des Fluges. Und wenn der Reißverschluß unerlaubterweise ein bißchen nach unten gezogen wird, entsteht dort eine Luftschleuse, deren Wirkung am Fernsehschirm in Zeitlupe gut erkennbar ist: Ein Höcker, als käme der Glöckner von Notre Dame heruntergeschwebt.
Bundestrainer Ewald Roscher hat übrigens auch so eine Bohnenstange in seiner Mannschaft, den Thomas Ihle (1,88 m, 63 kg) vom Skiklub Oberstdorf. Leider ist der in der Qualifikation gescheitert, auch an Thomas Klauser aus Reit im Winkl, der recht froh gewesen ist, auf der großen Schanze nicht mehr springen zu müssen. Eigentlich, hat Roscher eingeräumt, hätte er den Klauser ja zu Hause lassen müssen wegen Formschwäche, aber warum? Schließlich sei der qualifiziert gewesen. Ob daraus jemals Lehren ge-

Jens Weißflog (rechts im Großformat) und Matti Nykänen (von seinen Betreuern auf Händen getragen). Andreas Bauer (ganz oben) fehlte das Glück des Tüchtigen.

zogen werden im Deutschen Skiverband? Immerhin hat Andreas Bauer aus Oberstdorf gleich zweimal die Hand nach einer Medaille ausgestreckt. Bei Halbzeit der Konkurrenz von der Normalschanze leuchtete sein Name dank eines 87-m-Satzes auf Platz drei von der Anzeigetafel. Bauer hatte die Gunst des Augenblicks genützt, bei nachlassendem Schneefall und Aufwind. „Das war irregulär", mäkelte Toni Innauer, der in Pension gegangene Olympiasieger von 1980. Auch Weißflog und Nykänen, die sich im zweiten Versuch mit der Verteidigung ihrer führenden Positionen begnügten, bekamen wenig Schmeichelhaftes von Innauer zu hören: „Die haben ein bißchen in die Hosen gemacht." Aus der warmen Fernsehkabine ist halt leichter zu urteilen als von oben, wo der launische Wind pfeift, mit einer eisigen Anlaufspur vor sich, und dann abspringen zu müssen vom spiegelglatten Schanzentisch. Der ist dem jugoslawischen Heros Primož Ulaga zum Verhängnis geworden. Gnadenlos ausgepfiffen haben ihn seine Landsleute, angesichts von lächerlichen 59 m, und sie sind enttäuscht vorzeitig abgezogen.

Für Bauer ist am Ende bloß Platz elf übriggeblieben, nach nur 83 m im zweiten Durchgang. Eine Woche später ist Bauer auf der Großschanze vom vierten (105 m) auf den siebten Rang (100,5 m) abgerutscht. Gut, es gibt schon zu denken, wenn einer zweimal die große Chance verpaßt. Aber hat man andererseits von dem 20jährigen Bauer mehr verlangen können? Wohl kaum, und er von sich selbst auch nicht.

Viel Nerven habe diese Springerei in Malo Polje gekostet, versicherte Roscher. Die Windböen machten den Wettbewerb zum Lotteriespiel und gefährlich dazu. Aber zum Glück gewannen die „Richtigen".

Spezialspringen, 70-m-Schanze

		Punkte (m)
1. Jens Weißflog	GDR	215,2 (90+87)
2. Matti Nykänen	FIN	214,0 (91+84)
3. Jari Puikkonen	FIN	212,8 (81,5+91,5)
4. Stefan Stannarius	GDR	211,1 (84+89,5)
5. Rolf-Aage Berg	NOR	208,5 (86+86,5)
6. Andreas Felder	AUT	205,6 (84+87)
7. Pjotr Fijas	POL	204,5 (87+88)
8. Vegard Opaas	NOR	203,8 (86+87)
11. Andreas Bauer	GER	202,0 (87+83)
22. Georg Waldvogel	GER	184,1 (83+80)
44. Peter Rohwein	GER	161,2 (83+69)
47. Thomas Klauser	GER	159,3 (77+73,5)

AUT: 24. Hans Wallner, 36. Ernst Vettori, 52. Armin Kogler
SUI: 32. Hansjörg Sumi, 48. Chr. Hauswirth, 53. Fabrice Piazzini

Spezialspringen, 90-m-Schanze

		Punkte (m)
1. Matti Nykänen	FIN	231,2 (116+111)
2. Jens Weißflog	GDR	213,7 (107+107,5)
3. Pavel Ploc	TCH	202,9 (103,5+109)
4. Jeff Hastings	USA	201,2 (102,5+107)
5. Jari Puikkonen	FIN	196,6 (103,5+102)
6. Armin Kogler	AUT	195,6 (106+99,5)
7. Andreas Bauer	GER	194,6 (105+100,5)
8. Vladimir Podzimek	TCH	194,5 (98,5+108)
35. Peter Rohwein	GER	158,4 (92,5+95)
38. Georg Waldvogel	GER	154,5 (95+89)

AUT: 24. Hans Wallner, 28. Andreas Felder, 41. Manfred Steiner
SUI: 22. Hansjörg Sumi, 40. Fabrice Piazzini

28 von 43 Athleten preisgekrönt

Drei der fünf Schweizer Medaillengewinner stellt die Bildleiste auf der nächsten Seite vor, einen in jeder Edelmetall-Kategorie: Gold für den Riesenslalomfahrer Max Julen (oben), den Andreas Wenzel (rechts) und Jure Franko hochleben lassen; Silber für den Abfahrer Peter Müller (Mitte), ungeliebt von der Masse und schon abgeschrieben bei den Kritikern; Bronze für das Viererbob-Team Giobellina, Stettler, Salzmann und Freiermuth, das wenigstens ein bißchen kaschierte, wie stark die Entwicklung (DDR, UdSSR) den Schweizer Bobfahrern davongelaufen ist. Das Schweizer Resümee fällt im Prinzip zufrieden aus, unterstreicht die Wirksamkeit der harten Auswahlverfahren. Wenn nun noch die Skikünstlerin Erika Hess so erfolgreich durch die Tore geglitten wäre, wie sie es eigentlich kann...

„Es war für mich ein schönes Märchen", stellte der beinahe aus dem Nichts gekommene, bereits „abgeschriebene" Silbermedaillengewinner des Abfahrtslaufes, Peter Müller, erleichtert fest. – „Ich kann doch nicht einfach auf den Knopf drücken und Olympiasiegerin werden, ich bin ein Mensch und halt keine Maschine", kommentierte Erika Hess, zwei Jahre zuvor noch dreifache Skiweltmeisterin und aussichtsreichste Schweizer Medaillenanwärterin, ihre für sie selbst rätselhaften Plätze fünf und sieben im Slalom und Riesenslalom.

Zwischen diesen Extremen bewegte sich die leistungsmäßige Zahlenbilanz der Schweizer Olympiaexpedition, die die Auffassung realistischer Beobachter olympischer Wettkämpfe mit ihrem Streß, ihrer Eigengesetzlichkeit, ihren Unwägbarkeiten und ihren Überraschungen bestätigte: Wer, wie die Schweiz in Sarajevo, fünf Medaillen erringt, der muß zehn gute Medaillenchancen haben.

Doch bei allen Enttäuschungen waren die Schweizer, vor allem nach einem etwas hämischen Seitenblick auf die Bilanz des „Erzfeindes" Österreich, mit Sarajevo durchaus zufrieden: Zweimal Gold, zweimal Silber, einmal Bronze, drei vierte Ränge, vier fünfte, drei sechste und ein siebenter. Das bedeutete immerhin, daß 28 der 43 Schweizer Olympiakämpfer preisgekrönt (Medaille oder Diplom) heimreisten – eine Erfolgsquote von ziemlich genau zwei Drittel.

Das war eine bemerkenswerte Bilanz, die zwei Dinge bestätigt. Erstens einmal hat sich die Absage an den „olympischen Tourismus", die nach dem Debakel von 1964 in Innsbruck – keine einzige Medaille – beschlossen und mehr oder weniger konsequent durchgezogen wurde, erneut als richtig erwiesen. Und zweitens beweisen die Resultate, daß sich das von Olympiade zu Olympiade verfeinerte Selektionsverfahren mit klaren, mit den einzelnen Verbänden lange vorher abgesprochenen Selektionsgrundsätzen (Mindestanspruch: Klassierung in der ersten Hälfte der Teilnehmer) bewährt hat.

Experten des Nationalen Komitees für Elite-Sport, dem Bundesausschuß für Leistungssport (BAL) in Deutschland entsprechend, treffen als eigentliche „Selektionäre" die Auswahl der Mannschaft, die das Olympische Komitee dann formell noch zu wählen hat.

Das Schweizer NOK ist in einem einzigen Fall, dem des Kombinierers Walter Hurschler, den Vorschlägen der Auswahlbehörde nicht gefolgt. Aus Gründen der Tradition und Sentimentalität – frühere stolze Erfolge schweizerischer Nordischkombinierer spielten da eine Rolle – hat es in diesem Fall den von den Fachleuten Nichtselektionierten dennoch ins Aufgebot genommen. Resultat: Hurschler belegte den zweitletzten Platz, und die Olympier wurden deshalb auch nach dem Wettkampf Zielscheibe bissiger Kritiken.

Mit den vier alpinen Medaillen – je zwei bei den Frauen und Männern – erfüllten sich die Erwartungen in den für die Schweizer Öffentlichkeit mit Abstand populärsten Disziplinen. Michela Figini, im April 1984 erst 18 Jahre alt geworden, war in der Abfahrt die jüngste Olympiasiegerin der Skigeschichte, noch 19 Tage jünger als vor zwölf Jahren in Sapporo Marie-Theres Nadig beim Gewinn ihrer ersten Goldmedaille.

In der Herren-Abfahrt, der Königsdisziplin für die eigentlichen Alpenländer, gab's insofern eine Überraschung, als ausgerechnet der Zürcher Unterländer Peter Müller die einzige Medaille gewann. Müller hatte sich nach einer mißratenen Saison, nach dem 60. Platz in Gröden und gar nur dem 71. am Lauberhorn, erst in letzter Stunde und nach brutalen, harten Ausscheidungsrennen in Sarajevo selbst für das Viererteam qualifizieren können. Ein Jahr zuvor war er auf dieser Strecke bei einem Sprung grauenhaft gestürzt und verletzt ins Spital gebracht worden. Im Januar vorübergehend auch krank, überdies durch Materialprobleme verunsichert, hatte der von den Massen ungeliebte und von vielen Kritikern bereits verlorengegebene Champion am Renntag selbst alles weggesteckt, „um es denen allen zu zeigen", wie sich Müller trotzig ausdrückte.

Sein Erfolg ließ vergessen, daß Pirmin Zurbriggen, in dem viele ein Allroundtalent à la Killy sehen, im Riesenslalom durch Sturz ausschied und in der Abfahrt „nur" Vierter wurde. Die ständigen Verschiebungen der Abfahrt, die schließlich nach dem Riesenslalom stattfand, der selbst gewählte Zwang, zwei Hasen zu jagen, die Hektik und der Streß, die sich daraus ergaben, und die Unmöglichkeit auch, den Riesenslalom in aller Ruhe vorbereiten zu können, wie es nach dem ursprünglichen Programm möglich gewesen wäre, haben dem Walliser einen bösen Strich durch die Rechnung gemacht, ihm aber doch viele für die Zukunft wertvolle Erfahrungen gebracht.

Doch daß dann ausgerechnet sein bester Freund, Max Julen aus dem Nachbartal Zermatt, Gold im Riesenslalom gewann, milderte Zurbriggens herbe Enttäuschung. Max Julen – betreut von seinem Bruder Franz, einem Servicemann mit Abitur, bestandener Hotelfachschule und Leiter eines eigenen Hotels im Matterhorndorf – ein wortkarger, verschlossener, fast scheuer Gebirgler, hatte, unbekümmert, Nerven wie Hanfseile und fand die richtige Mischung von Risiko und Wagnis, von Angriffsfreudigkeit und Vorsicht.

Mit dem fünften Platz in der Staffel, dem sechsten und neunten im Ski-Marathon und außergewöhnlich geringen Zeitrückständen über 15 km etablierten sich die Langläufer nach einem verpatzten Auftakt über 30 km überraschend als bester mitteleuropäischer Verband – auch bei den Frauen, wo Evi Kratzer mit den führenden Skandinavierinnen und Russinnen durchaus mithalten konnte.

Es waren seit Sapporo, wo die Staffel Bronze gewann, die besten Leistungen im Langlauf, auch wenn man den gerechtesten Maßstab verwendet, die Zeitrückstände auf die Sieger und auf die Medaillenränge. Grünenfelder und Guidon lagen über 15 km nur 14 Sekunden hinter dem Fünften zurück.

Aschenputtel-Effekt

Weil es in der Schweiz rund eine halbe Million Hobby-Läufer gibt, weil die Medien ihre Aufmerksamkeit aber immer noch ganz einseitig den Alpinen schenken und weil auch der Skiverband und sein Pool die Nordischen im Vergleich zu den Alpinen höchstens im Verhältnis von 1:3 unterstützen, haben die Resultate der nur selten im Rampenlicht stehenden und sich in aller Stille vorbereitenden Läufer und Läuferinnen besondere Genugtuung ausgelöst.

Die drei Springer hingegen wurden vom Wind an den Schanzen von Sarajevo vollständig verweht. Piazzini und Hauswirth gingen, wie zu erwarten war, mangels Klasse, Sicherheit und Reife im olympischen Stahlbad völlig unter, und Hansjörg Sumi, der unstabile Springer, der ohne weiteres das Zeug hätte, unter die ersten Zehn zu kommen, der aber ebensogut nur Fünfzigster werden kann, mißlang auch alles. Am Boden zerstört, fassungslos, hoffnungslos, kündigte er im Auslauf der großen Schanze nach seinem letzten Sprung seinen Rücktritt an. Seinem danebenstehenden Trainer Ernst von Grünigen, 1976 Fünfter auf der kleinen Schanze in Innsbruck, wie Sumi in Gstaad wohnhaft, verschlug die Ankündigung seines besten Zugpferdes („Jetzt mache ich endgültig Schluß!“) die Sprache. Sumi hatte sich zwar diesen Entschluß eine Woche lang durch den Kopf gehen lassen, aber darüber nicht einmal mit seinem Trainer gesprochen. Doch eine Woche später hatten von Grünigens Überredungskünste Erfolg. Sumi sprang bei der Mannschafts-Weltmeisterschaft doch wieder mit!

Daß im Bobrennsport eine neue Ära angebrochen ist, zeichnete sich schon den ganzen Winter hindurch ab, vor allem in den „kleinen“ Rennen, im Zweierbob. Die Sowjetunion und die DDR, die sich auf alle olympischen Sportarten stürzen, in denen mit verhältnismäßig wenig Aufwand internationale Spitzenresultate möglich sind, haben mit neuen, schnelleren Schlitten die fast seit Jahrzehnten bestehende Vormachtstellung der klassischen Bobländer über den Haufen geworfen.

Das neue Material stellte die bisherige Hierarchie auf den Kopf. Verschiedene Verbände, darunter die Schweiz, versuchten zwar Mitte Dezember in verzweifelten Nacht-und-Nebel-Aktionen und durch hektische Tag- und Nachtarbeit selbst über die Weihnachtstage Kopien der „Russen-Zigarre“, des neuen „Wunderbobs“, anzufertigen, doch in dem knappen Monat, der bis Sarajevo noch blieb, reichte die Zeit nicht mehr aus, die neuen Schlitten auch in den Griff zu bekommen und ihre Vorteile auf der Piste auszunützen und umzusetzen. Pichler, einer der besten Schweizer Boblenker, stürzte im Training in Sarajevo mit dem neuen Bob zweimal so schwer, daß er wegen Verletzung seinen Bremser verlor und er sich, ohne jede Hoffnung, entschließen mußte, auf sein altes Gefährt umzusteigen.

Schwach beim Anstoßen

Doch es wäre falsch, die Überlegenheit der Sowjetrussen und der DDR allein auf das Material und logistische Vorteile zurückzuführen. Die verzweifelten Bemühungen, in letzter Stunde noch einen einigermaßen konkurrenzfähigen Bob zu konstruieren, das wochenlange Gerede um das Material, vertuschten die Schwächen der Schweizer Bremser. Eine Analyse der Startzeiten in den Olympiarennen zeigt deutlich, wo die Besten die Grundlage zum Erfolg legten, beim Anstoßen. DDR und Sowjetunion ließen ihre Bobs durch schnellkräftige Athleten, Sprinter und Zehnkämpfer, anschieben – die Schweizer, weniger schnell, weniger explosiv, weniger kräftig, waren auch hier, in ihrer einstigen Stärke, überflügelt worden.

Walter Lutz

BILANZ
ÖSTERREICH

Anton Steiner verhindert die totale Pleite

Österreichs Skispringer sind auch wieder ganz „normale Leute“ geworden. Einst nannte man sie stolz „Adler“, heute gleichen sie wohl eher braven Spatzen. Seit 1976 blieben sie zum erstenmal wieder ohne Medaillen. Armin Kogler, sonst reich an Erfolgen, aber olympisch zweimal im Hintergrund, kommentierte seinen sechsten Rang auf der Großschanze mit dem überraschenden Satz: „Das war fast wie eine Medaille für mich!“ Kein Wunder nach seinem katastrophalen Absturz von der Normalschanze auf Platz 52. Immerhin gab ihm jener sechste Rang Mut zum Weiterspringen, nachdem er schon mit dem Wörtchen „aufhören“ geliebäugelt hatte.

Am 3. Februar, da war die (Ski-)Welt noch heil. Da wurde Abschied gefeiert mit Pomp, Pathos, Pauken und Trompeten. Angelobung beim Bundespräsidenten in der Wiener Hofburg. Ein Hauch von Staatsempfang, ehe die vermeintlichen Söldner olympischer Triumphe in den Sonderzug Richtung Sarajevo stiegen. Oder wie die Abfahrer, denen es nie schnell genug gehen kann, in den Privatjet. Wie gesagt – da war die rotweißrote (Ski-)Welt noch heil. Da sah jeder Olympia in Rosarot. Und dachte an goldene Zeiten.

Aber dann kamen 16 Tage, die alles veränderten. 16 Tage, in denen große Hoffnungen platzten wie die sprichwörtlichen Seifenblasen. 16 Tage, in denen Euphorie umschlug in Katerstimmung, Verschiebungen nicht nur Programme auf den Kopf stellten, sondern auch sportliche Hierarchien stürzten; in denen es keinen Siegesjubel gab und kaum Erfolgsmeldungen, dafür aber jede Menge an Ärgernissen, internen wie öffentlichen, die in einem Schlagabtausch eines Skispringers (Hans Wallner) mit einem Miliz-Soldaten gipfelten, der zu einem Spießrutenlauf für die Slalomfahrer führte, die quasi von den Pfeifkonzerten einer aufgeputschten Menge durchsiebt wurden. Nein, nein – Sarajevo ist kein Boden, auf dem österreichische Erfolge gedeihen. Ein sogenannter Ski-Kaiser konnte seine Krone nicht zurückgewinnen. Franz Klammer mußte die Erwartungen seines Ski-Volkes enttäuschen.

So stand er denn auch da, am Tag, als er Skigeschichte schreiben, als erster Abfahrer zum zweiten Mal hatte Gold gewinnen wollen, ausgezogen bis auf die Unterhosen. Voller galligem Galgenhumor, mit dem er die bitterste, womöglich letzte, große Niederlage seiner zwölfjährigen Karriere als Skiheros zu überspielen versuchte. Ein Kaiser im Exil, der einem Nobody, einem „Nasenbohrer“, wie er ihn in aller Offenheit genannt hatte, den Platz an der Sonne (die tatsächlich strahlte) auf dem Bjelasnica, dem Weißen Berg, der mit den Abfahrern tagelang sein Unwesen getrieben hatte, überlassen mußte. Der Held von Kitzbühel war besiegt. Der Streif-Versager stand auf dem Gipfel. Eine ganz verkehrte Ski- und Abfahrtswelt? Johnson widerlegte dies später.

Es seien einem eben Grenzen gesetzt. Mit einem Schuß Resignation sagte es Franz Klammer. Als Mensch, der eben auf Gedeih und Verderb dem Material ausgeliefert wäre. Eine Anspielung, nicht nur Opfer einer Strecke geworden zu sein, die er im Innersten, tief in seinem Abfahrerherzen, ebenso

ablehnte, ja haßte, wie etwa Erwin Resch, sein Markenkollege. Auch Opfer von Skiern, die nicht so gelaufen sind, wie er es sich vorgestellt hatte?
Doch halt! Rettete nicht jener Abfahrer die Skiehre, der dieselbe Marke fuhr wie die Götter, die eine Götterdämmerung erlebten? Ja, Anton Steiner, jahrelang ein Stiefkind des Skifahrerglücks, Prügelknabe des Schicksals, das ihm immer wieder übel mitgespielt hatte mit Stürzen wie Anno 1976 am Patscherkofel, mit Verletzungen in Gröden und in Kitzbühel, erlebte in Sarajevo beim Untergang der Helden den Aufstieg zu Ruhm und Ehre. Er gewann jene Abfahrtsmedaille, an der der Geheimtip, Helmut Höflehner aus Gumpenberg bei Haus im Ennstal, nach starken Trainingsleistungen im Rennen vorbeigefahren war. Er gewann sie als letzte Hoffnung, als einziger Aufrechter, der die rotweißrote Fahne hochhielt. Bronze nur, aber fast Goldes wert, verhinderte es doch das totale Debakel, wischte es weg die große Angst vor dem Nichts, das schon wie eine schreckliche Vision aufgetaucht war.
Ein halber Invalide, dessen Knie zusammengeflickt sind, und der die Schulter nicht einmal triumphierend in die Höhe recken kann, weil sie lädiert ist, brachte die gesunde Einstellung zu Berg, Strecke und Rennen mit. Einer, der aus der Verletzung kam wie 1980 Leonhard Stock, der Olympiasieger von Lake Placid. Viel hätte nicht gefehlt und „Jimmy“, wie sie ihn nennen, wäre in die Stock-Spur geglitten. Schnellster war er noch bei der Zwischenzeit, schneller als Johnson, Müller etc., ein Eckhaus fast, aber bei den Riesensprüngen, da sprang ihm das Gold wieder davon. Enttäuschung spürte man keine, sah man keine, nur Zufriedenheit, Glück und Jubel. Der oft Gedemütigte hatte andere gedemütigt. Ein stiller Triumph, den er auch leise auskostete. Nicht mit Wein, Weib und Gesang – mit einer Torte, die er der Sekretärin des ÖOC kredenzte, als man ihn in Abwesenheit beim Tiroler Abend im Österreich-Haus hochleben ließ. Er blieb sich selbst treu, als er die Grenzen sprengte, die Klammer & Co. fesselten.
Der 25jährige Osttiroler aus Prägarten, der längst in Waidhofen/Ibbs, in Niederösterreich, daheim ist, erwischte jenes Zipfelchen an olympischem Glück, das allen anderen in allen anderen Wettbewerben entwischte. Etwa Franz Gruber, dem sensiblen Skibauer aus Molln. In allen Weltcup-Slaloms des Winters war er ins Ziel gekommen. Im olympischen Torlauf durch lockere Kippstangen, über eine brechende Piste, vorbei an einer zischenden, feindseligen, entfesselten Menge, warf er die Nerven weg. Jener Franz Gruber, der schon im Riesenslalom die Hand nach einer Medaille ausgestreckt hatte – und Blech bekam: Vierter!
Ein Fluch, der in Sarajevo die rotweißrote Mannschaft verfolgte. Bei den alpinen Herren. Bei den alpinen Damen. Alles hatte sich für sie durch die Verschiebungen verschoben. Statt der Abfahrt, in der sie auftrumpfen wollten, begann das Unheil seinen Lauf zu nehmen mit dem Riesenslalom, der die Blößen offenbarte. Eine (Kirchler) stürzte, eine (Kronbichler) verlor einen Skistockteller – der Rest war Schweigen. Hervorragende Startnummern hätten sie gehabt, wäre die erste Abfahrt nicht abgebrochen worden. Was wäre gewesen, wenn? Eine Frage, die auch nach dem Rennen alle beschäftigte. Dem Rennen, das zum Zahlenspiel hinterher führte. Achte (Sölkner), Neunte (Kirchler),

Hätten sie den „Jimmy“ Steiner nicht gehabt, Österreichs olympische Wintersportfans hätten wohl die Staatstrauer ausgerufen. In den Rennen vor Olympia hatte sich Anton Steiner schon als glänzender Abfahrer erwiesen, in Sarajevo drängte er Weltmeister Weirather aus dem rotweißroten Team, im olympischen Rennen waren Höflehner, Klammer und Resch schon chancenlos im Medaillenkampf, da kam Steiner mit der Startnummer 13 und fuhr ganz dicht zu Bill Johnson und Peter Müller auf. So waren Österreichs Abfahrer stolz und die gesamte olympische Ehre wenigstens in etwa gerettet. Eine Wintersportnation bedankte sich bei Anton Steiner für die einzige olympische Medaille.

Zehnte (Wallinger) waren sie am Schluß. Im Niemandsland des Erfolges, der auf den Gleitstrecken entglitten und in den Kurven nicht mehr aufzuholen war. Sie weinten Medaillen nach. Und dem Trainer, Kurt Hoch. Die Nebelschlacht am Jahorina sollte den Schleier des Pechs lüften, und es sah auch anfangs so aus, als Anni Kronbichler als Dritte, Rosi Steiner als Siebente des ersten Laufs auftauchten. Flucht nach vorne, so lautete die Devise vor der Entscheidung. Erst recht auf „heimischem" Kurs, gesteckt vom Trainer Franz Wolf. Just dort aber „eckte" Kronbichler so an, daß sie „mindestens eine Sekunde" verlor. Die Differenz zwischen zweitem und achtem Platz. Und Steiner, die mit dem Buch „Macht des Unterbewußtseins" das Siegen gelernt hatte, bekam unbewußt Angst vor der Courage, alles zu wagen: Vierte. Zum ersten Mal blieben Österreichs Mädchen medaillenlos bei Olympia. Ein riesiger olympischer Mißerfolg.

Je mehr sie trainierten, je größer die Umfänge, um so weniger erreichten sie. Nicht nur die Alpinen, bei denen just ein Verletzter die einzige Medaille eroberte. Auch bei den Springern, die auf Matte und im Eiskanal sich und ihre Form zu Tode trainiert hatten. Die Quantität konnte Qualität nicht ersetzen. Die „Adler" blieben in Sarajevo so flügellahm wie im ganzen Winter. Das Preiml-Erbe, in Oslo bei der WM 1982 noch bestens verwaltet, wurde aufgebraucht. Sie tappten im Dunkel einer rätselhaften Krise, die sich am augenscheinlichsten in Weltmeister Armin Kogler manifestierte. Erster in Oslo – 52. auf der Normalschanze von Malo Polje. Da dachte er noch ans Aufhören, ehe ihm der Sprung aus der Krise glückte. Ebenso rätselhaft wie die vorhergegangenen Abstürze. „Der 6. Platz ist wie eine Medaille für mich", strahlte er. Da hatten selbst Weißflog und Nykänen den Schrecken verloren, den sie verbreitet hatten. Kogler Sechster, Felder auf der Normalschanze Sechster. Trostpreise für eine Mannschaft, die ein Jahrzehnt dominiert hatte. Jetzt ist sie dort, wo sie 1973 war. Der nordische Stolz von einst existiert nicht mehr. Vergangenheit ohne Zukunft? Sind Trainerwechsel des Rätsels Lösung? Im Langlauf und beim Biathlon waren und sind sie es nicht. Der übliche Olympia-Refrain wurde wieder gesungen: Spur zu weich, Wetter zu schlecht, Wind zu stark, Waffen zu alt, Ski verwachst. Und immer, immer wieder trifft es sie, die Österreicher.

Wie gesagt, ein olympischer Fluch, der Österreich begleitete. Vom Anfang an, als Greg Holst als früherer NHL-Eishockey-Profi ausgesperrt und das Eishockeyteam geschwächt wurde. Hätte, könnte, würde – der Konjunktiv wurde auch bei der Truppe von Rudi Killias, dem Schweizer Trainer, bemüht. Mit Holst hätte vielleicht Finnland geschlagen, die Sensation erreicht werden, hätten die Amerikaner, schon mit dem Rükken zur Wand, besiegt werden können. Dolchstoßlegenden statt wahrer Geschichten. Immerhin, mit dem 6:5 gegen Norwegen erfüllte das Eishockey-Team das Plansoll. Mit Zittern, denn beinahe wäre der Vorsprung verjuxt worden. Oft und oft fehlte nur ein Minimum, um das Gesetz der Negativ-Serie zu brechen, um nicht Geschlagener, sondern strahlender Gewinner zu sein. Wie beim Rodeln, als Georg Fluckinger, der Zimmerer aus Kufstein, schon an Bronze „bastelte". Wie 1980 in Lake Placid (damals mit Schrott, diesmal mit Wilhelmer als Doppelsitzerpartner). Einmal „wandelte" er. Nur einmal. Aber einmal zu oft. Fünfzehn Tausendstel „verwandelten" ihn zum Vierten. Die Österreicher – Olympiasieger der vierten Plätze.

Nur die, denen die weniger sachkundigen „Experten" wenig Chancen gegeben hatten, leisteten am meisten in Sarajevo. 1980 war keiner dabei, 1984 streiften sie Medaillen. Senkrechtstarter ohne breite finanzielle Startrampe. Das sind sie, die Eisschnelläufer. Mauerblümchen daheim, gefürchtet im Ausland. Werner Jäger, Gendarm aus Tirol, zielte über 5000 m auf eine Sensation. Nur gut eine Sekunde verfehlte er Bronze. Sie hätte alle Skiläufer verspottet. Ein Einzelgänger, der sich selbst nach Plänen des früheren Olympiasiegers Peter Müller (USA) trainiert. Im Gegensatz zu Michael Hadschieff, ebenfalls Innsbrucker, aber betreut vom Bundestrainer, dem Bayern Günther Schumacher, der nicht nur ein Trainerdiplom aus Köln mitbrachte, sondern auch einen Sponsor, eine deutsche Computer-Firma. So konnte er die Läufer mit Training füttern. Und sie spuckten in Sarajevo Spitzenleistungen aus. Hadschieff, der fünfmal gestartet war, setzte den krönenden Schlußpunkt. Fünfter über 10000 m. Weltklasse!

Er und seine Kollegen blieben immun gegen Selbstmitleid, eine Infektion, die viele in Sarajevo ansteckte. Sie ließ sich auch durch den Seitensprung der Abfahrer in die Heimat nicht verscheuchen. Anton Steiner, der in Sarajevo ausgeharrt hatte, blieb „gesund". Typisch, daß gerade er die einzige Medaille gewann. Das kleine Licht im großen Dunkel von Sarajevo.

Josef Metzger

Hoffentlich wird wahr, was die Leuchttafel bei der Schlußfeier in Sarajevo in englischer Sprache verkündete: „Es war schön in Sarajevo. Wir treffen uns wieder in Calgary." Von den großen politischen Querelen, mit denen die Sommerspiele mißbraucht wurden, blieben die Winterspiele bislang weitgehend verschont. Aber wird das auch in Zukunft so sein?

Vučko – ein gemütlicher Plüsch-Wolf aus Bosnien

Vučko war das einträgliche, devisenbringende Maskottchen der Winterspiele von Sarajevo. Wie alle „schönen oder häßlichen“ olympischen Maskottchen vor ihm, ließ auch er sich gutwillig in alle Welt verkaufen. Zur Schlußfeier stand sein kanadischer Nachfolger schon bereit.

Es war einmal ein kleiner, überhaupt nicht böser Wolf, der wurde eines Tages zum Maskottchen der Olympischen Winterspiele in Sarajevo ernannt. Dem Vučko (Wutschko), wie das Wölfchen auf serbokroatisch hieß, wurde die Aufgabe zugeteilt, als Talisman den Wettbewerben Glück zu bringen und den Organisatoren ein bißchen Geld, denn Bilder und Figuren von Vučko sollten fortan überall in der Welt verkauft werden. Der Wolf nahm den Auftrag dankend an, denn er war zweifelsohne sehr ehrenvoll, und außerdem gab er ihm Gelegenheit, etwas für das Image der bosnischen Wölfe zu tun, das noch unter der Erinnerung an jene Zeiten litt, in denen sie sich vorwiegend von bosnischen Schafen ernährten. Vučko wurde nun sehr berühmt, und im offiziellen Führer der Winterspiele erschien im drolligsten Deutsch, das es je gab, ein grundsätzlicher Artikel über „Das Symbol und die Maskötchen“, in dem es hieß: „Diese sympathische Figur hat beinahe die Einsichten gegenüber dem Wolf geändert, einem der wildesten Tiere unserer Gebiete – dieser Wolf ist manchmal ängstlich, manchmal lächelt er, sein Blick ist manchmal sehr ernst, aber nie böswillig. Eher ist er unernst als ernst und, wenn man seine Symbolik erklären sollte, dann sei es der Wunsch des Menschen, aus dem wilden Tier einen Freund, aus dem Wolf das Wölfchen zu machen.“ Vučko meinte, das sei außerordentlich gut gesagt. Sein Bild, das sich neben dem Artikel befand, fand er auch sehr gelungen: niedlich, possierlich, aber eigentlich gar nicht so kitschig wie viele andere Maskottchen. Vor Freude rief Vučko wieder und wieder „Sarajeeevooo“, so daß man es überall hören konnte.

Den Touristen gefiel das hervorragend, und für 700 Dinar pro Stück kauften sie Vučko-Figuren noch und nöcher, die sie mit nach Hause nahmen, um sie neben ihrem Sofa aufzustellen. Dabei machten sie eine merkwürdige Entdeckung, und alle fragten sie: „Wölfchen, warum hast du bloß so eine große Schnauze?“ Und: „Wölfchen, warum hast du bloß so einen riesigen buschigen Schwanz? Wieso bist du mit so einem harten Material gefüllt, statt mit weicher Watte, so daß man dich wenigstens zurechtbiegen könnte?“ Die Sache war nämlich die, daß man Vučko nicht in die Ecke stellen konnte, weil er nicht stehen wollte – er fiel sofort um. Versuchte einer ihn auf beiden Beinen zu postieren, begann der gigantische Wedel an seinem Hinterteil ihn sofort vornüber zu drücken, wo schon längst die überdimensionierte Schnauze darauf wartete, Übergewicht zu bekommen. Pardauz – Vučko lag wieder da. Zuerst ärgerten sich die Touristen sehr. Aber dann fanden sie, daß Vučko gerade so, wie er war, sehr gut zum Organisationskomitee von Sarajevo paßte.

Deshalb waren die Leute dann doch sehr zufrieden mit ihrem Kauf, und obwohl die Olympischen Winterspiele von Sarajevo schon längst der Vergangenheit angehören, steht und fällt der Plüschwolf immer noch überall über sein viel zu großes Maul. Manchmal hängt er auch bloß an der Wand, denn – auch dies schrieb unser offizieller Führer – „er ist rund um die Welt gegangen und hat in den Zimmern seiner Freunde – den Buben und Mädchen – seine Posters gelassen“.

Sogar im bundesdeutschen Fernsehen wurde Vučko zumindest während der olympischen Tage ein kurzzeitiger, aber vielgeliebter Star. Ganze Völkerscharen ahmten seinen schaurig-schönen Ruf nach.

Im Urteil der Presse

Politica (Belgrad): Wir können am Ende zufrieden sein, weil alles so hervorragend verlief.

Sport (Belgrad): Unübertreffliche Gastfreundschaft! Unsere Augen und Herzen sind voll. Wir sind froh, weil es so prächtig war.

Deutsches Sportecho (Ost-Berlin): Hätte ich die Wahl, dann stelle ich das Sarajevo dieser Tage auf ein goldenes Podest und empfehle es allen, die nach dieser fantastischen Olympiastadt an der Reihe sind, zur Nachahmung.

Gazzetta dello Sport (Italien): Zwei Goldmedaillen sind für Italien ein großer Erfolg. Fünf feurige olympische Ringe grüßen Paoletta Magoni und Paul Hildgartner. Sarajevo endete mit einem Desaster für Österreich. Die Ostdeutschen rangieren dank ihrer hervorragenden Organisation erstmals an der Spitze vor der UdSSR.

Times (London): Während die einzigen anderen Olympischen Spiele in einem kommunistischen Land – die in Moskau vor vier Jahren – peinlich genau versuchten, Besucher von Bürgern zu trennen, umarmten die Jugoslawen die Zehntausende Gäste mit einer spontanen Gastfreundschaft.

Tagesanzeiger (Zürich): Im Gegensatz zu Lake Placid waren es nicht die Spiele der Arroganz, sondern die Spiele der Hilfsbereitschaft.

Medaillen-Spiegel

	Gold	Silber	Bronze
GDR	9	9	6
URS	6	10	9
USA	4	4	0
FIN	4	3	6
SWE	4	2	2
NOR	3	2	4
SUI	2	2	1
CAN	2	1	1
GER	2	1	1
ITA	2	0	0
GBR	1	0	0
TCH	0	2	4
FRA	0	1	2
JAP	0	1	0
YUG	0	1	0
LIE	0	0	2
AUT	0	0	1

Die Medaillen von Sarajevo

Alpine Wettbewerbe Männer

Abfahrt
1. Bill Johnson USA
2. Peter Müller SUI
3. Anton Steiner AUT

Riesenslalom
1. Max Julen SUI
2. Jure Franko YUG
3. Andreas Wenzel LIE

Slalom
1. Phil Mahre USA
2. Steve Mahre USA
3. Didier Bouvet FRA

Alpine Wettbewerbe Frauen

Abfahrt
1. Michela Figini SUI
2. Maria Walliser SUI
3. Olga Charvatova TCH

Riesenslalom
1. Debbie Armstrong USA
2. Christin Cooper USA
3. Perrine Pelen FRA

Slalom
1. Paoletta Magoni ITA
2. Perrine Pelen FRA
3. Ursula Konzett LIE

Nordische Wettbewerbe Männer

15-km-Langlauf
1. Gunde Svan SWE
2. Aki Karvonen FIN
3. Harri Kirvesniemi FIN

30-km-Langlauf
1. Nikolai Simjatov URS
2. Alexander Savjalov URS
3. Gunde Svan SWE

50-km-Langlauf
1. Thomas Wassberg SWE
2. Gunde Svan SWE
3. Aki Karvonen FIN

4×10-km-Staffel
1. Wassberg, Kohlberg, Ottosson, Svan SWE
2. Batjuk, Savjalov, Nikitin, Zimjatov URS
3. Ristanen, Mieto, Kirvesniemi, Karvonen FIN

Nordische Wettbewerbe Frauen

5-km-Langlauf
1. Marja-Liisa Hämäläinen FIN
2. Berit Aunli NOR
3. Kvetoslava Jeriova TCH

10-km-Langlauf
1. Marja-Liisa Hämäläinen FIN
2. Raisa Smetanina URS
3. Britt Pettersen NOR

20-km-Langlauf
1. Marja-Liisa Hämäläinen FIN
2. Raisa Smetanina URS
3. Anne Jahren NOR

4×5-km-Staffel
1. Nybraaten, Jahren, Pettersen, Aunli NOR
2. Schvubova, Paulu, Svobodova, Jeriova TCH
3. Hämäläinen, Matikainen, Hyytiainen, Maatta FIN

Spezialsprunglauf

70-m-Schanze
1. Jens Weißflog GDR
2. Matti Nykänen FIN
3. Jari Puikkonen FIN

90-m-Schanze
1. Matti Nykänen FIN
2. Jens Weißflog GDR
3. Pavel Ploc TCH

Nordische Kombination

1. Tom Sandberg NOR
2. Jouko Karjalainen FIN
3. Jukka Ylipulli FIN

Biathlon

10 km
1. Eirik Kvalfoss NOR
2. Peter Angerer GER
3. Matthias Jacob GDR

20 km
1. Peter Angerer GER
2. Frank-Peter Rötsch GDR
3. Eirik Kvalfoss NOR

4×7,5-km-Staffel
1. Wassiljew, Katschkarow, Shalna, Bulygin URS
2. Lirhus, Kvalfoss, Storsveen, Soebak NOR
3. Reiter, Pichler, Angerer, Fischer GER

Eishockey

1. URS
2. TCH
3. SWE

Eiskunstlauf

Männer
1. Scott Hamilton USA
2. Brian Orser CAN
3. Jozef Sabovcik TCH

Frauen
1. Katarina Witt GDR
2. Rosalynn Sumners USA
3. Kira Iwanowa URS

Paarlauf
1. Elena Walowa/ Oleg Wassiliew URS
2. Caitlin und Peter Carruthers USA
3. Larissa Seleznewa/ Oleg Makarow URS

Eistanz

1. Jayne Torvill/Ch. Dean GBR
2. Natalja Bestemianowa/ A. Bukin URS
3. Marina Klimowa/ S. Ponomarenko URS

Eisschnellauf Männer

500 m
1. Sergej Fokitchew URS
2. Yoshihiro Kitazawa JAP
3. Gaetan Boucher CAN

1000 m
1. Gaetan Boucher CAN
2. Sergej Chlebnikow URS
3. Kai Arne Engelstad NOR

1500 m
1. Gaetan Boucher CAN
2. Sergej Chlebnikow URS
3. Oleg Bogijew URS

5000 m
1. Thomas Gustafson SWE
2. Igor Malkow URS
3. René Schöfisch GDR

10 000 m
1. Igor Malkow URS
2. Thomas Gustafson SWE
3. René Schöfisch GDR

Eisschnellauf Frauen

500 m
1. Christa Rothenburger GDR
2. Karin Enke GDR
3. Natalja Chive-Glebowa URS

1000 m
1. Karin Enke GDR
2. Andrea Schöne GDR
3. Natalja Petrussewa URS

1500 m
1. Karin Enke GDR
2. Andrea Schöne GDR
3. Natalja Petrussewa URS

3000 m
1. Andrea Schöne GDR
2. Karin Enke GDR
3. Gabi Schönbrunn GDR

Bob

Zweierbob
1. GDR II
   Wolfgang Hoppe/Dietmar Schauerhammer
2. GDR I
   Bernhard Lehmann/Bogdan Musiol
3. URS II
   Ziniis Ekmanis/Wladimir Alexandrow

Viererbob
1. GDR I
   Hoppe/Wetzig/ Schauerhammer/Kirchner
2. GDR II
   Lehmann/Musiol/Voge/Weise
3. SUI I
   Giobellina/Stettler/Salzmann/ Freiermuth

Rodeln

Einsitzer Männer
1. Paul Hildgartner ITA
2. Sergej Danilin URS
3. Valeri Dudin URS

Doppelsitzer Männer
1. Hans Stanggassinger/ Franz Wembacher GER
2. Belussow/Beljakow URS
3. Hoffmann/Pietzsch GDR

Einsitzer Frauen
1. Steffi Martin GDR
2. Bettina Schmidt GDR
3. Ute Weiß GDR

Die Marokkanerin Nawal El Moutawakel gewinnt im 400-m-Hürdenlauf ganz überraschend die erste Goldmedaille für das nordafrikanische Land.

Die Olympiasieger seit 1896

Sommerspiele

Leichtathletik Männer

100 Meter

1896 12,0 Sek. Burke (USA)
1900 11,0 Sek. Jarvis (USA)
1904 11,0 Sek. Hahn (USA)
1908 10,8 Sek. Walker (Südafrika)
1912 10,8 Sek. Craig (USA)
1920 10,8 Sek. Paddock (USA)
1924 10,6 Sek. Abrahams (Großbritannien)
1928 10,8 Sek. Williams (Kanada)
1932 10,3 Sek. Tolan (USA)
1936 10,3 Sek. Owens (USA)
1948 10,3 Sek. Dillard (USA)
1952 10,4 Sek. Remigino (USA)
1956 10,5 Sek. Morrow (USA)
1960 10,2 Sek. Hary (Deutschland)
1964 10,0 Sek. Hayes (USA)
1968 9,9 Sek. Hines (USA)
1972 10,14 Sek. Borsow (UdSSR)
1976 10,06 Sek. Crawford (Trinidad u. Tobago)
1980 10,25 Sek. Wells (Großbritannien)
1984 9,99 Sek. Lewis (USA)

200 Meter

1900 22,2 Sek. Tewksbury (USA)
1904 21,6 Sek. Hahn (USA)
1908 22,6 Sek. Kerr (Kanada)
1912 21,7 Sek. Craig (USA)
1920 22,0 Sek. Woodring (USA)
1924 21,6 Sek. Scholz (USA)
1928 21,8 Sek. Williams (Kanada)
1932 21,2 Sek. Tolan (USA)
1936 20,7 Sek. Owens (USA)
1948 21,1 Sek. Patton (USA)
1952 20,7 Sek. Stanfield (USA)
1956 20,6 Sek. Morrow (USA)
1960 20,5 Sek. Berruti (Italien)
1964 20,3 Sek. Carr (USA)
1968 19,8 Sek. T. Smith (USA)
1972 20,00 Sek. Borsow (UdSSR)
1976 20,23 Sek. Quarrie (Jamaika)
1980 20,19 Sek. Mennea (Italien)
1984 19,80 Sek. Lewis (USA)

400 Meter

1896 54,2 Sek. Burke (USA)
1900 49,4 Sek. Long (USA)
1904 49,2 Sek. Hillman (USA)
1908 50,0 Sek. Halswelle (Großbritannien)
1912 48,2 Sek. Reidpath (USA)
1920 49,6 Sek. Rudd (Südafrika)
1924 47,6 Sek. Liddell (Großbritannien)
1928 47,8 Sek. Barbuti (USA)
1932 46,2 Sek. Carr (USA)
1936 46,5 Sek. Williams (USA)
1948 46,2 Sek. Wint (Jamaika)
1952 45,9 Sek. Rhoden (Jamaika)
1956 46,7 Sek. Jenkins (USA)
1960 44,9 Sek. O. Davis (USA)
1964 45,1 Sek. Larrabee (USA)
1968 43,8 Sek. Evans (USA)
1972 44,66 Sek. Matthews (USA)
1976 44,26 Sek. Juantorena (Kuba)
1980 44,60 Sek. Markin (UdSSR)
1984 44,27 Sek. Babers (USA)

800 Meter

1896 2:11,0 Min. Flack (Australien)
1900 2:01,4 Min. Tysoe (Großbritannien)
1904 1:56,0 Min. Lightbody (USA)
1908 1:52,8 Min. Sheppard (USA)
1912 1:51,9 Min. Meredith (USA)
1920 1:53,4 Min. Hill (Großbritannien)
1924 1:52,4 Min. Lowe (Großbritannien)
1928 1:51,8 Min. Lowe (Großbritannien)
1932 1:48,8 Min. Hampson (Großbritannien)
1936 1:52,9 Min. Woodruff (USA)
1948 1:49,2 Min. Whitfield (USA)
1952 1:49,2 Min. Whitfield (USA)
1956 1:47,7 Min. Courtney (USA)
1960 1:46,3 Min. Snell (Neuseeland)
1964 1:45,1 Min. Snell (Neuseeland)
1968 1:44,3 Min. Doubell (Australien)
1972 1:45,9 Min. Wottle (USA)
1976 1:43,5 Min. Juantorena (Kuba)
1980 1:45,4 Min. Ovett (Großbritannien)
1984 1:43,0 Min. Cruz (Brasilien)

1500 Meter

1896 4:33,2 Min. Flack (Australien)
1900 4:06,2 Min. Bennett (Großbritannien)
1904 4:05,4 Min. Lightbody (USA)
1908 4:03,4 Min. Sheppard (USA)
1912 3:56,8 Min. Jackson (Großbritannien)
1920 4:01,8 Min. Hill (Großbritannien)
1924 3:53,6 Min. Nurmi (Finnland)
1928 3:53,2 Min. Larva (Finnland)
1932 3:51,2 Min. Beccali (Italien)
1936 3:47,8 Min. Lovelock (Neuseeland)
1948 3:49,8 Min. Eriksson (Schweden)
1952 3:45,2 Min. Barthel (Luxemburg)
1956 3:41,2 Min. Delany (Irland)
1960 3:35,6 Min. Elliott (Australien)
1964 3:38,1 Min. Snell (Neuseeland)
1968 3:34,9 Min. Keino (Kenia)
1972 3:36,3 Min. Vasala (Finnland)
1976 3:39,17 Min. Walker (Neuseeland)
1980 3:38,4 Min. Coe (Großbritannien)
1984 3:32,53 Min. Coe (Großbritannien)

5000 Meter

1912 14:36,6 Min. Kolehmainen (Finnland)
1920 14:55,6 Min. Guillemot (Frankreich)
1924 14:31,2 Min. Nurmi (Finnland)
1928 14:38,0 Min. Ritola (Finnland)
1932 14:30,0 Min. Lehtinen (Finnland)
1936 14:22,2 Min. Höckert (Finnland)
1948 14:17,6 Min. Reiff (Belgien)
1952 14:06,6 Min. Zatopek (Tschechoslowakei)
1956 13:39,6 Min. Kuz (UdSSR)
1960 13:43,4 Min. Halberg (Neuseeland)
1964 13:48,8 Min. Schul (USA)
1968 14:05,0 Min. Gammoudi (Tunesien)
1972 13:26,4 Min. Viren (Finnland)
1976 13:24,76 Min. Viren (Finnland)
1980 13:21,0 Min. Yifter (Äthiopien)
1984 13:05,59 Min. Aouita (Marokko)

10 000 Meter

1912 31:20,8 Min. Kolehmainen (Finnland)
1920 31:45,8 Min. Nurmi (Finnland)
1924 30:23,2 Min. Ritola (Finnland)
1928 30:18,8 Min. Nurmi (Finnland)
1932 30:11,4 Min. Kusocinski (Polen)
1936 30:15,4 Min. Salminen (Finnland)
1948 29:59,6 Min. Zatopek (Tschechoslowakei)
1952 29:17,0 Min. Zatopek (Tschechoslowakei)
1956 28:45,6 Min. Kuz (UdSSR)
1960 28:32,2 Min. Bolotnikow (UdSSR)
1964 28:24,4 Min. Mills (USA)
1968 29:27,4 Min. Temu (Kenia)
1972 27:38,4 Min. Viren (Finnland)
1976 27:40,38 Min. Viren (Finnland)
1980 27:42,7 Min. Yifter (Äthiopien)
1984 27:47,54 Min. Cova (Italien)

Marathonlauf

1896 2:58:50,0 Std. Louis (Griechenland)
1900 2:59:45,0 Std. Theato (Frankreich)
1904 3:28:53,0 Std. Hicks (USA)
1908 2:55:18,4 Std. Hayes (USA)
1912 2:36:54,8 Std. McArthur (Südafrika)
1920 2:32:35,8 Std. Kolehmainen (Finnland)
1924 2:41:22,6 Std. Stenroos (Finnland)
1928 2:32:57,0 Std. El Quafi (Frankreich)
1932 2:31:36,0 Std. Zabala (Argentinien)
1936 2:29:19,2 Std. Son (Japan)
1948 2:34:51,6 Std. Cabrera (Argentinien)
1952 2:23:03,2 Std. Zatopek (Tschechoslowakei)
1956 2:25:00,0 Std. Mimoun (Frankreich)
1960 2:15:16,2 Std. Bikila (Äthiopien)
1964 2:12:11,2 Std. Bikila (Äthiopien)
1968 2:20:26,4 Std. Wolde (Äthiopien)
1972 2:12:19,8 Std. Shorter (USA)
1976 2:09:55,0 Std. Cierpinski (DDR)
1980 2:11:03,0 Std. Cierpinski (DDR)
1984 2:09:22,0 Std. Lopes (Portugal)

4×100-m-Staffel

1912 42,4 Sek. Großbritannien
1920 42,2 Sek. USA
1924 41,0 Sek. USA
1928 41,0 Sek. USA
1932 40,0 Sek. USA
1936 39,8 Sek. USA
1948 40,6 Sek. USA
1952 40,1 Sek. USA
1956 39,5 Sek. USA
1960 39,5 Sek. Deutschland
1964 39,0 Sek. USA
1968 38,2 Sek. USA
1972 38,19 Sek. USA
1976 38,33 Sek. USA
1980 38,26 Sek. UdSSR
1984 37,83 Sek. USA

4×400-m-Staffel

1912 3:16,6 Min. USA
1920 3:22,2 Min. Großbritannien
1924 3:16,0 Min. USA
1928 3:14,2 Min. USA
1932 3:08,2 Min. USA
1936 3:09,0 Min. Großbritannien
1948 3:10,4 Min. USA
1952 3:03,9 Min. Jamaika
1956 3:04,7 Min. USA
1960 3:02,2 Min. USA
1964 3:00,7 Min. USA
1968 2:56,1 Min. USA
1972 2:59,8 Min. Kenia
1976 2:58,7 Min. USA
1980 3:01,1 Min. UdSSR
1984 2:57,91 Min. USA

110 m Hürden

1896 17,6 Sek. Curtis (USA – 100 m)
1900 15,4 Sek. Kraenzlein (USA)
1904 16,0 Sek. Schule (USA)
1908 15,0 Sek. Smithson (USA)
1912 15,1 Sek. Kelly (USA)
1920 14,8 Sek. Thomson (Kanada)
1924 15,0 Sek. Kinsey (USA)
1928 14,8 Sek. Atkinson (Südafrika)
1932 14,6 Sek. Saling (USA)
1936 14,2 Sek. Towns (USA)
1948 13,9 Sek. Porter (USA)
1952 13,7 Sek. Dillard (USA)
1956 13,5 Sek. Calhoun (USA)
1960 13,8 Sek. Calhoun (USA)
1964 13,6 Sek. Jones (USA)
1968 13,3 Sek. Davenport (USA)
1972 13,24 Sek. Milburn (USA)
1976 13,30 Sek. Drut (Frankreich)
1980 13,39 Sek. Munkelt (DDR)
1984 13,21 Sek. Kingdom (USA)

400 m Hürden

1900 57,6 Sek. Tewksbury (USA)
1904 53,0 Sek. Hillman (USA)
1908 55,0 Sek. Bacon (USA)
1920 54,0 Sek. Loomis (USA)
1924 52,6 Sek. Taylor (USA)
1928 53,4 Sek. Burghley (Großbritannien)
1932 51,7 Sek. Tisdall (Irland)
1936 52,4 Sek. Hardin (USA)
1948 51,1 Sek. Cochran (USA)
1952 50,8 Sek. Moore (USA)
1956 50,1 Sek. G. Davis (USA)
1960 49,3 Sek. G. Davis (USA)
1964 49,6 Sek. Cawley (USA)
1968 48,1 Sek. Hemery (Großbritannien)
1972 47,82 Sek. Akii-Bua (Uganda)
1976 47,64 Sek. Moses (USA)

1980 48,7 Sek. Beck (DDR)
1984 47,75 Sek. Moses (USA)

3000-m-Hindernislauf

1900 7:34,4 Min. Orton (USA – 2500 m)
1904 7:39,6 Min. Lightbody (USA – 2500 m)
1908 10:47,8 Min. Russel (GB – 3200 m)
1920 10:00,4 Min. Hodge (Großbritannien)
1924 9:33,6 Min. Ritola (Finnland)
1928 9:21,8 Min. Loukola (Finnland)
1932 10:33,4 Min. Iso-Hollo (Finnl. – 3460 m)
1936 9:03,8 Min. Iso-Hollo (Finnland)
1948 9:04,6 Min. Sjöstrand (Schweden)
1952 8:45,4 Min. Ashenfelter (USA)
1956 8:41,2 Min. Brasher (Großbritannien)
1960 8:34,2 Min. Krzyszkowiak (Polen)
1964 8:30,8 Min. Roelants (Belgien)
1968 8:51,0 Min. Biwott (Kenia)
1972 8:23,6 Min. Keino (Kenia)
1976 8:08,02 Min. Gärderud (Schweden)
1980 8:09,7 Min. Malinowski (Polen)
1984 8:11,8 Min. Korir (Kenia)

20 km Gehen

1956 1:31:27,4 Std. Spirin (UdSSR)
1960 1:34:07,2 Std. Golubnitschi (UdSSR)
1964 1:29:34,0 Std. Matthews (Großbritannien)
1968 1:33:58,4 Std. Golubnitschi (UdSSR)
1972 1:26:42,4 Std. Frenkel (DDR)
1976 1:24:40,6 Std. Bautista (Mexiko)
1980 1:23:35,0 Std. Damilano (Italien)
1984 1:23:13,0 Std. Canto (Mexiko)

50 km Gehen

1932 4:50:10,0 Std. Green (Großbritannien)
1936 4:30:41,4 Std. Whitlock (Großbritannien)
1948 4:41:52,0 Std. Ljunggren (Schweden)
1952 4:28:07,8 Std. Dordoni (Italien)
1956 4:30:42,8 Std. Read (Neuseeland)
1960 4:25:30,0 Std. Thompson (Großbritannien)
1964 4:11:12,4 Std. Pamich (Italien)
1968 4:20:13,6 Std. Höhne (Ostdeutschland)
1972 3:56:11,6 Std. Kannenberg (Deutschland)
1980 3:49:24,0 Std. Gauder (DDR)
1984 3:47:26,0 Std. Gonzalez (Mexiko)

Weitsprung

1896 6,35 m Clark (USA)
1900 7,185 m Kraenzlein (USA)
1904 7,34 m Prinstein (USA)
1908 7,48 m Irons (USA)
1912 7,60 m Gutterson (USA)
1920 7,15 m Petersson (Schweden)
1924 7,445 m Hubbard (USA)
1928 7,73 m Hamm (USA)
1932 7,64 m Gordon (USA)
1936 8,06 m Owens (USA)
1948 7,825 m Steele (USA)
1952 7,57 m Biffle (USA)
1956 7,83 m Bell (USA)
1960 8,12 m Boston (USA)
1964 8,07 m Davies (Großbritannien)
1968 8,90 m Beamon (USA)
1972 8,24 m Williams (USA)
1976 8,35 m Robinson (USA)
1980 8,54 m Dombrowski (DDR)
1984 8,54 m Lewis (USA)

Hochsprung

1896 1,81 m Clark (USA)
1900 1,90 m Baxter (USA)
1904 1,80 m Jones (USA)
1908 1,905 m Porter (USA)
1912 1,93 m Richards (USA)
1920 1,935 m Landon (USA)
1924 1,98 m Osborn (USA)
1928 1,94 m King (USA)
1932 1,97 m McNaughton (Kanada)
1936 2,03 m Johnson (USA)
1948 1,98 m Winter (Australien)
1952 2,04 m Davis (USA)
1956 2,12 m Dumas (USA)
1960 2,16 m Schawlakadse (UdSSR)
1964 2,18 m Brumel (UdSSR)
1968 2,24 m Fosbury (USA)
1972 2,23 m Tarmak (UdSSR)
1976 2,25 m Wszola (Polen)
1980 2,36 m Wessig (DDR)
1984 2,35 m Mögenburg (Deutschland)

Stabhochsprung

1896 3,30 m Hoyt (USA)
1900 3,30 m Baxter (USA)
1904 3,505 m Dvorak (USA)
1908 3,71 m Cooke (USA) und Gilbert (USA)
1912 3,95 m Babcock (USA)
1920 4,09 m Foss (USA)
1924 3,95 m Barnes (USA)
1928 4,20 m Carr (USA)
1932 4,315 m Miller (USA)
1936 4,35 m Meadows (USA)
1948 4,30 m Smith (USA)
1952 4,55 m Richards (USA)
1956 4,56 m Richards (USA)
1960 4,70 m Bragg (USA)
1964 5,10 m Hansen (USA)
1968 5,40 m Seagren (USA)
1972 5,50 m Nordwig (DDR)
1976 5,50 m Slusarski (Polen)
1980 5,78 m Kozakiewiez (Polen)
1984 5,75 m Quinon (Frankreich)

Dreisprung

1896 13,71 m Connolly (USA)
1900 14,47 m Prinstein (USA)
1904 14,35 m Prinstein (USA)
1908 14,92 m Ahearne (Großbritannien)
1912 14,76 m Lindblom (Schweden)
1920 14,505 m Tuulos (Finnland)
1924 15,525 m Winter (Australien)
1928 15,21 m Oda (Japan)
1932 15,72 m Nambu (Japan)
1936 16,00 m Tajima (Japan)
1948 15,40 m Ahman (Schweden)
1952 16,22 m Da Silva (Brasilien)
1956 16,35 m Da Silva (Brasilien)
1960 16,81 m Schmidt (Polen)
1964 16,85 m Schmidt (Polen)
1968 17,39 m Sanejew (UdSSR)
1972 17,35 m Sanejew (UdSSR)
1976 17,29 m Sanejew (UdSSR)
1980 17,35 m Uudmä (UdSSR)
1984 17,26 m Joyner (USA)

Kugelstoßen

1896 11,22 m Garrett (USA)
1900 14,10 m Sheldon (USA)
1904 14,81 m Rose (USA)
1908 14,21 m Rose (USA)
1912 15,34 m McDonald (USA)
1920 14,81 m Pörhölä (Finnland)
1924 14,995 m Houser (USA)
1928 15,87 m Kuck (USA)
1932 16,00 m Sexton (USA)
1936 16,20 m Woellke (Deutschland)
1948 17,12 m Thompson (USA)
1952 17,41 m O'Brien (USA)
1956 18,57 m O'Brien (USA)
1960 19,68 m Nieder (USA)
1964 20,33 m Long (USA)
1968 20,54 m Matson (USA)
1972 21,18 m Komar (Polen)
1976 21,05 m Beyer DDR)
1980 21,35 m Kisseljow (UdSSR)
1984 21,26 m Andrei (Italien)

Diskuswerfen

1896 29,15 m Garrett (USA)
1900 36,04 m Bauer (Ungarn)
1904 39,28 m Sheridan (USA)
1908 40,89 m Sheridan (USA)
1912 45,21 m Taipale (Finnland)
1920 44,685 m Niklander (Finnland)
1924 46,155 m Houser (USA)
1928 47,32 m Houser (USA)
1932 49,49 m Anderson (USA)
1936 50,48 m Carpenter (USA)
1948 52,78 m Consolini (Italien)
1952 55,03 m Iness (USA)
1956 56,36 m Oerter (USA)
1960 59,18 m Oerter (USA)
1964 61,00 m Oerter (USA)
1968 64,78 m Oerter (USA)
1972 64,40 m Danek (Tschechoslowakei)
1976 67,50 m Wilkins (USA)
1980 66,64 m Raschtschupkin (UdSSR)
1984 66,60 m Danneberg (Deutschland)

Hammerwerfen

1900 49,73 m Flanagan (USA)
1904 51,23 m Flanagan (USA)
1908 51,92 m Flanagan (USA)
1912 54,74 m McGrath (USA)
1920 52,87 m Ryan (USA)
1924 53,295 m Tootell (USA)
1928 51,39 m O'Callaghan (Irland)
1932 53,92 m O'Callaghan (Irland)
1936 56,49 m Hein (Deutschland)
1948 56,07 m Nemeth (Ungarn)
1952 60,34 m Csermak (Ungarn)
1956 63,19 m Connolly (USA)
1960 67,10 m Rudenkow (UdSSR)
1964 69,74 m Klim (UdSSR)
1968 73,36 m Zsivotzky (Ungarn)
1972 75,50 m Bondartschuk (UdSSR)
1976 77,52 m Sedych (UdSSR)
1980 81,80 m Sedych (UdSSR)
1984 78,08 m Tiainen (Finnland)

Speerwerfen

1908 54,83 m Lemming (Schweden)
1912 60,64 m Lemming (Schweden)
1920 65,78 m Myyrä (Finnland)
1924 62,96 m Myyrä (Finnland)
1928 66,60 m Lundqvist (Schweden)
1932 72,71 m Järvinen (Finnland)
1936 71,84 m Stöck (Deutschland)
1948 69,77 m Rautavaara (Finnland)
1952 73,78 m Young (USA)
1956 85,71 m Danielsen (Norwegen)
1960 84,64 m Zybulenko (UdSSR)
1964 82,66 m Nevala (Finnland)
1968 90,10 m Lusis (UdSSR)
1972 90,48 m Wolfermann (Deutschland)
1976 94,58 m Nemeth (Ungarn)
1980 91,20 m Kula (UdSSR)
1984 86,76 m Härkönen (Finnland)

Zehnkampf

1904 6036 Pkt. Kiely (Irland)
1912 7724 Pkt. Wieslander (Schweden)
1920 6804 Pkt. Lövland (Norwegen)
1924 7710 Pkt. Osborn (USA)
1928 8053 Pkt. Yrjölä (Finnland)
1932 8462 Pkt. Bausch (USA)
1936 7900 Pkt. Morris (USA)
1948 7139 Pkt. Mathias (USA)
1952 7887 Pkt. Mathias (USA)
1956 7937 Pkt. Campbell (USA)
1960 8392 Pkt. Johnson (USA)
1964 7887 Pkt. Holdorf (Deutschland)
1968 8193 Pkt. Toomey (USA)
1972 8454 Pkt. Awilow (UdSSR)
1976 8618 Pkt. Jenner (USA)
1980 8495 Pkt. Thompson (Großbritannien)
1984 8797 Pkt. Thompson (Großbritannien)

Leichtathletik Frauen

100 Meter

1928 12,2 Sek. Robinson (USA)
1932 11,9 Sek. Walaslewiczowna (Polen)
1936 11,5 Sek. Stephens (USA)
1948 11,9 Sek. Blankers-Koen (Holland)
1952 11,5 Sek. Jackson (Australien)
1956 11,5 Sek. Cuthbert (Australien)
1960 11,0 Sek. Rudolph (USA)
1964 11,4 Sek. Tyus (USA)
1968 11,0 Sek. Tyus (USA)
1972 11,07 Sek. Stecher (DDR)
1976 11,08 Sek. Richter (Deutschland)
1980 11,06 Sek. Kondratjewa (UdSSR)
1984 10,97 Sek. Ashford (USA)

200 Meter

1948 24,4 Sek. Blankers-Koen (Holland)
1952 23,7 Sek. Jackson (Australien)
1956 23,4 Sek. Cuthbert (Australien)
1960 24,0 Sek. Rudolph (USA)
1964 23,0 Sek. McGuire (USA)
1968 22,5 Sek. Szewinska (Polen)
1972 22,40 Sek. Stecher (DDR)
1976 22,37 Sek. Eckert (DDR)
1980 22,03 Sek. Wöckel (DDR)
1984 21,81 Sek. Brisco-Hooks (USA)

400 Meter

1964	52,0 Sek.	Cuthbert (Australien)
1968	52,0 Sek.	Besson (Frankreich)
1972	51,08 Sek.	Zehrt (DDR)
1976	49,29 Sek.	Szewinska (Polen)
1980	48,88 Sek.	Koch (DDR)
1984	48,83 Sek.	Brisco-Hooks (USA)

800 Meter

1928	2:16,8 Min.	Radke-Batschauer (Deutschland)
1960	2:04,3 Min.	Schewzowa (UdSSR)
1964	2:01,1 Min.	Packer (Großbritannien)
1968	2:00,9 Min.	Manning (USA)
1972	1:58,6 Min.	Falck (Deutschland)
1976	1:54,94 Min.	Kasankina (UdSSR)
1980	1:53,5 Min.	Olisarenko (UdSSR)
1984	1:57,6 Min.	Melinte (Rumänien)

1500 Meter

1972	4:01,4 Min.	Bragina (UdSSR)
1976	4:05,5 Min.	Kasankina (UdSSR)
1980	3:56,5 Min.	Kasankina (UdSSR)
1984	4:03,25 Min.	Dorio (Italien)

3000 Meter

1984	8:35,96 Min.	Puica (Rumänien)

Marathonlauf

1984	2:24:52 Std.	Benoit (USA)

100 m Hürden (bis 1968 80 m Hürden)

1932	11,7 Sek.	Didrikson (USA)
1936	11,7 Sek.	Valla (Italien)
1948	11,2 Sek.	Blankers-Koen (Holland)
1952	10,9 Sek.	Strickland (Australien)
1956	10,7 Sek.	Strickland (Australien)
1960	10,8 Sek.	I. Press (UdSSR)
1964	10,5 Sek.	Balzer (Ostdeutschland)
1968	10,3 Sek.	Caird (Australien)
1972	12,59 Sek.	Ehrhardt (DDR – 100 m)
1976	12,77 Sek.	Schaller (DDR)
1980	12,56 Sek.	Kommissowa (UdSSR)
1984	12,84 Sek.	Fitzgerald-Brown (USA)

400 m Hürden

1984	54,61 Sek.	El Moutawakel (Marokko)

4×100-m-Staffel

1928	48,4 Sek.	Kanada
1932	47,0 Sek.	USA
1936	46,9 Sek.	USA
1948	47,5 Sek.	Holland
1952	45,9 Sek.	USA
1956	44,5 Sek.	Australien
1960	44,5 Sek.	USA
1964	43,6 Sek.	Polen
1968	42,8 Sek.	USA
1972	42,81 Sek.	Deutschland
1976	42,55 Sek.	DDR
1980	41,6 Sek.	DDR
1984	41,65 Sek.	USA

4×400-m-Staffel

1972	3:23,0 Min.	DDR
1976	3:19,24 Min.	DDR
1980	3:20,2 Min.	UdSSR
1984	3:18,29 Min.	USA

Weitsprung

1948	5,69 m	Gyarmati (Ungarn)
1952	6,24 m	Williams (Neuseeland)
1956	6,35 m	Krzesinska (Polen)
1960	6,37 m	Krepkina (UdSSR)
1964	6,76 m	Rand (Großbritannien)
1968	6,82 m	Viscopoleanu (Rumänien)
1972	6,78 m	Rosendahl (Deutschland)
1976	6,72 m	Voigt (DDR)
1980	7,06 m	Kolpakowa (UdSSR)
1984	6,96 m	Stanciu-Cusmir (Rumänien)

Hochsprung

1928	1,59 m	Catherwood (Kanada)
1932	1,65 m	Shiley (USA)
1936	1,60 m	Csak (Ungarn)
1948	1,68 m	Coachman (USA)
1952	1,67 m	Brand (Südafrika)
1956	1,76 m	McDaniel (USA)
1960	1,85 m	Balas (Rumänien)
1964	1,90 m	Balas (Rumänien)
1968	1,82 m	Rezkova (Tschechoslowakei)
1972	1,92 m	Meyfarth (Deutschland)
1976	1,93 m	Ackermann (DDR)
1980	1,97 m	Simeoni (Italien)
1984	2,02 m	Meyfarth (Deutschland)

Kugelstoßen

1948	13,75 m	Ostermeyer (Frankreich)
1952	15,28 m	Zybina (UdSSR)
1956	16,59 m	Tyschkewitsch (UdSSR)
1960	17,32 m	T. Press (UdSSR)
1964	18,14 m	T. Press (UdSSR)
1968	19,61 m	Gummel (Ostdeutschland)
1972	21,03 m	Tschischowa (UdSSR)
1976	21,16 m	Christova (Bulgarien)
1980	22,41 m	Slupianek (DDR)
1984	20,48 m	Losch (Deutschland)

Diskuswerfen

1928	39,62 m	Konopacka (Polen)
1932	40,59 m	Copeland (USA)
1936	47,63 m	Mauermayer (Deutschland)
1948	41,92 m	Ostermeyer (Frankreich)
1952	51,42 m	Romaschkowa (UdSSR)
1956	53,69 m	Fikotova (Tschechoslowakei)
1960	55,10 m	Ponomarewa (UdSSR)
1964	57,27 m	T. Press (UdSSR)
1968	58,28 m	Manoliu (Rumänien)
1972	66,62 m	Melnik (UdSSR)
1976	69,00 m	Schlaak (DDR)
1980	69,96 m	Jahl (DDR)
1984	65,36 m	Stalman (Holland)

Speerwerfen

1932	43,69 m	Didrikson (UdSSR)
1936	45,18 m	Fleischer (Deutschland)
1948	45,57 m	Bauma (Österreich)
1952	50,47 m	Zatopekova (Tschechoslowakei)
1956	53,86 m	Jaunzeme (UdSSR)
1960	55,98 m	Osolina (UdSSR)
1964	60,54 m	Penes (Rumänien)
1968	60,36 m	Nemeth (Ungarn)
1972	63,88 m	Fuchs (DDR)
1976	65,94 m	Fuchs (DDR)
1980	68,40 m	Colon (Kuba)
1984	69,56 m	Sanderson (Großbritannien)

Fünfkampf/Siebenkampf (ab 1984)

1964	5246 Pkt.	I. Press (UdSSR)
1968	5098 Pkt.	Becker (Deutschland)
1972	4801 Pkt.	Peters (Großbritannien)
1976	4745 Pkt.	Siegl (DDR)
1980	5083 Pkt.	Tkatschenko (UdSSR)
1984	6390 Pkt.	Nunn (Australien)

Turnen Männer

Zwölfkampf · Mannschaft

1904	USA
1908	Schweden
1912	Italien
1920	Italien
1924	Italien
1928	Schweiz
1932	Italien
1936	Deutschland
1948	Finnland
1952	UdSSR
1956	UdSSR
1960	Japan
1964	Japan
1968	Japan
1972	Japan
1976	Japan
1980	UdSSR
1984	USA

Zwölfkampf · Einzel

1900	Sandras (Frankreich)
1904	Lenhardt (USA)
1908	Braglia (Italien)
1912	Braglia (Italien)
1920	Zampori (Italien)
1924	Stukely (Jugoslawien)
1928	Miez (Schweiz)
1932	Neri (Italien)
1936	Schwarzmann (Deutschland)
1948	Huhtanen (Finnland)
1952	Tschukarin (UdSSR)
1956	Tschukarin (UdSSR)
1960	Schaklin (UdSSR)
1964	Endo (Japan)
1968	Kato (Japan)
1972	Kato (Japan)
1976	Andrianow (UdSSR)
1980	Ditjatin (UdSSR)
1984	Gushiken (Japan)

Boden

1932	Pelle (Ungarn)
1936	Miez (Schweiz)
1948	Pataki (Ungarn)
1952	Thoresson (Schweden)
1956	Muratow (UdSSR)
1960	Aihara (Japan)
1964	Menichelli (Italien)
1968	Kato (Japan)
1972	Andrianow (UdSSR)
1976	Andrianow (UdSSR)
1980	Brückner (DDR)
1984	Li Ning (China)

Seitpferd

1896	Zutter (Schweiz)
1904	Heida (USA)
1924	Wilhelm (Schweiz)
1928	Hänggi (Schweiz)
1932	Pelle (Ungarn)
1936	Frey (Deutschland)
1948	Aaltonen (Finnland)
1952	Tschukarin (UdSSR)
1956	Schaklin (UdSSR)
1960	Ekman (Finnland) und Schaklin (UdSSR)
1964	Cerar (Jugoslawien)
1968	Cerar (Jugoslawien)
1972	Klimenko (UdSSR)
1976	Magyar (Ungarn)
1980	Magyar (Ungarn)
1984	Li Ning (China) Vidmar (USA)

Ringe

1896	Mitropulos (Griechenland)
1904	Glass (USA)
1924	Martino (Italien)
1928	Stukely (Jugoslawien)
1932	Gulack (USA)
1936	Hudec (Tschechoslowakei)
1948	Frey (Schweiz)
1952	Schaginjan (UdSSR)
1956	Asarjan (UdSSR)
1960	Asarjan (UdSSR)
1964	Hayata (Japan)
1968	Nakayama (Japan)
1972	Nakayama (Japan)
1976	Andrianow (UdSSR)
1980	Ditjatin (UdSSR)
1984	Gushiken (Japan) Li Ning (China)

Pferdsprung

1896	Schumann (Deutschland)
1904	Heida (USA)
1924	Kriz (USA)
1928	Mack (Schweiz)
1932	Guglielmetti (Italien)
1936	Schwarzmann (Deutschland)
1948	Aaltonen (Finnland)
1952	Tschukarin (UdSSR)
1956	Muratow (UdSSR) und Bantz (Deutschland)
1960	Ono (Japan) und Schaklin (UdSSR)
1964	Yamashita (Japan)
1968	Woronin (UdSSR)
1972	Köste (DDR)
1976	Andrianow (UdSSR)
1980	Andrianow (UdSSR)
1984	Yun Lou (China)

Barren

1896	Flatow (Deutschland)
1904	Eyser (USA)

1924 Güttinger (Schweiz)
1928 Vacha (Tschechoslowakei)
1932 Neri (Italien)
1936 Frey (Deutschland)
1948 Reusch (Schweiz)
1952 Eugster (Schweiz)
1956 Tschukarin (UdSSR)
1960 Schaklin (UdSSR)
1964 Endo (Japan)
1968 Nakayama (Japan)
1972 Kato (Japan)
1976 Kato (Japan)
1980 Tkatschew (UdSSR)
1984 Conner (USA)

Reck

1896 Weingärtner (Deutschland)
1904 Heida (USA)
1924 Stukely (Jugoslawien)
1932 Bixler (USA)
1936 Saarvala (Finnland)
1948 Stalder (Schweiz)
1952 Günthard (Schweiz)
1956 Ono (Japan)
1960 Ono (Japan)
1964 Schaklin (UdSSR)
1968 Woronin (UdSSR)
und Nakayama (Japan)
1972 Tsukahara (Japan)
1976 Tsukahara (Japan)
1980 Deltschev (Bulgarien)
1984 Morisue (Japan)

Turnen Frauen

Achtkampf · Mannschaft

1928 Holland
1936 Deutschland
1948 Tschechoslowakei
1952 UdSSR
1956 UdSSR
1960 UdSSR
1964 UdSSR
1968 UdSSR
1972 UdSSR
1976 UdSSR
1980 UdSSR
1984 Rumänien

Achtkampf · Einzel

1952 Goroschowskaja (UdSSR)
1956 Latynina (UdSSR)
1960 Latynina (UdSSR)
1964 Caslavska (Tschechoslowakei)
1968 Caslavska (Tschechoslowakei)
1972 Turischtschewa (UdSSR)
1976 Comaneci (Rumänien)
1980 Dawydowa (UdSSR)
1984 Retton (USA)

Pferdsprung

1952 Kalintschuk (UdSSR)
1956 Latynina (UdSSR)
1960 Nikolajewa (UdSSR)
1964 Caslavska (Tschechoslowakei)
1968 Caslavska (Tschechoslowakei)
1972 Janz (DDR)
1976 Kim (UdSSR)
1980 Schaposchnikowa (UdSSR)
1984 Szabo (Rumänien)

Stufenbarren

1952 Korondi (Ungarn)
1956 Keleti (Ungarn)
1960 Astachowa (UdSSR)
1964 Astachowa (UdSSR)
1968 Caslavska (Tschechoslowakei)
1972 Janz (DDR)
1976 Comanecl (Rumänien)
1980 Gnauck (DDR)
1984 Yanhong Ma (China)
McNamara (USA)

Schwebebalken

1952 Botscharowa (UdSSR)
1956 Keleti (Ungarn)
1960 Bosakova (Tschechoslowakei)
1964 Caslavska (Tschechoslowakei)
1968 Kutschinskaya (UdSSR)
1972 Korbut (UdSSR)
1976 Comaneci (Rumänien)
1980 Comaneci (Rumänien)
1984 Szabo (Rumänien)
Pauca (Rumänien)

Boden

1952 Keleti (Ungarn)
1956 Keleti (Ungarn)
und Latynina (UdSSR)
1960 Latynina (UdSSR)
1964 Latynina (UdSSR)
1968 Petrik (UdSSR)
und Caslavska (Tschechoslowakei)
1972 Korbut (UdSSR)
1976 Kim (UdSSR)
1980 Comaneci (Rumänien)
1984 Szabo (Rumänien)

Rhythmische Gymnastik

1984 Fung (Kanada)

Fußball

1900 Großbritannien
1904 Kanada
1908 Großbritannien
1912 Großbritannien
1920 Belgien
1924 Uruguay
1928 Uruguay
1936 Italien
1948 Schweden
1952 Ungarn
1956 UdSSR
1960 Jugoslawien
1964 Ungarn
1968 Ungarn
1972 Polen
1976 DDR
1980 Tschechoslowakei
1984 Frankreich

Hockey Männer

1908 Großbritannien
1920 Großbritannien
1928 Indien
1932 Indien
1936 Indien
1948 Indien
1952 Indien
1956 Indien
1960 Pakistan
1964 Indien
1968 Pakistan
1972 Deutschland
1976 Neuseeland
1980 Indien
1984 Pakistan

Hockey Frauen

1980 Zimbabwe
1984 Holland

Basketball Männer

1904 USA
1936 USA
1948 USA
1952 USA
1956 USA
1960 USA
1964 USA
1968 USA
1972 UdSSR
1976 USA
1980 Jugoslawien
1984 USA

Basketball Frauen

1976 UdSSR
1980 UdSSR
1984 USA

Volleyball Männer

1964 UdSSR
1968 UdSSR
1972 Japan
1976 Polen
1980 UdSSR
1984 USA

Volleyball Frauen

1964 Japan
1968 UdSSR
1972 UdSSR
1976 Japan
1980 UdSSR
1984 China

Handball Männer

1936 Deutschland (Feldhandball)
1972 Jugoslawien
1976 UdSSR
1980 DDR
1984 Jugoslawien

Handball Frauen

1976 UdSSR
1980 UdSSR
1984 Jugoslawien

Schießen Herren

Freies Gewehr (bis 1972)

1896 Orphanidis (Griechenland)
1908 Helgerud (Norwegen)
1912 Colas (Frankreich)
1920 Fisher (USA)
1924 Fisher (USA)
1948 Grünig (Schweiz)
1952 Bogdanow (UdSSR)
1956 Borissow (UdSSR)
1960 Hammerer (Österreich)
1964 Anderson (USA)
1968 Anderson (USA)
1972 Wigger (USA)

Kleinkaliber liegend

1908 Carnell (Großbritannien)
1912 Hird (USA)
1920 Nuesslein (USA)
1924 de Lisle (Frankreich)
1932 Rönnmark (Schweden)
1936 Rögeberg (Norwegen)
1948 Cook (USA)
1952 Sirbu (Rumänien)
1956 Quelette (Kanada)
1960 Kohnke (Deutschland)
1964 Hammerl (Ungarn)
1968 Kurka (Tschechoslowakei)
1972 Ho Jun Li (Nordkorea)
1976 Smieszek (Deutschland)
1980 Varga (Ungarn)
1984 Etzel (USA)

Kleinkaliber-Dreistellungskampf

1952 Kongshaug (Norwegen)
1956 Bogdanow (UdSSR)
1960 Schamburkin (UdSSR)
1964 Wigger (USA)
1968 Klinger (Deutschland)
1972 Writer (USA)
1976 Bassham (USA)
1980 Wlassow (UdSSR)
1984 Cooper (Großbritannien)

Freie Pistole

1896 Paine (USA)
1900 Röderer (Schweiz)
1912 Lane (USA)
1920 Frederick (USA)
1936 Ullmann (Schweden)
1948 Cam (Peru)
1952 Benner (USA)
1956 Linnosvuo (Finnland)
1960 Guschtschin (UdSSR)
1964 Markkanen (Finnland)
1968 Kossykh (UdSSR)
1972 Skanaker (Schweden)
1976 Potteck (DDR)
1980 Melentjew (UdSSR)
1984 Haifeng (China)

Schnellfeuerpistole

1896 Phrangoudis (Griechenland)
1900 Larouy (Frankreich)

1908 van Asbroeck (Belgien)
1912 Lane (USA)
1920 Paraense (Brasilien)
1924 Bailey (USA)
1932 Morigi (Italien)
1936 van Oyen (Deutschland)
1948 Takacs (Ungarn)
1952 Takacs (Ungarn)
1956 Petrescu (Rumänien)
1960 McMillan (USA)
1964 Linnosvuo (Finnland)
1968 Zapedzki (Polen)
1972 Zapedzki (Polen)
1976 Klaar (DDR)
1980 Ion (Rumänien)
1984 Kamachi (Japan)

Laufende Scheibe (laufender Keiler)

1900 Debray (Frankreich)
1972 Zhelezniak (UdSSR)
1976 Gasow (UdSSR)
1980 Sokolow (UdSSR)
1984 Yuwei Li (China)

Wurftaubenschießen/Trap

1900 de Barbarin (Frankreich)
1908 Ewing (Kanada)
1912 Graham (USA)
1920 Arie (USA)
1924 Halasy (Ungarn)
1952 Genereux (Kanada)
1956 Rossini (Italien)
1960 Dumitrescu (Rumänien)
1964 Maltarelli (Italien)
1968 Braithwaite (Großbritannien) Trap
1972 Scalzone (Italien) Trap
1976 Haldeman (USA) Trap
1980 Giovanetti (Italien) Trap
1984 Giovanetti (Italien) Trap

Wurftaubenschießen/Skeet

1968 Petrow (UdSSR)
1972 Wirnhier (Deutschland)
1976 Panacek (ČSSR)
1980 Rasmussen (Dänemark)
1984 Dryke (USA)

Bogenschießen

1972 Williams (USA)
1976 Pace (USA)
1980 Poikolainen (Finnland)
1984 Pace (USA)

Luftgewehr

1984 Heberle (Frankreich)

Schießen Damen

Kleinkaliber-Dreistellungskampf

1984 Xiaoxuan Wu (China)

Sportpistole

1984 Thom (Kanada)

Luftgewehr

1984 Spurgin (USA)

Bogenschießen

1972 Wilber (USA)
1976 Ryon (USA)
1980 Lossaberidse (UdSSR)
1984 Hyang-Soon Seo (Korea)

Moderner Fünfkampf

Einzel

1912 Lilliehöök (Schweden)
1920 Dyrssen (Schweden)
1924 Lindman (Schweden)
1928 Thofelt (Schweden)
1932 Oxenstierna (Schweden)
1936 Handrick (Deutschland)
1948 Grut (Schweden)
1952 Hall (Schweden)
1956 Hall (Schweden)
1960 Nemeth (Ungarn)
1964 Török (Ungarn)
1968 Ferm (Schweden)
1972 Balczo (Ungarn)
1976 Pyciak-Peciak (Polen)
1980 Starostin (UdSSR)
1984 Masala (Italien)

Mannschaft

1952 Ungarn
1956 UdSSR
1960 Ungarn
1964 UdSSR
1968 Ungarn
1972 UdSSR
1976 Großbritannien
1980 UdSSR
1984 Italien

Fechten Herren

Florett · Einzel

1896 Gravelotte (Frankreich)
1900 Coste (Frankreich)
1904 Fonst (Kuba)
1912 Nadi (Italien)
1920 Nadi (Italien)
1924 Ducret (Frankreich)
1928 Gaudin (Frankreich)
1932 Marzi (Italien)
1936 Gaudini (Italien)
1948 Buhan (Frankreich)
1952 d'Oriola (Frankreich)
1956 d'Oriola (Frankreich)
1960 Schdanowitsch (UdSSR)
1964 Franke (Polen)
1968 Drimba (Rumänien)
1972 Woyda (Polen)
1976 dal Zotto (Italien)
1980 Smirnow (UdSSR)
1984 Numa (Italien)

Florett · Mannschaft

1904 Kuba
1920 Italien
1924 Frankreich
1928 Italien
1932 Frankreich
1936 Italien
1948 Frankreich
1952 Frankreich
1956 Italien
1960 UdSSR
1964 UdSSR
1968 Frankreich
1972 Polen
1976 Deutschland
1980 Frankreich
1984 Italien

Degen · Einzel

1900 Fonst (Kuba)
1904 Fonst (Kuba)
1908 Alibert (Frankreich)
1912 Anspach (Belgien)
1920 Massard (Frankreich)
1924 Delporte (Belgien)
1928 Gaudin (Frankreich)
1932 Cornaggia-Medici (Italien)
1936 Riccardi (Italien)
1948 Cantone (Italien)
1952 Mangiarotti (Italien)
1956 Pavesi (Italien)
1960 Delfino (Italien)
1964 Kriss (UdSSR)
1968 Kulcsar (Ungarn)
1972 Fenyvesi (Ungarn)
1976 Pusch (Deutschland)
1980 Harmenberg (Schweden)
1984 Boisse (Frankreich)

Degen · Mannschaft

1908 Frankreich
1912 Belgien
1920 Italien
1924 Frankreich
1928 Italien
1932 Frankreich
1936 Italien
1948 Frankreich
1952 Italien
1956 Italien
1960 Italien
1964 Ungarn
1968 Ungarn
1972 Ungarn
1976 Schweden
1980 Frankreich
1984 Deutschland

Säbel · Einzel

1896 Georgiadis (Griechenland)
1900 de la Falaise (Frankreich)
1904 Diaz (Kuba)
1908 Fuchs (Ungarn)
1912 Fuchs (Ungarn)
1920 Nadi (Italien)
1924 Posta (Ungarn)
1928 Tersztyansky (Ungarn)
1932 Piller (Ungarn)
1936 Kabos (Ungarn)
1948 Gerevich (Ungarn)
1952 Kovacs (Ungarn)
1956 Karpati (Ungarn)
1960 Karpati (Ungarn)
1964 Pezsa (Ungarn)
1968 Pawlowski (Polen)
1972 Sidiak (UdSSR)
1976 Krowopouskow (UdSSR)
1980 Krowopouskow (UdSSR)
1984 Lamour (Frankreich)

Säbel · Mannschaft

1908 Ungarn
1912 Ungarn
1920 Italien
1924 Italien
1928 Ungarn
1932 Ungarn
1936 Ungarn
1948 Ungarn
1952 Ungarn
1956 Ungarn
1960 Ungarn
1964 UdSSR
1968 UdSSR
1972 Italien
1976 UdSSR
1980 UdSSR
1984 Italien

Fechten Damen

Florett · Einzel

1924 Osiier (Dänemark)
1928 Mayer (Deutschland)
1932 Preis (Österreich)
1936 Elek-Schacherer (Ungarn)
1948 Elek-Schacherer (Ungarn)
1952 Camber (Italien)
1956 Sheen (Großbritannien)
1960 Schmid (Deutschland)
1964 Ujlaki-Rejtö (Ungarn)
1968 Nowikowa (UdSSR)
1972 Ragno-Lonzi (Italien)
1976 Schwarczenberger (Ungarn)
1980 Trinquet (Frankreich)
1984 Ju Jie Luan (China))

Florett · Mannschaft

1960 UdSSR
1964 Ungarn
1968 UdSSR
1972 UdSSR
1976 UdSSR
1980 Frankreich
1984 Deutschland

Gewichtheben*

* Seit 1976 wird erstmals ein Zweikampf aus Stoßen und Reißen unter Wegfall des Drückens durchgeführt
** 1924 fand ein olympischer Fünfkampf statt

Fliegengewicht

1972 337,5 kg Smalcerz (Polen)
1976 242,5 kg Woronin (UdSSR)
1980 245,0 kg Osmonalijew (UdSSR)
1984 235,0 kg Guoqiang Zeng (China)

Bantamgewicht

1948 307,5 kg de Pietro (USA)
1952 315,0 kg Udodow (UdSSR)
1956 342,5 kg Vinci (USA)
1960 345,0 kg Vinci (USA)
1964 357,5 kg Wachonin (UdSSR)
1968 367,5 kg Nasiri (Iran)
1972 377,5 kg Földi (Ungarn)
1976 262,5 kg Nourikian (Bulgarien)
1980 275,0 kg Nunez (Kuba)
1984 267,5 kg Shude Wu (China)

Federgewicht

1920 220,0 kg de Haes (Belgien)
1924 402,5 kg** Gabetti (Italien)
1928 287,5 kg Andrysek (Österreich)
1932 287,5 kg Suvigny (Frankreich)
1936 312,5 kg Terlazzo (USA)
1948 332,5 kg Fayad (Ägypten)
1952 337,5 kg Chimischkyan (UdSSR)
1956 352,5 kg Berger (USA)
1960 372,5 kg Minajew (UdSSR)
1964 397,5 kg Miyake (Japan)
1968 392,5 kg Miyake (Japan)
1972 402,5 kg Nourikian (Bulgarien)
1976 285,0 kg Kolesnikow (UdSSR)
1980 290,0 kg Masin (UdSSR)
1984 282,5 kg Weiqiang Chen (China)

Leichtgewicht

1920 257,5 kg Neyland (Estland)
1924 440,0 kg** Descottignies (Frankreich)
1928 322,5 kg Haas (Österreich)
und Helbig (Deutschland)
1932 325,0 kg Duverger (Frankreich)
1936 342,5 kg Mesbah (Ägypten)
1948 360,0 kg Shams (Ägypten)
1952 362,5 kg Kono (USA)
1956 380,0 kg Rybak (UdSSR)
1960 397,5 kg Buschujew (UdSSR)
1964 432,5 kg Baszanowski (Polen)
1968 437,5 kg Baszanowski (Polen)
1972 460,0 kg Kirschinow (UdSSR)
1976 307,5 kg Kaczmarek (Polen)
1980 342,5 kg Rusev (Bulgarien)
1984 320,0 kg Yao Jingyuan (China)

Mittelgewicht

1920 245,0 kg Gance (Frankreich)
1924 492,5 kg** Galimberti (Italien)
1928 335,0 kg Roger (Frankreich)
1932 345,0 kg Ismayr (Deutschland)
1936 387,5 kg el Touni (Ägypten)
1948 390,0 kg Spellman (USA)
1952 400,0 kg George (USA)
1956 420,0 kg Bogdanowski (UdSSR)
1960 437,5 kg Kurinow (UdSSR)
1964 445,0 kg Zdrazila (Tschechoslowakei)
1968 475,0 kg Kurentsow (UdSSR)
1972 485,0 kg Bikoff (Bulgarien)
1976 335,0 kg Mitkoff (Bulgarien)
1980 360,0 kg Zlatev (Bulgarien)
1984 340,0 kg Radschinsky (Deutschland)

Leichtschwergewicht

1920 290,0 kg Cadine (Frankreich)
1924 502,5 kg** Rigoulot (Frankreich)
1928 355,0 kg Nosseir (Ägypten)
1932 365,0 kg Hostin (Frankreich)
1936 372,5 kg Hostin (Frankreich)
1948 417,5 kg Stanczyk (USA)
1952 417,5 kg Lomakin (UdSSR)
1956 447,5 kg Kono (USA)
1960 442,5 kg Palinski (Polen)
1964 475,0 kg Plukfelder (UdSSR)
1968 485,0 kg Selitsky (UdSSR)
1972 507,5 kg Jenssen (Norwegen)
1976 365,0 kg Schare (UdSSR)
1980 400,0 kg Wardanjan (UdSSR)
1984 355,0 kg Becheru (Rumänien)

Mittelschwergewicht (bis 90 kg)

1952 445,0 kg Schemansky (USA)
1956 462,5 kg Worobjew (UdSSR)
1960 472,5 kg Worobjew (UdSSR)
1964 487,5 kg Golowanow (UdSSR)
1968 517,5 kg Kangasniemi (Finnland)
1972 525,0 kg Nikoloff (Bulgarien)
1976 382,5 kg Rigert (UdSSR)
1980 377,5 kg Baczako (Ungarn)
1984 392,5 kg Vlad (Rumänien)

1. Schwergewicht (bis 100 kg ab 1980, vorher bis 110 kg)

1920 270,0 kg Bottino (Italien)
1924 517,5 kg** Tonani (Italien)
1928 372,5 kg Strassberger (Deutschland)
1932 380,5 kg Skobla (Tschechoslowakei)
1936 410,0 kg Manger (Deutschland)
1948 452,5 kg Davis (USA)
1952 460,0 kg Davis (USA)
1956 500,0 kg Anderson (USA)
1960 537,5 kg Wlassow (UdSSR)
1964 572,5 kg Tschabotinski (UdSSR)
1968 572,5 kg Tschabotinski (UdSSR)
1972 580,0 kg Talts (UdSSR)
1976 400,0 kg Christoff (Bulgarien)
1980 395,0 kg Zaremba (Tschechoslowakei)
1984 385,0 kg Milser (Deutschland)

2. Schwergewicht (bis 110 kg/ab 1980)

1980 422,5 kg Taranenko (UdSSR)
1984 290,0 kg Oberburger (Italien)

Super-Schwergewicht (über 110 kg)

1972 640,0 kg Alexejew (UdSSR)
1976 440,0 kg Alexejew (UdSSR)
1980 440,5 kg Rachmanow (UdSSR)
1984 412,5 kg Lukin (Australien)

Ringen Griechisch-Römisch

Papiergewicht

1972 Berceanu (Rumänien)
1976 Schumakow (UdSSR)
1980 Uschkempirow (UdSSR)
1984 Maenza (Italien)

Fliegengewicht

1948 Lombardi (Italien)
1952 Gurewitsch (UdSSR)
1956 Solowjew (UdSSR)
1960 Pirvulescu (Rumänien)
1964 Hanahara (Japan)
1968 Kiroff (Bulgarien)
1972 Kiroff (Bulgarien)
1976 Konstantinow (UdSSR)
1980 Blagidse (UdSSR)
1984 Miyahara (Japan)

Bantamgewicht

1924 Puttsepp (Estland)
1928 Leucht (Deutschland)
1932 Brendel (Deutschland)
1936 Lörincz (Ungarn)
1948 Pettersson (Schweden)
1952 Hodos (Ungarn)
1956 Wyrupajew (UdSSR)
1960 Karawajew (UdSSR)
1964 Ichiguchi (Japan)
1968 Varga (Ungarn)
1972 Kazakow (UdSSR)
1976 Ukkola (Finnland)
1980 Serikow (UdSSR)
1984 Passarelli (Deutschland)

Federgewicht

1912 Koskela (Finnland)
1920 Friman (Finnland)
1924 Anttila (Finnland)
1928 Wäli (Estland)
1932 Gozzi (Italien)
1936 Erkan (Türkei)
1948 Oktav (Türkei)
1952 Punkin (UdSSR)
1956 Mäkinen (Finnland)
1960 Sille (Türkei)
1964 Polyak (Ungarn)
1968 Rurua (UdSSR)
1972 Markoff (Bulgarien)
1976 Lipien (Polen)
1980 Migiakis (Griechenland)
1984 Weon-Kee Kim (Korea)

Leichtgewicht

1908 Porro (Italien)
1912 Väre (Finnland)
1920 Väre (Finnland)
1924 Friman (Finnland)
1928 Keresztes (Ungarn)
1932 Malmberg (Schweden)
1936 Koskela (Finnland)
1948 Freij (Schweden)
1952 Safin (UdSSR)
1956 Lehtonen (Finnland)
1960 Koridse (UdSSR)
1964 Ayvas (Türkei)
1968 Mumemura (Japan)
1972 Chisamutdinow (UdSSR)
1976 Nalbandjan (UdSSR)
1980 Rusu (Rumänien)
1984 Lisjak (Jugoslawien)

Weltergewicht

1932 Johansson (Schweden)
1936 Svedberg (Schweden)
1948 Andersson (Schweden)
1952 Szilvasy (Ungarn)
1956 Bayrak (Türkei)
1960 Bayrak (Türkei)
1964 Kolesow (UdSSR)
1968 Vesper (Ostdeutschland)
1972 Macha (Tschechoslowakei)
1976 Bykow (UdSSR)
1980 Kocsis (Ungarn)
1984 Salomäki (Finnland)

Mittelgewicht

1908 Martensson (Schweden)
1912 Johansson (Schweden)
1920 Westergren (Schweden)
1924 Westerlund (Finnland)
1928 Kokkinen (Finnland)
1932 Kokkinen (Finnland)
1936 Johansson (Schweden)
1948 Grönberg (Schweden)
1952 Grönberg (Schweden)
1956 Kartosia (UdSSR)
1960 Dobreff (Bulgarien)
1964 Simic (Jugoslawien)
1968 Matz (Ostdeutschland)
1972 Hegedus (Ungarn)
1976 Petkovic (Jugoslawien)
1980 Korban (UdSSR)
1984 Draica (Rumänien)

Halbschwergewicht

1908 Weckmann (Finnland)
1912 keine Gold-, zwei Silbermedaillen:
Ahlgren (Schweden) und Böhling (Finnland)
1920 Johansson (Schweden)
1924 Westergren (Schweden)
1928 Moustafa (Ägypten)
1932 Svensson (Schweden)
1936 Cadier (Schweden)
1948 Nilsson (Schweden)
1952 Gröndahl (Finnland)
1956 Nikolajew (UdSSR)
1960 Kis (Türkei)
1964 Alexandroff (Bulgarien)
1968 Alexandroff (Bulgarien)
1972 Resanzew (UdSSR)
1976 Resanzew (UdSSR)
1980 Nottny (Ungarn)
1984 Fraser (USA)

Schwergewicht

1896 Schuhmann (Deutschland)
1908 Weisz (Ungarn)
1912 Saarela (Finnland)
1920 Lindfors (Finnland)
1924 Deglane (Frankreich)
1928 Svensson (Schweden)
1932 Westergren (Schweden)
1936 Palusalu (Estland)
1948 Kirecci (Türkei)
1952 Kotkas (UdSSR)
1956 Parfenow (UdSSR)
1960 Bogdan (UdSSR)
1964 Kozma (Ungarn)
1968 Kozma (Ungarn)
1972 Martinescu (Rumänien)

1976 Balboschin (UdSSR)
1980 Raikov (Bulgarien)
1984 Andrei (Rumänien)

Super-Schwergewicht

1972 Roschin (UdSSR)
1976 Koltschinski (UdSSR)
1980 Koltschinski (UdSSR)
1984 Blatnick (USA)

Ringen Freistil

Papiergewicht

1904 Curry (USA)
1972 Dimitriew (UdSSR)
1976 Issajeff (Bulgarien)
1980 Polio (Italien)
1984 Weaver (USA)

Fliegengewicht

1904 Mehnert (USA)
1948 Viitala (Finnland)
1952 Cemici (Türkei)
1956 Zalkalamanidze (UdSSR)
1960 Bilek (Türkei)
1964 Yoshida (Japan)
1968 Nakata (Japan)
1972 Kato (Japan)
1976 Takada (Japan)
1980 A. Beloglasow (UdSSR)
1984 Trstena (Jugoslawien)

Bantamgewicht

1904 Niflot (USA)
1908 Mehnert (USA)
1924 Pihlajamäki (Finnland)
1928 Mäkinen (Finnland)
1932 Pearce (USA)
1936 Zombori (Ungarn)
1948 Akar (Türkei)
1952 Ishii (Japan)
1956 Dagistanli (Türkei)
1960 McCann (USA)
1964 Uetake (Japan)
1968 Uetake (Japan)
1972 Yanagida (Japan)
1976 Jumin (UdSSR)
1980 S. Beloglasow (UdSSR)
1984 Tmiyami (Japan)

Federgewicht

1904 Bradshaw (USA)
1908 Dole (USA)
1920 Ackerley (USA)
1924 Reed (USA)
1928 Morrison (USA)
1932 H. Pihlajamäki (Finnland)
1936 K. Pihlajamäki (Finnland)
1948 Bilge (Türkei)
1952 Sit (Türkei)
1956 Sasahara (Japan)
1960 Dagistanli (Türkei)
1964 Watanabe (Japan)
1968 Kaneko (Japan)
1972 Abdulbekow (UdSSR)
1976 Jung Mo (Südkorea)
1980 Abuschew (UdSSR)
1984 Lewis (USA)

Leichtgewicht

1904 Roehm (USA)
1908 de Relwyskow (Großbritannien)
1920 Anttila (Finnland)
1924 Vis (USA)
1928 Käpp (Estland)
1932 Pacome (Frankreich)
1936 Karpati (Ungarn)
1948 Atik (Türkei)
1952 Anderberg (Schweden)
1956 Habibi (Iran)
1960 Wilson (USA)
1964 Dimoff (Bulgarien)
1968 Ardabili (Iran)
1972 Gable (USA)
1976 Pinigin (UdSSR)
1980 Absaidow (UdSSR)
1984 In-Tak You (Korea)

Weltergewicht

1904 Erikson (USA)
1924 Gehri (Schweiz)
1928 Haavisto (Finnland)
1932 van Bebber (USA)
1936 Lewis (USA)
1948 Dogu (Türkei)
1952 Smith (USA)
1956 Ikeda (Japan)
1960 Blubaugh (USA)
1964 Ogan (Türkei)
1968 Atalay (Türkei)
1972 Wells (USA)
1976 Date (Japan)
1980 Raitschew (Bulgarien)
1984 D. Shultz (USA)

Mittelgewicht

1908 Bacon (Großbritannien)
1920 Leino (Finnland)
1924 Hagmann (Schweiz)
1928 Kyburz (Schweiz)
1932 Johansson (Schweden)
1936 Poilvé (Frankreich)
1948 Brand (USA)
1952 Simakuridze (UdSSR)
1956 Nikoloff (Bulgarien)
1960 Güngör (Türkei)
1964 Gardscheff (Bulgarien)
1968 Gurewitsch (UdSSR)
1972 Tadiaschwili (UdSSR)
1976 Peterson (USA)
1980 Abilov (Bulgarien)
1984 M. Shultz (USA)

Halbschwergewicht

1920 Larsson (Schweden)
1924 Spellman (USA)
1928 Sjöstedt (Schweden)
1932 Mehringer (USA)
1936 Fridell (Schweden)
1948 Wittenberg (USA)
1952 Palm (Schweden)
1956 Takhti (Iran)
1960 Atli (Türkei)
1964 Medwed (UdSSR)
1968 Ayik (Türkei)
1972 Peterson (USA)
1976 Tediaschwili (UdSSR)
1980 Oganesjan (UdSSR)
1984 E. Banach (USA)

Schwergewicht

1904 Hansen (USA)
1908 O'Kelly (Großbritannien)
1920 Roth (Schweiz)
1924 Steele (USA)
1928 Richthoff (Schweden)
1932 Richthoff (Schweden)
1936 Palusalu (Estland)
1948 Bobis (Ungarn)
1952 Mekokischwili (UdSSR)
1956 Kaplan (Türkei)
1960 Dietrich (Deutschland)
1964 Iwanitzki (UdSSR)
1968 Medwed (UdSSR)
1972 Jarigin (UdSSR)
1976 Jarigin (UdSSR)
1980 Mate (UdSSR)
1984 L. Banach (USA)

Super-Schwergewicht

1972 Medwed (UdSSR)
1976 Andjew (UdSSR)
1980 Andjew (UdSSR)
1984 Baumgartner (USA)

Judo

Bis 60 kg

1980 Rey (Frankreich)
1984 Hosokawa (Japan)

Bis 65 kg

1984 Matsuoka (Japan)

Bis 71 kg

1964 Nakatani (Japan)
1972 Kawaguchi (Japan)
1976 Rodriguez (Kuba)
1980 Gamba (Italien)
1984 Alu-Byeong Kenn (Korea)

Bis 78 kg

1980 Kabareli (UdSSR)
1984 Wieneke (Deutschland)

Weltergewicht (bis 1976)

1972 Nomura (Japan)
1976 Newzorow (UdSSR)

Bis 86 kg

1964 Okano (Japan)
1972 Sekine (Japan)
1976 Sonoda (Japan)
1980 Röthlisberger (Schweiz)
1984 Seisenbacher (Österreich)

Bis 95 kg

1972 Tschotschoschwili (UdSSR)
1976 Ninomiya (Japan)
1980 van de Walle (Belgien)
1984 Hyoung-Zoo Ha (Korea)

Über 95 kg

1964 Inokuma (Japan)
1972 Ruska (Holland)
1976 Nowikow (UdSSR)
1980 Parisi (Frankreich)
1984 Saito (Japan)

Allkategorie · offene Klasse

1964 Geesink (Holland)
1972 Ruska (Holland)
1976 Uemura (Japan)
1980 Lorenz (DDR)
1984 Yamashita (Japan)

Boxen

Leichtfliegengewicht

1968 Rodriguez (Venezuela)
1972 Gedo (Ungarn)
1976 Hernandez (Kuba)
1980 Sabirow (UdSSR)
1984 Gonzales (USA)

Fliegengewicht

1904 Finnigan (USA)
1920 de Genaro (USA)
1924 La Barba (USA)
1928 Kocsis (Ungarn)
1932 Enekes (Ungarn)
1936 Kaiser (Deutschland)
1948 Perez (Argentinien)
1952 Brooks (USA)
1956 Spinks (Großbritannien)
1960 Török (Ungarn)
1964 Atzori (Italien)
1968 Delgado (Mexiko)
1972 Kostadinow (UdSSR)
1976 Randolph (USA)
1980 Lessov (Bulgarien)
1984 McCrory (USA)

Bantamgewicht

1904 Kirk (USA)
1908 Thomas (Großbritannien)
1920 Walker (Südafrika)
1924 Smith (Südafrika)
1928 Tamagnini (Italien)
1932 Gwynne (Kanada)
1936 Sergo (Italien)
1948 Csik (Ungarn)
1952 Hämäläinen (Finnland)
1956 Behrendt (Deutschland)
1960 Grigorjew (UdSSR)
1964 Sakurai (Japan)
1968 Sokolow (UdSSR)
1972 Martinez (Kuba)
1976 Gu (Nordkorea)
1980 Hernandez (Kuba)
1984 Stecca (Italien)

Federgewicht

1904 Kirk (USA)
1908 Gunn (Großbritannien)

1920 Fritsch (Frankreich)
1924 Fields (USA)
1928 van Klaveren (Holland)
1932 Robledo (Argentinien)
1936 Casanovas (Argentinien)
1948 Formenti (Italien)
1952 Zachara (Tschechoslowakei)
1956 Safronow (UdSSR)
1960 Musso (Italien)
1964 Stepaschkin (UdSSR)
1968 Roldan (Mexiko)
1972 Kusnezow (UdSSR)
1976 Herrera (Kuba)
1980 Fink (DDR)
1984 Taylor (USA)

Leichtgewicht

1904 Spanger (USA)
1908 Grace (Großbritannien)
1920 Mosberg (USA)
1924 Nielsen (Dänemark)
1928 Orlandi (Italien)
1932 Stevens (Südafrika)
1936 Harangi (Ungarn)
1948 Dreyer (Südafrika)
1952 Bolognesi (Italien)
1956 McTaggart (Großbritannien)
1960 Pazdzior (Polen)
1964 Grudzien (Polen)
1968 Harris (USA)
1972 Szczepanski (Polen)
1976 Davis (USA)
1980 Herrera (Kuba)
1984 Whitaker (USA)

Halbweltergewicht

1952 Adkins (USA)
1956 Jengibarian (UdSSR)
1960 Nemecek (Tschechoslowakei)
1964 Kulej (Polen)
1968 Kulej (Polen)
1972 Seales (USA)
1976 Leonard (USA)
1980 Oliva (Italien)
1984 Page (USA)

Weltergewicht

1904 Young (USA)
1920 Schneider (Kanada)
1924 Delarge (Belgien)
1928 Morgan (Neuseeland)
1932 Flynn (USA)
1936 Suvio (Finnland)
1948 Torma (Tschechoslowakei)
1952 Chychla (Polen)
1956 Linca (Rumänien)
1960 Benvenuti (Italien)
1964 Kasprzyk (Polen)
1968 Wolke (Ostdeutschland)
1972 Correa (Kuba)
1976 Bachfeld (DDR)
1980 Aldama (Kuba)
1984 Breland (USA)

Halbmittelgewicht

1952 Papp (Ungarn)
1956 Papp (Ungarn)
1960 McClure (USA)
1964 Lagutin (UdSSR)
1968 Lagutin (UdSSR)
1972 Kottysch (Deutschland)
1976 Rybicki (Polen)
1980 Martinez (Kuba)
1984 Tate (USA)

Mittelgewicht

1904 Mayer (USA)
1908 Douglas (Großbritannien)
1920 Mallin (Großbritannien)
1924 Mallin (Großbritannien)
1928 Toscani (Italien)
1932 Barth (USA)
1936 Despeaux (Frankreich)
1948 Papp (Ungarn)
1952 Patterson (USA)
1956 Schatkow (UdSSR)
1960 Crook (USA)
1964 Popenschenko (UdSSR)
1968 Finnegan (Großbritannien)
1972 Lemetschew (UdSSR)
1976 Spinks (USA)
1980 Gomez (Kuba)
1984 Joon-Sup Shin (Korea)

Halbschwergewicht

1920 Eagan (USA)
1924 Mitchell (Großbritannien)
1928 Avendano (Argentinien)
1932 Carstens (Südafrika)
1936 Michelot (Frankreich)
1948 Hunter (Südafrika)
1952 Lee (USA)
1956 Boyd (USA)
1960 Clay (USA)
1964 Pinto (Italien)
1968 Poznyak (UdSSR)
1972 Parlow (Jugoslawien)
1976 Spinks (USA)
1980 Kacar (Jugoslawien)
1984 Josipovic (Jugoslawien)

Schwergewicht

1904 Berger (USA)
1908 Oldhan (Großbritannien)
1920 Rawson (Großbritannien)
1924 von Porat (Norwegen)
1928 Jurado (Argentinien)
1932 Lovell (Argentinien)
1936 Runge (Deutschland)
1948 Iglesias (Argentinien)
1952 Sanders (USA)
1956 Rademacher (USA)
1960 de Piccoli (Italien)
1964 Frazier (USA)
1968 Foreman (USA)
1972 Stevenson (Kuba)
1976 Stevenson (Kuba)
1980 Stevenson (Kuba)
1984 Tillman (USA)

Superschwergewicht

1984 Biggs (USA)

Radsport Männer

Sprint

1896 Masson (Frankreich)
1900 Taillandier (Frankreich)
1920 Peters (Holland)
1924 Michard (Frankreich)
1928 Beaufrand (Frankreich)
1932 van Egmond (Holland)
1936 Merkens (Deutschland)
1948 Ghella (Italien)
1952 Sacchi (Italien)
1956 Rousseau (Frankreich)
1960 Gaiardoni (Italien)
1964 Pettenella (Italien)
1968 Morelon (Frankreich)
1972 Morelon (Frankreich)
1976 Tkac (Tschechoslowakei)
1980 Haßlich (DDR)
1984 Gorski (USA)

1000 m Zeitfahren

1928 1:14,4 Min. Falck-Hansen (Dänemark)
1932 1:13,0 Min. Gray (Australien)
1936 1:12,0 Min. van Vliet (Holland)
1948 1:13,5 Min. Dupont (Frankreich)
1952 1:11,1 Min. Mockridge (Australien)
1956 1:09,8 Min. Faggin (Italien)
1960 1:07,27 Min. Gaiardoni (Italien)
1964 1:09,59 Min. Sercu (Belgien)
1968 1:03,91 Min. Trentin (Frankreich)
1972 1:06,44 Min. Fredborg (Dänemark)
1976 1:05,927 Min. Krünke (DDR)
1980 1:02,955 Min. Thoms (DDR)
1984 1:06,104 Min. Schmidtke (Deutschland)

Einzel-Verfolgung 4000 m

1964 5:04,75 Min. Daler (Tschechoslowakei)
1968 4:41,75 Min. Rebillard (Frankreich)
1972 4:45,74 Min. Knudsen (Norwegen)
1976 4:47,61 Min. Braun (Deutschland)
1980 4:35,66 Min. Dill-Bundi (Schweiz)
1984 4:39,35 Min. Hegg (USA)

Mannschafts-Verfolgung 4000 m

1908 2:18,6 Min. Großbritannien (1810,5 m)
1920 5:20,0 Min. Italien
1924 5:15,0 Min. Italien
1928 5:01,8 Min. Italien
1932 4:53,0 Min. Italien
1936 4:45,0 Min. Frankreich
1948 4:57,8 Min. Frankreich
1952 4:46,1 Min. Italien
1956 4:37,4 Min. Italien
1960 4:30,9 Min. Italien
1964 4:35,67 Min. Deutschland
1968 4:22,44 Min. Dänemark
1972 4:22,14 Min. Deutschland
1976 4:21,06 Min. Deutschland
1980 4:15,68 Min. UdSSR
1984 4:25,99 Min. Australien

Punktefahren

1984 Ilegems (Belgien)

Straßenrennen · Einzel

1896 Konstantinidis (Griechenland)
1912 Lewis (Südafrika)
1920 Stenquist (Schweden)
1924 Blanchonnet (Frankreich)
1928 Hansen (Dänemark)
1932 Pavesi (Italien)
1936 Charpentier (Frankreich)
1948 Beyaert (Frankreich)
1952 Noyelle (Belgien)
1956 Baldini (Italien)
1960 Kapitanow (UdSSR)
1964 Zanin (Italien)
1968 Vianelli (Italien)
1972 Kuiper (Holland)
1976 Johansson (Schweden)
1980 Suchorutschenkow (UdSSR)
1984 Grewal (USA)

100-km-Mannschaftszeitfahren

1912 Schweden
1920 Frankreich
1924 Frankreich
1928 Dänemark
1932 Italien
1936 Frankreich
1948 Belgien
1952 Belgien
1956 Frankreich
1960 Italien
1964 Niederlande
1968 Niederlande
1972 UdSSR
1976 UdSSR
1980 UdSSR
1984 Italien

Radsport Frauen

Straßenrennen

1984 Carpenter-Phinney (USA)

Schwimmen Männer

100 m Kraul

1896 1:22,2 Min. Hajos (Ungarn)
1904 1:02,8 Min. Halmay (Ungarn) 100 Yards
1908 1:05,6 Min. Daniels (USA)
1912 1:03,4 Min. Kahanamoku (USA)
1920 1:01,4 Min. Kahanamoku (USA)
1924 59,0 Sek. Weissmüller (USA)
1928 58,6 Sek. Weissmüller (USA)
1932 58,2 Sek. Miyazaki (Japan)
1936 57,6 Sek. Csik (Ungarn)
1948 57,3 Sek. Ris (USA)
1952 57,4 Sek. Scholes (USA)
1956 55,4 Sek. Henricks (Australien)
1960 55,2 Sek. Devitt (Australien)
1964 53,4 Sek. Schollander (USA)
1968 52,2 Sek. Wenden (Australien)
1972 51,22 Sek. Spitz (USA)
1976 49,99 Sek. Montgomery (USA)
1980 50,4 Sek. Woithe (DDR)
1984 49,8 Sek. Gaines (USA)

200 m Kraul

1900 2:25,2 Min. Lane (Australien)
1904 2:44,2 Min. Daniels (USA)
1968 1:55,2 Min. Wenden (Australien)
1972 1:52,78 Min. Spitz (USA)
1976 1:50,29 Min. Furniss (USA)
1980 1:49,81 Min. Kopljakow (UdSSR)
1984 1:47,44 Min. Groß (Deutschland)

400 m Kraul

1896 8:12,6 Min. Neumann (Österreich)
1904 6:16,2 Min. Daniels (USA)
1908 5:36,8 Min. Taylor (Großbritannien)
1912 5:24,4 Min. Hodgson (Kanada)
1920 5:26,8 Min. Ross (USA)
1924 5:04,2 Min. Weissmüller (USA)
1928 5:01,6 Min. Zorilla (Argentinien)
1932 4:48,4 Min. Crabbe (USA)
1936 4:44,5 Min. Medica (USA)
1948 4:41,0 Min. Smith (USA)
1952 4:30,7 Min. Boiteux (Frankreich)
1956 4:27,3 Min. Rose (Australien)
1960 4:18,3 Min. Rose (Australien)
1964 4:12,2 Min. Schollander (USA)
1968 4:09,0 Min. Burton (USA)
1972 4:00,27 Min. Cooper (Australien)
1976 3:51,93 Min. Goodell (USA)
1980 3:51,31 Min. Salnikow (UdSSR)
1984 3:51,23 Min. Dicarlo (USA)

1500 m Kraul

1896 18:22,2 Min. Hajos (Ungarn) 1200 m
1900 13:40,2 Min. Jarvis (Großbritannien) 1000 m
1904 27:18,2 Min. Rausch (Deutschland) 1 Meile
1908 22:48,4 Min. Taylor (Großbritannien)
1912 22:00,0 Min. Hodgson (Kanada)
1920 22:23,2 Min. Ross (USA)
1924 20:06,6 Min. Charlton (Australien)
1928 19:51,8 Min. Borg (Schweden)
1932 19:12,4 Min. Kitamura (Japan)
1936 19:13,7 Min. Terada (Japan)
1948 19:18,5 Min. McLane (USA)
1952 18:30,3 Min. Konno (USA)
1956 17:58,9 Min. Rose (Australien)
1960 17:19,6 Min. Konrads (Australien)
1964 17:01,7 Min. Windle (Australien)
1968 16:38,9 Min. Burton (USA)
1972 15:52,58 Min. Burton (USA)
1976 15:02,40 Min. Goodell (USA)
1980 14:58,27 Min. Salnikow (UdSSR)
1984 15:05,20 Min. O'Brien (USA)

100 m Rücken

1904 1:16,8 Min. Brack (Deutschland)
1908 1:24,6 Min. Bieberstein (Deutschland)
1912 1:21,2 Min. Hebner (USA)
1920 1:15,2 Min. Kealoha (USA)
1924 1:13,2 Min. Kealoha (USA)
1928 1:08,2 Min. Kojac (USA)
1932 1:08,6 Min. Kiyokawa (Japan)
1936 1:05,9 Min. Kiefer (USA)
1948 1:06,4 Min. Stack (USA)
1952 1:05,4 Min. Oyakawa (USA)
1956 1:02,2 Min. Theile (Australien)
1960 1:01,9 Min. Theile (Australien)
1968 58,7 Sek. Matthes (Ostdeutschland)
1972 56,58 Sek. Matthes (DDR)
1976 55,49 Sek. Naber (USA)
1980 56,63 Sek. Baron (Schweden)
1984 55,79 Sek. Carey (USA)

200 m Rücken

1900 2:47,0 Min. Hoppenberg (Deutschland)
1964 2:10,3 Min. Graef (USA)
1968 2:09,6 Min. Matthes (Ostdeutschland)
1972 2:02,82 Min. Matthes (DDR)
1976 1:59,19 Min. Naber (USA)
1980 2:01,93 Min. Wladar (Ungarn)
1984 2:00,23 Min. Carey (USA)

100 m Brust

1968 1:07,7 Min. McKenzie (USA)
1972 1:04,94 Min. Taguchi (Japan)
1976 1:03,11 Min. Hencken (USA)
1980 1:03,34 Min. Goodhew (Großbritannien)
1984 1:01,65 Min. Lundquist (USA)

200 m Brust

1908 3:09,2 Min. Holman (Großbritannien)
1912 3:01,8 Min. Bathe (Deutschland)
1920 3:04,4 Min. Malmroth (Schweden)
1924 2:56,6 Min. Skelton (USA)
1928 2:48,8 Min. Tsuruta (Japan)
1932 2:45,4 Min. Tsuruta (Japan)
1936 2:41,5 Min. Hamuro (Japan)
1948 2:39,3 Min. Verdeur (USA)
1952 2:34,4 Min. Davies (Australien)
1956 2:34,7 Min. Furukawa (Japan)
1960 2:37,4 Min. Mulliken (USA)
1964 2:27,8 Min. O'Brien (Australien)
1968 2:28,7 Min. Munoz (Mexiko)
1972 2:21,55 Min. Hencken (USA)
1976 2:15,11 Min. Wilkie (Großbritannien)
1980 2:15,85 Min. Schulpa (UdSSR)
1984 2:13,34 Min. Davis (Kanada)

100 m Delphin

1968 55,9 Sek. Russell (USA)
1972 54,27 Sek. Spitz (USA)
1976 54,35 Sek. Vogel (USA)
1980 54,92 Sek. Arvidsson (Schweden)
1984 53,08 Sek. Groß (Deutschland)

200 m Delphin

1956 2:19,3 Min. Yorzyk (USA)
1960 2:12,8 Min. Troy (USA)
1964 2:06,6 Min. Berry (Australien)
1968 2:08,7 Min. Robie (USA)
1972 2:00,70 Min. Spitz (USA)
1976 1:59,23 Min. Bruner (USA)
1980 1:59,76 Min. Fessenko (UdSSR)
1984 1:57,04 Min. Sieben (Australien)

200 m Lagen

1968 2:12.0 Min. Hickox (USA)
1972 2:07,17 Min. Larsson (Schweden)
1984 2:01,44 Min. Baumann (Kanada)

400 m Lagen

1964 4:45,4 Min. Roth (USA)
1968 4:48,4 Min. Hickcox (USA)
1972 4:31,981 Min. Larsson (Schweden)
1976 4:23,68 Min. Strachan (USA)
1980 4:22,89 Min. Sidorenko (UdSSR)
1984 4:17,41 Min. Baumann (Kanada)

4×100-m-Kraul-Staffel

1964 3:33,2 Min. USA
1968 3:31,7 Min. USA
1972 3:26,42 Min. USA
1984 3:19,03 Min. USA

4×200-m-Kraul-Staffel

1908 10:55,6 Min. Großbritannien
1912 10:11,6 Min. Australien
1920 10:04,4 Min. USA
1924 9:53,4 Min. USA
1928 9:36,2 Min. USA
1932 8:58,4 Min. Japan
1936 8:51,5 Min. Japan
1948 8:46,0 Min. USA
1952 8:31,1 Min. USA
1956 8:23,6 Min. Australien
1960 8:10,2 Min. USA
1964 7:52,1 Min. USA
1968 7:52,3 Min. USA
1972 7:35,78 Min. USA
1976 7:23,22 Min. USA
1980 7:23,5 Min. UdSSR
1984 7:15,69 Min. USA

4×100-m-Lagen-Staffel

1960 4:05,4 Min. USA
1964 3:58,4 Min. USA
1968 3:54,9 Min. USA
1972 3:48,16 Min. USA
1976 3:42,22 Min. USA
1980 3:45,7 Min. Australien
1984 3:39,30 Min. USA

Kunstspringen

1908 Zürner (Deutschland)
1912 Günther (Deutschland)
1920 Kuehn (USA)
1924 White (USA)
1928 Desjardins (USA)
1932 Galitzen (USA)
1936 Degener (USA)
1948 Harlan (USA)
1952 Browning (USA)
1956 Clotworthy (USA)
1960 Tobian (USA)
1964 Sitzberger (USA)
1968 Wrightson (USA)
1972 Wasin (UdSSR)
1976 Boggs (USA)
1980 Portnow (UdSSR)
1984 Louganis (USA)

Turmspringen

1904 Sheldon (USA)
1908 Johansson (Schweden)
1912 Adlerz (Schweden)
1920 Pinkston (USA)
1924 White (USA)
1928 Desjardins (USA)
1932 Smith (USA)
1936 Wayne (USA)
1948 Lee (USA)
1952 Lee (USA)
1956 Capilla (Mexiko)
1960 Webster (USA)
1964 Webster (USA)
1968 Dibiasi (Italien)
1972 Dibiasi (Italien)
1976 Dibiasi (Italien)
1980 Hoffmann (DDR)
1984 Louganis (USA)

Wasserball

1900 Großbritannien
1904 USA
1908 Großbritannien
1912 Großbritannien
1920 Großbritannien
1924 Frankreich
1928 Deutschland
1932 Ungarn
1936 Ungarn
1948 Italien
1952 Ungarn
1956 Ungarn
1960 Italien
1964 Ungarn
1968 Jugoslawien
1972 UdSSR
1976 Ungarn
1980 UdSSR
1984 Jugoslawien

Schwimmen Frauen

100 m Kraul

1912 1:22,2 Min. Durack (Australien)
1920 1:13,6 Min. Bleibtrey (USA)
1924 1:12,4 Min. Lackie (USA)
1928 1:11,0 Min. Osipowich (USA)
1932 1:06,8 Min. Madison (USA)
1936 1:05,9 Min. Mastenbroek (Holland)
1948 1:06,3 Min. Andersen (Dänemark)
1952 1:06,8 Min. Szöke (Ungarn)
1956 1:02,0 Min. Fraser (Australien)
1960 1:01,2 Min. Fraser (Australien)
1964 59,5 Sek. Fraser (Australien)
1968 1:00,0 Min. Henne (USA)
1972 58,59 Sek. Neilson (USA)
1976 55,65 Sek. Ender (DDR)
1980 54,79 Sek. Krause (DDR)
1984 55,92 Sek. Steinseifer (USA)

200 m Kraul

1968 2:10,5 Min. Meyer (USA)
1972 2:03,56 Min. Gould (Australien)
1976 1:59,26 Min. Ender (DDR)
1980 1:58,33 Min. Krause (DDR)
1984 1:59,23 Min. Wayte (USA)

400 m Kraul

1920 4:34,0 Min. Bleibtrey (USA 300 m)
1924 6:02,2 Min. Norelius (USA)
1928 5:42,8 Min. Norelius (USA)
1932 5:28,5 Min. Madison (USA)

1936 5:26,4 Min. Mastenbroek (Holland)
1948 5:17,8 Min. Curtis (USA)
1952 5:12,1 Min. Gyenge (Ungarn)
1956 4:54,6 Min. Crapp (Australien)
1960 4:50,6 Min. v. Saltza (USA)
1964 4:43,3 Min. Duenkel (USA)
1968 4:31,8 Min. Meyer (USA)
1972 4:19,04 Min. Gould (Australien)
1976 4:09,89 Min. Thümer (DDR)
1980 4:08,76 Min. Diers (DDR)
1984 4:07,10 Min. Cohen (USA)

800 m Kraul

1968 9:24,0 Min. Meyer (USA)
1972 8:53,68 Min. Rothhammer (USA)
1976 8:37,14 Min. Thümer (DDR)
1980 8:28,90 Min. Ford (Australien)
1984 8:24,95 Min. Cohen (USA)

100 m Rücken

1924 1:23,2 Min. Bauer (USA)
1928 1:22,0 Min. Braun (Holland)
1932 1:19,4 Min. Holm (USA)
1936 1:18,9 Min. Senff (Holland)
1948 1:14,4 Min. Harup (Dänemark)
1952 1:14,3 Min. Harrison (Südafrika)
1956 1:12,9 Min. Grinham (Großbritannien)
1960 1:09,3 Min. Burke (USA)
1964 1:07,7 Min. Ferguson (USA)
1968 1:06,2 Min. Hall (USA)
1972 1:05,78 Min. Belote (USA)
1976 1:01,83 Min. Richter (DDR)
1980 1:00,86 Min. Reinisch (DDR)
1984 1:02,55 Min. Andrews (USA)

200 m Rücken

1968 2:24,8 Min. Watson (USA)
1972 2:19,19 Min. Belote (USA)
1976 2:13,43 Min. Richter (DDR)
1980 2:11,77 Min. Reinisch (DDR)
1984 2:12,38 Min. de Rover (Holland)

100 m Delphin

1956 1:11,0 Min. Mann (USA)
1960 1:09,5 Min. Schuler (USA)
1964 1:04,7 Min. Stouder (USA)
1968 1:05,5 Min. McClements (Australien)
1972 1:03,34 Min. Aoki (Japan)
1976 1:00,13 Min. Ender (DDR)
1980 1:00,42 Min. Metschuck (DDR)
1984 0:59,26 Min. Meagher (USA)

200 m Delphin

1968 2:24,7 Min. Kok (Holland)
1972 2:15,57 Min. Moe (USA)
1976 2:11,41 Min. Pollack (DDR)
1980 2:10,44 Min. Geißler (DDR)
1984 2:06,90 Min. Meagher (USA)

100 m Brust

1968 1:15,8 Min. Bjedov (Jugoslawien)
1972 1:13,58 Min. Carr (USA)
1976 1:11,16 Min. Anke (DDR)
1980 1:10,22 Min. Geweniger (DDR)
1984 1:09,88 Min. v. Staveren (Holland)

200 m Brust

1924 3:33,2 Min. Morton (Großbritannien)
1928 3:12,6 Min. Schrader (Deutschland)
1932 3:06,3 Min. Dennis (Australien)
1936 3:03,6 Min. Maehata (Japan)
1948 2:57,2 Min. van Vliet (Holland)
1952 2:51,7 Min. Szekely (Ungarn)
1956 2:53,1 Min. Happe (Deutschland)
1960 2:49,5 Min. Lonsbrough (Großbritannien)
1964 2:46,4 Min. Prosumenschikowa (UdSSR)
1968 2:44,4 Min. Wichman (USA)
1972 2:41,71 Min. Whitfield (Australien)
1976 2:33,35 Min. Koschewaja (UdSSR)
1980 2:29,54 Min. Kaciusyte (UdSSR)
1984 2:30,38 Min. Ottenbrite (Kanada)

200 m Lagen

1968 2:24,7 Min. Kolb (USA)
1972 2:23,07 Min. Gould (USA)
1984 2:12,64 Min. Caulkins (USA)

400 m Lagen

1964 5:18,7 Min. de Varona (USA)
1968 5:08,5 Min. Kolb (USA)
1972 5:02,97 Min. Neall (Australien)
1976 4:42,77 Min. Tauber (DDR)
1980 4:36,29 Min. Schneider (DDR)
1984 4:39,24 Min. Caulkins (USA)

4×100-m-Kraul-Staffel

1912 5:52,8 Min. Großbritannien
1920 5:11,6 Min. USA
1924 4:58,8 Min. USA
1928 4:47,6 Min. USA
1932 4:38,0 Min. USA
1936 4:36,0 Min. Holland
1948 4:29,2 Min. USA
1952 4:24,4 Min. Ungarn
1956 4:17,1 Min. Australien
1960 4:08,9 Min. USA
1964 4:03,8 Min. USA
1968 4:02,5 Min. USA
1972 3:55,19 Min. USA
1976 3:44,82 Min. USA
1980 3:42,71 Min. DDR
1984 3:43,43 Min. USA

4×100-m-Lagen-Staffel

1960 4:41,1 Min. USA
1964 4:33,9 Min. USA
1968 4:28,3 Min. USA
1972 4:20,75 Min. USA
1976 4:07,95 Min. DDR
1980 4:06,67 Min. DDR
1984 4:08,34 Min. USA

Kunstspringen

1920 Riggin (USA)
1924 Becker (USA)
1928 Meany (USA)
1932 Coleman (USA)
1936 Gestring (USA)
1948 Draves (USA)
1952 McCormick (USA)
1956 McCormick (USA)
1960 Krämer (Deutschland)
1964 Engel-Krämer (Deutschland)
1968 Gossick (USA)
1972 King (USA)
1976 Chandler (USA)
1980 Kalinina (UdSSR)
1984 Bernier (Kanada)

Synchronschwimmen Einzel

1984 USA

Synchronschwimmen Duo

1984 USA

Turmspringen

1912 Johansson (Schweden)
1920 Fryland-Clausen (Dänemark)
1924 Smith (USA)
1928 Pinkston-Becker (USA)
1932 Poynton (USA)
1936 Hill-Poynton (USA)
1948 Draves (USA)
1952 McCormick (USA)
1956 McCormick (USA)
1960 Krämer (Deutschland)
1964 Bush (USA)
1968 Duchkova (Tschechoslowakei)
1972 Knape (Schweden)
1976 Waizechowskaja (UdSSR)
1980 Jäschke (DDR)
1984 Jihong Zhou (China)

Rudern Männer

Einer

1900 7:35,6 Min. Barrelet (Frankreich)
1904 10:08,5 Min. Greer (USA)
1908 9:26,0 Min. Blackstaffe (Großbritannien)
1912 7:47,6 Min. Kinnear (Großbritannien)
1920 7:35,0 Min. Kelly (USA)
1924 7:49,2 Min. Beresford (Großbritannien)
1928 7:11,0 Min. Pearce (Australien)
1932 7:44,4 Min. Pearce (Australien)
1936 8:21,5 Min. Schäfer (Deutschland)
1948 7:24,4 Min. Wood (Australien)
1952 8:12,8 Min. Tjukalow (UdSSR)
1956 8:02,5 Min. Iwanow (UdSSR)
1960 7:13,96 Min. Iwanow (UdSSR)
1964 8:22,51 Min. Iwanow (UdSSR)
1968 7:47,8 Min. Wienese (Holland)
1972 7:10,12 Min. Malischew (UdSSR)
1976 7:29,03 Min. Karppinen (Finnland)
1980 7:09,61 Min. Karppinen (Finnland)
1984 7:00,24 Min. Karppinen (Finnland)

Doppelzweier

1904 10:03,2 Min. USA
1920 7:09,0 Min. USA
1924 6:34,0 Min. USA
1928 6:41,4 Min. USA
1932 7:17,4 Min. USA
1936 7:20,8 Min. Großbritannien
1948 6:51,3 Min. Großbritannien
1952 7:32,2 Min. Argentinien
1956 7:24,0 Min. UdSSR
1960 6:47,5 Min. Tschechoslowakei
1964 7:10,66 Min. UdSSR
1968 6:51,82 Min. UdSSR
1972 7:01,77 Min. UdSSR
1976 7:13,20 Min. Norwegen
1980 6:24,33 Min. DDR
1984 6:36,87 Min. USA

Zweier ohne Steuermann

1908 9:41,0 Min. Großbritannien
1924 8:19,4 Min. Holland
1928 7:06,4 Min. Deutschland
1932 8:00,0 Min. Großbritannien
1936 8:16,1 Min. Deutschland
1948 7:21,1 Min. Großbritannien
1952 8:20,7 Min. USA
1956 7:55,4 Min. USA
1960 7:02,01 Min. UdSSR
1964 7:32,94 Min. Kanada
1968 7:26,56 Min. Ostdeutschland
1972 6:53,16 Min. DDR
1976 7:23,31 Min. DDR
1980 6:48,01 Min. DDR
1984 6:45,39 Min. Rumänien

Zweier mit Steuermann

1900 7:34,2 Min. Holland
1920 7:56,0 Min. Italien
1924 8:39,0 Min. Schweiz
1928 7:42,6 Min. Schweiz
1932 8:25,8 Min. USA
1936 8:36,9 Min. Deutschland
1948 8:00,5 Min. Dänemark
1952 8:28,6 Min. Frankreich
1956 8:26,1 Min. USA
1960 7:29,14 Min. Deutschland
1964 8:21,23 Min. USA
1968 8:04,81 Min. Italien
1972 7:17,25 Min. DDR
1976 7:58,99 Min. DDR
1980 7:02,54 Min. DDR
1984 7:05,99 Min. Italien

Doppelvierer

1976 6:18,65 Min. DDR
1980 5:49,81 Min. DDR
1984 5:57,55 Min. Deutschland

Vierer ohne Steuermann

1904 9:53,8 Min. USA
1908 8:34,0 Min. Großbritannien
1924 7:08,6 Min. Großbritannien
1928 6:36,0 Min. Großbritannien
1932 6:58,2 Min. Großbritannien
1936 7:01,8 Min. Deutschland
1948 6:39,0 Min. Italien
1952 7:16,0 Min. Jugoslawien
1956 7:08,8 Min. Kanada
1960 6:26,26 Min. USA
1964 6:59,30 Min. Dänemark
1968 6:39,18 Min. Ostdeutschland
1972 6:24,27 Min. DDR
1976 6:37,42 Min. DDR
1980 6:08,17 Min. DDR
1984 6:03,48 Min. Neuseeland

Vierer mit Steuermann

1900 5:59,0 Min. Deutschland
1912 6:59,4 Min. Deutschland
1920 6:54,0 Min. Schweiz
1924 7:18,4 Min. Schweiz
1928 6:47,8 Min. Italien
1932 7:19,0 Min. Deutschland
1936 7:16,2 Min. Deutschland
1948 6:50,3 Min. USA
1952 7:33,4 Min. Tschechoslowakei
1956 7:19,4 Min. Italien
1960 6:39,12 Min. Deutschland
1964 7:00,44 Min. Deutschland
1968 6:45,62 Min. Neuseeland
1972 6:31,85 Min. Deutschland
1976 6:40,22 Min. UdSSR
1980 6:14,51 Min. DDR
1984 6:18,64 Min. Großbritannien

Achter

1900 6:09,8 Min. USA
1904 7:50,0 Min. USA
1908 7:52,0 Min. Großbritannien
1912 6:15,0 Min. Großbritannien
1920 6:02,6 Min. USA
1924 6:33,4 Min. USA
1928 6:03,2 Min. USA
1932 6:37,6 Min. USA
1936 6:25,4 Min. USA
1948 5:56,7 Min. USA
1952 6:25,9 Min. USA
1956 6:35,2 Min. USA
1960 5:57,18 Min. Deutschland
1964 6:18,23 Min. USA
1968 6:07,00 Min. Deutschland
1972 6:08,94 Min. Neuseeland
1976 5:58,29 Min. DDR
1980 5:49,05 Min. DDR
1984 5:41,32 Min. Kanada

Rudern Frauen

Einer

1976 4:05,56 Min. Scheiblich (DDR)
1980 3:40,69 Min. Toma (Rumänien)
1984 3:40,68 Min. Racila (Rumänien)

Doppelzweier

1976 3:34,36 Min. Bulgarien
1980 3:16,27 Min. UdSSR
1984 3:26,77 Min. Rumänien

Zweier ohne Steuerfrau

1976 4:01,22 Min. Bulgarien
1980 3:30,49 Min. DDR
1984 3:32,60 Min. Rumänien

Doppelvierer

1976 3:29,99 Min. DDR
1980 3:15,32 Min. DDR
1984 3:14,11 Min. Rumänien

Vierer mit Steuerfrau

1976 3:45,08 Min. DDR
1980 3:19,27 Min. DDR
1984 3:19,38 Min. Rumänien

Achter

1976 3:33,32 Min. DDR
1980 3:03,32 Min. DDR
1984 2:59,80 Min. USA

Kanu Männer

Canadier – Einer 500 m

1976 1:59,23 Min. Rogow (UdSSR)
1980 1:53,37 Min. Postrechin (UdSSR)
1984 1:57,01 Min. Caine (Kanada)

Canadier – Einer 1000 m

1936 5:32,1 Min. Amyot (Kanada)
1948 5:42,0 Min. Holecek (Tschechoslowakei)
1952 4:56,3 Min. Holecek (Tschechoslowakei)
1956 5:05,3 Min. Rottmann (Rumänien)
1960 4:33,93 Min. Parti (Ungarn)
1964 4:35,14 Min. Eschert (Deutschland)
1968 4:36,14 Min. Tatai (Ungarn)
1972 4:08,94 Min. Patzaichin (Rumänien)
1976 4:09,51 Min. Ljubek (Jugoslawien)
1980 4:12,38 Min. Lubenov (Bulgarien)
1984 4:06,32 Min. Eicke (Deutschland)

Canadier – Zweier 500 m

1976 1:45,81 Min. UdSSR
1980 1:43,39 Min. Ungarn
1984 1:43,67 Min. Jugoslawien

Canadier – Zweier 1000 m

1936 4:50,1 Min. Tschechoslowakei
1948 5:07,1 Min. Tschechoslowakei
1952 4:38,3 Min. Dänemark
1956 4:47,4 Min. Rumänien
1960 4:17,94 Min. UdSSR
1964 4:04,64 Min. UdSSR
1968 4:07,18 Min. Rumänien
1972 3:52,60 Min. UdSSR
1976 3:52,76 Min. UdSSR
1980 3:47,65 Min. Rumänien
1984 3:40,60 Min. Rumänien

Kajak – Einer 500 m

1976 1:46,41 Min. Diba (Rumänien)
1980 1:43,43 Min. Parfenowitsch (UdSSR)
1984 1:47,84 Min. Ferguson (Neuseeland)

Kajak – Einer 1000 m

1936 4:22,9 Min. Hradetzky (Österreich)
1948 4:33,2 Min. Fredriksson (Schweden)
1952 4:07,9 Min. Fredriksson (Schweden)
1956 4:12,8 Min. Fredriksson (Schweden)
1960 3:53,0 Min. Hansen (Dänemark)
1964 3:57,13 Min. Petterson (Schweden)
1968 4:02,63 Min. Hesz (Ungarn)
1972 3:48,06 Min. Schaparenko (UdSSR)
1976 3:48,20 Min. Helm (DDR)
1980 3:48,77 Min. Helm (DDR)
1984 3:45,78 Min. Thompson (Neuseeland)

Kajak – Zweier 500 m

1976 1:35,87 Min. DDR
1980 1:32,38 Min. UdSSR
1984 1:34,21 Min. Neuseeland

Kajak – Zweier 1000 m

1936 4:03,8 Min. Österreich
1948 4:07,3 Min. Schweden
1952 3:51,1 Min. Finnland
1956 3:49,6 Min. Deutschland
1960 3:34,73 Min. Schweden
1964 3:38,54 Min. Schweden
1968 3:37,54 Min. UdSSR
1972 3:31,21 Min. UdSSR
1976 3:29,01 Min. UdSSR
1980 3:26,72 Min. UdSSR
1984 3:24,22 Min. Kanada

Kajak – Vierer 1000 m

1964 3:14,67 Min. UdSSR
1968 3:14,38 Min. Norwegen
1972 3:14,02 Min. UdSSR
1976 3:08,69 Min. UdSSR
1980 3:13,76 Min. DDR
1984 3:02,28 Min. Neuseeland

Kanu Frauen

Kajak – Einer 500 m

1948 2:31,9 Min. Hoff (Dänemark)
1952 2:18,4 Min. Saimo (Finnland)
1956 2:18,9 Min. Dementjewa (UdSSR)
1960 2:08,08 Min. Seredina (UdSSR)
1964 2:12,87 Min. Schwedosiuk (UdSSR)
1968 2:11,09 Min. Schwedosiuk (UdSSR)
1972 2:03,17 Min. Riabschinskaja (UdSSR)
1976 2:01,05 Min. Zirzow (DDR)
1980 1:57,96 Min. Fischer (DDR)
1984 1:58,72 Min. Andersson (Schweden)

Kajak – Zweier 500 m

1960 1:54,76 Min. UdSSR
1964 1:56,95 Min. Deutschland
1968 1:56,44 Min. Deutschland
1972 1:53,50 Min. UdSSR
1976 1:51,15 Min. UdSSR
1980 1:43,88 Min. DDR
1984 1:45,25 Min. Schweden

Kajak – Vierer 500 m

1984 1:38,34 Min. Rumänien

Segeln

Finn-Dinghy

1920 Hin/Hin (Holland, 12-Fuß-Dinghys) Richards/Hedberg (Großbritannien, 18-Fuß-Dinghys)
1924 Huybrechts (Belgien)
1928 Thorell (Schweden)
1932 Lebrun (Frankreich)
1936 Kagchelland (Holland)
1948 Elvström (Dänemark)
1952 Elvström (Dänemark)
1956 Elvström (Dänemark)
1960 Elvström (Dänemark)
1964 Kuhweide (Deutschland)
1968 Mankin (UdSSR)
1972 Maury (Frankreich)
1976 Schümann (DDR)
1980 Rechardt (Finnland)
1984 Koutts (Neuseeland)

Flying Dutchman

1960 Norwegen
1964 Neuseeland
1968 Großbritannien
1972 Großbritannien
1976 Deutschland
1980 Spanien
1984 USA

Star

1932 USA
1936 Deutschland
1948 USA
1952 Italien
1956 USA
1960 UdSSR
1964 Bahamas
1968 USA
1972 Australien
1976 nicht ausgetragen
1980 UdSSR
1984 USA

Soling

1972 USA
1976 Dänemark
1980 Dänemark
1984 USA

470er

1976 Deutschland
1980 Brasilien
1984 Spanien

Tornado

1976 Großbritannien
1980 Brasilien
1984 Neuseeland

Windglider (seit 1984)

1984 v. d. Berg (Holland)

Reiten

Dressur · Einzel

1912 Bonde (Schweden)
1920 Lundblad (Schweden)
1924 Linder (Schweden)
1928 von Langen (Deutschland)
1932 Lesage (Frankreich)
1936 Pollay (Deutschland)
1948 Moser (Schweiz)
1952 St. Cyr (Schweden)
1956 St. Cyr (Schweden)
1960 Filatow (UdSSR)
1964 Chammartin (Schweiz)
1968 Kisimow (UdSSR)
1972 Linsenhoff (Deutschland)

1976 Stückelberger (Schweiz)
1980 Elisabeth Theurer (Österreich)
1984 Klimke (Deutschland)

Dressur · Mannschaft

1928 Deutschland
1932 Frankreich
1936 Deutschland
1948 Frankreich
1952 Schweden
1956 Schweden
1964 Deutschland
1968 Deutschland
1972 UdSSR
1976 Deutschland
1980 UdSSR
1984 Deutschland

Jagdspringen (Einzel)

1900 Haegeman (Belgien)
1912 Cariou (Frankreich)
1920 Lequio (Italien)
1924 Gemuseus (Schweiz)
1928 Ventura (Tschechoslowakei)
1932 Nishi (Japan)
1936 Hasse (Deutschland)
1948 Cortes (Mexiko)
1952 d'Oriola (Frankreich)
1956 Winkler (Deutschland)
1960 d'Inzeo (Italien)
1964 d'Oriola (Frankreich)
1968 Steinkraus (USA)
1972 Mancinelli (Italien)
1976 Schockemöhle (Deutschland)
1980 Kowalczyk (Polen)
1984 Fargis (USA)

Jagdspringen · Mannschaft (Preis der Nationen)

1912 Schweden
1920 Schweden
1924 Schweden
1928 Spanien
1936 Deutschland
1948 Mexiko
1952 Großbritannien
1956 Deutschland
1960 Deutschland
1964 Deutschland
1968 Kanada
1972 Deutschland
1976 Frankreich
1980 UdSSR
1984 USA

Military · Einzel

1912 Nordlander (Schweden)
1920 Mörner (Schweden)
1924 von Zijp (Holland)
1928 de Mortanges (Holland)
1932 de Mortanges (Holland)
1936 Stubbendorf (Deutschland)
1948 Chevalier (Frankreich)
1952 von Blixen-Finecke (Schweden)
1956 Kastenman (Schweden)
1960 Morgan (Australien)
1964 Checcoli (Italien)
1968 Guyon (Frankreich)
1972 Meade (Großbritannien)
1976 Coffin (USA)
1980 Roman (Italien)
1984 Todd (Neuseeland)

Military · Mannschaft

1912 Schweden
1920 Schweden
1924 Holland
1928 Holland
1932 USA
1936 Deutschland
1948 USA
1952 Schweden
1956 Großbritannien
1960 Australien
1964 Italien
1968 Großbritannien
1972 Großbritannien
1976 USA
1980 UdSSR
1984 USA

Mit der Höchstpunktzahl zum Sieg! Dr. Klimke gewinnt die Goldmedaille in der Einzelwertung der Dressur.

Winterspiele

Skilauf nordisch Männer

15-km-Langlauf

bis 1952 18 km

1924 1:14:31 Std. Haug (Norwegen)
1928 1:37:01 Std. Gröttumsbraaten (Norwegen)
1932 1:23:07 Std. Utterström (Schweden)
1936 1:14:38 Std. Larsson (Schweden)
1948 1:13:50 Std. Lundström (Schweden)
1952 1:01:34 Std. Brenden (Norwegen)
1956 49:39 Min. Brenden (Norwegen)
1960 51:55 Min. Brusveen (Norwegen)
1964 50:54,1 Min. Maentyranta (Finnland)
1968 47:54,2 Min. Grönningen (Norwegen)
1972 45:28,24 Min. Lundbäck (Schweden)
1976 43:58,47 Min. Bajukow (UdSSR)
1980 41:57,63 Min. Wassberg (Schweden)
1984 41:25,6 Min. Svan (Schweden)

30-km-Langlauf

1956 1:44:06 Std. Hakulinen (Finnland)
1960 1:51:03,9 Std. Jernberg (Schweden)
1964 1:30:50,7 Std. Maentyranta (Finnland)
1968 1:35:39,2 Std. Nones (Italien)
1972 1:36:31,15 Std. Wedenin (UdSSR)
1976 1:30:29,38 Std. Saveljev (UdSSR)
1980 1:27:02,8 Std. Zimjatov (UdSSR)
1984 1:28:56,3 Std. Zimjatov (UdSSR)

50-km-Langlauf

1924 3:44:32 Std. Haug (Norwegen)
1928 4:52:03 Std. Hedlund (Schweden)
1932 4:28:00 Std. Saarinen (Finnland)
1936 3:30:11 Std. Viklund (Schweden)
1948 3:47:48 Std. Karlsson (Schweden)
1952 3:33:33 Std. Hakulinen (Finnland)
1956 2:50:27 Std. Jernberg (Schweden)
1960 2:59:06,3 Std. Hämäläinen (Finnland)
1964 2:43:52,6 Std. Jernberg (Schweden)
1968 2:28:45,8 Std. Ellefsäter (Norwegen)
1972 2:43:14,75 Std. Tyldum (Norwegen)
1976 2:37:30,05 Std. Formo (Norwegen)
1980 2:27:24,60 Std. Zimjatov (UdSSR)
1984 2:15:55,8 Std. Wassberg (Schweden)

4×10-km-Staffel

1936 2:41:33 Std. Finnland
1948 2:32:08 Std. Schweden
1952 2:20:16 Std. Finnland
1956 2:15:30 Std. UdSSR
1960 2:18:45,6 Std. Finnland
1964 2:18:34,6 Std. Schweden
1968 2:08:33,5 Std. Norwegen
1972 2:04:47,94 Std. UdSSR
1976 2:07:59,72 Std. Finnland
1980 1:57:03,46 Std. UdSSR
1984 1:55:06,3 Std. Schweden

Biathlon · 10 km

1980 32:10,69 Min. Ullrich (DDR)
1984 30:58,8 Min. Kvalvoss (Norwegen)

Biathlon · 20 km

1960 1:33:21,6 Std. Lestander (Schweden)
1964 1:20:26,8 Std. Melanin (UdSSR)
1968 1:13:45,9 Std. Solberg (Norwegen)
1972 1:15:55,5 Std. Solberg (Norwegen)
1976 1:14:12,26 Std. Kruglow (UdSSR)
1980 1:08:16,31 Std. Aljabiev (UdSSR)
1984 1:11:52,7 Std. Angerer (Deutschland)

Biathlon · Staffel

1968 2:13:02,4 Std. UdSSR
1972 1:51:44,92 Std. UdSSR
1976 1:57:55,64 Std. UdSSR
1980 1:34:03,27 Std. UdSSR
1984 1:38:51,7 Std. UdSSR

Skispringen · 70-m-Schanze

1924 227,5 Pkt. Thams (Norwegen)
1928 230,5 Pkt. Andersen (Norwegen)
1932 228,0 Pkt. Ruud (Norwegen)
1936 232,0 Pkt. Ruud (Norwegen)
1948 228,1 Pkt. Hugsted (Norwegen)
1952 226,0 Pkt. Bergmann (Norwegen)
1956 227,0 Pkt. Hyvärinen (Finnland)
1960 227,2 Pkt. Recknagel (Deutschland)
1964 229,9 Pkt. Kankkonen (Finnland)
1968 216,5 Pkt. Raska (Tschechoslowakei)
1972 244,2 Pkt. Kasaya (Japan)
1976 252,0 Pkt. Aschenbach (DDR)
1980 266,3 Pkt. Innauer (Österreich)
1984 215,7 Pkt. Weißflog (DDR)

Skispringen · 90-m-Schanze

1964 230,7 Pkt. Engan (Norwegen)
1968 231,3 Pkt. Beloussow (UdSSR)
1972 219,9 Pkt. Fortuna (Polen)
1976 234,8 Pkt. Schnabl (Österreich)
1980 271,0 Pkt. Törmanen (Finnland)
1984 231,2 Pkt. Nykänen (Finnland)

Nordische Kombination

1924 453,8 Pkt. Haug (Norwegen)
1928 427,8 Pkt. Gröttumsbraaten (Norwegen)
1932 446,0 Pkt. Gröttumsbraaten (Norwegen)
1936 430,3 Pkt. Hagen (Norwegen)
1948 448,8 Pkt. Hasu (Finnland)
1952 451,6 Pkt. Slättvik (Norwegen)
1956 455,0 Pkt. Stenersen (Norwegen)
1960 457,9 Pkt. Thoma (Deutschland)
1964 469,28 Pkt. Knutsen (Norwegen)
1968 449,04 Pkt. Keller (Deutschland)
1972 413,34 Pkt. Wehling (DDR)
1976 423,39 Pkt. Wehling (DDR)
1980 432,20 Pkt. Wehling (DDR)
1984 422,595 Pkt. Sandberg (Norwegen)

Skilauf nordisch Frauen

5-km-Langlauf

1964 17:50,5 Min. Bojarskich (UdSSR)
1968 16:45,2 Min. Gustafsson (Schweden)
1972 17:00,5 Min. Kulakowa (UdSSR)
1976 15:48,69 Min. Takalo (Finnland)
1980 15:06,92 Min. Smetanina (UdSSR)
1984 17:04,0 Min. Hämäläinen (Finnland)

10-km-Langlauf

1952 41:40 Min. Wideman (Finnland)
1956 38:11 Min. Kosyrewa (UdSSR)
1960 39:46,6 Min. Gusakowa (UdSSR)
1964 40:24,3 Min. Bojarskich (UdSSR)
1968 36:46,5 Min. Gustafsson (Schweden)
1972 34:17,82 Min. Kulakowa (UdSSR)
1976 30:13,41 Min. Smetanina (UdSSR)
1980 30:31,54 Min. Petzold (DDR)
1984 31:44,2 Min. Hämäläinen (Finnland)

20-km-Langlauf

1984 1:01:45,0 Std. Hämäläinen (Finnland)

3×5-km-Staffel

1956 1:09:01 Std. Finnland
1960 1:04:21,4 Std. Schweden
1964 59:20,2 Min. UdSSR
1968 57:30,0 Min. Norwegen
1972 48:46,15 Min. UdSSR

4×5-km-Staffel

1976 1:07:49,75 Std. UdSSR
1980 1:02:11,1 Std. DDR
1984 1:06:49,7 Std. Norwegen

Skilauf alpin Männer

Abfahrtslauf

1948 2:55,0 Min. Oreiller (Frankreich)
1952 2:30,8 Min. Colo (Italien)
1956 2:52,2 Min. Sailer (Österreich)
1960 2:06,0 Min. Vuarnet (Frankreich)
1964 2:18,16 Min. Zimmermann (Österreich)
1968 1:59,85 Min. Killy (Frankreich)
1972 1:51,43 Min. Russi (Schweiz)
1976 1:45,73 Min. Klammer (Österreich)
1980 1:45,5 Min. Stock (Österreich)
1984 1:45,59 Min. Johnson (USA)

Riesenslalom

1952 2:25,0 Min. Eriksen (Norwegen)
1956 3:00,1 Min. Sailer (Österreich)
1960 1:48,3 Min. Staub (Schweiz)
1964 1:46,71 Min. Bonlieu (Frankreich)
1968 3:29,28 Min. Killy (Frankreich)
1972 3:09,62 Min. G. Thöni (Italien)
1976 3:26,97 Min. Hemmi (Schweiz)
1980 2:40,74 Min. Stenmark (Schweden)
1984 2:41,18 Min. Julen (Schweiz)

Slalom

1948 2:10,3 Min. Reinalter (Schweiz)
1952 2:00,0 Min. Schneider (Österreich)
1956 3:14,7 Min. Sailer (Österreich)
1960 2:08,9 Min. Hinterseer (Österreich)
1964 2:11,13 Min. Stiegler (Österreich)
1968 1:39,73 Min. Killy (Frankreich)
1972 1:09,27 Min. Ochoa (Spanien)
1976 2:03,29 Min. Gros (Italien)
1980 1:44,26 Min. Stenmark (Schweden)
1984 1:39,41 Min. Phil Mahre (USA)

Skilauf alpin Frauen

Abfahrtslauf

1948 2:28,3 Min. Schlunegger (Schweiz)
1952 1:47,1 Min. Jochum-Beiser (Österreich)
1956 1:40,7 Min. Berthod (Schweiz)
1960 1:37,6 Min. Biebl (Deutschland)
1964 1:55,39 Min. Haas (Österreich)
1968 1:40,87 Min. Pall (Österreich)
1972 1:36,68 Min. Nadig (Schweiz)
1976 1:46,16 Min. Mittermaier (Deutschland)
1980 1:37,52 Min. Moser (Österreich)
1984 1:13,36 Min. Figini (Schweiz)

Riesenslalom

1952 2:06,8 Min. Mead-Lawrence (USA)
1956 1:56,5 Min. Reichert (Deutschland)
1960 1:39,9 Min. Ruegg (Schweiz)
1964 1:52,24 Min. M. Goitschel (Frankreich)
1968 1:51,97 Min. Greene (Kanada)
1972 1:29,90 Min. Nadig (Schweiz)
1976 1:29,13 Min. Kreiner (Kanada)
1980 2:41,66 Min. Wenzel (Liechtenstein)
1984 2:20,98 Min. Armstrong (USA)

Slalom

1948 1:57,2 Min. Frazer (USA)
1952 2:10,6 Min. Mead-Lawrence (USA)
1956 1:52,3 Min. Colliard (Schweiz)
1960 1:49,6 Min. Heggtveit (Kanada)
1964 1:29,86 Min. Ch. Goitschel (Frankreich)
1968 1:25,86 Min. M. Goitschel (Frankreich)
1972 1:31,24 Min. Cochran (USA)
1976 1:30,54 Min. Mittermaier (Deutschland)
1980 1:25,09 Min. Wenzel (Liechtenstein)
1984 1:36,47 Min. Magoni (Italien)

Eisschnellauf Männer

500 m

1924 44,0 Sek. Jewtraw (USA)
1928 43,4 Sek. Thunberg (Finnland) Evensen (Norwegen)
1932 43,4 Sek. Shea (USA)
1936 43,3 Sek. Ballangrud (Norwegen)
1948 43,1 Sek. Helgesen (Norwegen)
1952 43,2 Sek. Henry (USA)
1956 40,2 Sek. Grischin (UdSSR)
1960 40,2 Sek. Grischin (UdSSR)
1964 40,1 Sek. McDermott (USA)
1968 40,3 Sek. Keller (Deutschland)
1972 39,44 Sek. Keller (Deutschland)
1976 39,17 Sek. Kulkinow (UdSSR)
1980 38,03 Sek. Heiden (USA)
1984 38,19 Sek. Fokitchew (UdSSR)

1000 m

1976 1:19,32 Min. Mueller (USA)
1980 1:15,18 Min. Heiden (USA)
1984 1:15,80 Min. Boucher (Kanada)

1500 m

1924 2:20,8 Min. Thunberg (Finnland)
1928 2:21,1 Min. Thunberg (Finnland)
1932 2:57,5 Min. Shea (USA)
1936 2:19,2 Min. Mathiesen (Norwegen)
1948 2:17,8 Min. Farstad (Norwegen)

1952 2:20,4 Min. Andersen (Norwegen)
1956 2:08,6 Min. Grischin (UdSSR)
und Michailow (UdSSR)
1960 2:10,4 Min. Grischin (UdSSR)
und Aas (Norwegen)
1964 2:10,3 Min. Antson (UdSSR)
1968 2:03,4 Min. Verkerk (Holland)
1972 2:02,96 Min. Schenk (Holland)
1976 1:59,38 Min. Storholt (Norwegen)
1980 1:55,44 Min. Heiden (USA)
1984 1:58,36 Min. Boucher (Kanada)

5000 m

1924 8:39,0 Min. Thunberg (Finnland)
1928 8:50,5 Min. Ballangrud (Norwegen)
1932 9:40,8 Min. Jaffee (USA)
1936 8:19,6 Min. Ballangrud (Norwegen)
1948 8:29,4 Min. Liaklev (Norwegen)
1952 8:10,6 Min. Andersen (Norwegen)
1956 7:48,7 Min. Schilkow (UdSSR)
1960 7:51,3 Min. Kossitschkin (UdSSR)
1964 7:38,4 Min. Johannesen (Norwegen)
1968 7:22,4 Min. Maier (Norwegen)
1972 7:23,61 Min. Schenk (Holland)
1976 7:24,48 Min. Stensen (Norwegen)
1980 7:02,29 Min. Heiden (USA)
1984 7:12,28 Min. Gustafson (Schweden)

10 000 m

1924 18:04,8 Min. Skutnaab (Finnland)
1932 19:13,6 Min. Jaffee (USA)
1936 17:24,3 Min. Ballangrud (Norwegen)
1948 17:26,3 Min. Seyffarth (Schweden)
1952 16:45,3 Min. Andersen (Norwegen)
1956 16:35,9 Min. Ericsson (Schweden)
1960 15:46,6 Min. Johannesen (Norwegen)
1964 15:50,1 Min. Nilsson (Schweden)
1968 15:23,6 Min. Hoeglin (Schweden)
1972 15:01,35 Min. Schenk (Holland)
1976 14:50,59 Min. Kleine (Holland)
1980 14:28,13 Min. Heiden (USA)
1984 14:39,90 Min. Malkow (UdSSR)

Eisschnellauf Frauen

500 m

1960 45,9 Sek. Haase (Deutschland)
1964 45,0 Sek. Skoblikowa (UdSSR)
1968 46,1 Sek. Titowa (UdSSR)
1972 43,33 Sek. Henning (USA)
1976 42,76 Sek. Young (USA)
1980 41,78 Sek. Enke (DDR)
1984 41,02 Sek. Rothenburger (DDR)

1000 m

1960 1:34,1 Min. Gusewa (UdSSR)
1964 1:33,2 Min. Skoblikowa (UdSSR)
1968 1:32,6 Min. Geijssen (Holland)
1972 1:34,40 Min. Pflug (Deutschland)
1976 1:28,43 Min. Awerina (UdSSR)
1980 1:24,10 Min. Petrusewa (UdSSR)
1984 1:21,61 Min. Enke (DDR)

1500 m

1960 2:25,2 Min. Skoblikowa (UdSSR)
1964 2:22,6 Min. Skoblikowa (UdSSR)
1968 2:22,4 Min. Mustonen (Finnland)
1972 2:20,85 Min. Holum (USA)
1976 2:16,58 Min. Stepanskaja (UdSSR)
1980 2:10,95 Min. Borckink (Holland)
1984 2:03,42 Min. Enke (DDR)

3000 m

1960 5:14,3 Min. Skoblikowa (UdSSR)
1964 5:14,9 Min. Skoblikowa (UdSSR)
1968 4:56,2 Min. Schut (Holland)
1972 4:52,14 Min. Baas-Kaiser (Holland)
1976 4:45,19 Min. Awerina (UdSSR)
1980 4:32,13 Min. Jensen (Norwegen)
1984 4:24,79 Min. Schöne (DDR)

Eiskunstlauf Männer

1908 Salchow (Schweden)
1920 Grafstroem (Schweden)
1924 Grafstroem (Schweden)
1928 Grafstroem (Schweden)
1932 Schäfer (Österreich)
1936 Schäfer (Österreich)
1948 Button (USA)
1952 Button (USA)
1956 A. Jenkins (USA)
1960 D. Jenkins (USA)
1964 Schnelldorfer (Deutschland)
1968 Schwarz (Österreich)
1972 Nepela (Tschechoslowakei)
1976 Curry (Großbritannien)
1980 Cousins (Großbritannien)
1984 Hamilton (USA)

Eiskunstlauf Frauen

1908 Syers (Großbritannien)
1920 Julin-Mauroy (Schweden)
1924 Planck-Szabo (Österreich)
1928 Henie (Norwegen)
1932 Henie (Norwegen)
1936 Henie (Norwegen)
1948 Scott (Kanada)
1952 Altwegg (Großbritannien)
1956 Albright (USA)
1960 Heiss (USA)
1964 Dijkstra (Holland)
1968 Fleming (USA)
1972 Schuba (Österreich)
1976 Hamill (USA)
1980 Pötzsch (DDR)
1984 Witt (DDR)

Eiskunstlauf Paare

1908 Hübler/Burger (Deutschland)
1920 Jakobsson/Jakobsson (Finnland)
1924 Engelmann/Berger (Österreich)
1928 Joly/Brunet (Frankreich)
1932 Ehepaar Brunet (Frankreich)
1936 Herber/Baier (Deutschland)
1948 Lannoy/Baugniet (Belgien)
1952 Baran/Falk (Deutschland)
1956 Schwarz/Oppelt (Österreich)
1960 Wagner/Paul (Kanada)
1964 Beloussowa/Protopopow (UdSSR)
1968 Beloussowa/Protopopow (UdSSR)
1972 Rodnina/Ulanow (UdSSR)
1976 Rodnina/Saizew (UdSSR)
1980 Rodnina/Saizew (UdSSR)
1984 Walowa/Wassiliew (UdSSR)

Eistanz

1976 Pachomowa/Gorschkow (UdSSR)
1980 Linichuk/Karponosov (UdSSR)
1984 Torvill/Dean (Großbritannien)

Eishockey

1924 Kanada
1928 Kanada
1932 Kanada
1936 Großbritannien
1948 Kanada
1952 Kanada
1956 UdSSR
1960 USA
1964 UdSSR
1968 UdSSR
1972 UdSSR
1976 UdSSR
1980 USA
1984 UdSSR

Rodeln Männer

Einsitzer

1964 3:26,77 Min. Köhler (Deutschland)
1968 2:52,48 Min. Schmid (Österreich)
1972 3:27,58 Min. Scheidel (DDR)
1976 3:27,688 Min. Günther (DDR)
1980 2:54,796 Min. Glass (DDR)
1984 3:04,258 Min. Hildgartner (Italien)

Doppelsitzer

1964 1:41,62 Min. Feistmantl/Stengl (Österreich)
1968 1:35,85 Min. Bonsack/Köhler (DDR)
1972 1:28,35 Min. Hildgartner/Plaikner (Italien)
und Hörnlein/Bredow (DDR)
1976 1:25,604 Min. Rinn/Hahn (DDR)
1980 1:19,331 Min. Rinn/Hahn (DDR)
1984 1:23,620 Min. Stanggassinger/Wembacher (Deutschland)

Rodeln Frauen

Einsitzer

1964 3:24,67 Min. Enderlein (Deutschland)
1968 2:28,66 Min. Lechner (Italien)
1972 2:59,18 Min. Müller (DDR)
1976 2:50,621 Min. Schumann (DDR)
1980 2:36,537 Min. Zozulia (UdSSR)
1984 2:46,570 Min. Martin (DDR)

Bob

Zweierbob

1932 8:14,74 Min. USA I
1936 5:29,29 Min. USA I
1948 5:29,02 Min. Schweiz II
1952 5:24,54 Min. Deutschland I
1956 5:30,14 Min. Italien II
1964 4:21,90 Min. Großbritannien I
1968 4:41,54 Min. Italien I
1972 4:57,07 Min. Deutschland II
1976 3:44,42 Min. DDR II
1980 4:09,3 Min. Schweiz II
1984 3:25,65 Min. DDR II

Viererbob

1924 5:45,54 Min. Schweiz
1932 7:53,68 Min. USA I
1936 5:19,85 Min. Schweiz II
1948 5:20,1 Min. USA II
1952 5:07,84 Min. Deutschland I
1956 5:10,44 Min. Schweiz I
1964 4:14,46 Min. Kanada I
1968 2:17,39 Min. Italien I
1972 4:43,07 Min. Schweiz I
1976 3:40,43 Min. DDR I
1980 3:59,9 Min. DDR I
1984 3:20,22 Min. DDR I

Abkürzungen

der gemeldeten Nationen

AFG Afghanistan
AHO Niederländische Antillen
ALB Albanien
ALG Algerien
AND Andorra
ANG Angola
ANT Antigua
ARG Argentinien
ARS Saudi-Arabien
AUS Australien
AUT Österreich

BAH Bahamas
BAN Bangladesch
BAR Barbados
BEL Belgien
BEN Benin
BER Bermudas
BHU Bhutan
BIR Burma
BIZ Belize (ehem. Brit. Honduras)
BOL Bolivien
BOT Botswana
BRA Brasilien
BRN Bahrein
BUL Bulgarien

CAF Zentralafrikanische Republik
CAN Kanada
CAY Cayman Islands
CEY Ceylon
CGO Kongo (Brazzaville)
CHA Tschad
CHI Chile
CHN Volksrepublik China
CIV Elfenbeinküste
CMR Kamerun
COL Kolumbien
CRC Costa Rica
CUB Kuba
CYP Zypern

DAH Dahomey
DEN Dänemark
DOM Dominikanische Republik

ECU Ecuador
EGY Ägypten
ESA El Salvador
ESP Spanien
ETH Äthiopien

FIJ Fidschi-Inseln
FIN Finnland
FRA Frankreich

GAB Gabun
GAM Gambia
GBR Großbritannien
GDR DDR
GER Bundesrepublik Deutschland
GHA Ghana
GRE Griechenland
GRN Grenada
GUA Guatemala
GUI Guinea
GUY Guayana

HAI Haiti
HKG Hongkong
HOL Holland
HON Honduras
HUN Ungarn

INA Indonesien
IND Indien
IRL Irland
IRN Iran
IRQ Irak
ISL Island
ISR Israel
ISV Jungfern-Inseln
ITA Italien
IVB Jungfern-Inseln (brit.)

JAM Jamaika
JOR Jordanien
JPN Japan

KEN Kenia
KHM Kambodscha
KOR Südkorea
KUW Kuwait

LAO Laos
LBA Libyen
LBR Liberia
LES Lesotho
LIB Libanon
LIE Liechtenstein
LUX Luxemburg

MAD Madagaskar
MAL Malaysia
MAR Marokko
MAW Malawi
MEX Mexiko
MGL Mongolei
MLI Mali
MLT Malta
MON Monaco
MOZ Mosambik
MRI Mauritius
MTN Mauretanien

NCA Nicaragua
NEP Nepal
NGR Nigeria
NGY Papua-Neuguinea
NIG Niger
NOR Norwegen
NZL Neuseeland

OMA Oman

PAK Pakistan
PAN Panama
PAR Paraguay
PER Peru
PHI Philippinen
POL Polen
POR Portugal
PRK Nordkorea
PUR Puerto Rico

QAT Katar

ROM Rumänien
RWA Ruanda

SAL El Salvador
SAM Westsamoa
SAU Saudi-Arabien
SEN Senegal
SEY Seychellen
SIN Singapur
SLE Sierra Leone
SMR San Marino
SOL Solomonen
SOM Somalia
SRI Sri Lanka
SUD Sudan
SUI Schweiz
SUR Surinam
SWE Schweden
SWZ Swasiland
SYR Syrien

TAN Tansania
TCH Tschechoslowakei
THA Thailand
TOG Togo
TPE Nationalchina
TRI Trinidad und Tobago
TUN Tunesien
TUR Türkei

UAE Vereinigte Arabische Emirate
UGA Uganda
URS UdSSR
URU Uruguay
USA Vereinigte Staaten von Amerika

VEN Venezuela
VIE Vietnam
VOL Obervolta

YAR Arabische Republik Jemen
YMD Volksrepublik Jemen
YUG Jugoslawien

ZAI Zaire
ZAM Sambia
ZIM Zimbabwe

IMPRESSUM

Herausgeber Harry Valérien

Redaktion und Mitarbeiter
Dr. Christian Zentner

Dr. Reinhard Barth
Friedemann Bedürftig
Hans Eiberle
Hanns Joachim Friedrichs
Heidi Gasteiger
Axel Hacke
Fritz Heimann
Doris Henkel
Hansjürgen Jendral
Walter Lutz
Christine Madl
Joachim Merk
Josef Metzger
Werner Olzem
Ludger Schulze
Heinz Vogel
Ben Wett
Gerrit Wöckener

Layout Manfred Metzger

Fotos
Lorenz Bader
Deutsche Presse-Agentur
FMS
Minkoff
M. Mühlberger
Rauchensteiner
Herbert Rudel
Schreier
Sven Simon

Schutzumschlag Manfred Metzger

Tabellen und Ergebnisse Nach offiziellen Protokollen der Olympischen Spiele und nach Erich Kamper, Enzyklopädie der Olympischen Spiele

Copyright Südwest Verlag München GmbH & Co. KG

1. Auflage 1.–200. Tausend 1984
ISBN 3-517-00818-4

Papier 115 g/m^2 holzfrei matt BRO, zweiseitig maschinengestrichen Scheufelen, Oberlenningen

Satz Wenschow-Franzis-Druck GmbH, München

Repro Wenschow-Franzis-Druck GmbH, München

Druck und Bindung R. Oldenbourg, München

LOS ANGELES

Redaktion	Basketball
Fritz Heimann	Bogenschießen
Redaktion	Boxen
Redaktion	Fechten
Hans Eiberle	Fußball
Fritz Heimann	Gewichtheben
Redaktion	Handball
Axel Hacke	Hockey
Fritz Heimann	Judo
Redaktion	Kanu
Redaktion	Kunst- und Turmspringen
Hans Eiberle / Axel Hacke / Heinz Vogel	Leichtathletik
Fritz Heimann	Moderner Fünfkampf
Hansjürgen Jendral	Radfahren
Gerrit Wöckener	Reiten
Redaktion	Rhythmische Gymnastik
Hansjürgen Jendral	Rudern
Fritz Heimann	Schießen
Harry Valérien	Schwimmen
Redaktion	Segeln
Doris Henkel	Synchronschwimmen
Axel Hacke	Turnen
Redaktion	Volleyball
Redaktion	Wasserball

Harry Valérien	Rückblick auf Los Angeles
Hanns Joachim Friedrichs	Amerika und die Spiele
Hans Eiberle	Carl Lewis
Walter Lutz	Bilanz Schweiz
Josef Metzger	Bilanz Österreich
Christian Graf von Krockow	Politik und Olympia
Hansjürgen Jendral	Los Angeles 1932

SARAJEVO

Harry Valérien	Alpine Wettbewerbe
Redaktion	Bob
Hansjürgen Jendral	Eishockey
Werner Olzem	Eiskunstlauf
Hans Eiberle und Fritz Heimann	Nordische Wettbewerbe
Redaktion	Rodeln
Hans Eiberle	Skispringen

Harry Valérien	Rückblick auf Sarajevo
Walter Lutz	Bilanz Schweiz
Josef Metzger	Bilanz Österreich